Cuba

La Havane.
Delpixart/iStock

Les régions du guide :
(voir la carte à l'intérieur de la couverture ci-contre)

D1264332

SOMMAIRE

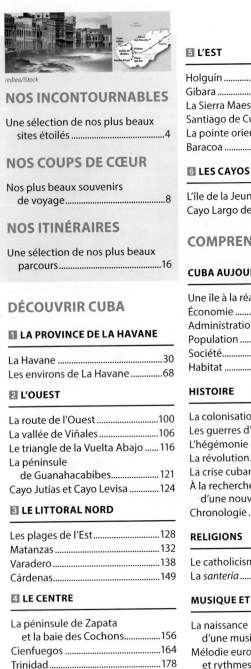

redtea/iStock

NOS INCONTOURNABLES

NOS COUPS DE CŒUR

NOS ITINÉRAIRES

DÉCOUVRIR CUBA

1 LA PROVINCE DE LA HAVANE

2 L'OUEST

3 LE LITTORAL NORD

4 LE CENTRE

5 L'EST

6 LES CAYOS

COMPRENDRE CUBA

CUBA AUJOURD'HUI

HISTOIRE

RELIGIONS

MUSIQUE ET DANSE

POUR CHAQUE SITE,
RETROUVEZ
NOS ADRESSES 😊

NOS INCONTOURNABLES

★★★ Vaut le voyage   ★★ Mérite un détour   ★ Intéressant

★★★
Trinidad

Inscrite comme La Havane au Patrimoine mondial par l'Unesco, un bijou d'architecture coloniale et des rues colorées où il fait si bon flâner. **Voir p. 178.**

J. Sweeney/AWL Images/Getty Images

★★
Cayo Largo del Sur

Des plages avec du sable fin comme du talc, un ensoleillement incomparable, et quelques flamants roses ou pélicans : l'une des plus somptueuses cartes postales des Caraïbes. **Voir p. 317.**

shalamov/iStock

La Havane

Une ville éminemment attachante, bouillonnante de vie et d'énergie, faite de quartiers aux visages très différents. Il sera difficile de venir à bout de son patrimoine, d'une richesse littéralement renversante ! **Voir p. 30**.

FOTOGRAFIA INC./iStock

Vallée de Viñales

La soudaine apparition des *mogotes*, formations géologiques rocheuses couvertes de végétation, est un spectacle féerique. **Voir p. 106**.

mbbirdy/iStock

Santiago de Cuba

La « ville de la Révolution » est aussi celle de toutes les musiques ; ici bat l'âme cubaine, sans fard ni faux-semblants. Un véritable concentré de l'île ! **Voir p. 260**.

Maurizio De Mattei/Shutterstock.com

Baracoa

Meurtrie par l'ouragan de 2016, la cité des confins de l'Oriente se relève déjà. La violence des éléments n'effacera jamais son identité si particulière et son irrésistible parfum d'ailleurs. **Voir p. 293.**

alxpin/iStock

Camagüey

Avec son labyrinthe de rues conçu pour égarer les pirates, la « cité des Églises », au patrimoine joliment mis en valeur, offre une balade agréable. **Voir p. 224.**

Fotos593/Shutterstock.com

Konstantin Aksenov/iStock

Cienfuegos

La bien nommée « perle du Sud », classée par l'Unesco. Située au bord d'une grande baie, elle séduit par son urbanisme 1900 et par son élégance toute provinciale. **Voir p. 164.**

Cayo Guillermo

L'îlot possède une plage idyllique, parfait résumé des Caraïbes avec cocotiers, sable blanc et eaux d'une incroyable transparence. **Voir p. 220.**

Tupungato/Shutterstock.com

Péninsule de Guanahacabibes

Une réserve naturelle protégée par l'Unesco où la vie, tant végétale qu'animale, s'épanouit avec une exubérance folle. *Last but not least*, les plages ici sont quasiment désertes… **Voir p. 121.**

W. Poelzer/WaterFrame/age fotostock

Base-ball dans les rues de Trinidad.
T. White/Sime/Photononstop

TOP 5 **Villes coloniales**

Cathédrale de Cienfuegos.
C. Canbay/age fotostock

♥ **Danser la salsa,** à la Casa de la Música de Trinidad, en se déhanchant comme un damné sur les rythmes chaloupés qui font tout le sel de la musique afro-cubaine. Un peu raide au niveau du bassin ? Pas de problème, vos partenaires sauront vous guider dans la bonne humeur ! **Voir p. 195.**

♥ **Assister à un match de béisbol,** à Santiago de Cuba, c'est l'assurance de s'immerger dans une ambiance 100 % cubaine, sans le moindre touriste à l'horizon. Prévoir des foules d'autant plus en délire que certains spectateurs ont parié gros sur leur équipe favorite ! **Voir p. 285.**

♥ **Dîner dans une casa particular,** dans le patio aéré d'une ancienne demeure coloniale, à l'écart de l'agitation, servi par une adorable *abuela* (« grand-mère ») qui aura mis tout son cœur et tout son savoir-faire pour vous concocter le plus délicieux (et le plus pantagruélique) des repas. La même sera à pied d'œuvre le matin, à l'heure du petit-déjeuner ! **Voir p. 404.**

♥ **Aller au Gran Teatro de La Habana,** récemment restauré, pour assister à une représentation du mythique Ballet national de Cuba, créé par Alicia Alonso, l'une des figures emblématiques de la révolution cubaine. **Voir p. 54.**

Salsa !
R. Monk/Photolibrary/Getty Images

Gibara.
hmeier/iStock

❤ **Goûter à l'atmosphère de bout du monde** de Gibara, humble village de pêcheurs où Christophe Colomb aurait accosté en 1492. Rares sont les visiteurs qui s'aventurent jusque-là, vous pourrez donc y profiter d'une quiétude absolue. **Voir p. 247.**

❤ **Pratiquer le snorkeling,** près des barrières de corail, en compagnie d'une myriade de poissons multicolores évoluant dans l'eau transparente. María la Gorda compte parmi quelques-uns des meilleurs spots de l'île. **Voir p. 122.**

Randonnée dans la Sierra Maestra.
Rafal Cichawa/Shutterstock.com

TOP 5 Musique et danse

Musiciens à Santiago de Cuba.
B. Rondel/First Light/age fotostock

❤ **« Carnavaler »,** dans les rues débordantes d'animation de Santiago de Cuba, où les préparatifs du carnaval débutent plusieurs mois à l'avance. Chars colorés, danses sensuelles, costumes bariolés et ambiance enfiévrée : tout simplement l'une des plus grandes fêtes de l'île et de l'archipel des Antilles. **Voir p. 285.**

❤ **Tout savoir sur les cigares,** en visitant une plantation du triangle de la Vuelta Abajo, où l'on cultive le meilleur tabac au monde, avant d'acheter une boîte de Coronas ou de Montecristo dans une boutique d'État, pour éviter tout risque d'acquérir des contrefaçons. **Voir p. 116-118.**

❤ **Randonner dans la Sierra Maestra,** au sein d'une nature luxuriante, protégée par son statut de parc national, pour marcher sur les traces du Che, revivre l'épopée des *barbudos*, et l'un des moments-clefs de la révolution castriste. Les plus sportifs et les plus courageux grimperont jusqu'au Pico Turquino, à près de 2 000 m d'altitude, sommet de l'île. L'effort sera récompensé par un panorama à couper le souffle, avec la Sierra Maestra s'offrant tout entière et la mer des Caraïbes en toile de fond. **Voir p. 254.**

Le fameux cigare cubain.
R. Meucci/Marka/age fotostock

Museo Farmacéutico, à Matanzas.
W. Bibikow/age fotostock

💙 **S'émouvoir** à l'évocation romanesque des amours, réelles ou supposées, d'un grand propriétaire terrien pour Úrsula, une esclave émancipée haïtienne aussi belle qu'intelligente, en visitant les ruines fantomatiques de la plantation de café dédiée à Angerona. La statue de cette déesse du silence et protectrice de Rome se dresse à l'entrée du domaine. **Voir p. 101.**

💙 **Aller à l'usine de nuit,** dans une vaste friche industrielle reconvertie en l'un des rares lieux alternatifs de La Havane. Avec cette Fábrica de Arte Cubano, dédiée à toutes les formes d'art contemporain, on peut sans conteste parler de révolution culturelle ! **Voir p. 65.**

💙 **Voyager dans le temps,** au musée de la Pharmacie de Matanzas, splendide témoignage de l'époque où la ville était l'un des hauts lieux culturels de l'île. **Voir p. 133.**

La Fábrica de Arte Cubano, La Havane.
Soularue/hemis.fr

TOP 5 Sites naturels

Topes de Collantes, Sierra del Escambray.
T. Labra/age fotostock

❤ Observer les oiseaux

et découvrir l'extraordinaire avifaune qui fait la réputation de Cuba, où plus de 350 espèces ont été recensées. Avec à la clef, au hasard d'une promenade dans le parc naturel de la Ciénaga de Zapata, la chance de voir un *tocororo*, dont le plumage rappelle le drapeau cubain, ou un *zunzuncito*, le plus petit oiseau au monde.
Voir p. 157.

❤ Parader sur le Malecón,

à bord d'une rutilante Cadillac ou d'une Chevrolet décapotable des années 1950, repeinte en rose bonbon ou en jaune canari. Le tour de manège débute au Parque Central de La Havane, où certaines voitures, dit-on, auraient encore leur V8 d'origine. Les amateurs les reconnaîtront à leur « musique ».
Voir p. 50.

Sur le Malecón, à La Havane.
Bim/iStock

Casa de Don Diego Velázquez, Santiago de Cuba.
Maurizio De Mattei/Shutterstock.com

❤ **Mesurer l'inventivité de l'art cubain,** en visitant la collection du Museo de Arte Cubano de La Havane : une féerie de couleurs et de styles au service de la Révolution ! **Voir p. 56.**

❤ **Vagabonder à Centro Habana,** cœur battant de La Havane, au milieu des vendeurs ambulants et d'un monde où esprit de débrouille et bricolage pallient le dénuement et la pénurie. **Voir p. 58.**

❤ **Se dépayser à Banes,** avec sa rue principale bordée de minuscules échoppes fréquentées par des habitants dont certains présentent des traits indiens. **Voir p. 242.**

❤ **Lutter contre le vertige** sur la route de la Farola, qui rejoint Baracoa à l'extrémité orientale de l'île, en révélant de superbes panoramas à chaque virage. **Voir p. 290.**

❤ **Remonter aux origines,** en visitant la Casa de Diego Velázquez, à Santiago de Cuba, une merveille datant du 15e s., l'une des plus anciennes demeures d'Amérique latine ! **Voir p. 264.**

❤ **Prendre un coco-taxi,** plein gaz sur le Malecón à La Havane : succès assuré auprès des enfants ! **Voir p. 74.**

TOP 5 **Spots de plongée**

1. María la Gorda (p. 122)
2. Île de la Jeunesse (p. 306)
3. Baie des Cochons (p. 158)
4. Cayo Largo del Sur (p. 317)
5. Playa Santa Lucía (p. 229)

Cayo Largo del Sur.
Rostislavv/iStock

Coco-taxi sur le Malecón, à La Havane.
akturer/Shutterstock.com

*Préparez votre voyage en retrouvant tous nos coups de cœur sur notre site Internet **voyages.michelin.fr***

Retrouvez-nous également sur Facebook®
Facebook.com/MichelinVoyage

NOS ITINÉRAIRES

La Havane et l'ouest de l'île
en 7 jours

Golfe
du Mexique

La Havane

Mariel

San José
de las Lajas

Cayo
Jutías

Sierra
del Rosario

Soroa

Artemisa

Viñales

Vallée de
Viñales

Consolación
del Sur

Golfe
du Batabanó

Vuelta Abajo

Pinar
del Río

mbbirdy/iStock

En bref : env. 500 km, entre fastes coloniaux, grottes, champs de tabac et plages de rêve.

● J-1 La Havane

Découverte du quartier historique de la Habana Vieja (**p. 37**), de la cathédrale à la Plaza Vieja en suivant la calle Mercaderes. En fin d'après-midi, flânerie dans le sud de la Habana Vieja (**p. 47**) pour saisir l'animation de ce quartier populaire. Nuit sur place dans une *casa particular*.

● J-2 La Havane

Promenade autour du Capitole et du Paseo del Prado (**p. 51**), avec visite

au choix du Museo de la Revolución (**p. 57**) ou de Arte Cubano (**p. 65**). L'après-midi, traversez Centro Habana (**p. 58**) jusqu'au Vedado (**p. 60**). Admirez la vue du jardin de l'Hotel Nacional (**p. 61**), puis revenez à la Habana Vieja en longeant le Malecón au soleil couchant. Nuit dans une *casa particular* de la Habana Vieja.

Conseils : prévoyez au moins une soirée salsa (p. 91). Louez un véhicule pour 5 jours auprès d'un tour-opérateur de votre pays d'origine ou sur place ; retirez le véhicule dans un grand hôtel du Vedado. Ce circuit peut aussi s'effectuer en bus Viazul ou Transtur.

● J-3 la route de l'Ouest

Prenez la route de l'Ouest (**p. 100**) avec pause en chemin dans la luxuriante Sierra del Rosario (**p. 102**), puis déjeuner à Soroa (**p. 102**). Vous arriverez à Viñales (**p. 108**) juste à temps pour profiter du panorama sur la vallée, magnifique au coucher du soleil. Dîner et nuit en *casa particular* à Viñales.

La vallée de Viñales.
SmolinaMarianna/iStock

Conseil : basez-vous à Viñales et réservez longtemps à l'avance vos 4 nuitées en casa particular.

● J-4 **Vallée de Viñales**

Randonnée à pied ou à cheval au pied des *mogotes*. Visite des *cuevas* (« grottes ») proches de Viñales pour compléter la journée. (**p. 108**)

● J-5 **Vuelta Abajo**

Journée « tabac » dans la Vuelta Abajo (**p. 116**), avec visite de la plantation Finca El Pinar-Alejandro Robaina (**p. 118**) et de la manufacture de cigares de Pinar del Río (**p. 117**).

● J-6 **Cayo Jutías (ou Cayo Levisa)**

La voilà, l'occasion de se baigner et de paresser à la plage ! Au choix, le proche Cayo Jutías, avec visite de la Cueva de Santo Tómas, ou l'excursion au Cayo Levisa (**p. 124**).

● J-7 **La Havane**

Retour à La Havane par l'autoroute. Promenade en voiture à Miramar (**p. 66**) et dans le Vedado (**p. 60**), avant de restituer le véhicule. Nuit dans le quartier du Vedado.

Cayo Levisa.
Delpixel/Shutterstock.com

Le centre de l'île
en 8 jours

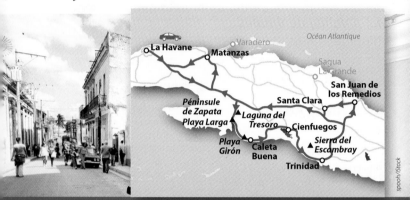

Océan Atlantique

La Havane — Varadero — Matanzas — Sagua La Grande — San Juan de los Remedios — Santa Clara — Péninsule de Zapata / Playa Larga — Laguna del Tesoro — Cienfuegos — Playa Girón — Caleta Buena — Sierra del Escambray — Trinidad

spooh/iStock

En bref : env. 1 000 km, entre cités coloniales, montagnes et horizons marins.

● J-1 & 2 La Havane

Voir l'itinéraire précédent **p. 16**.

Conseil : louez un véhicule pour 6 jours auprès d'un tour-opérateur de votre pays d'origine, ou sur place.

● J-3 Péninsule de Zapata

Faites étape dans la péninsule de Zapata et la baie des Cochons, l'un des hauts lieux de la guerre froide (**p. 156**). Au choix, découverte de la Laguna del Tesoro (**p. 157**) ou baignade à Caleta Buena (**p. 161**). Nuit à Playa Larga (**p. 160**) ou à Playa Girón (**p. 160**).

● J-4 Cienfuegos

Ralliez Cienfuegos (**p. 164**), dont vous visiterez le centre urbain typique de la fin du 19e s., classé à l'Unesco, et dormez dans une des *casas* du joli quartier de Punta Gorda.

Laguna del Tesoro.
Therin-Weise/Arco Images/age fotostock

● J-5 & 6 Trinidad

Filez à Trinidad dès le matin pour découvrir la perle des villes coloniales et notamment sa Plaza Mayor. Le soir, enivrez-vous de salsa ou prenez un cours à la Casa de la Música (**p. 195**).

Conseil : dormez chez l'habitant pour profiter du cachet des maisons de famille coloniales.

● J-7 San Juan de los Remedios

Traversez la Sierra del Escambray (**p. 187**) pour rallier Santa Clara, où repose Che Guevara (**p. 197**). Rejoignez ensuite San Juan de los Remedios (**p. 205**) et profitez du calme d'une petite ville coloniale à l'écart des grands circuits touristiques.

Conseil : si vous disposez d'1 jour supplémentaire, laissez-vous tenter par une journée de farniente sur les Cayos Las Brujas et Santa María, accessibles en voiture.

● J-8 Matanzas

Sur le trajet du retour à La Havane, oubliez Varadero et préférez-lui l'ambiance rétro de Matanzas (**p. 132**), avec son charmant Parque de la Libertad. Matanzas n'est pas très éloignée de La Havane. Cela peut vous laisser le temps de vous baigner en chemin sur le littoral nord et de faire une virée en voiture sur le Malecón ou la Rampa, avant de restituer votre véhicule.

Santa Clara.
H. Blossey/imageBROKER/age fotostock

L'Est : aux confins de l'Oriente
en 10 jours

Las Tunas · Puerto Padre · Gibara · *Playa Esmeralda* · Victoria de Las Tunas · Holguín · Banes · *Océan Atlantique* · Moa · *Playa Maguana* · Bayamo · *Parque Humboldt* · El Yunque · Guantánamo · *Sierra Maestra* · Pico Turquino · Santiago de Cuba · *Parque Nacional de Baconao* · Baracoa

Byron Motley/iStock

En bref : env. 1 000 km entre salsa,
Révolution et belles plages.

● J-1 Santiago de Cuba

Visite des principales curiosités
situées autour du Parque Céspedes
(**p. 261**) et flânerie dans le quartier
Tivolí (**p. 269**). Soirée à la Casa de la
Trova (**p. 283**).

*Conseils : essayez de séjourner à
Santiago de Cuba en fin de semaine,
quand l'animation nocturne est à
son comble. Réservez deux nuits dans
une* casa particular *ou dans un hôtel
du centre. Louez auprès d'un tour-
opérateur de votre pays d'origine un*

*véhicule pour 8 jours, ou sur place ;
retirez et restituez le véhicule à l'hôtel
Meliá (p. 280).*

● J-2 Santiago de Cuba

Visitez le Cuartel Moncada (**p. 270**),
puis prenez un taxi pour gagner le
cimetière Santa Ifigenia, où reposent
Carlos Manuel de Céspedes, José
Martí et Fidel Castro (**p. 272**).
Demandez au chauffeur de passer
par la plaza de la Revolución (**p. 273**).
Après-midi et soirée flânerie de place
en place pour savourer l'ambiance de
Santiago de Cuba.

● J-3 La pointe orientale

Passez la matinée à admirer les
paysages du Parque Nacional de
Baconao (**p. 274**), puis déjeunez à
Guantánamo (**p. 287**). De là, direction
Baracoa (**p. 293**), par une belle route
qui longe un littoral sauvage avant
de bifurquer vers la Sierra del Purial,
qu'elle franchit notamment par le
spectaculaire viaduc de la Farola
(**p. 290**).

Cuartel Moncada.
C. Parker/Design Pics/Photononstop

● J-4 & 5 **Baracoa**

Profitez de l'ambiance paisible de cette cité plus tropicale que les autres et mesurez l'énergie déployée pour réparer les dégâts de l'ouragan de 2016.

Le lendemain, visite des riches environs de Baracoa, avec l'ascension d'El Yunque (**p. 297**) pour les plus courageux et la promenade au Parque Humboldt pour les moins sportifs. L'après-midi, bronzage et baignade du côté de Playa de Miel (**p. 298**) ou de Playa Maguana (**p. 297**).

● J-6 & 7 **Gibara**

Partez tôt le matin car le tronçon de route entre Baracoa et Moa, truffé de nids-de-poule, impose une conduite prudente et une vitesse réduite. Halte dans la singulière cité de Banes (**p. 242**) avant de rejoindre Gibara, petit port paisible à l'écart des circuits touristiques.

Le lendemain, paressez à Playa Esmeralda (**p. 241**) et suivez le sentier éco-archéologique, tout proche (**p. 242**). En revenant à Gibara, visitez le Parque Monumento Nacional Bariay (**p. 248**), où Christophe Colomb aurait touché l'île.

● J-8 **Sierra Maestra**

Cap sur l'attachante cité de Bayamo (**p. 253**), où vous déjeunerez, avant de changer diamétralement d'ambiance à Santo Domingo (**p. 256**), sorte de bout du monde et porte d'entrée de la Sierra Maestra.

Conseils : prévoyez des vêtements chauds lors de votre séjour dans la Sierra Maestra. Réservez à l'avance votre bungalow à l'hôtel Villa San Domingo (p. 259), très demandé !

● J-9 **Sierra Maestra**

Après le petit-déjeuner, départ de l'excursion pour la Comandancia de la Plata (**p. 256**), d'où Fidel Castro dirigea la lutte contre l'armée de Batista. Les sportifs en bonne condition physique effectueront l'ascension du Pico Turquino (**p. 256**), toit de Cuba, mais il leur faudra au moins une journée supplémentaire pour bivouaquer en montagne.

● J-10 **Santiago de Cuba**

Retour à Santiago de Cuba, *via* Bayamo. Avant de restituer votre véhicule, allez faire un tour au port et visitez le Castillo del Morro (**p. 273**), d'où s'offre un beau panorama. Rien ne vous empêche de piquer ensuite une tête dans la mer à Playa Siboney (**p. 276**).

La Sierra Maestra.
alxpin/iStock

L'essentiel de Cuba
en 3 semaines

En bref : env. 2 500 km, Cuba dans tous ses états.

● J-1 & 2 La Havane

Voir l'itinéraire « La Havane et l'ouest de l'île » (**p. 16**).

Conseils : prenez un vol avec arrivée à La Havane et retour au départ de Santiago de Cuba. Réservez une voiture de location, avec prise du véhicule dans un grand hôtel du Vedado et restitution à l'aéroport de Santiago de Cuba (prévoir un supplément).

● J-3 à 6 Viñales et environs

Filez vers l'ouest en faisant une pause dans la Sierra del Rosario et à Soroa (**p. 102**), où vous déjeunerez avant de monter sur Viñales (**p. 108**).

Le lendemain matin, vous serez fin prêt pour une randonnée à pied ou à cheval au pied des *mogotes* et pour visiter les grottes alentour.

Le surlendemain, découverte de la Vuelta Abajo (**p. 116**) et de la manufacture de cigares de Pinar del Río (**p. 117**).

Conseils : réservez à l'avance vos trois nuitées en casa particular à Viñales.

● J-7 à 9 María la Gorda

Revenez à Pinar del Río, d'où vous filerez à María la Gorda (**p. 122**) : un trajet assez éprouvant ! Déjeunez en chemin sur le pouce à Isabel Rubio.

Le lendemain, excursion dans la péninsule de Guanahacabibes (**p. 121**) le matin, et plongée ou baignade l'après-midi.

Conseils : réservez longtemps à l'avance vos nuitées à l'hôtel Villa María la Gorda. Inutile de vous presser : le check-in ne débute qu'à 16h ! Par précaution, prévoyez des pesos cubains pour le déjeuner à Isabel Rubio

● J-10 Matanzas

Dépassez La Havane, puis longez le littoral nord et ses plages. Nuit à Matanzas (**p. 132**), jolie petite ville à l'atmosphère rétro.

● J-11 Péninsule de Zapata

Découverte de la Laguna del Tesoro (**p. 157**), puis cap sur la baie des

Cochons (**p. 158**), suivi d'un moment de détente à Caleta Buena (**p. 161**). Nuit à Playa Larga (**p. 160**) ou à Playa Girón (**p. 160**).

● J-12 Cienfuegos

Direction Cienfuegos (**p. 164**), dont vous découvrirez le patrimoine architectural exemplaire ainsi que le Jardin Botánico (**p. 170**).

● J-13 & 14 Trinidad

Route vers Trinidad, la perle des villes coloniales. Au programme : visite et flânerie autour de la Plaza Mayor (**p. 180**) et soirée salsa. (**p. 195**).

Levez-vous tôt pour profiter de la ville avant l'arrivée du gros des touristes, puis partez dans la vallée de los Ingenios (**p. 186**), avec éventuellement un détour baignade par Ancón (**p. 185**).

● J-15 Camagüey

Visite rapide et déjeuner à Sancti Spíritus (**p. 213**). Consacrez l'après-midi à la découverte de Camagüey (**p. 224**).

● J-16 Gibara

Avant de rejoindre l'attachant petit port de la côte nord (**p. 247**), passez un moment à Holguín (**p. 238**), où vous déjeunerez. L'après-midi, baignade à Playa Esmeralda (**p. 241**).

● J-17 & 18 Baracoa

Route littorale via Moa pour rallier Baracoa (**p. 293**), où vous passerez deux nuits pour profiter de l'ambiance très particulière de la ville et de ses environs.

Conseil : la route Moa-Baracoa n'est pas en bon état. Soyez prudent !

● J-19 La pointe orientale

Empruntez le viaduc de la Farola et la route spectaculaire qui franchit la Sierra del Purial, puis longez la côte sud jusqu'à Guantánamo (**p. 287**). En chemin pour Santiago, faites un crochet par le Parque Nacional de Baconao (**p. 274**).

● J-20 & 21 Santiago de Cuba

Vous voici parvenu à Santiago de Cuba (**p. 260**), deuxième ville du pays, où vous pourrez admirer l'une des plus anciennes demeures d'Amérique latine ainsi que le cimetière Santa Ifigénia, où reposent José Martí et Fidel Castro. Fêtez votre dernière soirée à Cuba en assistant à un concert à la Casa de la Trova (**p. 283**), ou allez danser la salsa à la Casa de la Música (**p. 284**).

Cayo Guillermo.
ppart/iStock

DÉCOUVRIR CUBA

La vallée de Viñales.
JayKay57/IStock

La province de La Havane 1

Lever du soleil sur La Havane.
JulieanneBirch/iStock

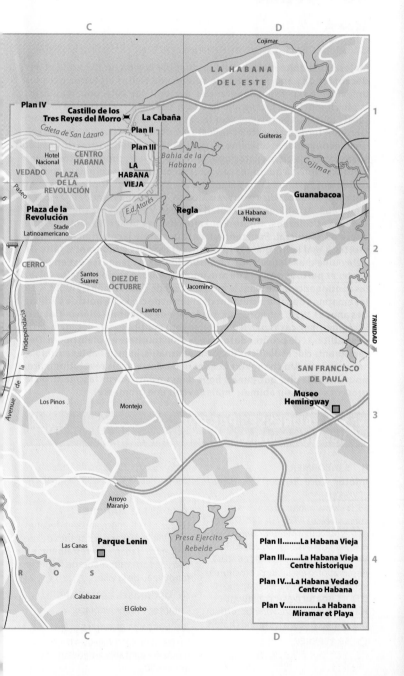

Plan II........La Habana Vieja

Plan III.......La Habana Vieja
Centre historique

Plan IV...La Habana Vedado
Centro Habana

Plan V...............La Habana
Miramar et Playa

La Havane

Capitale de Cuba - Province de La Habana - 725 km² - 2,12 millions d'hab.

Majesté décrépite rongée dans sa chair par la moiteur tropicale et des décennies de pénuries, héroïne sublime de toutes les luttes pour les uns, victime expiatoire des grandes idéologies du 20ᵉ s. pour les autres, la plus importante métropole des Caraïbes ne laisse personne indifférent. Capitale, elle résume tout le destin de Cuba : cinq siècles de passions ont forgé un cocktail tropical envoûtant, métissage unique d'origines espagnoles et africaines, assaisonné d'influences américaines et soviétiques. Le cœur historique, la Habana Vieja, condense toutes les contradictions : à quelques pas seulement des palais coloniaux magnifiquement restaurés, rappelant le souvenir de Christophe Colomb et des conquistadors du « Nouveau Monde », se découvrent des rues… en lambeaux. Accablées par le soleil caribéen, certaines façades hier fastueuses et colorées, aujourd'hui lépreuses et blafardes, ont quelque chose de sépulcral. Pourtant, et c'est une vraie leçon, rien ne semble mettre à mal l'énergie des habitants : la vie est exubérante, faite de débrouille malicieuse et de fatalisme joyeux, la jeunesse est envahissante, et partout des airs de musique chaloupée semblent faire valser les contingences, cultivant le mythe intact de « La Habana by night », où les amateurs de salsa s'enivrent de rhum et de cigares à bord de Cadillac des années 1950. Aujourd'hui, à la faveur de la libéralisation initiée par le régime, les « casas particulares » se sont multipliées, reflétant le désir des habitants de profiter de la manne d'un tourisme en plein boom. Des restaurants chic et des lieux de sortie alternatifs, inimaginables autrefois, sont apparus. Un changement encore modeste, mais révolutionnaire, pour une ville plus que jamais figée dans un entre-deux fascinant, où le présent semble un abîme… mais l'avenir une promesse !

NOS ADRESSES PAGE 71
Hôtels, restaurants, shopping, activités, etc.

S'INFORMER

Infotur – *Calle Obispo n° 526 e/Bernaza et Villegas* (Plan II, A3) - 🖉 *(7) 866 33 33 - www.infotur.cu ou www. cubatravel.cu - 9h30-13h, 14h-17h30. Autres bureaux à Miramar, angle ave. 5ta y calle 112 - 🖉 (7) 204 70 36 - 9h-17h ; à l'aéroport - 🖉 (7) 266 40 94. Réservation d'excursions, brochures, vente de plans de ville. Les agences d'Etat* **Cubatur** *(www.cubatur.cu) et* **Havanatur** *(www.havanatur.cu) ont des comptoirs dans les grands hôtels.*

SE REPÉRER
Carte de région (p. 28-29) - Plan II, La Habana Vieja (p. 32) - Plan III, centre historique (p. 33) - Plan IV, Vedado-Centro Habana (p. 34-35) - Plan V, Miramar et Playa (p. 67)

À NE PAS MANQUER
Les façades flamboyantes et décaties de la Vieille Havane, les scènes de rue de Centro Habana ; les restaurants et lieux de sortie alternatifs où frémit le renouveau de la ville.

ORGANISER SON TEMPS
Comptez 3 jours sur place.

AVEC LES ENFANTS
Un trajet en *coco-taxi* ou à bord d'une décapotable américaine des années 50.

Rue animée de Centro Habana.
peeterv/iStock

LES QUARTIERS DE LA HAVANE

La Ciudad de La Habana est divisée en quinze circonscriptions administratives appelées *municipios*.

Parmi eux, le *municipio* de **Habana Vieja** recouvre le centre historique – et touristique – de la ville, où se regroupent ses édifices coloniaux. Le tracé des anciennes fortifications se lit encore dans le boulevard circulaire qui relie la gare, au sud, au Castillo de San Salvador de la Punta, protégeant l'entrée de la baie au nord.

Vers l'ouest, le monumental **Capitole** et le boulevard du **Prado** (paseo José Marti), cœur de la ville élégante au début du 20e s., marquent l'entrée de **Centro Habana,** dont l'état de déliquescence lui vaut les surnoms de « Beyrouth » ou « Bagdad » : immeubles croulants, trottoirs éventrés… Se contentant de longer le **Malecón**, le boulevard du front de mer, les touristes l'ignorent à tort. En y pénétrant, ils découvriraient une autre Havane, celle des petites gens, des petits métiers ; bref, un quartier populaire plein de vie, dont l'architecture fin 19e s. a aussi son cachet.

Toujours vers l'ouest succède au *municipio* Centro Habana celui de **Plaza de la Revolución**, sur lequel s'étire, au bord de l'Atlantique, le quartier résidentiel du **Vedado**, connu pour ses villas Belle Époque. Son artère principale, la Rampa (le nord de la calle 23), forme le cœur moderne et actif de la capitale, où se concentre un grand nombre d'hôtels internationaux.

Au-delà de l'embouchure du río Almendares commence le *municipio* de **Playa** dont fait notamment partie **Miramar**, quartier chic où sont localisées par exemple la plupart des ambassades.

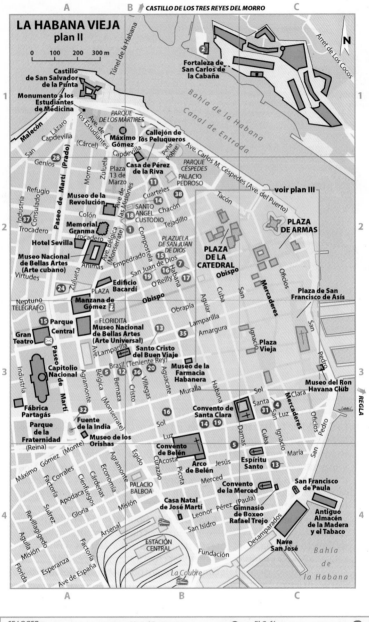

LA HABANA VIEJA
plan II

CASTILLO DE LOS TRES REYES DEL MORRO

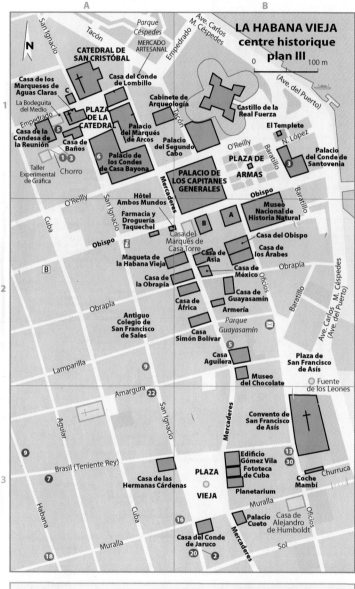

LA HABANA VIEJA centre historique plan III

0   100 m

N

CATEDRAL DE SAN CRISTÓBAL

Casa de los Marqueses de Aguas Claras

La Bodeguita del Medio

PLAZA DE LA CATEDRAL

Casa de la Condesa de la Reunión

Casa de Baños

Taller Experimental de Gráfica

Chorro

Parque Céspedes

MERCADO ARTESANAL

Casa del Conde de Lombillo

Cabinete de Arqueología

Palacio del Marqués de Arcos

Palacio del Segundo Cabo

Palacio de los Condes de Casa Bayona

Castillo de la Real Fuerza

El Templete

PLAZA DE ARMAS

Palacio del Conde de Santovenia

PALACIO DE LOS CAPITANES GENERALES

Hôtel Ambos Mundos

Farmacia y Droguería Taquechel

Casa del Marqués de Casa Torre

Maqueta de la Habana Vieja

Casa de la Obrapía

Casa de Asia

Casa de México

Casa de África

Casa de Guayasamín

Armería

Antiguo Colegio de San Francisco de Sales

Casa Simón Bolívar

Parque Guayasamín

Casa Aguilera

Museo del Chocolate

Obispo

Museo Nacional de Historia Natural

Casa del Obispo

Casa de los Árabes

Plaza de San Francisco de Asís

Fuente de los Leones

Convento de San Francisco de Asís

Casa de las Hermanas Cárdenas

Edificio Gómez Vila Fototeca de Cuba

PLAZA VIEJA

Planetarium

Coche Mambí

Palacio Cueto

Casa de Alejandro de Humboldt

Casa del Conde de Jaruco

Churruca

Rues : San Ignacio, Tacón, Empedrado, Ave. Carlos M. Céspedes, O'Reilly, Baratillo, N. López, Cuba, Obispo, Mercaderes, Obrapía, Oficios, Lamparilla, Amargura, Aguilar, Brasil (Teniente Rey), Habana, Muralla, Sol, Ave. Carlos M. Céspedes (Ave. del Puerto)

SE LOGER

Casa Alta Habana.....20
Casa Marivelas.....5
Casa Nancy.....7
Convento de Santa Brígida y Madre Isabel.....30
Hostal Calle Habana.....9
Hotel Beltrán de Santa Cruz.....2
Hotel Raquel.....22
Hotel Santa Isabel.....3

SE RESTAURER

Doña Eutimia.....1
Esto no es un Café.....3
La Marina.....13
La Moneda Cubana.....6
La Taberna del Pescador.....9
Los Mercaderes.....5
Mojito-Mojito.....16
Oasis Nelva.....18

Museo de la Orfebrería.....A
Antiguo Colegio de San Francisco de Sales.....B
Centro de Arte contemporáneo W. Lam.....C

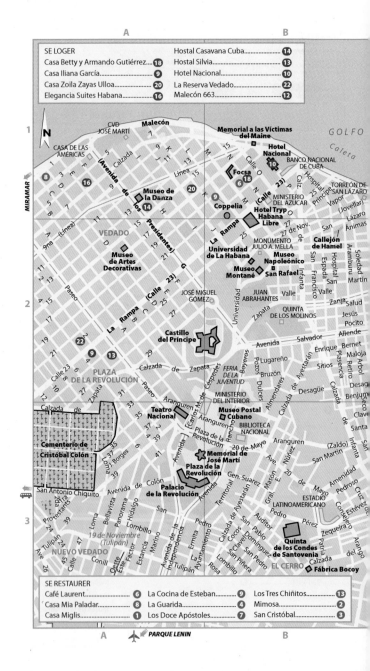

PARQUE LENIN

VARADERO · COJÍMAR, PLAYAS DEL ESTE

LA HABANA
Vedado-Centro
Habana

plan IV

0   250   500 m

GOLFO DE MÉXICO

Castillo de los Tres Reyes del Morro

Túnel de la Habana

HABANA DEL ESTE

Carretera del Morro
Vía Monumental
Ave. 1ra

Bahía de la Habana

Fortaleza de San Carlos de la Cabaña

de San Lázaro

PARQUE MACEO

Malecón
San Lázaro
Lagunas
Ánimas
Virtudes
Concordia
Neptuno
San Miguel

CENTRO HABANA

San Rafael

Av. de Italia (Galiano)
Trocadero
Av. de Bélgica (Egido)

CASA DE LA MÚSICA

Prado

PLAZA DE LA CATEDRAL

PLAZA DE ARMAS

Parque Central

Gran Teatro de La Habana
voir plan IV

Capitolio Nacional

Barrio Chino

(San José)
Zanja
Dragones
Salud

Avenida Simón Bolívar (Reina)

Enrique Bernet (Estrella)
Maloja
Sitios
Peñalver
Figuras
Carmen
Rastro

Palacio de Aldama

(Monte)

ESTACIÓN CENTRAL

La Coubre

Fábrica de Tabacos Partagas

CENTRO DEPORTIVO JOSÉ M. PÉREZ

PARQUE DE LA NORMAL

Matadero

Ave. de México (Cristina)

Ensenada de Atarés

Puerto

Avenida del Puerto

Arroyo (Manglar)

Gómez
Corrales
Gloria
Esperanza
Ave. de España (Vives)
Puerta
Diaria

Luyanó

Joaquín
Santa Rosa
Estévez
Fernandina
Castillo
Pila

CASTILLO DE ATARÉS

San Felipe

Anillo del Puerto

Calzada
Velázquez
Cerro
Buenos A. Ramírez
Infanta
San Joaquín

Jesús López Camino (Gancedo)
Fabrica

C   D   SAN FRANCISCO, DE PAULA · GUANABACOA

Entre Espagne et Amériques

Chaque 16 novembre, les Havanais célèbrent l'anniversaire de leur ville dans le jardin du Templete *(voir p. 39)* : ce jour-là, en l'an 1519, les conquistadors espagnols assistent à la messe solennelle fondatrice du bourg de **San Cristóbal de la Habana**. La cité tiendrait son nom d'Habaguanex, un chef indien, mais certains en attribuent l'origine au mot *haven* (« port » en anglais).

L'UNE DES PORTES DU « NOUVEAU MONDE »

La situation stratégique de la ville favorise son essor économique. Les commerçants s'installent à proximité des bateaux chargés de sucre, de tabac, d'esclaves, d'or et de pierres précieuses. Mais ces navires drainent également dans leur sillage une cohorte de pirates, flibustiers et corsaires à la solde des puissances européennes rivales de l'Espagne. Entre 1538 et 1544, le Castillo de la Real Fuerza est donc édifié pour protéger la cité contre les pillages incessants. Cette première forteresse ne résiste pas à l'assaut de Jacques de Sores, un corsaire français qui s'empare de la ville en 1555. Aussitôt, de nouvelles fortifications sont construites, et le commerce continue, plus florissant que jamais. Au milieu du 16e s., les gouverneurs de l'île quittent Santiago de Cuba pour la prospère Havane, qui devient la **capitale officielle** de l'île en 1607.

La ville subit les attaques répétées des Anglais tout au long des 17e et 18e s. Le 13 août 1762, la capitale de 10 000 habitants tombe finalement aux mains de l'Angleterre, après deux mois de siège. Moins d'un an plus tard, aux termes du traité de Fontainebleau, elle est échangée contre la Floride et revient sous domination espagnole. De la période d'occupation britannique, le port conserve une large ouverture au commerce mondial.

UNE CAPITALE MODERNE

Au cours du 19e s., on entreprend de grands travaux de construction d'hôtels particuliers et de palais ; l'éclairage public et les égouts sont installés, une ligne de chemin de fer construite (la première de l'empire espagnol). La ville commence à s'étendre bien au-delà des remparts, qui sont démolis en 1863. Le cœur historique, qui prend le nom de **Habana Vieja,** est délaissé au profit des nouveaux quartiers de l'Ouest, comme **Centro Habana**.

Après l'indépendance, en 1902, le **Vedado** et **Miramar** connaissent à leur tour un développement important. Les rues tracées à angle droit et simplement numérotées créent une réplique parfaite d'une ville des États-Unis. Les Américains y établissent leurs hôtels de luxe et des casinos ainsi que de magnifiques villas. Après le triomphe de la révolution en 1959, l'ancienne **capitale du jeu et de la prostitution** est vidée de ses maisons de jeux et de tolérance, et certaines demeures sont réquisitionnées.

Les quartiers du centre de La Havane ont depuis subi peu de transformations architecturales. La plupart des constructions d'habitation postérieures à 1959 sont installées hors de ces limites et seuls quelques grands hôtels internationaux sont apparus dans le Vedado et Miramar. Contre les dégradations infligées par le temps qui passe, La Havane lutte par la démolition pure et simple ou la **rénovation**, lente et coûteuse, mais toujours très soignée, en particulier dans le secteur de la Habana Vieja s'étendant de la cathédrale à la Plaza Vieja. Restaurants, cafés, hôtels de charme, musées, galeries d'art ou encore boutiques de luxe et d'artisanat, vecteurs de précieuses devises étrangères, abondent dans ce nouveau cœur touristique de la ville.

★★★ Habana Vieja Plan II, p. 32 et Plan III, p. 33

Comptez une journée sans la visite des musées.

Les ruelles du cœur de La Havane se parcourent comme les pages d'un grand livre d'histoire. Patrimoine mondial de l'Unesco depuis 1982, le quartier mêle plus de quatre siècles d'architecture, s'enracinant dans la noblesse tout espagnole des plus vieilles demeures coloniales (toits de tuile, balcons de bois en encorbellement, patios et arcades de pierre…). On ne peut rester insensible devant la richesse de ce patrimoine, d'autant moins qu'il est, on le sait, en péril. Si le secteur touristique, délimité par les trois grandes places historiques (Armas, Catedral, Vieja), retrouve tous ses fastes grâce à un ambitieux programme de restauration, le sud et l'ouest du centre historique montrent un état de délabrement avancé : le manque de moyens et l'humidité régnante ont peu à peu raison des riches ferronneries, sculptures et menuiseries des belles façades typiques du 19e s., et les fenêtres ouvertes laissent apparaître des logements souvent misérables. Au fil des rues, en particulier le long de la **calle Obispo** (Plan II B2), l'artère commerçante principale, les files d'attente s'allongent devant les boutiques aux étals souvent bien vides…

 Conseils – Si vous ne deviez passer que quelques heures dans la capitale, rendez-vous directement **calle Mercaderes**, entre la Plaza de la Catedral et la Plaza Vieja (Plan III). La Vieille Havane se parcourt aisément à pied (évitez de vous engager en voiture dans ses ruelles encombrées) : il faut compter 20mn de marche pour la traverser du nord au sud. Malgré le signalement de quelques vols à l'arraché et à condition de rester vigilant dans les rues qui sont très mal éclairées la nuit, le quartier est sûr et la police très présente.

★★★ PLAZA DE ARMAS Plan III, B1-2

C'est ici, pour ainsi dire, que tout a commencé ! Dessinée en 1582, la doyenne des places de la ville doit son nom aux exercices militaires que l'on y pratiqua dès le 16e s. Elle demeura le centre politique et festif de la capitale jusqu'à l'indépendance de l'île. Agrandie en 1776 à ses dimensions actuelles, elle fut entièrement rénovée en 1929. Véritable lieu de mémoire de la cité, elle conserve le souvenir de sa fondation, ainsi que celui des institutions coloniales espagnoles, dont les façades historiques forment un décor toujours solennel. La place commence à palpiter à l'heure où les bouquinistes se retrouvent pour installer leurs présentoirs tout autour du **square central**. Vous pourrez y dénicher un ouvrage sur la musique afro-cubaine ou un roman d'Alejo Carpentier, puis vous laisser tenter par la terrasse de l'un des cafés voisins. Les musiciens qui égrènent le répertoire traditionnel cubain ajoutent à l'ambiance animée. Faites une halte à l'ombre des beaux palmiers royaux du **square** pour admirer, en son centre, la **statue de Carlos Manuel de Céspedes**, sculptée en 1955 par Sergio López Mesa en hommage au « père de la patrie ».

★★★ Palacio de los Capitanes Generales

Calle Tacon (plaza de Armas) - [7] 861 57 79 - 9h30-17h (dernière entrée 16h) - 3 CUC - visite guidée en espagnol 2 CUC - certaines salles à l'étage peuvent être fermées pour restauration, se renseigner au guichet.

Principal monument de la Plaza de Armas, l'ancien siège du gouvernement colonial en domine tout le côté ouest. Il fut construit à l'emplacement de la première église paroissiale de La Havane, érigée aux alentours de 1550. En 1776, le marquis de la Torre, gouverneur espagnol en poste, confia la réalisation du palais aux deux architectes Antonio Fernández de Trevejos y Zaldívar et Pedro Medina. Les travaux furent achevés vers 1792, mais le bâtiment ne prit sa forme actuelle qu'en 1834, après d'importantes modifications ordonnées par le gouverneur Miguel Tacón. Associant une rigoureuse composition classique (pilastres, arches, etc.) à un répertoire décoratif inspiré de l'art baroque (modénatures sinueuses, consoles et pots sculptés), sa remarquable façade évoque les plus beaux palais d'Espagne.

Après avoir abrité le siège du gouvernement colonial, le bâtiment accueillit celui des trois Républiques cubaines jusqu'en 1920, puis la mairie de La Havane jusqu'à la révolution. Il fut alors transformé en **Museo de la Ciudad★**, dont la visite permet d'admirer le splendide **patio★★** planté d'arbres tropicaux, à l'ombre desquels paradent fièrement des paons chatoyants. Au centre s'élève une **statue de Christophe Colomb** réalisée par le sculpteur italien Cucchiari en 1862. Le musée présente des œuvres d'art, des documents, du mobilier et des objets témoins des épisodes importants de l'histoire cubaine. Au rez-de-chaussée, une **pierre funéraire**, vestige le plus ancien de la colonisation, est conservée à l'endroit même où doña María de Cepera y Nieto, la fille du gouverneur, périt accidentellement en 1557, lors d'une démonstration de tir à l'arquebuse. À droite de l'entrée, au pied de l'escalier, on peut voir l'original de la **Giraldilla**, girouette en bronze devenue l'emblème de la ville, dont une copie trône dorénavant au sommet de la tour du Castillo de la Real Fuerza (*voir ci-contre*). Les salles du rez-de-chaussée abritent des carrosses, de l'artillerie, des objets religieux, des portraits et quelques sculptures. À l'étage s'ouvrent plusieurs salles de réception, richement meublées, à commencer par la grande salle de bal et le salon blanc.

En sortant du palais, gagnez la calle Obispo sur la droite.

Face à la façade sud du Palacio, aux nᵒˢ 117-119 de la **calle Obispo**, se trouve la **plus vieille maison de La Havane★** (*tlj sf lun., 9h30-17h - gratuit*). Ce petit bâtiment couvert d'un beau toit de tuiles anciennes fut construit autour de 1648, et certains éléments architecturaux dateraient même du 16ᵉ s. N'hésitez pas à explorer son patio. À l'étage, les murs ornés de fragments de fresques du 19ᵉ s. laissent entrevoir, par endroits, leur antique structure à colombage, renforcée de briques en pisé et mortier de chaux. Ajoutant à la rusticité de l'architecture, un masque grec, bouche ouverte, encastré dans le mur extérieur, servait de **boîte aux lettres** (*buzón*). Au n° 113, dans une jolie maison autour d'un patio, vous pouvez aussi admirer les pièces d'orfèvrerie – armes, bijoux et montres – du **Museo de la Orfebrería** (℘ [7] 863 98 61 - *mar.-sam. 9h-17h, dim. 9h-13h - gratuit*). De retour sur la Plaza de Armas, à l'angle des calles Obispo et Oficios, un ensemble de bars-restaurants incluant une **Casa del Agua** (des habitués s'y abreuvent d'eau de source très pure) occupe l'**Antiguo Colegio de San Francisco de Sales★**, établissement datant de 1689 et **évêché de la ville jusqu'à** la première moitié du 19ᵉ s. À l'arrière, au n° 8 de la calle Oficios, se dresse d'ailleurs l'ancienne résidence des évêques, la **Casa del Obispo**, qui accueille aujourd'hui le mont-de-piété, autour d'un beau patio. À côté, la **Casa de los Árabes★** (*calle Obispo e/Obrapía - mar.-sam. 9h30-16h30, dim.*

LA PÉNÉLOPE CUBAINE

Doña Isabel de Bobadilla était l'épouse de Hernando de Soto, gouverneur qui ordonna la fortification de la ville en 1538. En l'absence de son mari, parti explorer la Floride, elle dut assumer ses fonctions et devint donc la **première femme gouverneur de Cuba**. Chaque jour, elle guettait impatiemment son retour du haut de la tour du **Castillo de la Real Fuerza**. Ils s'échangèrent de longues lettres d'amour, dont certaines ne parvinrent à doña Isabel que longtemps après la mort de son tendre époux sur les rives du Mississippi, en 1542.

9h30-13h - entrée libre), datée du 17e s., évoque un riad marocain. Elle présente dans ses salles ornées d'azulejos des maquettes de bateaux, des meubles mudéjars et la collection personnelle d'armes de Fidel Castro. Un intérieur traditionnel arabe nomade (avec kilims, coussins, tentures, etc.) a été offert par le Koweit. La casa servait de lieu de culte aux musulmans cubains avant l'inauguration, en 2015, de la **Mezquita Abdallah,** la mosquée située juste en face.

Museo Nacional de Historia Natural

℘ (7) 863 93 61 - mar.-dim. 10h-17h - 3 CUC.
Plus intéressant que le rez-de-chaussée (présentation succincte en espagnol des origines de la vie et de la grande faune de la planète), l'étage présente des espèces marines de l'île, certaines de taille impressionnante (raie et crabe), des oiseaux naturalisés, ainsi qu'une collection de chauve-souris. En sortant, dans un aquarium près de l'entrée, remarquez l'*Atractosteus tristoechus*, un poisson-alligator endémique vivant à l'ouest de Cuba et dans l'île de la Jeunesse.

★ Palacio del Conde de Santovenia

À l'angle de la calle Baratillo se dresse une belle demeure seigneuriale de la fin du 18e s., avec ses balcons en fer forgé. Transformé en auberge en 1867, le palais accueille le luxueux **hôtel Santa Isabel** *(voir « Hébergement »).*
Longez le côté est de la place jusqu'à son extrémité gauche.

El Templete

Mar.-sam. 9h30-17h, dim. 9h30-12h30 - entrée libre.
Premier bâtiment néoclassique de la ville, ce minuscule temple à l'antique fut inauguré en 1827 pour commémorer la **messe du** 16 novembre 1519, qui marqua la **fondation de La Havane**. À l'intérieur, trois toiles de l'artiste français Jean-Baptiste Vermay illustrent cet événement : *La Première Messe, Le Premier Conseil* et *La Fête de l'inauguration*. On peut également admirer un buste de l'artiste, qui est enterré avec son épouse dans le jardin. Une colonne, dressée en 1754 par le gouverneur Francisco Cajigal de la Vega, y commémore le site présumé de la première bénédiction de la ville, au pied d'un arbre *ceiba* (fromager) resté légendaire. Pour en perpétuer le souvenir, un jeune ceiba a été replanté dans le petit jardin de l'édifice en 2016.

★ Castillo de la Real Fuerza

Angle calles O'Reilly et Baratillo - tlj sf lun. 9h30-17h - 3 CUC.
De belliqueux canons dressés face aux visiteurs, des douves en eau, des murailles épaisses… Au nord-est de la Plaza de Armas, la plus vieille forteresse de La Havane (et des Amériques), construite en 1558 sur un plan carré typique de la Renaissance, demeure impressionnante ! La tour est surmontée de l'emblème de la cité, une girouette à silhouette féminine, la **Giraldilla**, achevée en 1632 par le sculpteur Jerónimo Martínez Pínzon. L'original de cette effigie de doña Isabel de Bobadilla *(voir encadré ci-contre)* se trouve au **Museo de la Ciudad** *(voir ci-contre)*. Dans les entrailles du *castillo*, un **musée** est consacré à l'histoire du fort, à la découverte et à l'exploitation du Nouveau Monde. Plusieurs maquettes de bateaux attestent que le port de La Havane fut un haut lieu de la construction navale entre les 17e et 19e s. Du haut de la tour, belle **vue** sur la Vieille Havane et les forteresses *(voir « Forteresses de Habana del Este », p. 68)*, qui complétaient le système de défense de la baie.
Revenez sur la Plaza de Armas.

★★ Palacio del Segundo Cabo

Angle plaza de Armas et calle O'Reilly - mar.-sam. 9h30-17h, dim. 9h30-13h - 5 CUC.
Juste à gauche de la forteresse, sur le flanc nord de la place, ce majestueux

bâtiment baroque, avec ses arcades et son patio de style andalou, s'inscrit en parfaite harmonie avec le Palacio de los Capitanes Generales voisin. Conçu par le marquis de la Torre en 1772 pour servir de poste centrale à tout l'empire espagnol d'Amérique, l'édifice accueillit par la suite la Royale Intendance des Finances, puis des bureaux de l'armée. En devenant la résidence du vice-capitaine général de l'île, il prit, en 1854, le nom de palais du Second en chef. Au début du 20e s., il abrita le siège du Sénat, puis le Tribunal suprême populaire en 1929. Depuis 2017, il héberge un nouveau centre d'interprétation, dont la muséographie moderne et interactive explore les liens culturels entre Cuba et l'Europe.

Derrière ce palais, au n° 12 de la calle Tacón, une jolie maison du début du 18e s. abrite le **Cabinete de Arqueología** (✆ [7] 861 44 69 - fermé pour travaux), présentant une très modeste collection de pièces précolombiennes de Cuba, du Mexique et du Pérou.

Prenez à gauche la calle Empedrado pour rejoindre la Plaza de la Catedral.

★★★ PLAZA DE LA CATEDRAL Plan III, A1

Ici se ressent particulièrement l'âme historique de La Havane : cette petite place fermée, dominée par la cathédrale de la ville, préserve un décor intact du 18e s., véritable symphonie de vieilles pierres – nul crépi coloré en ces parages – dont les colonnades et balcons ouvragés nous reconduisent aux origines de la colonie espagnole. La place ne prit son nom actuel qu'à la fin du 18e s., lorsque l'ancienne église des jésuites fut consacrée cathédrale. Deux siècles auparavant, la naissance de ce site fut placée sous le signe de l'eau. Baptisée Plaza de la Ciénaga (« place du Marais ») en raison d'inondations persistantes pendant la saison des pluies, elle accueillit vers 1587 une citerne pour ravitailler les navires en eau douce. Cinq ans plus tard, elle fut également traversée par un *chorro* (petit canal, littéralement un « jet ») raccordé à l'aqueduc royal pour approvisionner les bateaux et le quartier. Au 18e s., des comtes et des marquis y firent édifier de riches demeures, la plupart devenues musées de nos jours.

★★★ Catedral de San Cristóbal

Lun.-vend. 9h-16h30, w.-end 9h-12h - entrée libre, accès au clocher : 1 CUC.

Plus large que haute, sa **façade★★** de style baroque se déploie de contre-courbes en angles cassés, du porche central jusqu'aux clochers faussement symétriques. Jeux de rythmes, d'échos et de contrepoints : la pierre semble animée d'un mouvement subtil, souligné par des cartouches et volutes sculptés évoquant la délicatesse de coquillages. À l'intérieur, même ondoiement : des lignes souples impriment un léger effet de vague à la nef, élevée dans une belle pierre nacrée d'origine océanique. La cathédrale de San Cristóbal, ainsi nommée en hommage à Christophe Colomb, semble une église marine, forme de dédicace à cet Atlantique qui a amené le christianisme sur ces terres… Pendant plus d'un siècle, le monument a d'ailleurs abrité les cendres de l'explorateur, avant qu'elles ne soient transférées dans la cathédrale de Séville, quand l'île gagna son indépendance.

Les plans seraient l'œuvre des jésuites, mais les architectes demeurent inconnus à ce jour. La construction commença en 1748, mais fut interrompue en 1767, année de l'expulsion des jésuites par le roi d'Espagne. Achevée dix ans plus tard, l'église fut élevée au rang de cathédrale en 1788.

Au centre du chœur, on peut admirer l'orfèvrerie et les sculptures de l'**autel★**, œuvres de l'artiste italien Bianchini. Au-dessus de l'autel, on remarquera **trois fresques** du peintre italien Giuseppe Perovani. Ceux qui n'ont pas la chance de se rendre à Santiago de Cuba pourront voir une **copie de la Virgen de la Caridad del Cobre**, la patronne de Cuba.

La Catedral de San Cristóbal.
taikrixel/iStock

Si vous n'êtes pas sujet au vertige, n'hésitez pas à monter dans la **tour est**, dont la plate-forme offre une belle vue plongeante sur toute la place.

★★ Casa de los Marqueses de Aguas Claras

Sur la gauche de la place *(en regardant la cathédrale)* s'élève l'élégante façade de cette demeure construite entre 1751 et 1775, aujourd'hui transformée en restaurant. Jetez un coup d'œil à son **patio★** caractéristique, baigné par une fontaine qui offre une fraîcheur délicieuse aux heures chaudes de la journée. Du même côté de la place, l'ancienne **Casa de Baños** (« bains publics ») fut édifiée au 19e s. à l'emplacement de la citerne installée en 1587. Remarquez à l'angle du bâtiment la **fontaine** du callejón del Chorro ; au fond de cette jolie impasse peut se visiter un intéressant atelier graphique *(voir p. 90)*.

★★ Palacio de los Condes de Casa Bayona

Face à la cathédrale, ce palais reste la plus ancienne demeure de la place. Il est également désigné par le nom de son propriétaire, Luis Chacón, qui en ordonna la construction en 1720. Il fut successivement le siège du collège des greffiers de La Havane à la fin du 19e s., d'un quotidien de la République, puis d'une entreprise de rhum nationalisée.

L'édifice agrémenté d'un merveilleux patio planté d'essences exotiques abrite le **Museo de Arte Colonial★★** (⋖ *[7] 862 64 40 - 9h30-17h - 3 CUC*). Il mérite une visite pour sa riche collection de meubles, pour la plupart en acajou. L'ensemble, provenant d'édifices tant civils que religieux, offre un panorama complet de la période coloniale du 17e au 19e s. Le musée renferme également divers éléments architecturaux, dont des grilles en fer forgé, des balustrades en bois et des heurtoirs, auxquels la vieille ville doit beaucoup de son cachet. Sont également exposés quelques *mediopuntos*, ces éléments de verre coloré ou de bois placés au-dessus des fenêtres pour tamiser la lumière. Les fenêtres du bâtiment sont elles-mêmes ornées de très beaux **vitraux**. À noter également le bel ensemble de **mamparas**, portes intérieures des demeures bourgeoises.

★ Palacio del Marqués de Arcos

Admirez les balcons en fer forgé et les colonnes qui ornent la belle façade baroque de cette demeure, construite dans l'angle sud-est de la place en 1741. Siège de la Trésorerie royale à partir de 1796, elle devint la poste centrale dans la première moitié du 19e s., puis le lycée artistique et littéraire de La Havane. Vous pourrez retrouver, percée dans son mur, une **boîte aux lettres** ancienne identique à celle de la calle Obispo, près de la Plaza de Armas *(voir p. 37)*.

★ Casa del Conde de Lombillo

Tlj sf lun. 9h30-17h - 2 CUC.

Juste à droite de la cathédrale, la maison fut construite dans la première moitié du 18e s. pour la famille Pedroso y Florencia, dont les descendants reçurent le titre de comte en 1871. Siège de la Direction de la restauration de la Vieille Havane, elle s'ouvre au public à la faveur d'expositions gratuites. N'hésitez pas à y pénétrer : son charmant patio débordant de plantes vertes, et les salles nobles de l'étage, avec leurs charpentes en bois bleu et leur mobilier ancien, donnent une belle idée de la noblesse des plus vieilles demeures de La Havane.

À 50 m de la cathédrale, dans la calle Empedrado, entre Cuba et San Ignacio, la célèbre **Bodeguita del Medio** *(voir « Faire une pause, boire un verre »)* ne désemplit pas. En attendant de trouver une place assise, vous pouvez pénétrer dans la maison située au n° 215 : la **Casa de la Condesa de la Reunión**, ancien hôtel particulier construit vers 1820, abrite le **Centro de Promoción Cultural Alejo Carpentier** *(lun.-vend. 9h-16h30 - entrée libre)*. Autour du patio, une modeste exposition, formée de quelques photographies et souvenirs, est consacrée à la vie du célèbre auteur cubain et en particulier à son livre *Le Siècle des Lumières*. Pratiquement en face de la Bodeguita del Medio, vous pouvez également visiter le **Centro de Arte Contemporáneo Wifredo Lam** *(𝄢 [7] 861 20 96 - www.wlam.cult.cu - San Ignacio y Empedrado - mar.-sam. 10h-17h - entrée libre)*. Il ne présente aucune œuvre du grand peintre surréaliste cubain, mais des expositions temporaires d'artistes contemporains. Autre centre culturel à signaler dans les parages : la **Casa Victor Hugo** *(Calle O'Reilly 311, e/ Habana et Aguiar - 7 866 75 90 - tlj sf dim. 9h30-17h)*, une belle maison du 18e s. qui, autour d'un patio coloré de bleu, dédie ses salles à la culture française.

★★ AU FIL DE LA CALLE MERCADERES Plan III

Reliant la Plaza de la Catedral au nord à la Plaza Vieja au sud, elle forme l'artère principale de la Vieille Havane, véritable cœur battant drainant un flux

---

HEMINGWAY À LA HAVANE

De 1932 à 1940, le célèbre écrivain américain occupa par périodes la chambre 511 de l'hôtel Ambos Mundos *(voir ci-contre)*, dans laquelle il rédigea son roman *Pour qui sonne le glas*. Lorsque ses blessures de guerre le harcelaient, Ernest Hemingway partait en quête de réconfort moral et physique dans les bars du quartier. Ses errances nocturnes commençaient toujours par El Floridita, à l'angle de l'avenida de Bélgica et de la calle Obispo *(voir « Faire une pause, boire un verre »)*. Après quelques daiquiris ou « papa's special » (avec double mesure de rhum), il redescendait la rue jusqu'à la Plaza de la Catedral. À quelques pas de là, il s'installait devant un mojito de la Bodeguita del Medio. Apaisé, il pouvait rejoindre le port d'où il larguait les amarres pour se livrer à des parties de pêche dignes du *Vieil Homme et la mer*.

ininterrompu de touristes. Magnifiquement rénovée, elle offre les plus beaux exemples de maisons coloniales transformées en musées, salles d'exposition et galeries : chaque pas-de-porte invite à une découverte !

La rue naît à l'est de la cathédrale, au croisement des calles Tacón et Empedrado. Après quelques mètres, on découvre une longue **fresque murale** : l'œuvre, **signée Andrés Carrillo**, représente avec une précision photographique 67 hommes et femmes célèbres de l'histoire cubaine ; elle a été achevée en l'an 2000.

Après avoir longé la façade arrière du Palacio de los Capitanes Generales, on croise la calle Obispo. Faites un petit crochet à droite jusqu'au n° 155 de cette rue : les lustres anciens de la **Farmacia y Droguería Taquechel★★** *(9h-17h - donation bienvenue)* laissent présager un véritable voyage dans le temps… Cette officine historique préserve en effet de magnifiques rayonnages de bois noble, toujours garnis de bocaux de porcelaine et de flacons de verre, entre autres objets anciens liés à la pharmacopée. Ce superbe ensemble paraît intemporel.

Pour revenir sur la calle Mercaderes, on contourne l'**hôtel Ambos Mundos** (« des deux mondes »), établissement mythique où Ernest Hemingway vécut entre 1932 et 1940 *(voir encadré)*. La chambre de l'écrivain, la n°511, a été transformée en petit musée *(tlj. sf dim. 10h-17h - 5 CUC)*. Le grand café du rez-de-chaussée, largement ouvert sur la rue, offre un cadre colonial suggestif pour boire un verre, mais on résiste mal au plaisir d'emprunter l'antique ascenseur actionné par un liftier jusqu'au bar-restaurant du dernier étage, pour admirer la vue sur la ville et la mer.

Peu après, sur la calle Mercaderes, au n° 114, les amateurs pourront admirer la **Maqueta de la Habana Vieja★** *([7] 866 44 25 - 9h-18h30 - 1,50 CUC)*, qui reproduit en miniature toute la vieille ville dans ses moindres détails. L'amas de petites maisons colorées, représentées à l'échelle 1/500 sur près de 50 m², est éloquent. Plus loin sur la rue, au n° 120, le petit **Museo del Tabaco** (musée du Tabac) reste quant à lui tout à fait anecdotique.

Continuez jusqu'à l'angle de la calle Obrapía.

★ Casa de la Obrapía

Calle Obrapía 158 - (7) 861 30 97 - mar.-sam. 10h-17h, dim. 10h-13h - gratuit.
L'une des plus belles demeures historiques de la Vieille Havane, immanquable avec sa haute façade jaune vif et bleue, ainsi qu'avec son magnifique porche baroque très ouvragé. Son nom, « œuvre pieuse », est dû à sa fonction d'orphelinat au 17ᵉ s. Même si elle abrite une collection hétéroclite (voitures anciennes, vieux outillages, mobilier du 19ᵉ s., expositions d'œuvres contemporaines, etc.), il ne faut pas se priver de déambuler à travers les galeries et coursives de son beau patio et dans ses grandes salles au cachet historique certain.

En sortant, vous découvrirez la **Casa de África** *(calle Obrapía n° 157)*, premier des nombreux petits musées créés alentour, dans diverses bâtisses anciennes, afin de présenter les dons que Fidel Castro a reçus de différents pays et continents : vous croiserez ainsi à l'angle des calles Obrapía et Mercaderes *(n° 156)* la **Casa de México** *([7] 861 81 66 - mar.-sam. 9h-14h30 - entrée libre)*, réunissant une collection de céramiques mexicaines, des fresques, ainsi que des portraits, dont ceux de Fidel et de Raúl Castro ; un peu plus bas sur la même rue *(n° 111)*, la **Casa de Asia**. Admirez au passage, au n° 111 de la calle *Obrapía*, la **Casa de Guayasamín**, dédiée à l'artiste équatorien et présentant régulièrement des expositions contemporaines *(dans « Nos adresses », voir « Achats, Galeries d'art »)*.

Casa Simón Bolívar

Calle Mercaderes 160 - mar.-sam. 9h30-16h30, dim. 10h-13h - gratuit.
Logé dans une belle maison coloniale de 1817, ce petit musée fondé avec l'aide du Venezuela est dédié au « Libertador », icône majeure de l'émancipation des colonies espagnoles d'Amérique latine. Une exposition retrace sa vie et son œuvre. Les salles présentent aussi des peintures et sculptures d'artistes vénézuéliens, notamment des figurines naïves en terre cuite.

Juste après le petit Parque Guayasamín, agréable îlot de verdure créé sur une ancienne friche, se dévoile le **Museo de la Armería** (*[7] 861 80 80 - lun. 13h-17h, mar.-sam. 9h-17h - entrée libre, donation bienvenue*). Cette belle armurerie historique, grande ouverte sur la calle Mercaderes, fut pillée par les étudiants havanais lors de la révolution de 1959. La collection d'armes anciennes mérite le coup d'œil. À noter : au croisement suivant avec la calle Lamparilla se dresse l'hôtel Conde de Villanueva, dont la boutique de cigares est connue des amateurs *(voir « Achats »)*.

Une cuadra plus bas, à l'angle de la calle Amargura, le **Museo de la Cerámica** (*[7] 861 61 30 - mar.-sam. 9h30-17h, dim. 9h-13h - 3 CUC*) est installé dans la **Casa Aguilera**, bel écrin colonial pour l'exposition d'œuvres tour à tour réalistes, oniriques, conceptuelles, picturales ou sensuelles. Parmi elles, on peut admirer celles des céramistes cubains les plus importants du 20e s., comme Wifredo Lam et Amelia Peláez.

Enfin, de l'autre côté de la calle Amargura, se trouve une petite institution gourmande de La Havane : le **Museo del Chocolate** *(voir « Faire une pause, boire un verre »)*, incontournable pour déguster un bon chocolat chaud… ou froid. Au prochain croisement, la calle Mercaderes débouche sur la Plaza Vieja.

★★★ **PLAZA VIEJA** Plan III, B3

Colorée, vivante, pleine de cachet, la Plaza Vieja (« Vieille Place ») est, comme son nom l'indique, l'une des plus anciennes de la ville. Crépis ocre, bleu ou vert, fenêtres ornées de multiples *vitrales* (« vitraux ») aux motifs géométriques chatoyants – superbe spectacle la nuit venue quand s'éclairent les intérieurs –, balcons aux ferronneries ouvragées, persiennes mi-closes et secrètes… Tel est le charme intact de cette grande esplanade aménagée pendant la seconde moitié du 16e s. et appelée alors la Plaza Nueva, la « place Neuve » !

Si la Plaza de Armas était réservée aux exercices militaires, la Plaza Vieja était destinée aux civils : elle accueillit successivement un marché aux esclaves, puis un marché couvert, démoli au début du 20e s., avant d'être transformée comme souvent en grand parking. Rendue aux piétons et admirablement rénovée, elle s'impose comme l'un des joyaux du quartier touristique. Pourtant, à moins de 50 m, les rues défoncées et décaties du sud de la Vieille Havane *(voir p. 47)* offrent un tout autre visage… Terrible contraste !

Tous les immeubles de la Plaza Vieja accueillent aujourd'hui des institutions culturelles, des musées, des galeries et des cafés-restaurants. Avant d'en faire le tour, vous pouvez prendre de la hauteur en montant au sommet de l'**Edificio Gómez Vila**, dont la riche architecture Belle Époque domine l'angle des calles Mercaderes et Brasil. Le dernier étage abrite une **Camera Obscura** (*au 8e étage, accès par ascenseur - tlj sf lun. 9h30-16h30 - 2 CUC*), curiosité qu'apprécieront les amateurs d'optique : dans une petite pièce toute noire trône une coupole d'1,80 m de diamètre sur laquelle se projette le panorama de la ville filtré par un périscope installé juste au-dessus, à 35 m de hauteur. La vision de la cité, très précise (on voit par exemple les piétons marcher dans les rues voisines), ne manque pas d'impressionner, même si la visite est expéditive et

Partie de base-ball sur la Plaza Vieja.
D. Delimont/Danita Delimont Agency/age fotostock

les explications données par le guide sommaires. La terrasse adjacente offre une belle vue plongeante, cette fois-ci bien réelle, sur la Plaza Vieja.

En poursuivant dans le sens des aiguilles d'une montre sur la place, on découvre ensuite une jolie maison bleue ; datant de 1752, elle abrite la **Fototeca de Cuba** *(mar.-sam. 9h-17h - entrée libre)*, qui présente des expositions de photographies, souvent signées par de grands noms cubains ; n'hésitez pas à vous informer.

Immédiatement après apparaît la façade rétro de l'ancien **Cine Habana**, aujourd'hui transformé en **planétarium**. Devenue incontournable pour les écoliers havanais, la projection retrace l'histoire de l'univers depuis le Big Bang *(commentaires en espagnol - merc.-sam. 9h30-17h30 - 10 CUC)*.

Un peu plus loin, après le décor rétro d'El Escorial, connu des amateurs de café *(voir « Faire une pause, boire un verre »)*, se dresse, dans l'angle des calles Muralla et Inquisidor, un exemple étonnant d'Art nouveau, richement sculpté : le **Palacio Cueto** (1906). Conçu par l'architecte Arturo Marqués, il arbore des balcons en forme de vagues qui font songer aux édifices modernistes de Barcelone. Après avoir été longtemps investi par des familles cubaines, il a été intégralement restauré pour servir d'écrin à un nouvel hôtel de luxe. À ses pieds, la première maison du flanc sud de la Plaza Vieja abrite un modeste **Museo del Naipe**, consacré à l'histoire de la carte à jouer *(☎ [7] 860 15 34 - tlj sf lun. 9h30-16h30 - entrée libre)*.

À l'angle des calles Muralla et San Ignacio s'élève l'un des édifices les plus anciens de la place : devancée d'une belle colonnade de pierre, la **Casa del Conde de Jaruco★** fut construite en 1737. Elle est aujourd'hui le siège du **Fondo de Bienes Culturales et possède des boutiques** d'art et d'artisanat. De l'autre côté du croisement, la belle façade jaune de la **Factoria Plaza Vieja** abrite une brasserie toujours en activité *(voir « Faire une pause, boire un verre »)*. Deux immeubles plus haut, vous pouvez aussi jeter un coup d'œil à la **Vitrina de Valonia**, inattendu centre de promotion culturelle de la Wallonie à Cuba, où ont parfois lieu des expositions de bandes dessinées belges.

Enfin, à l'angle des calles Brasil et San Ignacio, la **Casa de las Hermanas Cárdenas** porte le nom des deux sœurs qui la firent construire à la fin du 18e s. Cette petite bâtisse ocre devint en 1824 le siège de la Société philharmonique de la ville avant d'être transformée en **Centro de Desarollo de las Artes Visuales** (Centre de développement des arts visuels), présentant régulièrement le travail d'artistes contemporains.

Remontez la calle Brasil vers l'est pour rejoindre la Plaza de San Francisco de Asís.

★ PLAZA DE SAN FRANCISCO DE ASÍS Plan III, B2-3

Bordant le centre historique, cette vaste place voisine de la baie est souvent balayée par un vent puissant : grandement érodées, les statues de la jolie église Saint-François-d'Assise à laquelle elle doit son nom semblent devenues sculptures de sel ! Au centre de l'esplanade, la belle **Fuente de los Leones** (« fontaine aux Lions ») en marbre fut sculptée par l'artiste italien Gaggini et installée en 1836. À partir de 1844, elle fut déplacée en plusieurs endroits de la ville et ne retrouva son emplacement d'origine qu'en 1963. La Plaza de San Francisco de Asís fut aménagée à la fin du 16e s. Les bâtiments commerciaux qui l'entourent, comme l'ancienne **Lonja del Commercio** (Bourse du commerce), au nord, ou la **douane**, à l'est, ne furent édifiés qu'au début du 20e s.

★★ Iglesia y Convento de San Francisco de Asís Plan III, B3

Calle Oficios e/Amargura et Muralla - mar.-sam. 9h30-16h30 - 2 CUC.

Ces édifices vécurent une histoire tourmentée. Le projet de construction du monastère franciscain date de 1570, mais les travaux ne commencèrent que dix ans plus tard. Achevée en 1591, l'église connut un rayonnement religieux et culturel important en Amérique latine. Entre 1719 et 1733, on dut reconstruire le monastère et l'église qui présentaient des signes de délabrement. Puis les lois de 1842 sur le démantèlement des biens du clergé marquèrent la fin de cet édifice religieux, réaménagé en entrepôt. Enfin, quatre ans plus tard, un cyclone détruisit le chœur, qui fut remplacé par un trompe-l'œil !

Depuis 1990, cet ensemble religieux suscite un regain d'intérêt et a fait l'objet d'importants travaux de restauration. Vous pouvez assister à des **concerts** de musique classique réputés dans la nef de l'église, spacieuse et dépouillée *(tous les sam. à 18h - 10 CUC)*. Des ivoires et des pièces d'orfèvrerie sont exposés dans la nef, tandis que le rez-de-chaussée du cloître abrite une maquette du couvent et des objets liturgiques. De l'étage du cloître, le visiteur accède au *coro alto*. De là, un escalier raide conduit en haut du clocher, avec une **vue★** imprenable sur toute la ville et sur l'ancienne **Loja del Comercio** (1907-1909), juste en face.

Coche Mambí Plan III, B3

Calle Churruca - mar.-sam. 9h30-15h30, dim. 9h30-12h - gratuit.

En descendant vers les docks, vous ne manquerez pas, sur la gauche, la calle Churruca, qui abrite une véritable curiosité : la ruelle est presque entièrement occupée par une voiture de chemin de fer ! Cet ancien wagon présidentiel a conservé tout le luxe d'autrefois : la chambre, le salon, la salle à manger ou encore la cuisine reconduisent aux prémices du 20e s.

À quelques pas de là, sur l'avenida del Puerto, se trouve le **Museo del Ron Havana Club** (Plan II, C3) *(havana-club.fr - lun.-jeu. 9h-17h, vend.-dim. 9h-16h - 7 CUC, visite guidée en français de 25mn)*. Le petit musée à l'étage explique les étapes de la fabrication du rhum, mais la visite est surtout prétexte à la dégustation et à la vente ! Le bar est ouvert jusqu'à minuit.

Pénétrez de nouveau dans la vieille ville en remontant la calle Sol de quatre cuadras jusqu'au couvent de Santa Clara.

LA HAVANE

LE SUD DE LA VIEILLE HAVANE Plan II

▶ *Comptez 1h30.*

Les jeunes jouent au base-ball, les vélos surchargés contournent à vive allure les vieilles voitures immobilisées et les nombreux piétons, les discussions des ménagères de balcon à balcon couvrent à peine les dernières mélodies à la mode, hurlées à plein volume par d'antiques postes de radio… Tel est le spectacle offert par ces rues encore populaires ! Autant le nord de la Vieille Havane a quelque chose d'un musée, autant le reste du quartier, de la gare à la calle Obispo, demeure infiniment vivant. Sans transition, on pénètre ici dans un étonnant sanctuaire, où les touristes se hasardent en plus petit nombre. Partout, des chaussées défoncées couvertes de poussière, des immeubles autrefois charmants en voie de déliquescence (ferronneries rongées par la rouille, sculptures gagnées par les herbes folles, etc.), des échoppes terriblement humbles : un décor qui trahit des conditions de vie très dures, mais qui fourmille de vie. Des vêtements très colorés sèchent à la moindre fenêtre, les enfants jaillissent de tous côtés, et chacun se livre à une infinité de menus travaux domestiques au milieu des rues – la frontière entre public et privé s'estompe. Ici une jeune fille se vernissant les ongles, là un électricien improvisé se grattant la tête devant un incroyable méli-mélo de câbles ; des petites scènes anodines en apparence, mais qui en disent beaucoup, notamment sur les solidarités familiales, le sens de la communauté et… de la débrouille !

🐷 **Bon à savoir** – Faute d'entretien, le patrimoine du quartier souffre particulièrement et nombre d'édifices sont dorénavant fermés au public, dans l'attente d'hypothétiques travaux.

Pour avoir une chance d'y pénétrer et si vous souhaitez être accompagné, vous pouvez suivre l'une des intéressantes visites guidées proposées par l'agence touristique San Cristóbal *(voir « Activités »).*

★ **Iglesia y Convento de Santa Clara** Plan II, B-C3

Calle Cuba e/Sol et Luz - fermé pour travaux pour une durée indéterminée.

Empruntes de solennité, ses hauts murs ocre restent aujourd'hui silencieux : le monument ne se visite plus. Achevé en 1644 après six ans de construction,

---

POUR SES 500 ANS, LA HAVANE SE MET SUR SON 31

En novembre 2019, la capitale cubaine souffle les 500 bougies de sa fondation. Pour célébrer dignement cet anniversaire, cette ville qu'on dit figée dans le temps, avec ses vieilles voitures américaines et ses ruines romantiques, s'efforce de se moderniser et de s'embellir. Les rues sont nettoyées, les parcs entretenus, des lampadaires ont été installés sur les promenades publiques, le port est rénové pour l'accueil de bateaux de croisière. Outre la restauration à grands frais du Capitole ou encore la modernisation de l'aéroport, on note la réhabilitation de la gare centrale, du phare du Castillo del Morro et de nombreux bâtiments du Malecon et du Centro. L'anniversaire, et son cortège de festivités, spectacles et concerts, offre surtout l'opportunité à Cuba de promouvoir sa capitale en accueillant de nouveaux touristes et investisseurs. Dès 2020, le parc hôtelier de la ville doit passer de 12 000 à 17 000 chambres, grâce à l'ouverture de nombreux hôtels. La Havane fait au passage les yeux doux au tourisme de luxe. Après le Gran Manzana Kempinski et le Grand Packard Iberostar, d'autres palaces cinq étoiles doivent être inaugurés, dont un Sofitel, le So Paseo del Prado, et l'hôtel Prado y Malecón sur le front de mer.

Santa Clara fut pourtant le premier monastère de religieuses de Cuba. L'édification alentour d'immeubles, au début du 20e s., en mettant un terme à leur intimité, obligea les sœurs à déménager. Le couvent fut vendu en 1919 à une société de travaux publics, puis devint le siège du Centre national de conservation, restauration et muséologie, transformant les anciennes cellules des religieuses en ateliers de restauration de textiles, de meubles, de tableaux et de statues! Reste à attendre que le bâtiment soit lui-même réhabilité pour pouvoir en redécouvrir le superbe **cloître★★**, rafraîchi par la **Fuente de la Samaritana**, la première fontaine de la ville, installée au 17e s., ainsi que les boiseries d'origine qui ornent les murs…

Dans la même rue, à l'angle de la calle Acosta, se dresse la sobre façade de pierres grises de la plus ancienne église de La Havane, l'**église del Espíritu Santo** *(mar.-sam. 9h-12h, 15h-17h, dim. 9h-12h)*. Construite en 1632 par un groupe d'esclaves affranchis, elle fut la deuxième église paroissiale après celle qui s'élevait à l'emplacement du Palacio de las Capitanes Generales. La nef gauche et la façade furent ajoutées dans la seconde moitié du 18e s. À l'intérieur, le bois sombre des retables et de la charpente du chœur contraste avec la pierre claire des murs de la nef et des voûtes du chœur.

Descendez deux cuadras plus bas jusqu'à la calle Merced.

★ Iglesia y Convento de Nuestra Señora de la Merced Plan II, C4

Angle calles Cuba et Merced - 8h-12h, 13h-17h (dim. 13h) - entrée libre.

L'ensemble architectural fut commencé en 1755 et achevé seulement au siècle suivant. L'église a bénéficié d'un riche programme décoratif : sculptures polychromes, retables et **meuble de sacristie★** très ouvragés, et nombreuses **fresques★**, en particulier sur la coupole. Les effets du temps sont visibles, mais l'ensemble en est d'autant plus poétique.

Pratiquement en face de Nuestra Señora de la Merced, au n° 815 de la calle Cuba, se trouve le **Gimnasio de Boxeo Rafael Trejo**, un ring en plein air où, surtout le samedi matin, s'affrontent les émules du boxeur cubain Kid Chocolate. Ambiance garantie dans cette petite institution du quartier!

Bifurquez à gauche dans la calle Leonor Pérez (Paula).

Édifiée entre 1730 et 1745, l'**église de San Francisco de Paula★** *(lun.-vend. 9h-17h, sam. 9h-13h)* se dresse sur une petite place donnant sur la baie. L'enceinte comportait également un hôpital pour femmes, qui fut détruit en 1946, ainsi que le chœur de l'église. Le reste de l'édifice, notamment sa belle **coupole★**, a été épargné et récemment restauré.

Plus loin, sur le quai des Desamparados, à côté de l'église San Francisco, la **Nave San José** est un vaste hangar rénové accueillant une infinité de petites échoppes artisanales, vendant des souvenirs de toutes sortes *(voir « Achats »)*. À côté, l'**Antiguo Almacén de la Madera y el Tabaco**, hangar où étaient entreposés le bois et le tabac, accueille une brasserie depuis sa réhabilitation. L'ensemble du secteur proche du port devrait profiter du même effort de rénovation.

Prenez la calle Cuba pour revenir sur la calle Leonor Pérez (Paula).

★ Casa Natal de José Martí Plan II, B4

Calle Leonor Pérez (Paula) n° 314 e/Picota y Egido - ℘ (7) 861 37 78 - mar.-sam. 9h30-16h45, dim. 9h30-12h30 - 2 CUC.

« L'apôtre de l'indépendance cubaine » vit le jour le 28 janvier 1853 dans cette petite maison et y passa les quatre premières années de sa vie. Dans ce musée inauguré en 1925 sont rassemblés quelques-uns de ses objets personnels, intimement liés à l'histoire de l'île. Parmi les photographies, remarquez la seule sur laquelle il esquisse un sourire avec son fils sur les genoux. Est également

Eusebio Leal,
le sauveur de La Havane

Difficile aujourd'hui, en déambulant dans les ruelles de la ville, d'échapper aux logos et panneaux d'information de la *Oficina del Historiador*, le **Bureau de l'Historien** (*www.habananuestra.cu*), créé dans les années 30 pour sauvegarder le patrimoine havanais. Son directeur, Eusebio Leal Spengler, passe quant à lui incognito au milieu des touristes quand il traverse la Plaza de Armas de sa menue silhouette, toujours sobrement vêtu d'une *guayabera* grise. Pour les Cubains, ce vieil homme à lunettes est pourtant une célébrité. Personnage parmi les plus influents et respectés du régime, ce fin lettré règne sans partage sur le destin de la Vieille Havane dont il fut le *deus ex machina*, la faisant passer de l'état de ruine à l'une des plus extraordinaires enclaves coloniales des Amériques.

Né en 1942, dans une famille pauvre de Centro Habana, le jeune autodidacte fait ses classes avec Emilio Roig, le premier Historien de la ville. Devenu son successeur, il obtient sa première victoire en 1982, quand l'Unesco classe la Vieille Havane au Patrimoine de l'humanité. Mais c'est en 1993, lors d'un voyage en Colombie, qu'il trouve l'oreille attentive de Fidel Castro, en lui suggérant de miser sur le tourisme pour restaurer la capitale. Fidel lui donne carte blanche. Leal crée **Habaguanex**, société autorisée à traiter directement avec les investisseurs étrangers, et qui a l'exclusivité pour aménager et gérer les établissements touristiques de la ville. Il fonde, dans la foulée, une école des métiers de la restauration. Grâce à l'argent récolté, **plus de 3 000 immeubles et places ont été restaurés avec brio**, à l'image de la Plaza Vieja, dont la fontaine a été refaite d'après les dessins du 18ᵉ s. de l'artiste italien Giorgio Massari. Les édifices trop en ruine ou effondrés ont été remplacés par des petits squares, verdoyants et conviviaux. Depuis 2003, le bureau de l'Historien supervise aussi la rénovation du Malecón et du Barrio Chino.

Habaguanex (passé sous le contrôle des militaires en 2013) engrange des bénéfices colossaux. La compagnie gère plus de 20 hôtels, 25 restaurants, 30 magasins, divers musées, les calèches, une station de radio… Les Cubains en plaisantent : « Quand on veut, on peut être plus capitalistes que les Américains ». Mais la réussite de Leal, c'est aussi d'avoir conservé et amplifié l'aspect vivant de la Havane, en multipliant les **projets sociaux en faveur des habitants**. Bardé de distinctions, vedette d'émissions télévisées, guide des hôtes de marque en visite (le pape François en 2015, Barack Obama en 2016, le prince Charles en 2019), Eugenio Leal incarne, aux yeux de tous, le meilleur de la Révolution cubaine, le fonctionnaire dévoué, aussi érudit qu'imaginatif, défenseur de la culture et ouvert à l'innovation.

exposé l'unique portrait connu de lui, réalisé par le peintre suédois Hermann Norman en 1891.

En débouchant sur l'avenue Egido, vous découvrez l'imposante gare *(la rénovation doit être achevée fin 2019)*, construite au début du 20e s. dans un style inspiré du plateresque espanol. De part et d'autre subsistent les vestiges d'un arsenal et des anciennes **fortifications** *(muralla)*, démolies en 1863.

Remontez l'avenue Egido vers la droite. Laissez la gare sur votre gauche et tournez à droite dans la calle Acosta, juste derrière le restaurant Puerto de Sagua.

Dans la calle Acosta, vous passerez sous une arche de style baroque. L'**Arco de Belén** (arche de Bethléem) fut construit en 1772 pour relier le couvent du même nom aux demeures de l'autre côté de la rue.

Juste après l'arche, tournez à gauche dans la calle Compostela.

★ Iglesia y Convento de Nuestra Señora de Belén Plan II, B4

Calle Compostela e/Luz et Acosta - église fermée pour restauration.

Le vaste ensemble fraîchement repeint de jaune, construit entre 1712 et 1718 pour la congrégation de Bethléem, fut le premier édifice de style baroque à La Havane. En 1856, il passa aux mains des jésuites, puis devint l'un des locaux de l'Académie des sciences. Laissés à l'abandon à partir de 1925 puis gravement endommagés par un incendie en 1991, l'église et le couvent retrouvent peu à peu leur splendeur grâce à un programme de restauration toujours en cours. Le couvent revient à ses premières fonctions caritatives en hébergeant notamment une maison de retraite et un centre pour enfants handicapés.

Remontez la calle Compostela de trois cuadras, jusqu'à l'angle de la calle Brasil (Teniente Rey).

★ Museo de la Farmacia Habanera Plan II, B3

Angle calles Brasil et Compostela - ℘ (7) 866 75 56 - 9h-16h30 - entrée libre.

Installé dans l'ancienne Droguería Sarrá ouverte par le Dr José Sarra à la fin du 19e s., ce musée, inauguré en 2004, fait revivre une ancienne pharmacie cubaine. Dans la succession de grandes salles, les murs sont ornés de magnifiques présentoirs en bois sculpté contenant de très nombreux flacons destinés autrefois aux préparations pharmaceutiques. Vous pourrez également admirer de très nombreux objets du 19e et du 20e s. : balances, flacons, jarres, bocaux retrouvés lors de fouilles archéologiques dans la Vieille Havane. Le temps semble s'être arrêté dans cette échoppe au décor intact.

Remontez ensuite la calle Brasil (Teniente Rey) de deux cuadras vers le Capitole.

SILLONNER LA HAVANE EN VIEILLE AMÉRICAINE

Avec leurs galbes magnifiques et leurs carrosseries aux couleurs osées (rose bonbon, vert anis…), ces Chevrolet Bel Air, Buick, Pontiac, Mercury et autres Cadillac des années 1950 sont devenues emblématiques de La Havane (et de Cuba). Bichonnées par leurs propriétaires, elles ont été restaurées à l'identique ; le moteur et de nombreux autres accessoires sont cependant rarement d'origine. Dans le contexte de l'embargo américain, qui a fortement limité l'importation de voitures neuves, elles sont devenues une richesse, au point que l'État en interdit la revente à l'étranger. Les plus belles, des cabriolets, s'offrent aux touristes, qu'elles embarquent pour un tour échevelé de la ville. La plupart stationnent en face du Gran Teatro (Plan II, A3) et, au nord de la Vieille Havane, sur le Parque Céspedes (Plan II, B2) : comptez **50 CUC pour une balade d'1h** (tarif souvent négociable) qui vous mènera jusqu'à Miramar et à la Plaza de la Revolución, avec passage incontournable par le Malecón.

Gran Teatro de La Habana, sur le Parque Central.
FOTOGRAFIA INC./iStock

Faites un petit crochet à droite jusqu'à l'église **Santo Cristo del Buen Viaje**. Si les premiers bâtiments ont été édifiés en 1640, l'église actuelle fut construite en 1755 : sa façade ouvragée encadrée de deux tours blanches ainsi que son toit de tuiles rouges forment un joli tableau. Le parvis, prisé par les habitants du quartier, donne à voir à toute heure de multiples scènes pittoresques.

★★ Du Capitole au Prado Plan II, p. 32

▶ *Comptez une journée si vous visitez tous les musées.*

Au débouché des ruelles de la Habana Vieja, le monumental Capitole crée une surprenante rupture d'échelle. C'est ici que La Havane devient véritablement capitale. Autour du Parque Central, vaste esplanade arborée, le quartier fut la vitrine de la ville à la Belle Époque : larges avenues propices à la circulation automobile, grand théâtre, promenade plantée (le Paseo del Prado), musées, hôtels de luxe et cafés à la parisienne… Territoire de prédilection des pontes de la pègre états-unienne dans la première moitié du 20e s., le quartier, bien que décati, reste suggestif avec son ambiance toujours très dynamique et ses embouteillages de vieilles américaines rutilantes !

AUTOUR DU CAPITOLE Plan II, A3-4

Ce bâtiment de plus de 200 m de long, couronné d'une coupole de 94 m de haut, constitue le principal point de repère de la ville. Sur les marches, quelques « artistes » prennent à la volée des croquis des touristes, souvent à leur insu, puis les leur présentent en espérant un pourboire. Difficile d'y échapper.

★★ Capitolio Nacional

Entrée par le paseo Martí. Visite guidée uniquement (50mn), en anglais ou espagnol, mar.-sam. à 10h, 11h, 13h30, 14h30 et 15h30 ; dim. à 10h30 et 11h30. Pas de réservation, billet délivré au guichet situé au pied de l'escalier, à gauche. Fermé la dernière sem. du mois. Photos autorisées dans le hall, mais pas dans les salles - 10 CUC.

Vestige de l'ère américaine, cette réplique du Capitole de Washington, lui-même inspiré par le Panthéon de Paris, fut achevée en 1929 sous la présidence de Machado et demeura le siège du Parlement jusqu'à la révolution.

Rouvert au public après huit ans de travaux, le monument a retrouvé son lustre exceptionnel et est redevenu le **siège de l'Assemblée nationale**. Les ouvriers cubains, aidés d'experts russes, achèvent la restauration de sa vaste coupole, haute de 91,72 m, qui rutilera d'or en novembre 2019, pour l'anniversaire des 500 ans de la Havane.

Le vaste escalier de granit, encadré par deux statues de bronze figurant le Travail à droite et la Vertu à gauche, conduit à un perron monumental. Trois portes en bronze, sculptées de bas-reliefs illustrant des épisodes de l'histoire cubaine, ouvrent l'entrée principale. Elle débouche directement dans le grand hall sous la coupole, habillé d'une polychromie de marbre. Au fond se dresse une **statue en bronze doré** de 17,50 m de hauteur pour 49 t, fondue en Italie par le sculpteur Angelo Zanelli et représentant la République sous les traits d'Athéna. Dans le sol au centre du hall est incrusté un **diamant** de 25 carats marquant le km 0 à partir duquel sont calculées toutes les distances de l'île. Celui qui brille actuellement est une copie. L'original, hérité des tsars de Russie, fut mystérieusement volé puis retrouvé en 1946. Il repose désormais sous bonne garde dans un coffre de la Banque centrale de Cuba.

L'immense **salle des Pas perdus**, dénommée ainsi en raison de son acoustique exceptionnelle, mène aux différentes salles du Capitole. On visite l'hémicycle où se réunissent les parlementaires ainsi que les différents bureaux et salons de conférences, tel le bureau du Président de la Chambre, décoré dans le style Empire français.

De très belles fresques ornent les murs et le plafond du **salon Martí**. Admirez les bois précieux de la **bibliothèque de Sciences et Technologie★**.

Parque de la Fraternidad

Comme le Parque Central situé de l'autre côté du Capitole, le parc et ses environs sont rarement calmes : les Cubains viennent y attendre leur *guagua (bus public, dans « Nos adresses », voir « Transports »)* ou tout simplement discuter à l'ombre des palmiers. Au centre, un *ceiba* fut planté le 24 février 1928, à l'occasion de la VIe conférence panaméricaine à laquelle participa, entre autres, le Vénézuélien Simon Bolívar.

À l'extrémité sud-est du parc, trois grandes avenues contournent une fontaine surmontée d'un symbole de La Havane : la **Fuente de la India**, ou Noble Habana, sculptée par l'Italien Giuseppe Gaggini en 1837, représente une jeune Indienne tenant un bouclier frappé aux armes de la ville.

Juste en face se trouve le **Museo de los Orishas** (*℘ [7] 86 39 53 - 9h30-17h - 5 CUC*), qui fonctionne autant comme un centre culturel que comme un musée. Le premier étage présente le panthéon des principales divinités *(orishas)* de la religion yoruba *(voir « Religions », p. 361)*. Salle d'exposition, bibliothèque, artisanat et spectacles de danse complètent le lieu.

À l'opposé sur le parc, à l'angle de l'**avenida Simón Bolivar**, le **Palacio de Aldama** (Plan IV, C2) fut l'un des premiers palais néoclassiques de la ville (1840). Il abritait l'Institut de l'histoire du mouvement ouvrier de Cuba et de la révolution socialiste, mais aujourd'hui il menace ruine : sa belle colonnade est entièrement étayée…

Enfin, derrière le Capitole, au n° 520 de la calle Industria, on peut toujours admirer le bel immeuble historique de la **Fábrica de Tabacos Partagás**, la plus célèbre manufacture de tabac de la ville, née en 1845 et qui a récemment

UN MARCHÉ IMMOBILIER BALBUTIANT

Jusqu'en avril 2011, les Cubains désireux de déménager n'avaient d'autre choix que d'échanger (*permutar*) leur logement contre un autre. Seul ce système de troc était toléré par l'État, toute opération immobilière étant prohibée. Ce qui n'excluait pas, en réalité, le versement de dessous de table pour compenser les écarts de valeur. La plupart des Havanais se retrouvaient alors à la **Bolsa de las Permutas** (« bourse d'échanges ») qui se tenait chaque week-end sur le Prado. L'annonce de l'**accès à la propriété privée, en 2011**, a constitué une véritable révolution pour les Cubains. Sur les façades des maisons, les pancartes « *Se vende* » ont remplacé peu à peu les anciennes « *Se permuta* ». La bourse d'échanges du Prado n'a pas disparu, mais les Havanais y présentent désormais en majorité des offres en espèces sonnantes et trébuchantes. Des courtiers (*corredores* ou *gestores*) ont fait leur apparition, qui prélèvent une commission sur les transactions. Des agences immobilières aussi, comme Casas Cubanas, IslaSi ou Zafiro. Les annonces sont souvent diffusées sur des sites Internet tels Revolico. com, Porlalivre.com ou Cubisima.com, qui affichent dix fois plus d'offres de vente ou d'achat que d'offres d'échange.

Même s'il reste encore fermé aux non-résidents, le marché immobilier à la Havane a connu une envolée des prix. D'abord en raison de la pénurie, la ville souffrant d'un **déficit estimé de 700 000 logements**. La vétusté de ceux qui existent, d'ailleurs, est telle que l'ouragan Irma, en septembre 2017, en a démoli plus de 30 000 en une seule nuit. Autre facteur de hausse : le retour, après la réforme migratoire de 2013, de 40 000 exilés cubains, qui ont acheté et rénové de nombreux bâtiments pour en faire des restaurants ou des logements touristiques. Ceux que l'on appelait les *gusanos* (vers de terre) sont désormais surnommés les *mariposas* (papillons), car ils disposent des moyens d'investir. C'est eux, ainsi que les Cubains ayant une famille à l'étranger, les dignitaires du régime ou encore les étrangers mariés à un(e) Cubain(e), qui achètent ces villas et penthouses luxueux des quartiers de Miramar et du Vedado à **plus d'un million de CUC**. Des biens hors de portée des citoyens ordinaires, dont la plupart peinent à acquérir un modeste logement de 5000 CUC dans les *microbrigadas*, immeubles sociaux en piteux état.

déménagé au sud de Centro Habana *(voir p. 59)*. Seule la boutique, renommée, demeure ici ouverte *(voir « Achats »)*.
Revenez sur vos pas et prenez à droite devant le Capitole pour atteindre le Parque Central.

AUTOUR DU PARQUE CENTRAL Plan II, A2-3

Rond-point stratégique entre les quartiers de la Vieille Havane et de Centro Habana, le square centenaire du Parque Central jouit de l'aura prestigieuse des édifices qui l'entourent.

★ Parque Central

Sous l'ombre providentielle de ses palmiers, les Cubains s'y retrouvent à toute heure de la journée pour discuter de base-ball, parier sur leur équipe favorite ou simplement profiter de la quiétude du lieu. Au centre, on remarquera une **statue de José Martí**. La sculpture à la gloire de « l'apôtre de l'indépendance » fut réalisée par le Cubain Vilalta de Saavedra en 1904.

★ Gran Teatro de La Habana

www.balletcuba.cult.cu - visite guidée ttes les 45mn, mar.-sam. 9h30-16h, dim. 9h15-12h15 - 5 CUC.

Entre les calles San José et San Rafael surgit l'imposante silhouette de ce théâtre, où sont donnés des opéras, des concerts et des représentations du Ballet national de Cuba, fondé en 1948 par la célèbre **Alicia Alonso**, danseuse née en 1920 devenue l'une des figures emblématiques de la révolution cubaine.

Annexé à l'ancien Teatro Tacón édifié en 1837, le bâtiment actuel fut achevé au début du 20ᵉ s. pour accueillir le Club social des Galiciens. Fraîchement rénovée, sa superbe façade néobaroque a retrouvé tout son éclat : les multiples balustrades, statues et sculptures de marbre blanc – dont, à chaque angle du bâtiment, un ange semblant prendre son envol de l'une des tourelles – dessinent une œuvre architecturale exemplaire de la Belle Époque.

L'intérieur a également retrouvé son lustre, en particulier la grande **salle à l'italienne**, où se sont produits d'innombrables artistes, de Sarah Bernhard à Simply Red, en passant par Enrico Caruso**. L'escalier★** de marbre, enroulé autour d'une mosaïque, est une merveille d'élégance.

À côté, l'**hôtel Inglaterra**, édifice néoclassique classé Monument national, tente de lui ravir la vedette. L'établissement *(voir « Hébergement »)* abrite le **café El Louvre,** lieu de rendez-vous apprécié sous ses arcades. Au 19ᵉ s., des groupes de jeunes hostiles au gouvernement colonial aimaient déjà s'y retrouver ou discuter sur le trottoir, connu sous le nom d'*acera del Louvre* (« trottoir du Louvre »). Le 27 novembre 1871, Nicolás Estévanez, un militaire espagnol, brisa son épée à cet endroit et renonça à sa carrière en signe de protestation contre l'exécution de huit étudiants en médecine indépendantistes. En hommage à ces étudiants, un mémorial fut dressé à l'autre bout du Prado, à l'entrée de la baie.

À l'angle de l'avenida Zulueta et de la calle San Rafael, à l'est du square, la **Manzana de Gómez** a peu de chance de passer inaperçu. L'imposant bâtiment du 19ᵉ s., agrandi et surélevé en 1910, occupe tout un pâté de maisons (*manzana* en espagnol). Après d'importants travaux, ce grand magasin historique a été remanié pour accueillir, en mai 2017, le premier hôtel cinq étoiles de la Havane, le Gran Manzana, géré par le groupe suisse Kempinski, ainsi qu'une galerie d'enseignes de luxe (Versace, Armani, Montblanc), un peu incongrues dans un pays où le salaire moyen est de 30 CUC par mois.

De l'autre côté de la calle San Rafael se dresse le musée national des Beaux-Arts.

Le Malecón.
filipefrazao/iStock

★ Museo Nacional de Bellas Artes

Calle Obispo e/Agramonte et Bélgica - ℘ (7) 862 01 40 ou 861 38 56 - mar.-sam. 9h-17h, dim. 10h-14h - 5 CUC, 8 CUC billet combiné avec le Museo de Arte Cubano (voir p. 56). Salle d'exposition d'art contemporain au rdc et librairie.

Ce grand musée occupe l'ancien **Centro Asturiano**, un immeuble inauguré en 1928 et réalisé par l'architecte espagnol Manuel del Busto. Il offre un espace muséographique aéré à ses collections couvrant plus de deux millénaires d'histoire de l'art, à partir des œuvres de **l'Antiquité**★ : statuettes grecques, mosaïques romaines, tissus coptes, talismans et vases funéraires égyptiens, ainsi que des tablettes sumériennes (niveau 4).

Outre d'intéressantes **peintures religieuses d'Amérique du Sud** et des **États-Unis** (17e-19e s.), les principaux foyers de l'art européen sont représentés. Les salles de **peinture espagnole**★★ (niveau 3) impressionnent avec des œuvres de Huguet (15e s.), Ribera (17e s.), Fortuny (19e s.), et de nombreuses toiles de Sorolla (20e s.) ; un espace est également consacré à Eugénio Lucas Velázquez (19e s.), l'un des meilleurs suiveurs de l'art de Goya. Le niveau 4 abrite l'**art français**★, dont on retiendra, entre autres, l'impressionnante *Procession du*

1

LE MALECÓN★, UN FRONT DE MER EN PÉRIL

Édifié en 1901, le célèbre boulevard maritime longe la capitale sur 8 km, du Castillo de San Salvador de la Punta jusqu'au quartier de Miramar. À l'origine vitrine prestigieuse de la ville face à l'Atlantique, bordé d'hôtels particuliers et de nobles demeures, il offre aujourd'hui un tout autre visage : façades miteuses et immeubles effondrés paraissent les stigmates d'un terrible sinistre – simplement les ravages du temps, du manque d'entretien et des assauts répétés de l'océan… Un plan de rénovation lancé en 2002 vise à rendre aux immeubles leur splendeur passée. En outre, des investisseurs étrangers rénovent plusieurs belles bâtisses entre la calle San Nicolás et le Prado. Si le Malecón n'accueille plus foule, il demeure cependant un lieu de promenade apprécié des Havanais comme des touristes. Des scènes quotidiennes s'y jouent inlassablement : quelques pêcheurs disputent les rochers à des enfants se livrant à une partie de cache-cache avec les vagues ; un flâneur solitaire lance un *piropo* à une auto-stoppeuse, sous le regard amusé d'un couple enlacé. Le trottoir ne reste désert que les jours de forte houle : d'énormes vagues, en se fracassant contre le parapet, offrent un spectacle absolument grandiose, certaines atteignant même les façades… qui font encore plus la grimace.

pardon en Bretagne de Jules Breton (19e s.), un *Portrait de jeune fille* par Greuze (18e s.), une allégorie très kitsch du coucher de soleil *(Atardecer)* par Bouguereau (19e s.), ou encore *La Vague* de Courbet (19e s.). Le dernier niveau présente des œuvres des écoles allemande (*Crucifixion* de l'école de Lucas Cranach l'Ancien au 16e s.), **flamande** du 17e s. (Brueghel de Velours et Van Dyck), **hollandaise**, **anglaise** du 18e s. (portraits de Gainsborough et Reynolds, Hoppner), et surtout **italienne**★ : prenez le temps de découvrir *Réception du légat* de Carpaccio (16e s.), un beau Guardi (18e s.) et un Canaletto de la période anglaise (18e s.). *Retraversez le Parque central jusqu'au Paseo de Martí (Prado).*

AUTOUR DU PRADO Plan II, A1-2

La promenade autrefois très chic du Prado (Paseo de Martí) s'étire du nord-ouest du Parque Central jusqu'au bord de mer. Ce secteur accueille quelques-uns des plus grands musées de la ville.

★ Le Prado

Jadis haut lieu de l'aristocratie cubaine, le Prado est bordé d'immeubles opulents, dont certains, parfaitement rococo, croulent sous les stucs et les décorations, mais la plupart ont leurs façades rongées par le temps ! La promenade, jalonnée de réverbères en fer forgé et de bancs de marbre d'un autre âge, ombragés par quelques lauriers épars, a quelque chose de nostalgique, d'autant que les élégants et élégantes d'hier ont surtout cédé la place à des jeunes désœuvrés, le regard rivé sur leur téléphone portable ou discutant entre eux… *Rejoignez l'avenida de Bélgica, parallèle au Prado.*

À l'angle de l'avenida de Bélgica et de la calle Progreso, la façade ocre de l'**Edificio Bacardí**★ se détache des immeubles avoisinants. Cet impressionnant bâtiment Art déco couvert de céramiques fut construit à la fin des années 1920 pour Emilio Bacardí, un riche propriétaire de plantations de canne à sucre et de la célèbre distillerie de rhum du même nom. La chauve-souris que l'on voit au sommet de la tour figure sur les bouteilles de rhum ; sur un édifice de ce style, elle n'est pas sans évoquer Gotham City ! Contre pourboire au gardien, vous pouvez demander à monter pour découvrir la vue superbe sur la ville.

★★ Museo Nacional de Bellas Artes-Arte Cubano

Calle Trocadero e/Zulueta et Bélgica - mêmes horaires que le Museo nacional de Bellas Artes - 5 CUC, 8 CUC billet combiné avec la partie principale du musée (voir p. 55).

Cette austère construction des années 1950 abrite la collection cubaine du musée des Beaux-Arts. Il s'agit certainement du plus intéressant musée de la ville. On y découvre dans un bel espace, sur trois niveaux, un large éventail de la création nationale du 16e s. à nos jours, ainsi qu'un jardin de sculptures. Sa visite permet tout particulièrement de mesurer l'étonnante vitalité dont fit preuve la peinture cubaine au 20e s., avec des artistes des années 30 influencés par Gauguin comme Antonio Gattorno ou Víctor Manuel García Valdés (sa **Gitana tropical** a reçu le surnom de « Joconde américaine !), tandis qu'un Marcelo Pogolotti et, un peu plus tard, un Roberto Diago se montrèrent sensibles au surréalisme. Dans les années 1950 et 1960, de nombreux artistes devinrent les apôtres de la Révolution cubaine, tout en adoptant des styles allant jusqu'à l'abstraction. Servando Cabrera Moreno (**Milicias campesinas**) et Raúl Martinez (**26 de Julio**) comptent parmi les plus importants d'entre eux. Enfin, le musée consacre une salle entière au peintre le plus illustre du pays : Wifredo Lam dont vous pourrez admirer **Huracán**, le **Troisième Monde**, ou encore le magnifique **Portrait d'Eulalia Soliño**, exposé dans la section *cambio de siglo (1894-1927).*

En sortant, au n° 55 de la calle *Trocadero (de l'autre côté de la calle Zulueta)*, jetez un coup d'œil à la belle façade mauresque de l'**hôtel Mercure Sevilla** *(voir « Hébergement »).*

★ **Museo de la Revolución**

Calle Refugio e/Zulueta et Bélgica - 📞 *(7) 862 40 91/98 - 9h30-16h30 - 8 CUC - certaines salles, en cours de rénovation, sont fermées au public.*

Tout un symbole : le musée de la Révolution de 1959 investit l'ancien **Palacio Presidencial★**, édifié en 1913 ; à l'époque, sa décoration intérieure revint à Tiffany's de New York. C'est en 1920 qu'il devint la résidence des présidents de la République. Le musée retrace l'histoire de Cuba de la période coloniale à la révolution, dans un foisonnement de photographies, d'objets et de documents. Il reflète et stimule le sentiment de fierté nationale qu'éprouvent les Cubains, très nombreux à le visiter. Toutefois, la muséographie datée, les informations en espagnol sous forme de propagande, l'importante fréquentation du lieu et l'exiguïté des salles – sans oublier un mercantilisme un peu déplacé et un prix élevé du billet d'entrée – pourront rebuter ceux que l'histoire de Cuba ne passionne pas particulièrement.

À l'extérieur, visible de la rue, se dresse le **mémorial Granma** *(voir « Histoire », p. 348).* C'est à bord de cette vedette de 20 m de long, trônant au milieu du pavillon de verre, que Fidel Castro, accompagné de 81 compagnons, débarqua sur les côtes de Santiago de Cuba en 1956. Autour du mémorial sont disposés les armements de la lutte révolutionnaire, tels le camion qui servit à l'assaut du palais présidentiel le 13 mars 1957 et un avion utilisé pendant l'attaque de la baie des Cochons.

Callejón de los Peluqueros Plan II, B2

Calle Aguiar, e/Peña Pobre et Capdevila.

Baptisée la « ruelle des coiffeurs », cette partie piétonne de la calle Aguiar est agrémentée de plantes, peintures murales, aire de jeux pour enfants et terrasses de café. Une sculpture géante de ciseaux trône en majesté, au pied de laquelle s'amoncellent ciseaux et rasoirs à barbiches offerts par des coiffeurs du monde entier. À l'origine, Gilberto Papito Valladares, coiffeur-barbier, a lancé en 1999 un projet communautaire *(artecorte.org)* pour revitaliser ce quartier sinistré. Le fringuant Papito tient salon au n°10, où il forme des jeunes apprentis et fait visiter un musée bric-à-brac dédié à l'art de la coupe. Autour de lui, les commerces (boutique de vêtements, bars, atelier d'art) poussent également.

★ **Casa de Pérez de la Riva** Plan II, B2

Au point de rencontre de l'avenida de las Misiones et de Cárcel, une façade de style Renaissance italienne semble une note anachronique à côté des voies rapides du Parque de los Mártires. Cette élégante maison de 1905 abrite le **Museo Nacional de la Música** *(fermé pour travaux)*. Ce musée national de la Musique présente une collection éclectique d'instruments cubains et étrangers, où se côtoient pianos, cithares indiennes, tambours haïtiens, balalaïkas, boîtes à musique, photos de musiciens et partitions.

En face du musée, en direction de la mer, une imposante **statue du général Máximo Gómez** est érigée en l'honneur du héros des guerres d'indépendance. À gauche se trouve le **monument dédié aux étudiants en médecine** fusillés par les Espagnols en 1871 *(voir p. 54).*

Castillo de San Salvador de la Punta Plan II, A1

Cette forteresse de la fin du 16e s. devait renforcer le dispositif de protection du Castillo de los Tres Reyes del Morro, édifié à la même époque de l'autre

---

« FRAISE ET CHOCOLAT »

On ne présente plus le film du cinéaste cubain **Tomás Gutiérrez Alea**, secondé par Juan Carlos Tabío, *Fresa y Chocolate*, qui connut un succès international retentissant après sa sortie en 1994. Cette histoire d'amitié et de tolérance entre un intellectuel homosexuel, libre penseur, et un jeune étudiant communiste partisan du régime, fut en partie filmée dans Centro Habana. Le principal lieu de mémoire du film demeure **La Guarida**, qui mérite un détour au n° 418 de la calle Concordía (entre Gervasio et Escobar). Niché au dernier étage d'un étonnant palais Belle Époque à moitié abandonné, l'appartement qui fut le cadre du tournage est devenu un paladar plein de cachet (voir « Restauration »). Souvent, le matin, les grandes nappes blanches du restaurant sèchent dans l'ancien salon d'honneur de l'édifice, battant au vent dans le décor fantomatique de colonnes corinthiennes et moulures décrépites. Hautement cinématographique !

---

côté de la baie. De là, le fameux Malecón *(voir encadré p. 55)* s'étire entre bord de mer et Centro Habana.

Centro Habana Plan IV, p. 34-35

🐢 **Conseil** – Le quartier a toujours eu mauvaise réputation. Bien que la police soit très présente, ne vous promenez pas avec des choses de valeur et évitez les ruelles peu fréquentées la nuit.

Le *municipio* de Centro Habana demeure largement méconnu malgré son emplacement stratégique entre la Vieille Havane et le quartier des affaires de la Rampa, deux « zones vertes », dénommées ainsi en raison de la couleur des dollars apportés par les touristes. Ce quartier populaire, délimité au sud par l'avenida Arroyo (Manglar), s'étend de l'ouest du Paseo de Martí (Prado) au Vedado pour s'ouvrir au nord sur l'océan. Loin du bourdonnement de la Rampa, laissez-vous peu à peu envahir par la nonchalance cubaine au hasard des rues étroites bordées d'immeubles de deux ou trois étages, où abondent les vendeurs ambulants et les petits artisans installant leurs tabourets à même le trottoir : le coiffeur, ou encore le… remplisseur de briquets jetables ! Au cœur de cette animation, il n'est pas impossible de croiser une poule suivie de ses poussins, spectacle étonnant au cœur d'une capitale. Ce quartier sera l'un des préférés des amateurs de scènes de vie authentiques.

AU CŒUR DU QUARTIER POPULAIRE Plan IV, C1-2

Le quartier n'a pas bénéficié du vent de rénovation qui a soufflé sur le centre touristique. Seuls les embruns et les pluies battantes ont laissé des marques profondes sur les immeubles qui résistent vaille que vaille. La surpopulation a accéléré le processus de dégradation en conduisant un nombre croissant d'habitants à « bricoler » leur appartement. Construites hâtivement, les *barbacoas* (mezzanines) *(voir « Cuba aujourd'hui », p. 339)* ont accentué les fissures par la poussée excessive exercée sur les murs.

Au Parque Central, à droite du théâtre, commence la partie piétonne de la **calle San Rafael**. Cette artère commerçante demeure active, malgré de nombreux magasins peu approvisionnés.

Continuez tout droit jusqu'à la calle San Nicolás, la deuxième rue à gauche après l'avenida de Italia.

BARRIO CHINO (Quartier chinois) Plan IV, C2

Il occupe les quelques rues qui s'étendent entre la calle Zanja et l'avenue Simón Bolívar (Reina), où s'élève une porte monumentale typique d'un *chinatown*. Durant la seconde moitié du 19e s., plus de 120 000 Chinois ont immigré à Cuba pour remplacer les esclaves noirs en révolte. Certains membres de cette communauté se sont par la suite implantés dans ce quartier de La Havane. Et même si les Chinois de Cuba ont largement quitté le navire à la Révolution, le quartier a gardé son exotisme, avec ses lanternes rouges et dragons dorés. Des vendeurs ambulants proposent des plats asiatiques sur l'*agromercado*, un petit marché libre paysan installé à l'angle des calles Zanja et Rayo.
Descendez la calle Rayo ou l'une des rues parallèles jusqu'à l'avenida Reina (Simón Bolívar).

Bordée sur toute sa longueur de galeries soutenues par des colonnes, l'**avenida Reina** illustre parfaitement le surnom de « cité des Colonnes » que l'on donne à La Havane. Dans son prolongement, on se retrouve sur l'avenue Salvador Allende (Carlos III) qui mène tout droit au Vedado.

On peut reprendre l'exploration du quartier au gré de sa fantaisie. Parfois, au bout de l'une des rues qui mènent à la mer, entre deux rangées d'immeubles, une immense gerbe d'écume reste suspendue dans les airs avant de s'abattre avec fracas sur le Malecón. Une belle image pour ne pas perdre le nord !

1

★ **CALLEJÓN DE HAMEL** Plan IV, B2

Entre les calles Aramburu et Hospital, près de San Lázaro.
Ici peint et vit Salvador González Escalona, à qui les habitants donnent simplement du « Salvador ». Dans ce quartier particulièrement démuni de Cayo Hueso, au cœur de Centro Habana, le callejón de Hamel est une rue pas comme les autres. Un jour de 1990, Salvador est venu peindre le mur de la maison d'un ami, puis a fini par **peindre toute la ruelle** avec le consentement des voisins. Explosion de couleurs et de formes extravagantes. Nourri de Picasso, Dalí, Gaudí ou Hundertwasser, l'artiste puise aussi son inspiration dans la *santería (voir « Religions », p. 361).*

Outre les peintures sur les murs ou sur la toile, Salvador coupe des baignoires en deux avant de les mouler dans du béton pour en faire des bancs publics, assemble des pièces métalliques pour en faire des sculptures, façonne des statues… Sa maison au milieu du *callejón* fait penser à une grotte. On peut y entrer pour admirer quelques œuvres, voire en acheter. La présence d'une Mercury rouge dans la rue signifie généralement que le maître est là. Les dimanches après-midi, on se presse dans le *callejón* pour danser la rumba *(voir aussi « Écouter de la musique et danser »)* et profiter du **bar El Negrón**, une simple cahute de brique peinte en rouge vif qui concocte un délicieux cocktail baptisé *Negrón* à base de citron, miel, basilic et rhum. Quelques aphorismes écrits sur les murs stimuleront alors votre réflexion, tel celui-ci : « Le poisson ne sait pas que l'eau existe. »

★ **FÁBRICA DE TABACOS PARTAGÁS** Plan IV, C2

Calle San Carlos n° 816 e/Sitios et Peñalver - ℘ (7) 863 57 66 - lun.-vend. 9h-13h, fermé en août et une sem. à Noël - visite guidée (env. 40mn) en espagnol, anglais ou français - accès réservé aux plus de 18 ans, photos interdites et sacs à déposer à la consigne - 10 CUC.

🕹 **Bon à savoir** – Les billets d'entrée ne sont pas vendus sur place, mais dans les grands hôtels (Kempinski, Parque Central, Nacional, Saratoga, Habana

Libre…) ou les agences de voyages telles Cubatur ou Havanatur. Vous devez donc les acheter avant de vous y rendre.

Très excentrée au sud de Centro Habana, cette célèbre manufacture de cigares, autrefois installée derrière le Capitole *(voir p. 53)*, est un but d'excursion en soi (prenez un taxi au Parque Central si vous souhaitez vous épargner trop de marche). Créée en 1845, elle demeure l'une des plus anciennes fabriques de tabac de Cuba, où une véritable armée d'ouvriers infiniment habiles *(les torcedores)* roulent les plus célèbres havanes, tandis qu'on leur fait la lecture d'articles de journaux ou de romans. La visite guidée permet de découvrir toutes les étapes de la fabrication d'un cigare, même si les secrets des mélanges de feuilles sont jalousement gardés.

★ Vedado Plan IV, p. 34-35 et plan V p. 67

Au-delà de Centro Habana, le Vedado s'étend avec nonchalance sur un large promontoire descendant en pente douce vers l'Atlantique. S'il demeure privilégié, cet immense quartier résidentiel, loti à la Belle Époque, souffre comme le reste de la capitale : les colonnades des villas, certaines aux allures de petits palais, laissent apparaître de terribles lézardes, leur entretien est un combat permanent pour les propriétaires qui semblent avoir vieilli avec leurs demeures, et la végétation tropicale paraît même reprendre ses droits sur certaines allées arborées… La porte d'entrée du quartier, la Rampa (la portion nord de la grande calle 23, côté Malecón), offre pourtant un tout autre spectacle : bruyante et active, l'avenue a été une vitrine de la modernité de la ville après les années 1950, où poussèrent même quelques gratte-ciel, dont l'emblématique hôtel Hilton, devenu **l'hôtel Habana Libre Tryp** à la révolution. Bureaux de compagnies aériennes, agences de voyages, banques, night-clubs et grands restaurants touristiques abondent dans ce quartier marqué par l'architecture des années 1960 et 1970. Les « pssttt » des *jineteros* et *jineteras* pour capter votre attention ou ceux des *luchadores* tentant de vous attirer dans un *paladar* et les coups de klaxon des chauffeurs de taxi ponctueront chacun de vos pas plus que partout ailleurs. Il suffit de décliner poliment et fermement ces propositions pour avoir raison de la faible ténacité des offrants, avant de gagner les calmes hauteurs résidentielles pour une petite balade au goût de nostalgie…

☺ **Bon à savoir** – Le Vedado étant très étendu, mieux vaut se déplacer en taxi ou en **coco-taxi**. L'orientation est simplifiée grâce au système de **numérotation des rues** indiqué sur des bornes à chaque intersection. Les rues orientées sud-ouest nord-est portent des **numéros impairs** qui vont croissant du Malecón à la Plaza de la Revolución, et les artères perpendiculaires sont désignées par des **lettres** de A à P de l'est de Paseo au bord de mer, puis par des **numéros pairs** jusqu'au río Almendares.

★ AUTOUR DE LA RAMPA (CALLE 23) Plan IV, B1

Artère parmi les plus empruntées de la ville, la calle 23 parcourt le Vedado sur plus de 2 km du Malecón au cimetière Colón. Elle est connue sous le nom de Rampa sur sa portion qui grimpe de l'hôtel Nacional au Habana Libre Tryp. L'activité frénétique de la journée ne cesse que pour céder la place à la vie nocturne dans les bars et discothèques des nombreux hôtels internationaux. L'entrée de la Rampa est marquée par la silhouette imposante de l'**hôtel Nacional★** *(voir « Hébergement »)*, véritable emblème de la ville : le bâtiment, de plus de huit étages et couronné de deux tourelles, est immanquable sur

Le quartier résidentiel du Vedado.
Kamira/Shutterstock.com

son promontoire à l'aplomb du Malecón. Depuis les années 1930, époque de sa construction, de nombreuses personnalités sont descendues dans ce luxueux établissement de style Art déco. N'hésitez pas à y pénétrer, en particulier pour admirer la **vue★** sur la baie de La Havane depuis le ravissant jardin. En contrebas, vers l'ouest, à l'angle du Malecón et de l'avenida 19, se dressent les deux colonnes du **monument aux Victimes du Maine**. Le mémorial rappelle l'explosion du cuirassé qui marqua l'entrée en guerre des États-Unis contre les Espagnols, le 15 février 1898 *(voir « Histoire », p. 346)*. Les restes du navire sont conservés près de ce monument, qui porte le nom des victimes. Cette œuvre, érigée en 1925 pour célébrer l'amitié entre Cubains et Américains, fut partiellement détruite par un cyclone dès l'année suivante. Au lendemain de la révolution, l'aigle de bronze qui surmontait le monument ainsi que les bustes des présidents américains furent retirés pour protester contre la politique menée par les États-Unis à l'encontre de Cuba.

Remarquez l'**Edificio Focsa**, le plus haut gratte-ciel de la capitale. Cet immeuble en forme d'équerre, à l'angle des calle 17 et M, possède un bar-restaurant au dernier étage, offrant une **vue★** imprenable sur La Havane *(fermé jusqu'à une date indéterminée, suite à un incendie)*.

L'édifice symbole de la Rampa demeure l'**hôtel Tryp Habana Libre**, ex-Hilton. Achevé en avril 1957, ce vestige de la présence américaine, nationalisé au lendemain de la révolution, constitue un excellent point de repère lors de vos déplacements dans le Vedado.

Sur le trottoir d'en face, à l'angle de la calle L, un bâtiment circulaire typique des années 1960 se niche au centre d'un agréable square. Le **glacier Coppelia★** est une véritable institution immortalisée par le film de Tomás Gutiérrez Alea, *Fraise et Chocolat (voir encadré p. 58)*. Titre trompeur, car le choix des parfums est souvent limité à la vanille ! Les Havanais n'hésitent cependant pas à attendre plusieurs heures pour déguster une de ces excellentes glaces.

À quelques *cuadras* de là, avenida 17 n° 502, entre D et E, se trouve le **Museo Nacional de Artes Decorativas★** (Plan IV, A2) *(℘ [7] 830 98 48- mar.-sam. 9h30-16h30 - 5 CUC)*. Les salons de ce bel hôtel particulier ont été décorés par

la Maison Jansen de Paris au début du 20e s. Ils illustrent chacun une théma-
tique : salon anglais, néoclassique, Art déco encore oriental. Le mobilier du
18e s. est l'œuvre d'ébénistes français comme Boudin, Chevalier ou Simoneau.
Sont présentées des pièces d'orfèvrerie ainsi que des porcelaines de Sèvres.
Le petit jardin disposé latéralement offre une reposante halte au frais.

Descendez vers le Malecón par l'avenida de los Presidentes jusqu'à l'angle de Línea.
Inauguré en 1998 pour le 50e anniversaire du Ballet national de Cuba, le **Museo
de la Danza** (Plan IV, A1) *(℘ [7] 831 21 98 - mar.-sam. 11h-18h30 - 2 CUC - en travaux lors de notre passage)* relate l'histoire de la danse à travers photos, costumes et peintures. La collection privée de la grande danseuse Alicia Alonso
constitue le fonds de ce musée, enrichi depuis par de nombreuses donations.

LES HAUTEURS DU VEDADO Plan IV, A-B2

Longez le Coppelia, puis le Tryp Habana Libre par la calle L jusqu'à l'avenida 27.
L'**Universidad de La Habana** fut déplacée de la Vieille Havane sur cette
petite colline en 1902. Au bas de l'énorme escalier qui mène aux bâtiments
universitaires, un monument rend hommage à José Mella, le fondateur de la
Fédération des étudiants et du Parti communiste de Cuba, assassiné en 1929.
Derrière la façade néoclassique de l'édifice se cache un petit jardin à la végétation luxuriante où les étudiants révisent leurs cours.

À l'intérieur de l'université, le **Museo Antropológico Montané** *(℘ [7] 832 13 21 -
lun.-vend. 8h-17h - entrée libre)* est consacré aux civilisations précolombiennes.
Derrière l'université, calle San Miguel n° 1159, le **Museo Napoleónico★**
(℘ [7] 879 14 12 - mar.-sam. 9h30-17h, dim. 9h30-12h30 - 2 CUC) abrite l'une
des plus grandes collections du monde consacrée à l'Empereur. C'est un
millionnaire cubain passionné par Napoléon Ier, Julio Lobo, qui fit construire
ce palais de style florentin. De nombreuses porcelaines de Sèvres décorent
les salons au mobilier Empire. Parmi les gravures et les toiles, attardez-vous
au deuxième étage devant le tableau de Jean-Georges Vibert représentant
Bonaparte préparant la cérémonie de son couronnement. De nombreux
volumes sur la vie de Napoléon Ier et sur son époque ornent les rayons de la
bibliothèque. Au dernier étage, profitez de la vue sur la ville depuis la terrasse.

Au sud de l'université, de l'autre côté de la calle G *(avenida de los Presidentes)*,
de nombreux établissements de soins ceinturent une colline. Traversez l'Hospital Ortopédico pour accéder au **Castillo del Príncipe**, une forteresse édifiée
en 1779 pour surveiller les alentours et prévenir toute tentative d'invasion.
Cette ancienne prison est maintenant une zone militaire interdite au public,
mais on a un beau point de vue sur la ville du haut de la colline.

L'ÉVOLUTION D'UN QUARTIER BOURGEOIS

Jusqu'au 19e s., le **Vedado** (qui signifie littéralement « interdit ») fut décrété
zone non constructible afin de laisser une vue dégagée en cas d'attaque
d'éventuels envahisseurs. Lorsque, au début du 20e s., la haute bourgeoisie quitta les quartiers populaires de l'Est, elle fit édifier de beaux hôtels
particuliers dans cette zone résidentielle. S'ensuivit la construction d'**hôtels** et de **casinos**, dans ce qui devint le quartier chaud de La Havane,
capitale du jeu et de la prostitution dans les années 1950. Quelques
décennies plus tard, le secteur de la Rampa demeure un centre de divertissements animé et a conservé son aspect de ville américaine hérissée de
quelques gratte-ciel en bordure de mer… bien loin des ruelles coloniales
de la Vieille Havane !

LES TRIBUS NOCTURNES DE LA CALLE G

Dans une ville où la jeunesse impécunieuse vit surtout dans la rue, la calle G, appelée aussi **Avenida de Los Presidentes**, est le territoire d'étonnants attroupements, vers minuit en fin de semaine, offrant un riche concentré des mutations rapides de la Havane. Sur les terre-pleins de cette longue artère qui descend en pente douce vers la mer, jalonnée de palmiers royaux et de statues en faux bronze à la gloire des héros de l'histoire latino-américaine, les jeunes adolescents havanais se regroupent en **petites tribus**, chacune avec ses codes vestimentaires et ses rituels. Le haut de l'avenue, au coin de la calle 23, est le secteur des *roqueros*, vêtus de noir et cheveux gominés ; des punks tatoués et piercés et des skaters. Plus bas, on croise les *rastas* à tresse et les *reparteros*, adeptes du reggaeton, les *frikis* aux nippes extravagantes, les *mikis*, fans de téléphone portable, de musique électro et de vêtements de marque (le plus souvent des imitations chinoises). Les *émos*, déprimés androgynes portant sur le visage une mèche noire et raide comme une aile de corbeau, s'exhibent au coin de la calle 15. Étudiants, lycéens, chômeurs, artistes bohèmes, le plus souvent blancs, ces rebelles plutôt sages passent leur soirée à arpenter le bitume, à bavarder, se bécoter, jouer de la guitare, fumer et faire tourner des bouteille de rhum bon marché afin de manifester leur anticonformisme, sous l'œil attentif mais désormais plus tolérant des agents de police.

1

PLAZA DE LA REVOLUCIÓN Plan IV, A-B3

Cette immense esplanade de 4,5 ha peut contenir jusqu'à un million de personnes lors de grandes manifestations politiques ou culturelles, mais les Cubains ne s'y rassemblent plus avec autant de ferveur lors des commémorations annuelles, comme le 1er janvier, le 1er mai ou le 26 juillet. En temps normal, des militaires veillent à ce que personne ne s'attarde sur la place en raison des nombreux bâtiments gouvernementaux qui l'encadrent. Seules les prises de vue du mémorial José Martí ou du portrait géant de Che Guevara sont tolérées.

Commencée dans les années 1950 sous Batista, la Plaza de la Revolución ne fut achevée qu'après l'arrivée de Castro au pouvoir. Au centre, une gigantesque **statue** introduit le **mémorial José Martí** *(tlj sf dim. 9h-16h30 - 3 CUC)*, obélisque de 142 m de haut en forme d'étoile à cinq branches. Au rez-de-chaussée du mémorial, quelques salles sont consacrées à la vie et à l'œuvre de « l'apôtre de l'indépendance ». De conception moderne, l'exposition utilise des procédés plutôt inhabituels dans les musées cubains : photos et objets personnels sont complétés par des bandes sonores et des vidéos. Du sommet de l'obélisque *(1 CUC)*, on peut observer les édifices de béton qui encadrent la place ainsi que toute La Havane. Malheureusement, les parois vitrées ne sont pas idéales pour prendre des photographies.

Au nord, la façade du ministère de l'Intérieur est ornée du **portrait de Che Guevara**, une immense sculpture de métal noir, à laquelle répond celle d'un autre compagnon de la révolution, **Camilo Cienfuegos** *(voir « Histoire », p. 349)*.

À droite du Minint, abréviation courante pour désigner le ministère de l'Intérieur, le ministère des Communications abrite le **Museo Postal Cubano** *(℘ [7] 870 15 51 - lun.-vend. 9h-17h - entrée libre)*. On peut y voir une collection de timbres du monde entier, tristement ironique dans ce pays où le service postal laisse tant à désirer !

À l'est, la Bibliothèque nationale fait face au **Teatro Nacional**, à l'ouest.

Au sud de la place, les bureaux du Líder Máximo occupent le grand **Palacio de la Revolución**, siège du Comité central du Parti communiste.

À l'ouest de la Plaza de la Revolución, descendez l'avenida 23 jusqu'à l'angle de la calle 12.

★ CEMENTERIO DE CRISTÓBAL COLÓN Plan IV, A3, et plan ci-dessous

Entrée principale à l'angle des calles 12 et 25 - 8h-17h - 5 CUC. L'immense cimetière aux murs jaune pastel, l'un des plus grands du monde, marque la frontière entre les quartiers du Vedado et du Nuevo Vedado. Au bout de la calle 12, on y pénètre par un imposant **portique** de style roman, réalisé par l'architecte Calixto de Loira en 1870. Tous les styles architecturaux sont réunis à l'intérieur de cette enceinte, où de sobres pierres tombales voisinent avec des monuments délirants. Au cours de votre visite, vous retrouverez les personnalités importantes du monde politique et artistique cubain.

On peut se repérer dans ce dédale de tombes grâce à la chapelle centrale. De style néobyzantin, cet édifice est décoré d'une **fresque** du 19e s. du peintre cubain Miguel Melero.

Il est impossible de décrire tous les monuments funéraires, mais certains ont acquis une grande renommée. Dans l'allée centrale, le **Monumento a los Bomberos**, immense sculpture dédiée aux 28 pompiers morts le 17 mai 1890, a peu de chance de passer inaperçu. Il représente l'ange de la Mort une torche à la main et un pélican aux pieds d'une religieuse.

La tombe de doña Amelia de Gloria Castellano Pérez, surnommée **La Milagrosa** (La Miraculeuse), est un lieu de recueillement. La légende dit que lorsque l'on ouvrit sa sépulture, on retrouva le squelette de l'enfant dans les bras de sa mère, alors qu'il avait été enterré à ses pieds. Depuis cette

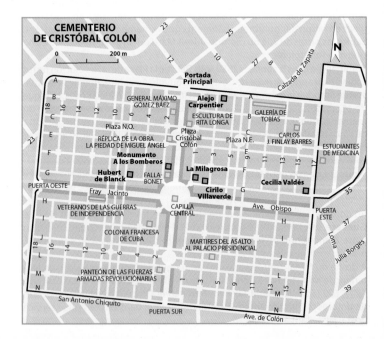

découverte, nombreux sont ceux qui viennent déposer des fleurs et prier sur sa tombe pour implorer de l'aide.

La tombe du compositeur **Hubert de Blanck**, auteur de l'opéra *Pátria* (1906) célébrant l'indépendance de Cuba, est dominée par une grande statue.

Cherchez la tombe d'**Alejo Carpentier** ou celle de **Cirilo Villaverde**, le célèbre romancier cubain du 19e s., qui repose non loin de **Cecilia Valdés**, l'héroïne mulâtresse de son plus célèbre roman.

★★ FÁBRICA DE ARTE CUBANO Plan V, B1

Calle 26, angle calle 11 - ℘ (7) 838 22 60 - www.fac.cu - jeu.dim. 20h-3h - quinzaines de fermeture en janv., mai et sept., consultez le calendrier des événements sur le site Internet - entrée réservée aux + 18 ans - 2 CUC.

On aperçoit de loin sa cheminée de briques brunes qui s'élève, droite comme un cigare, au bord du fleuve Almendares, à la lisière de Miramar. Inaugurée en février 2014, la Fabrica de Arte Cubano (FAC) occupe le bâtiment de l'ancienne Compagnie d'électricité de La Havane (1910), un temps transformé en fabrique d'huile puis en entrepôt de pêche. **Laboratoire nocturne de création contemporaine**, ce lieu novateur pourrait faire songer aux squats d'artistes des friches industrielles londonienne, berlinoise ou new-yorkaise… sauf que l'on est à Cuba, au cœur de la capitale, où un tel espace de liberté aurait été inconcevable il y a peu! À l'origine du projet, le musicien de hip-hop et de rock afro-cubain **X-Alfonso**. Avide de métissages artistiques, il a toujours invité sur scène peintres, rappeurs, danseurs, vidéastes. C'est ce trépidant melting-pot, propre à la culture cubaine, que lui et son collectif de créateurs veulent promouvoir à la FAC. À la fois galerie d'art, salle de concerts et nightclub, cet ovni protéiforme fait cohabiter, sur 7 000 m^2, des espaces dédiés aux arts plastiques, à la photo, à la musique, au théâtre, à la littérature, au cinéma, au design graphique, à la danse, la vidéo, la mode et l'architecture. Les expositions et les spectacles s'enchaînent, attirant chaque soir une jeunesse nombreuse, fan de nouveauté et de divertissements. Cet incubateur vise à servir de tremplin à des artistes prometteurs et à favoriser les échanges avec le public.

El Cerro Plan IV, p. 34-35, B3

5 km du Parque Central.

La Calzada del Cerro, située dans le prolongement de l'avenida Máximo Gómez (Monte), traverse ce quartier au sud de Centro Habana. Dans cette zone industrialisée, on a construit de grandes demeures et des hôpitaux à la fin du 19e s. et au début du 20e s. Bien que le Cerro souffre comme le reste de La Havane de délabrement, son atmosphère provinciale invite à la flânerie.

Au n° 1417 de la Calzada del Cerro, on peut s'arrêter à la **Fábrica Bocoy** pour déguster un rhum. En face de la distillerie, un chemin entre un jardin potager et un petit parc orné de fontaines conduit à la **Quinta de los Condes de Santovenia**. Résidence secondaire du comte du même nom, cette grande demeure construite en 1832 fut transformée en hospice pour personnes âgées cinquante ans plus tard. Le matin, une religieuse peut vous accorder un peu de temps pour vous faire parcourir les deux ailes de cette bâtisse et visiter la chapelle, consacrée à la **Virgen de la Caridad del Cobre**, la patronne de Cuba.

Miramar Plan V, p. ci-contre

⊛ **Bon à savoir** – Le quartier est traversé d'est en ouest par des avenues portant des numéros impairs que croisent perpendiculairement les rues paires. Les distances étant importantes, mieux vaut circuler en voiture.

Miramar appartient à la zone résidentielle relativement huppée qui s'étend à l'ouest du río Almendares. De somptueux hôtels particuliers entourés de jardins bordent ses larges rues ombragées, territoire d'ambassades et de restaurants confidentiels.

AVENIDA PRIMERA Plan V, A-B1

L'avenida 1ra qui longe l'océan n'est pas aussi agréable que le Malecón. En été, les familles havanaises se rendent à la **Playita del 16**, une petite plage enchâssée entre les calles 12 et 16. Si les problèmes de transport rendent l'accès aux plages de l'Est difficile pour les Cubains, ce simple terrain vague bétonné en bordure de mer constitue une bien maigre consolation pour se rafraîchir.

★ QUINTA AVENIDA

En venant du Vedado par le Malecón, prenez le tunnel sous le río Almendares.
La plupart des ambassades sont concentrées autour de la 5ta avenida *(interdite aux deux-roues)*, l'une des plus belles artères de La Havane, comme sa célèbre homologue, la 5e Avenue à New York. Des bancs de pierre sont installés sur une allée centrale plantée de lauriers-boules et de palmiers. Entre les calles 24 et 26, dans le Parque Emiliano Zapata, un petit kiosque se cache au milieu des *jagüeyes*.
À l'intersection de la calle 14, le **Museo del Ministerio del Interior** (Plan V, B2) (*𝄞 [7]202 12 40 - mar.-vend. 9h-17h, sam. 9h-14h - 2 CUC*) présente toutes les actions entreprises par les États-Unis contre Cuba. Sont expliquées les méthodes d'espionnage utilisées par la CIA, ainsi que les attentats manqués contre Fidel Castro.
La tour de béton d'architecture soviétique que l'on aperçoit au loin n'est autre que l'**ambassade de Russie**, située entre les calles 62 et 66. C'est un bon point de repère dans Miramar.
🏊👤 Une *cuadra* avant l'ambassade de Russie, à l'angle de la calle 60 et de l'avenida 1ra, l'**Aquarium national** (Plan V, A1) (*𝄞 [7] 202 58 71 - www.acuarionacional.cu - tlj sf lun. 10h-18h - 10 CUC, enf. 7 CUC*) présente une grande variété de poissons tropicaux et des spectacles de dauphins.
Au sud-est de Miramar, traversez le bois du ravissant **quartier Kohly** par l'avenida 49-C, une petite route vallonnée parallèle au río Almendares. Loin des moteurs de la ville, la traversée du **Bosque de La Habana** (Plan V, B1-2) procure un sentiment apaisant. Le bruit des pas est étouffé par un tapis de feuillages, et la lumière est tamisée par des rideaux de lianes.
Suivez l'avenida 5ta en direction du port de Mariel jusqu'au quartier de Jaimanitas.

TALLER JOSÉ FUSTER Plan I, A3

Angle calle 226 et ave. 3ra-A, Jaimanitas - 𝄞 (7) 271 29 32 - www.josefuster.com - en principe merc.-dim. 9h-16h - les horaires dépendent de la présence de M. Fuster ou d'un assistant - entrée libre - possibilité de visite guidée (contribution souhaité).
Bienvenue dans le monde enchanté du **céramiste José Fuster** *(voir photo p. 377)*. Sa maison couverte de mosaïques multicolores est celle d'un conte de fées. Elle aurait pu être conçue après force mojitos par le trio Cheval, Gaudí et Picasso. Un *Banc de l'amour* enguirlandé de cœurs, un *Banc des amis* où figure une sirène, des édifices insolites portant divers personnages (saint Lazare, un paysan, un *orisha*) et des murs illustrant des scènes (arche de Noé) transportent au pays des Merveilles. Depuis 1994, l'artiste a commencé son œuvre, qui s'étend progressivement dans le voisinage. Un peu partout, murs

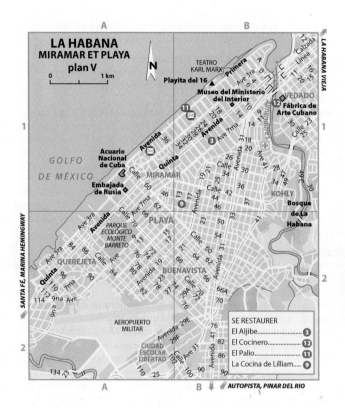

LA HABANA
MIRAMAR ET PLAYA
plan V

0   1 km

N

TEATRO KARL MARX
Playita del 16
Museo del Ministerio del Interior
VEDADO
Fábrica de Arte Cubano
Primera
Ave 3ra

GOLFO DE MÉXICO
Avenida
Acuario Nacional de Cuba
Quinta
MIRAMAR
Ave 7ma
Calle
Calle 42
Calle 44
Calle 46
KOHLY
Bosque de La Habana

Embajada de Rusia
Ave 7ma
Ave 3ra
Avenida
PARQUE ECOLÓGICO MONTE BARRETO
PLAYA
QUEREJETA
Quinta
9na Ave
BUENAVISTA
Avenida

AEROPUERTO MILITAR
CIUDAD ESCOLAR LIBERTAD

SANTA FÉ, MARINA HEMINGWAY

LA HABANA VIEJA

SE RESTAURER
El Aljibe .... ❸
El Cocinero .... ⓬
El Palio .... ⓫
La Cocina de Lilliam ... ❾

AUTOPISTA, PINAR DEL RIO

et maisons s'habillent de décorations aux couleurs vives. Le projet personnel est devenu un projet communautaire, *Fursterlandia*. L'objectif est de semer des mosaïques jusqu'à la 5ᵉ avenue.

Traversez le río Jaimanitas et longez la côte sur 3 km.

Bien connue, la **Marina Hemingway** (Plan I, A3) est un vaste complexe touristique consacré à la pêche et aux sports nautiques *(voir « Activités »)*. Restaurants, bars, hôtels et discothèques occupent les 5 km² de terrains de la Marina. Vers mai-juin, son port de plaisance accueille les participants venus du monde entier pour le célèbre concours de pêche au gros fondé par Hemingway.

★ Forteresses de Habana del Este

Plan IV, p. 34-35, D1

Prenez le tunnel de La Havane en direction des plages de l'Est. Un cyclo-bus assure gratuitement le passage des cyclistes et de leur vélo.

🕑 **Conseil** – Évitez de visiter les forteresses vers le milieu de la matinée. C'est le moment où les cars déversent les groupes de touristes, qui viennent généralement de Varadero à La Havane pour la journée.

Le **Parque Histórico Militar Morro-Cabaña**, situé sur la rive est de la baie, comprend deux musées et deux restaurants. Vous pouvez déambuler derrière les épaisses murailles des forteresses avant de regagner le restaurant **La Divina Pastora** *(voir « Restauration »)*, à mi-chemin entre le Morro et la Cabaña. Son petit jardin offre une vue panoramique sur le long ruban d'immeubles qui se déroule de la Vieille Havane aux constructions modernes du Vedado. La tranquillité de ce lieu n'est troublée que par le traditionnel coup de canon de 21h.

★ CASTILLO DE LOS TRES REYES DEL MORRO

9h-20h (horaires soumis à variations saisonnières) - 6 CUC et 2 CUC pour le phare, parking 1 CUC.

Une énorme chaîne destinée à barrer l'entrée du port reliait autrefois la forteresse de San Salvador de la Punta à ce château, édifié entre 1589 et 1630. La visite des remparts inclut celle du **phare**, installé au 19e s. à la pointe. La **vue★★** sur La Havane est exceptionnelle.

Los Doce Apóstoles (Les Douze Apôtres), nom donné au restaurant niché dans l'enceinte *(voir « Restauration »)*, se réfère au nombre de canons destinés à protéger la ville. Malgré ce dispositif de protection, La Havane tomba aux mains des Anglais en 1762. Lorsque le roi Carlos III récupéra ses possessions l'année suivante, il ordonna la construction de la Cabaña, une nouvelle forteresse au sud de ce site.

FORTALEZA DE SAN CARLOS DE LA CABAÑA

10h-22h - 6 CUC - visite guidée 2 CUC.

Achevée par les Espagnols en 1774, cette forteresse est l'une des plus grandes d'Amérique latine. Elle servit de prison sous le régime de Batista puis, au lendemain du triomphe de la révolution, de quartier général à Che Guevara, qui y supervisait les pelotons d'exécution des contre-révolutionnaires.

Dans le **Museo de la Comandancia de Che Guevara**, le parcours du célèbre guérillero est d'ailleurs évoqué grâce à une exposition rassemblant des photos et documents d'époque ainsi que des objets personnels du Che.

Également installé dans la forteresse, le **Parque Histórico Militar Morro-Cabaña** retrace l'histoire militaire de Cuba depuis sa colonisation à travers une collection d'armements. Une maquette intéressante montre les différentes étapes de l'urbanisation de La Havane.

La Cabaña accueille tous les grands salons culturels de la Havane, dont la Fête du livre en février. Tous les soirs à partir de 20h30, les visiteurs de la Cabaña peuvent assister à une cérémonie en costumes de l'époque coloniale espagnole. Le traditionnel **cañonazo de las nueve** (coup de canon de 21h) annonçait autrefois la fermeture des portes de la ville.

Les environs de La Havane Plan I p. 28-29

Voici quelques idées d'échappées belles aux environs de La Havane, loin de l'effervescence du centre de la capitale. Les amateurs de bains de mer ne négligeront pas les plages de l'Est *(voir p. 128)*.

Regla D2

À 9 km au sud-ouest de La Havane. Bac (« lancha ») toutes les 15mn de l'embarcadère à l'extrémité de la calle Santa Clara, non loin du Museo del Ron. Traversée de 5mn - 40 centavos.

Situé de l'autre côté de la baie, en face de la Vieille Havane, ce *municipio* est un haut lieu de la *santería*. Ses ruelles paisibles bordées de maisons à un étage, où il fait bon flâner, lui confèrent des allures de petit village portuaire. À l'arrivée, en face de l'embarcadère de Regla, une petite maison blanche aux portes jaunes fait l'objet d'un défilé ininterrompu. À l'intérieur, un **autel** est érigé en l'honneur de la **Virgen Negra** (Vierge noire), patronne de La Havane.

Le Castillo de los Tres Reyes del Morro.
Rostislav Ageev/iStock

Vêtue d'un manteau bleu, la déesse de la mer, connue sous le nom de Yemayá dans la religion yoruba *(voir « Religions », p. 361)*, assure la protection des marins. À gauche de la place en descendant du bac s'élève l'**église de la Santísima Virgen de Regla**, un important lieu de culte de cette religion, et le point de départ de la procession du 8 septembre *(voir « Agenda », p. 95)*.

Prenez la calle Martí en face de l'embarcadère et dépassez la place centrale.

Au n° 158 de la rue, vous pouvez compléter votre visite par le petit **Museo Municipal de Regla** *(mar.-sam. 9h-17h, dim. 9h-13h - 2 CUC)*, où sont évoquées l'histoire et les traditions de la municipalité. Une exposition rend hommage au premier *babalao (voir « Religions », p. 362)* de Regla.

★ Guanabacoa D2

À 15 km au sud de La Havane. Descendez la Calzada de Infanta. Juste après la clinique Diez de Octubre, prenez le rond-point à gauche et suivez la vía Blanca sur 5 km.

Cette ancienne cité coloniale du 17e s. appartient maintenant à la banlieue de La Havane. De l'époque esclavagiste, il subsiste une population noire importante et un fort culte de la **santería** *(voir « Religions », p. 361)*. La ville compte d'ailleurs de nombreuses églises et l'un des musées cubains les plus complets sur la religion afro-cubaine. Avec ses rues pentues et ses maisons décrépites, on se croirait déjà un peu à Santiago…

Sur une petite colline, au sud de la ville, vous pourrez notamment voir l'**ermitage de Potosí**, l'une des plus anciennes églises de Cuba, datant de 1644. Calle Martí n° 108, entre calles Versalles et San Antonio, un beau bâtiment colonial abrite le **Museo Histórico de Guanabacoa★** *(℘ [7] 797 91 17 - mar.-sam. 9h-17h, dim. 9h-13h - 2 CUC)*. Pour ceux qui s'intéressent à la religion afro-cubaine, ce musée constitue une très bonne introduction. N'hésitez pas à demander des renseignements aux gardiens. Vous apprendrez à reconnaître les principales figures de la *santería* grâce aux couleurs et aux attributs qui leur sont associés. On peut y voir les tambours *batá* utilisés lors des cérémonies,

ainsi que la reconstitution d'un autel. L'histoire de la municipalité depuis la colonisation est également retracée.

San Francisco de Paula D3

À 15 km au sud-est de La Havane. Sur la route de Guanabacoa, quittez la vía Blanca 800 m après le río Luyanó. Prenez la carretera Central à droite en direction du Parque Virgen del Camino et continuez tout droit en suivant les panneaux pour Güines.

Ernest Hemingway s'installa en 1939 dans la Finca la Vigía, un domaine sur une colline du village, à l'angle des calles Vigía et Steimberts. Lorsqu'il retourna aux États-Unis en 1960, sa maison fut transformée en **Museo Hemingway★** *(www.hemingwaycuba.com - lun.-sam. 10h-16h - 5 CUC).* Le mobilier et ses affaires personnelles sont restés intacts depuis le départ de l'écrivain. Afin de préserver cette collection, les visiteurs doivent se contenter de regarder les pièces de l'extérieur par les fenêtres ouvertes. Au milieu d'étagères croulant sous les livres et de nombreux trophées de chasse, on remarque sa machine à écrire et les armes qui le fascinaient. L'écrivain avait également installé un bureau dans la tour derrière la maison. Dans le parc planté de palmiers, vous pourrez voir la piscine où Ava Gardner se serait baignée nue, tandis que l'écrivain l'observait à la longue-vue depuis sa chambre… Et, dans un hangar près de là, le petit yacht, *El Pilar*, qui lui servait à aller taquiner espadons et marlins. A l'ombre des arbres, on remarque aussi les tombes de ses quatre chiens.

Parque Lenin C4

À 20 km au sud-ouest de La Havane (comptez 30mn) : prenez l'avenida Rancho Boyeros en direction de l'aéroport. Juste après le pont du río Almendares, tournez à gauche en direction du Parque Lenin.

À vingt kilomètres au sud de La Havane, une grande zone de loisirs fut aménagée au début des années 1970. Depuis quelques années, la pénurie de transports a eu raison de la popularité de ce lieu trop éloigné du centre.

À 3 km au sud du restaurant Las Ruinas se trouve le **Jardín Botánico Nacional** *(www.uh.cu/centros/jbn/- 9h-17h - 5 CUC).* Ce jardin présente une grande variété de plantes tropicales de Cuba et du monde entier, dont un remarquable **jardin japonais**. Il abrite aussi l'un des rares restaurants végétariens de La Havane. Vous pouvez le visiter en voiture ou à bord d'un petit train.

De l'autre côté de la route, on aperçoit les pavillons d'**ExpoCuba**, où sont présentés tous les *logros* (« réussites ») de la révolution dans les domaines économique, culturel et scientifique. Ce parc d'expositions accueille chaque année la Foire internationale de La Havane.

😊 NOS ADRESSES À LA HAVANE

INFORMATIONS UTILES

Banque/Change

Les banques ne manquent pas dans la ville, dans Habana Vieja comme sur la Rampa au Vedado, mais les distributeurs automatiques n'acceptent pour l'heure que les cartes Visa : pour les autres, retraits aux guichets, où les files d'attente ne sont pas rares, comme aux bureaux de change, les **cadecas** (*casa de cambio*).

Vous trouverez deux distributeurs et deux bureaux de change *(24h/24)* à **l'aéroport**, dans le hall des arrivées internationales et au 1er étage. Taux un peu moins avantageux qu'en ville.

Ceux qui logent dans un hôtel d'État peuvent y changer leur argent, mais les taux sont moins intéressants que ceux des banques et cadecas. Dans tous les cas, munissez-vous de votre passeport. Pensez aussi à bien recompter les liasses de billets qu'on vous donne, les arnaques ne sont pas rares.

Banco Metropolitano – Plan III, A2 - *Calle Obispo n° 257 e/Cuba et Aguiar (Habana Vieja) - lun.-sam. 8h30-18h, dim. 9h-15h30.* Dispose de nombreux guichets à l'intérieur et, sur la rue, de 4 distributeurs automatiques *(24h/24).*

Cadeca Obispo – Plan III, A2 - *Calle Obispo, angle Compostela - lun.-sam. 8h30-18h, dim. 9h-18h.*

Cadeca San Francisco – Plan III, B2 - *Plaza San Francisco de Asís, angle calles Lamparilla et Oficios - lun.-sam. 8h30-20h, dim. 9h-18h.*

Cadeca San José – Plan II, C4 - *Dans le centre artisanal Almacenes San José, av. del Puerto - lun.-sam. 10h-18h.* Souvent bien moins d'attente qu'à la cadeca Obispo.

Poste

Correos San Francisco – Plan III, B2 - *Calle Oficios e/Lamparilla - actuellement fermé pour travaux.* Deux autres bureaux de poste dans la Vieille Havane : *calle O'Reilly 505, e/Bernaza et Villegas* (Plan II, A3) et *calle San Juan de Dios 106, angle Aguacate* (Plan II, B2). Également un autre bureau sur le Parque Central, à gauche du Gran Teatro (Plan II, A3).

Téléphone

Vous trouverez dans la rue de nombreuses cabines (bleues) et des kiosques *Telepunto* de la compagnie **Etecsa**, accessibles avec des cartes prépayées *(voir « Téléphone », p. 424).*

Internet

Peu de *casas particulares* et encore moins de restaurants disposent du Wifi, mais les choses s'améliorent peu à peu. Les principaux points d'accès Wifi d'**Etecsa** (la compagnie nationale de télécommunications) se trouvent dans les parcs et les places publiques de la ville. On les repère à la foule de Havanais et de touristes en train d'y consulter leur portable, comme par exemple sur la Plazuela Santo Cristo (Plan II, A-B3). Le débit varie selon les heures, en général assez lent. On bénéficie souvent d'une meilleure connexion dans les halls des grands hôtels, notamment au Gran Manzana Kempinski, calle San Rafael, e/Monserrate et Zulueta (Plan II, A2-3), et ceux qui bordent le Parque Central et le Prado. On se connecte au réseau Etecsa en utilisant une **carte Nauta** *(voir « Internet », p. 415)* de 1h de navigation (1 CUC) ou de 5h (5 CUC), vendue dans les centres Etecsa. On peut aussi acheter une carte à un prix plus élevé

1

auprès des revendeurs dans la rue (vérifiez que la carte est neuve et que la bande grise du code n'a pas été grattée) ou à la réception des grands hôtels, afin d'éviter les files d'attente aux boutiques Etecsa.

Etecsa Obispo – Plan II, B2 -*angle calles Obispo et Habana. 8h30-19h.* Plusieurs ordinateurs à disposition pour surfer. Si vous avez déjà une carte, entrez sans faire la queue.

Etecsa San José – Plan II, C4 - *Dans le centre artisanal Almacenes San Jose, av. del Puerto - lun.-sam. 10h-18h.* Moins d'attente qu'au centre d'Obispo.

Santé

Clínica Central Cira García – Plan V, B1- *Angle calles 41 et 20 (Playa) - ☎ (7) 206 24 02 ou 204 28 11 (visites à domicile) - www.cirag. cu.* Réservés aux diplomates et aux étrangers, des services spécialisés et une pharmacie. Soins coûteux mais de qualité, payables en CUC. Anglais parlé. Certains hôtels disposent de services médicaux et d'une pharmacie internationale, notamment le Sevilla et le Habana Libre Tryp. Sachez qu'en ville, les pharmacies sont très mal approvisionnées.

Assistance touristique

Asistur – Plan II, A2 - *Prado n° 208 e/Colón et Trocadero (Habana Vieja) - ☎ (7) 866 85 27/83 39/89 20 - www.asistur.cu.* Numéros d'urgence 24h/24. Assiste les touristes étrangers à Cuba pour toute question d'argent, de santé, de perte de bagage, d'assurance ou de droit *(voir p. 398).*

Représentations diplomatiques

Voir « Ambassades », p. 410.

Stations-service

Elles sont nombreuses sur les voies principales. Quelques exemples dans le Vedado : angle calle L et ave. 17 (Plan IV, B1) ; angle Paseo et Malecón (Plan IV, A1, en direction) ; angle Rampa (calle 23) et Malecón (Plan IV, B1). À Miramar : angle ave. 31 et calle 18 (Plan V, B1) ; ave. 7ma et 2 (Plan V, B1).

ARRIVER/PARTIR

En avion

Aeropuerto Internacional José Martí – *À 17 km au sud du centre-ville sur l'ave. Rancho Boyeros.* Vols internationaux *(terminaux 2 et 3)* et domestiques *(terminal 1),* la Cubana de Aviación reliant à bonne fréquence de nombreuses villes cubaines, telles Varadero, Camagüey, Holguín, Santiago de Cuba ou encore Baracoa.

Cubana de Aviación – Plan IV, B1 - *Angle calles 23 n° 64 et Infanta (Vedado) - ☎ (7) 834 44 46 - www. cubana.cu - lun.-vend. 8h30-16h.*

De l'aéroport au centre-ville – Trajet en taxi uniquement. Le prix de la course est fixe : 30 CUC. Certains grands hôtels disposent néanmoins d'une navette.

En train

Estación Central de Ferrocarriles – Plan II, B4 - *Sur Egido, au sud de la Vieille Havane - ☎ (7) 830 31 61.* Départs quotidiens vers les principales villes de l'île, mais trains lents, peu fiables et souvent complets. On ne conseille pas du tout ce mode de transport à Cuba. Guichet spécial pour les touristes : on n'y fait pas la queue mais on paie en CUC. Chaque train dispose de places pour les touristes. Deux types de trains : *regular* de jour et *especial* de nuit. Réservez à l'avance.

En bus

Viazul – *angle calle 26 et Zoológico (Nuevo Vedado,* Plan IV, Hors plan*) - ☎ (7) 883 60 92 ou 881 14 13 - www. viazul.com -* Le terminal de Viazul se trouve à 10 km de la Vieille Havane. Comptez 10-15 CUC pour vous y rendre en taxi. Les billets peuvent s'acheter en ligne sur le site de la compagnie (au plus tard 7 jours avant). Il faut alors imprimer la réservation et la présenter au guichet pour recevoir son billet en échange. Attention, ces réservations ne sont pas modifiables ni remboursables sur place. Autre solution : passer acheter ses billets au terminal plusieurs jours à l'avance, au minimum la veille. Il arrive souvent qu'il n'y ait plus de places disponibles en ligne, mais qu'on puisse en trouver au guichet, car une quantité limitée d'entre elles est vendue sur Internet. Dans tous les cas, il faut se présenter au terminal au moins 1h avant le départ.

Au départ de La Havane, Viazul dessert : Viñales (à 9h et 14h30, *via* Pinar del Río, 3h40 de trajet, 12 CUC) ; Varadero (à 8h, 10h, 12h et 17h, *via* Matanzas, 3h, 10 CUC) ; Trinidad (à 7h et 10h45, *via* Cienfuegos, env. 7h de trajet, 25 CUC) ; Santiago de Cuba (4/j *via* Santa Clara, Sancti Spíritus, Camagüey, Holguín et Bayamo, env. 15h30, 51 CUC).

Transtur – Pour les principales destinations touristiques, une excellente alternative à Viazul au départ de la Havane, car le service, géré par Cubanacan, assure une connexion d'hôtels à hôtels en centre-ville. Bus climatisés et assez confortables, aux mêmes tarifs que Viazul. Les billets (on ne peut hélas pas les réserver en ligne depuis l'étranger) s'achètent à l'agence Cubanacan de l'hôtel Parque Central (Plan II, A2-3) ou dans n'importe quelle agence de voyage en ville.

La compagnie effectue un AR/j. entre La Havane et Viñales *via* Pinar del Río (env. 4h30), Varadero (env. 3h), Trinidad (env. 7h) *via* Cienfuegos (env. 5h), Santiago de Cuba (env. 15h) *via* Camagüey (env. 9h) et Holguín (env. 13h).

En taxi (partagé ou non)

Pour rallier les principales villes de province, beaucoup de voyageurs utilisent des *colectivos* (taxis collectifs), souvent de vieilles américaines des années 1950 réparées à n'en plus finir, qui opèrent sur les trajets longue distance. L'avantage, c'est qu'on peut les réserver la veille, par l'intermédiaire de la *casa* où l'on loge. Ils viennent alors vous prendre à domicile. On s'y entasse avec d'autres voyageurs, pour un prix comparable (5 ou 10 CUC de plus au maximum) à celui des bus, à condition de négocier un peu le tarif. Mieux vaut être peu chargé, car leur coffre peut difficilement contenir des bagages volumineux. Vous pouvez aussi demander à votre *casa* de vous réserver un taxi privé, plus confortable, mais à un tarif plus élevé. À titre indicatif, regardez les prix sur le site http:// taxivinalescuba.com. Un trajet La Havane-Varadero revient à 100 CUC. Pour les circuits sur plusieurs jours, tarif calculé en incluant l'essence, les repas et l'hébergement du chauffeur, comptez 110 à 130 CUC par jour.

En voiture de location

Les quatre loueurs officiels (Rex, Via, Havanautos et Cubacar) ont leurs bureaux à l'aéroport (arrivées internationales, terminaux 2 et 3) et dans les grands hôtels de la Vieille Havane, de Miramar et du Vedado. Inutile, cependant, d'espérer y trouver un véhicule si vous n'avez pas réservé longtemps à l'avance, le parc automobile locatif étant notoirement insuffisant.

1

TRANSPORTS

Bon à savoir – La Vieille Havane se prête aux déplacements à pied, ou éventuellement en *bici-taxi*. Pour les autres quartiers, notamment le Vedado ou Miramar, la voiture est un moyen de transport pratique et rapide, car les embouteillages sont peu fréquents.

En bus
Guaguas – Les bus publics sont peu nombreux et les files d'attente aux arrêts interminables. On déconseille de les utiliser.

Habana Bus Tour – Ce bus touristique, conçu sur le principe du *hop on/hop off* (montées et descentes à volonté de 10h à 19h, achat des billets dans le bus, 10 CUC/j), dessert toute la ville à travers plusieurs lignes se croisant au Parque Central (Plan II, A3). La **ligne 1** assure une boucle avec le Malecón, la Rampa et la Plaza de la Revolución, la **ligne 3** relie la vieille ville, les forteresses de Habana del Este et les plages de l'Est (Santa María del Mar).

En taxi
Cubataxi – 📞 *(7) 855 55 55*. Ces taxis jaunes stationnent devant la plupart des lieux touristiques, notamment sur le Parque Central, au débouché de la calle Obispo. Le montant de la course, payable en CUC, est en principe indiqué par le compteur, mais la plupart des véhicules n'en sont pas munis, il faut donc négocier. Comptez 5 CUC pour un trajet à l'intérieur d'un même quartier, 10 CUC entre la Vieille Havane et le Centro, 10-15 CUC entre la Vieille Havane et le Vedado.

Taxis collectifs – Depuis l'instauration d'une licence officielle et d'un contrôle technique des véhicules en décembre 2018, le nombre de taxis collectifs, pour la plupart d'antiques berlines américaines rafistolées, a drastiquement chuté. Certains continuent à sillonner les grands axes (calle 23, Malecón, etc.) en s'arrêtant à la demande, mais autant les laisser aux Havanais, qui ont déjà beaucoup de mal à en trouver.

Bici-taxis – Ces cyclo-pousse abondent dans le centre historique et leurs conducteurs ne cesseront de vous solliciter. Ils permettent de s'épargner des petits déplacements si l'on est fatigué de marcher (comptez 3 ou 5 CUC selon la course). Ménagez les mollets de vos conducteurs, évitez de monter à plus de deux !

Coco-taxis – Tout aussi pittoresques, amusants avec leur silhouette jaune et ronde, ces triporteurs motorisés disposent d'une banquette double à l'arrière. Ils ne sont pas munis d'un compteur. Comptez 5 CUC pour remonter le Malecón, 10 CUC de la Vieille Havane au Vedado.

HÉBERGEMENT

Bon à savoir – Les **hôtels** de la Habana Vieja occupent de beaux édifices historiques rénovés, mais ils sont chers, mal entretenus et dispensent un service décevant ; dans le reste de la ville, ils se caractérisent par des bâtiments modernes relativement impersonnels. La meilleure option demeure les **chambres chez l'habitant** *(casas particulares)*, très nombreuses et parfois loties dans de belles maisons coloniales. Le petit-déjeuner n'est pas compris (5 CUC/pers).

Dans la Habana Vieja
Voir Plan II, p. 32 et Plan III, p. 33.

▶ Casas particulares
BUDGET MOYEN

Casa Jesús y María – Plan II, B3 - *Calle Aguacate n° 518 e/Sol et Muralla* - 📞 *(7) 861 13 78* - 🍽

✗ - *6 ch. 30/35 CUC.* Un vrai cocon où l'on se sent materné ! Animés par un sens de l'accueil et du service hors pair, María et Jesús n'ont de cesse d'amender leur petite maison, où chaque détail - du flamant rose en bois au petit chien en porcelaine ! - témoigne d'une attention particulière. Les chambres nichées sur le toit-terrasse, véritable nid de verdure, sont les plus agréables, et c'est sur ce dernier que l'on prend un petit-déjeuner préparé avec amour !

Casa Humberto – Plan II, B3 - *Calle Compostela n° 611 e/Sol et Luz, 2e étage -* ℘ *(7) 860 32 64 - www.casahumberto.com -* ▤ ✗ *- 4 ch. 40 CUC.* Une bonne adresse, où l'on se sent bien ! Propreté, sécurité, préservation du cachet ancien de la demeure : Humberto n'a rien laissé au hasard. Mention spéciale pour la chambre isolée sur le toit-terrasse, qui réserve une vue superbe sur la ville ! Possibilité de se connecter à Internet.

Hostal Esperanza – Plan II, B4 - *Calle Acosta 218, e/Damas et Habana -* ℘ *(7) 860 51 54 - habana.historical@gmail.com -* ▤ ✗ - *3 ch. 35 CUC.* Henry, un Français, et son épouse cubaine Esperanza tiennent cette pension à l'étage, à la fois conviviale et d'une propreté irréprochable. Chambres aménagées comme des studios, certaines sur deux niveaux. Petit-déjeuner servi dans le patio intérieur. Henry n'hésite pas à partager ses tuyaux et bonnes adresses sur la Havane, notamment le soir autour d'un verre de vieux rhum.

Casa de la Luz – Plan II, B3 - *Calle Luz 310, e/Habana et Compostela -* ℘ *(7) 861 51 64 ou 524 17 951 - ernesto.cardosa@yahoo.com -* ▤ ✗ *- 4 ch. 35 CUC.* Au 2e étage de la maison, une pension familiale meublée dans le style colonial, avec de multiples bibelots.

Ernesto et Juana reçoivent bien leurs hôtes et les chambres sont lumineuses. Mention spéciale pour le vaste toit-terrasse avec ses chaises longues et sa superbe vue.

Casa Lourdes Havana 1913 – Plan II, B3 - *Calle Brasil 361 e/Aguacate et Villegas -* ℘ *(7) 867 93 29 - www.lourdeshavana1913.com -* ▤ ✗ *- 3 ch. 30/35 CUC.* Lourdes et sa fille Maibel dirigent cette pension propre et soignée et font preuve d'une grande gentillesse. Deux chambres ont leur salle de bains à l'extérieur. Simple et chaleureux. Un appartement de 2 ch. est disponible pour les familles juste en face de la maison.

Casa Cristo Colonial – Plan II, B3 - *Calle Cristo n° 16 e/Brasil et Muralla, 1er étage -* ℘ *(7) 862 87 79 - www.casacristocolonial.com -* ▤ ✗ *- 2 ch. 35 CUC.* Un grand patio couvert d'azulejos, cinq mètres de hauteur sous plafond, de jolis vestiges des années 1920 (date de construction de la demeure), le tout rénové avec simplicité par Belkis et Jeiver, un jeune couple – avec deux enfants – qui démontre qu'avec beaucoup d'énergie et même des moyens modestes, le renouveau de la Vieille Havane est possible !

Colonial Habana Susi – Plan II, B3 - *Calle Amargura n° 260 e/Compostela et Habana, 2e étage -* ℘ *(7) 861 72 65 - www.colonialhabana.com -* ▤ ✗ *- 6 ch. 30 CUC.* Impossible de ne pas remarquer cette jolie façade blanc et pistache ! Au 2e étage, l'appartement tient ses promesses : en le rénovant, Susi a voulu préserver « ce cachet colonial qui plaît tant aux touristes ». De fait, les beaux carreaux de ciment couvrant les sols se monnayeraient à prix d'or en France… mais nous sommes à Cuba, et les chambres débordent

1

de couleurs ! Du toit-terrasse, vue imprenable sur le Capitole.

Casa Nancy – Plan III, A3 - *Calle Brasil (Teniente Rey) n° 207 e/ Habana et Aguiar, 1er étage -* 🖥️ ✖ *- 3 ch. 38 CUC.* Nancy a été l'une des pionnières des maisons d'hôte havanaises. La décoration est volontiers désuète, et les chambres ouvrent sur un patio calme rempli de plantes vertes. Ambiance familiale.

Casa Marivelas – Plan III, A1 - *Calle Empedrado n° 211 e/ Cuba et San Ignacio, 1er étage -* 📞 *(7) 640 06 88 -* 🖥️ *- 2 ch. 50 CUC.* À deux pas de la cathédrale, au fond d'une cour protégée de l'animation de la rue, deux studios totalement indépendants et avec cuisinette équipée (mais le petit-déjeuner est préparé par une voisine). L'appartement 25 est relativement simple ; le 29, refait dans un esprit plus déco, est séduisant. Une bonne option.

Greenhouse – Plan II, C4 - *Calle San Ignacio n° 656 e/Merced et Jesús María, 1er étage -* 📞 *(7) 862 98 77 - fabio.quintana@infomed.sld. cu -* 🖥️ ✖ *- 7 ch. 35 CUC.* On repère tout de suite sa façade vert olive. Pour sûr, cette *casa* se distingue : ne cessant de l'amender, Fabio l'a finalement transformée en grande pension de famille, où se côtoient aujourd'hui toutes les nationalités. Jusque sur le toit-terrasse, chaque chambre est différente (mobilier ancien, moulures dorées, couleurs vives, etc.). Un endroit qui donne le sourire !

Hostal Peregrino El Encinar – Plan II, B2 - *Calle Chacón n° 60 e/Cuba et Aguiar, 1er étage -* 📞 *(7) 860 12 57 - www. hostalperegrino.com -* 🖥️ ✖ *- 8 ch. 40 CUC.* Cette annexe de l'Hostal Peregrino Consulado *(voir ci-après « Dans Centro Habana »)* a tout d'un petit hôtel indépendant. Avantage : sa situation privilégiée

non loin de la cathédrale. Même esprit que dans la maison-mère, avec une belle terrasse panoramique en prime.

Hostal Anasur – Plan II, C3 - *Calle San Ignacio n° 454 e/Sol et Santa Clara, 2e étage -* 📞 *(7) 862 27 17 - anasur@nauta.cu -* 🖥️ ✖ *- 3 ch. 35/40 CUC.* Dans cet immeuble de 1925 idéalement situé près de la Plaza Vieja, cet appartement préserve l'esprit de la Belle Époque : colonnes corinthiennes dans le grand salon, multiples vitraux, statues, porcelaines, toiles… L'image d'une certaine Havane ! Même opulence dans les chambres, mais une seule dispose de sa salle de bains privée. Accueil courtois.

POUR SE FAIRE PLAISIR

Casa Belén 1850 – Plan II, C3 - *Calle San Ignacio n° 506 e/Sol et Luz -* 📞 *(7) 862 25 29 - www. casabelen1850.com -* 🖥️ ✖ *- 5 ch. 45/60 CUC.* Le gazouillis des oiseaux en cage accueille les hôtes de cette charmante maison bleu azur, dont les chambres arborent une belle hauteur sous plafond. Mobilier ancien et agréable patio au calme pour le petit-déjeuner, tout en étant en plein cœur du centre historique.

Hostal Calle Habana – Plan III, A3 - *Calle Habana n° 559 e/Brasil et Amargura -* 📞 *(7) 867 40 81 - www. hostalcallehabana.com -* 🖥️ ✖ *- 6 ch. 50/75 CUC.* Contrastant parmi des façades plus que décaties, une petite maison toute rose, nantie de volets en bois exotique : un détail qui dit tout de la rénovation de qualité dont elle a joui, sous l'égide d'un jeune Havanais ambitieux. Sobriété, fraîcheur, calme : une bonne adresse !

Casa Alta Habana – Plan III, B3 - *Calle San Ignacio e/Sol y Muralla, Edificio 412, Apto 2 -* 📞 *53 41 48 73 - www.casaaltahabana.*

com - ▤ ✕ - *6 ch. 70 CUC.* Gérée par des jeunes, cette adresse rénovée avec goût affiche une déco lumineuse et épurée. Les chambres bénéficient d'une grande hauteur sous plafond et d'un bon confort (douches à l'italienne). Petit-déj. copieux servi sur le toit-terrasse, où l'équipe donne volontiers des leçons de salsa à l'heure du cocktail. Seul point négatif : les 70 marches à grimper pour y accéder.

◗ Hôtels

ⓔ **Bon à savoir** – Hormis le couvent ci-après, tous les hôtels sont gérés par la chaîne d'État Habaguanex. Son site Internet (www.habaguanexhotels.com) offre un bon moteur de recherche, avec des promotions souvent intéressantes.

POUR SE FAIRE PLAISIR

Convento de Santa Brigida y Madre Isabel – Plan III, B3 - *Calle Oficios n° 204 e/Brasil et Muralla -* ℘ *(7) 801 16 13 - berigidahabana@ gmail.com -* ▤ - *22 ch. 70/80 CUC* ☕. Louées soient les religieuses à la drôle de cornette qui ont transformé une partie de leur magnifique couvent situé à côté de l'église St-François-d'Assise en un hôtel de fort bonne tenue. Les chambres, cossues et parfaitement équipées, offrent la paix au cœur de la vieille ville.

UNE FOLIE

Hotel Raquel – Plan III, A3 - *Calle Amargura 103, angle San Ignacio -* ℘ *(7) 860 82 80 -* ▤ ✕ - *25 ch. 130/170 CUC* ☕ - *Wifi.* Véritable bijou Art Nouveau (1905), tout de pierres d'époque et d'ornementations baroques, cet hôtel à la façade néo-churrigueresque excelle dans l'abondance décorative. Entrez pour admirer sa superbe verrière dans l'atrium. Les chambres, en

revanche, comme dans tous les hôtels d'État, sont vétustes et le service négligé.

Hotel Beltrán de Santa Cruz – Plan III, B3 - *Calle San Ignacio n° 411 e/Muralla et Sol -* ℘ *(7) 860 83 30 -* ▤ - *12 ch. 230 CUC* ☕. Bien située, à deux pas de la belle Plaza Vieja, cette ancienne demeure ayant appartenu à une famille de notables espagnols préserve son cachet colonial autour d'un joli patio verdoyant. Le charme agit en dépit de problèmes d'entretien dans certaines chambres.

Hotel Santa Isabel – Plan III, B1 - *Calle Baratillo n° 9 e/Obispo et N. López -* ℘ *(7) 860 82 01 -* ▤ ✕ - *27 ch. 324 CUC* ☕ - *Wifi.* Sur la jolie Plaza de Armas, intimement liée à l'histoire de la ville, l'un des plus beaux établissements de la Vieille Havane, alliant luxe, ambiance confidentielle et cachet d'un somptueux palais du 18e s. Réservez le plus tôt possible en raison du nombre restreint de chambres.

Du Capitole au Prado

Voir Plan II, p. 32.

À la frontière de la Vieille Havane et de Centro Habana, les abords du Parque Central constituaient le cœur de la vie mondaine dans la première moitié du 20e s. Dans une ambiance toujours animée, ils abritent parmi les plus grands hôtels de la ville. Sans posséder le charme colonial que l'on trouve dans Habana Vieja, ces établissements répondent aux standards de confort internationaux.

◗ Hôtels

UNE FOLIE

Hotel Inglaterra – Plan II, A3 - *Prado n° 416 e/San Rafael et San Miguel -* ℘ *(7) 860 85 96 - www. hotelinglaterra-cuba.com -* ▤ ✕ ▣ - *83 ch. 247/260 CUC*

1

🛏 - *location de voitures, bureau de change, services médicaux.* Fièrement dressé sur le Parque Central, à côté du Gran Teatro, cet édifice de 1875, classé Monument national, mêle architecture néoclassique et charme historique, spécialement dans ses beaux espaces communs (grand hall, bar sous la colonnade du rez-de-chaussée, restaurant sur le toit, etc.). Les chambres sont plus classiques, mais confortables, et le point de chute est idéal pour rayonner dans toute la ville.

Hotel Saratoga – Plan II, A3 - *Angle Paseo del Prado n° 603 et Dragones -* 📞 *(7) 866 10 00 - www. hotel-saratoga.com -* 🖥 ✕ 🛶 - *96 ch. 500/600 CUC* 🛏 *- location de voitures, bureaux de change et de tourisme, Wifi.* Où peut-on faire trempette dans une piscine installée sur un luxueux toit-terrasse situé à portée de main du dôme du Capitole ? Au Saratoga, bien sûr ! C'est ici le chic du chic de La Havane, avec des prix en conséquence. Une institution depuis la fin du 19e s., sans cesse remise au goût du jour.

Hotel Iberostar Parque Central – Plan II, A3 - *Calle Neptuno e/Prado et Zulueta -* 📞 *(7) 860 66 27 - www. hotelparquecentral-cuba.com -* 🖥 ✕ 🛶 - *427 ch. 220/300 CUC* 🛏 *- location de voitures, bureaux de change et de tourisme, Wifi.* Face à la place du même nom, cet imposant immeuble moderne accueille essentiellement une clientèle d'affaires. Prestations de classe internationale, bar et piscine avec vue panoramique sur la ville.

Dans Centro Habana

Voir Plan IV, p. 34-35.

◗ Casa particular

BUDGET MOYEN

Hostal Peregrino Consulado – Plan II, A2 - *Calle Consulado n° 152 e/Colón et Trocadero, 1er étage -* 📞 *(7) 860 12 57 - www. hostalperegrino.com -* 🖥 ✕ *- 5 ch. 40 CUC.* Un grand appartement familial à l'entrée de Centro Habana, non loin du Prado. Julio et Elsa ont vécu en Afrique, ce qui explique la dominante ethnique de la décoration. Les chambres sont douillettes et chaleureuses ; côté rue, elles jouissent de sympathiques petits balcons. Accueil agréable, avec plein de bons conseils pour découvrir La Havane. Le couple a créé deux autres hostales dans la ville, notamment dans Habana Vieja (voir Hostal Peregrino El Encinar).

Casa Andres Grisel – Plan II, A1-2 - *Calle Consulado 21, e/Prado et Genios -* 📞 *(7) 860 114 68 - andresgrisel@yahoo.es -* 🖥 ✕ *- 6 ch. 35 CUC.* À la lisière du Prado et du Malecón, autour d'un charmant patio fleuri, des chambres spacieuses et bien tenues. Service attentionné. Appréciable terrasse pour se détendre.

◗ Hôtel

UNE FOLIE

🏠 **Malecón 663** – Plan IV, C1 - *Malecón 663, e/Belascoain et Gervasio -* 📞 *(7) 860 14 59 - www. malecon663.com -* 🖥 ✕ *- 4 ch. 180/200 CUC* 🛏. Très original boutique-hôtel arty, fondé par une Française, Sandra, et son *salsero* de mari, Orlandito. Pour rénover du sol au plafond cette *casa* rongée par le sel marin, ils ont fait appel à une poignée de jeunes architectes et designers talentueux. Chaque chambre possède un style unique : Art déco, années 50, tropicalisme éclectique, et enfin contemporain pour la vaste suite au dernier étage. Couleurs vives, mobilier vintage, objets recyclés et customisés, artisanat de créateurs locaux (en vente à la boutique) donnent à l'ensemble un cachet unique. Excellent service.

Dans le Vedado
Voir Plan IV, p. 34-35.

◗ Casas particulares
⚐ **Bon à savoir** – Bien qu'excentré, le quartier, aéré et résidentiel, satisfera tous ceux que pourraient rebuter la densité et l'animation touristique du centre-ville. Hormis la Rampa et la calle 23, très bruyantes, les rues arborées, bordées de villas Belle Époque, invitent à un petit voyage dans le temps.

PREMIER PRIX

Casa Iliana García – Plan IV, A2 - *Calle 2 n° 554 e/23 et 25 - ℘ (7) 831 33 29 - 2 ch. 25 CUC.* Iliana est charmante et sa maison toute blanche, typique du Vedado, un havre de fraîcheur et de propreté. On regrette simplement que le bruit de la circulation sur la calle 23 atteigne les lieux… Un endroit lumineux et spacieux où l'on se sent bien malgré tout !

BUDGET MOYEN

Casa Betty y Armando Gutiérrez – Plan IV, B1 - *Ave. 21 n° 62 e/M et N - ℘ (7) 832 18 76 - 🖥 - 2 ch. 30/35 CUC.* Un vaste appartement en haut d'un immeuble voisin de la Rampa. On oublie l'animation du quartier en découvrant ses espaces très lumineux, même si, hélas, les chambres n'échappent pas à la rumeur pétaradante de la rue. Confort simple, mais l'adresse est intéressante vu sa situation et l'accueil de ses hôtes, qui sont de parfaits francophones et francophiles !

Casa Zoila Zayas Ulloa – Plan IV, A1 - *Calle K n° 254 e/15 et 17, appt 1 - ℘ (7) 831 17 64 - alecarvajalgarcia@gmail.com - 🖥 - 2 ch. 35 CUC.* Zoila, pétillante grand-mère, vous accueille avec un grand sourire dans sa belle maison bourgeoise de 1925, au charme intemporel. Le salon, notamment, paraît ne pas avoir changé depuis la Révolution et évoque une photo ancienne aux couleurs à peine fanées… Un endroit unique, comme on n'en trouve qu'à Cuba. Attention, ils doivent bientôt déménager dans le quartier : contactez-les pour connaître leur nouvelle adresse.

Hostal Silvia – Plan IV, A2 - *Paseo n° 602 e/25 et 27 - ℘ (7) 833 41 65 - www.hostalsilvia.com - 🖥 🅿 - 4 ch. 40/45 CUC.* Dans une autre ville, cette grande demeure de 1925 abriterait peut-être une ambassade ou un consulat ; à La Havane, elle accueille les touristes de passage en toute simplicité. L'occasion rare de dormir à petit prix dans une superbe propriété, entretenue comme un trésor par une famille charmante : grand jardin d'hiver, immense hall d'entrée, beau salon colonial, œuvres et objets anciens, terrasses sur le toit, etc. Un ensemble très évocateur des fastes de La Havane d'hier…

◗ Hôtels
POUR SE FAIRE PLAISIR

Hostal Casavana Cuba – Plan IV, A1 - *Ave. de los Presidentes 301, e/calle 13 et 15, 11ᵉ étage - ℘ (7) 832 00 07 - www.hostalcasavana.com - 🖥 - 13 ch. 80/140 CUC ☕.* On jouit d'un panorama exceptionnel sur la ville depuis les balcons de cet hôtel qui occupe trois étages dans une tour résidentielle des années 50 (pas d'enseigne à l'entrée). L'accueil est courtois, les chambres spacieuses, propres et bien décorées, le petit-déjeuner plantureux. Un bon intermédiaire entre la *casa particular* et l'hôtellerie haut de gamme.

UNE FOLIE

Elegancia Suites Habana – Plan IV, A1 - *Calzada 454, e/calle E et F* - ☎ *(7) 831 28 82 - www. elegancia-suiteshabana.com* - ▤ - *4 ch. 175/240 CUC* ☕. Décoré dans un style chic et sobre, ce petit nid douillet bien au calme dispose de chambres luxueuses et d'une terrasse tropicale où trône un jacuzzi. Marielle reçoit ses hôtes avec un sourire généreux. Navette d'aéroport et wifi gratuit.

☺ **La Reserva Vedado** – Plan IV, A2 - *Calle 2 n°508, e/21 et 23* - ☎ *(7) 833 52 44 - www. lareservavedado.com* - ▤ ✗ - *11 ch. 180/250 CUC* ☕ - Dans une villa Belle Époque restaurée avec goût, doublée d'un jardin, un hôtel boutique raffiné, décoré d'une collection d'œuvres d'art contemporain cubain. Les chambres et suites, lumineuses, ont des lits king size et une salle de bains marbrée. Bar à cocktails, wifi gratuit, services personnalisés.

Hotel Nacional – Plan IV, B1 - *Angle ave. 21 et calle O* - ☎ *(7) 836 35 64 - www. hotelnacionaldecuba.com* - ▤ ✗ ⚓ 🅿 - *457 ch. 338/396 CUC* ☕ - *location de voitures, bureau de change, services médicaux, tennis, Wifi.* En surplomb du Malecón, sa haute architecture néoclassique est un repère incontournable de La Havane : le plus célèbre hôtel de la ville, inauguré en 1930, est un monument historique ! Le cadre fastueux de son hall et de ses salons, la grande piscine et le beau jardin dominant l'océan : tout dessine un cadre privilégié, étonnamment préservé.

RESTAURATION

Dans la Habana Vieja

Voir Plan II, p. 32, et Plan III, p. 33.

☺ **Bon à savoir** – Se restaurer ne pose pas de problème à La Havane, même si la ville ne possède pas de réelle culture gastronomique. La récente libéralisation du secteur a cependant permis l'éclosion de nombreux et bons *paladares* qui esquissent le début d'un renouveau ; ils méritent d'être découverts.

PREMIER PRIX

La Moneda Cubana – Plan III, A1 - *Calle San Ignacio n° 77 e/*

Hotel Nacional.
Matyas Rehak/Shutterstock.com

Plaza de la Catedral et O'Reilly - ✆ *(7) 867 38 52 - 12h30-22h - 8/10 CUC*. Ouvert sur la rue, non loin de la place de la Cathédrale, ce minuscule restaurant familial est parfait pour manger sur le pouce. Omelettes, côtelettes de porc, riz aux haricots noirs et autres spécialités cubaines sont proposés à petit prix. La salle est tapissée de pièces et de billets du monde entier : c'est la fierté du patron, passionné par le sujet ! Attention, ne confondez pas avec l'autre restaurant du même nom situé à l'angle des rues Empredrado et Mercaderes, beaucoup plus cher et touristique.

Oasis Nelva – Plan III, A3 - *angle calle Muralla et Habana - ✆ 52 93 97 58 - 12h-22h - 7/15 CUC*. Charmante petite crêperie décorée de plantes suspendues et de caisses de bois recyclées. On peut s'y restaurer pour pas cher de crêpes salées, sandwichs, soupes, salades et plats du jour ou bien s'y offrir une petite pause sucrée accompagnée d'un smoothie ou d'un bon expresso.

Casa de la Parra (Hanoi) – Plan II, A3 - *Angle calles Brasil et Bernaza - ✆ (7) 867 10 29 - 11h-23h - 8/15 CUC*. Une maisonnette toute simple, à trois *cuadras* du Capitole. On s'installe au choix dans ses petites salles au décor créole, ou dans la cour intérieure, ombragée par une grande *parra* (« treille »). L'endroit est d'autant plus sympathique qu'un groupe de musiciens concourt souvent à l'ambiance. Les prix sont mesurés et la tradition de mise : échine de porc grillé, salade de poulet, etc.

El Chanchullero – Plan II, A3 - *Calle Teniente Rey (Brasil) 45 A e/ Bernaza et El Cristo - ✆ (7) 801 49 15 - www.el-chanchullero. com- 13h-minuit - 8/15 CUC*. Toujours bondé, car adulé des voyageurs à petit budget, ce bar

à tapas animé par une équipe jeune et dynamique séduit par son brouhaha chaleureux et ses prix imbattables. Il n'est pas rare d'attendre près d'une heure avant de s'asseoir, sauf à venir avant 18h ou après 22h, mais cela permet aussi de socialiser. Bonnes crevettes à l'ail, brochettes de viandes grillées doucement épicées ou *ropa vieja*, compagnons parfaits de la valse des bières et des cocktails. Terrasse à l'étage.

El Café – Plan II, B3 - *Calle Amargura 358, e/Villegas et Aguacate - ✆ (7) 861 381 7 - 9h-18h - 5/15 CUC*. C'est un séduisant petit local aux beaux carreaux de ciment, colonnes de pierre, tables de bois et tableaux d'artistes aux murs. Peu de choix (inscrits sur l'ardoise du jour) mais des produits frais, dont de délicieux sandwichs végétariens ou au poulet avec du pain maison, des salades et jus de fruits. Parfait pour un déjeuner sain et léger.

BUDGET MOYEN

Trattoria 5 Esquinas – Plan II, A1 - *Calle Habana n° 104, angle Cuarteles et Espada - ✆ (7) 860 62 95 - 11h-23h - 10/20 CUC*. Une adresse sans prétention, mais qui débite une cuisine italienne de bonne facture : pizzas (cuites au four à bois, fines et croustillantes à souhait), pâtes, salades et risottos, viandes et poissons selon arrivage. Le service est rapide et prévenant. Installée dans une ruelle piétonne bien tranquille, sa terrasse est idéale pour un dîner en amoureux.

Van Van – Plan II, B2 - *Calle San Juan de Dios 58 e/Habana et Compostela - ✆ (7) 584 54 510 - 12h-minuit - 10/18 CUC*. La déco excentrique (vinyls et instruments de musique suspendus, peintures bariolées, lustres et murs tagués où l'on vient apposer sa

1

signature), les délicieux cocktails et les bons groupes de *salseros* qui jouent le soir font tout le charme festif du lieu. Côté cuisine, des tapas et quelques classiques cubains (escalope de porc panée, *ropa vieja*, filet de poisson) bien préparés et à prix doux assurent la satisfaction des estomacs.

La Marina – Plan III, B3 - *Angle Brasil (Teniente Rey) et Oficios - 12h-23h - 15/20 CUC.* Un grand patio à l'air libre, lumineux et agréable, où domine le bleu, esprit « marina » oblige, bien que l'on se trouve au cœur de la ville. Le poisson domine la carte (grillades, brochettes, etc.) et les assiettes, sans prétention, sont parfaites pour caler une petite faim. À accompagner d'un bon *guarapo*, jus de canne à sucre frais, obtenu avec la machine à broyer que l'on peut admirer dans un coin.

Mojito-Mojito – Plan III, B3 - *Calle Muralla 166, e/Cuba y San Ignacio - ☎ (7) 801 81 87 - 9h-23h45 - 15/20 CUC.* Une ambiance sympathique imprègne ce bistrot situé tout près de la Plaza Vieja, où se produit le soir un orchestre talentueux. Les petites tables en bois se répartissent entre la salle aux belles arches en pierre et la terrasse animée sur la rue. Excellents *mojitos* et service souriant. Les plats, dont certains sont servis dans un cochon ou un requin en terre cuite, se révèlent de qualité honnête : poisson en papillote, *zarzuela* de fruits de mer, crevettes grillées, curry d'agneau, pâtes.

La Taberna del Pescador – Plan III, A2 - *Calle San Ignacio n° 260A e/Amargura et Lamparilla - ☎ 53 34 35 37 (mobile) - 12h-0h - 15/20 CUC.* En guise de taverne, une salle toute petite (cinq tables en bois !) grande ouverte sur la rue et qui vous attrape facilement dans ses filets. De gros poissons sur les murs annoncent en effet la couleur : ici, c'est la mer qui commande. Soupe de poisson, cocktail de poulpe, enchilado de crevettes, langouste grillée… Une bonne partition iodée, en toute simplicité !

☺ Mas Habana – Plan II, B2 - *Calle Habana n° 308E e/San Juan de Dios et O'Reilly - ☎ (7) 864 32 27 - 12h-minuit - 12/20 CUC.* On aime cette salle aux grands volumes et à la déco épurée, avec sa mezzanine en duplex, où règne une atmosphère paisible. Quelques jolis tableaux contemporains aux murs et chaises de type Bertoia en acier autour des tables. La musique lounge change des sempiternels refrains de salsa cubaine. Cocktails divins et plats (pâtes fraîches, veau à la cannelle, crevettes à la thaï, légumes et salades) aux saveurs exquises.

304 O'Reilly – Plan II, B2 - *Calle O'Reilly n° 304 e/Habana et Aguiar - ☎ (7) 863 02 06 - 11h45-0h - 15/20 CUC.* Une déco branchée et un service jeune et décontracté : ce genre de café-resto contemporain serait la norme ailleurs ; à La Havane, son ouverture fut une révolution ! L'adresse a fait la couverture d'un magazine américain consacré au renouveau cubain : elle fait salle comble… et on y mange bien. Venu de restaurants d'État, le jeune chef sait sortir des plats bien balancés, à l'image de ces petits légumes joliment laqués accompagnant un poison grillé assez relevé, ou de cette tarte au citron acidulée en dessert. Belle carte de tapas et de cocktails.

El del Frente – Plan II, B2 - *Calle O'Reilly n° 304 e/Habana et Aguiar, à l'étage - ☎ (7) 863 02 06 - 12h-minuit - 15/20 CUC.* Située juste en face du 304 O'Reilly et tenue par les mêmes propriétaires, cette nouvelle annexe propose une carte identique et une ambiance tout aussi cool. Avec aussi l'avantage d'une sympathique terrasse sur le toit (pensez à y réserver votre place). Excellents cocktails, délicieux tacos, ceviches et poissons grillés.

Doña Eutimia – Plan III, A1 - *Callejón del Chorro n° 60C (plaza de la Catedral) -* ☎ *(7) 801 33 32 - 12h-22h - 10/17 CUC.* ☎ *(7) 861 13 32 - 10h-22h - 15/20 CUC.* Au fond d'une jolie petite impasse donnant sur la place de la Cathédrale, ce *paladar* très en vue – et légèrement victime de son succès – impose de réserver à l'avance. La cuisine ne sort pas des sentiers battus (fritures, grillades et *arroz moro*, langouste farcie, etc.), mais chaque assiette est soignée. Quant à la belle terrasse et au joli décor rétro de la salle, ils sont tout aussi épatants.

Esto no es un Café – Plan III, A1 - *Callejón del Chorro n° 58A (plaza de la Catedral) -* ☎ *(7) 862 51 09 - www.estonoesuncafe.com - 12h-0h - 15/20 CUC.* « Ceci n'est pas un Café », clame l'enseigne : de fait, c'est à la fois une petite galerie d'art (jetez un coup d'œil à l'étage) et un restaurant d'allure plutôt moderne. La minuscule salle, au rez-de-chaussée, déborde dans la ruelle où sont disposées quelques tables – un cadre agréable, avec la place de la Cathédrale en ligne de mire. Le menu est original : tartelette au thon, poulet grillé aux légumes sautés, poisson du jour, etc. Seuls les problèmes d'approvisionnement brident les envies du chef !

Habana 61 – Plan II, B2 - *Calle Habana, n° 61 -* ☎ *(7) 801 64 33 - ww.paladarhabana61.com - 12h-23h - 15/20 CUC.* Dans un quartier très animé, cette petite salle climatisée et souvent bondée

affiche à la carte les plats d'une cuisine cubaine revisitée comme la langouste aux fruits exotiques ou les crevettes sauce cubaine (*camarones a la criolla*). Vin au verre et cocktails raffinés. Service aussi efficace qu'aimable. Réservation conseillée.

POUR SE FAIRE PLAISIR

Ivan Chef Justo – Plan II, A2 - *Calle Aguacate 9, angle Chacon, à l'étage -* ☎ *(7) 863 96 97 - 12h30-22h - 20/30 CUC.* Perché à l'angle d'une maison coloniale juste en face du musée de la Révolution, ce paladar reste une des valeurs sûres de la vieille ville. Décor hétéroclite de plantes, vieilles horloges, affiches de cinéma et photos anciennes. Préférez les tables en terrasse, pour la vue. Carte variée selon les inspirations du moment, déclinant des plats hispano-cubains ou italiens (cochon de lait, lapin, thon, soupe de poisson, paella, pâtes) bien cuisinés, parfois un peu trop riches en sauce. Attention, les prix grimpent vite avec les vins.

Al Carbón – Plan II, AB2 - *Calle Aguacate, n° 9, angle Chacon -* ☎ *(7) 863 96 97 - 12h-0h - 20/30 CUC.* Ce sympathique local est la nouvelle devanture en rez-de-chaussée du paladar Ivan Chef Justo situé à l'étage. On y déguste d'excellentes grillades au charbon, mais aussi des ceviches et des légumes frais, dans un cadre de style brocante avec cuisine ouverte. Bonne ambiance, accueil chaleureux et service efficace.

Los Mercaderes – Plan III, B2 - *Calle Mercaderes n° 207 e/ Lamparilla et Amargura, 1er étage -* ☎ *(7) 861 24 37 - midi et soir - 20/30CUC.* Un paladar dans un bel appartement particulier, succession de salons que distinguent de hauts plafonds, de beaux carreaux de ciment, des meubles anciens et de multiples miroirs et affiches d'autrefois. Ambiance intime, plus encore le soir venu quand on a la chance d'avoir une table près du balcon au-dessus de la rue. Le chef signe une cuisine cubaine originale et soignée, avec pour spécialité la langouste au café. Musiciens midi et soir.

5 Sentidos – Plan II, B2 - *Calle San Juan de Dios 67 e/Compostela et Habana -* ✆ *(7) 864 86 99- www. paladar5sentidos.com. - 12h30-23h, fermé lun. - 20/30 CUC.* Ce restaurant de nouvelle cuisine cubaine chic et branché attire foule, sur deux étages, avec sa déco de style industriel moderne. Assiettes bien présentées et produits frais : lapin aux herbes, wok de poulpe, langouste en sauce catalane et délicieux dessert aux trois chocolats. L'addition reste très raisonnable pour une cuisine de qualité.

Dans Centro Habana

Voir Plan IV, p. 34-35.

PREMIER PRIX

Los Tres Chiñitos – Plan IV, C2 - *Calle Dragones n° 355-357 e/ Manrique et San Nicolás -* ✆ *(7) 863 33 88 - 12h-0h - 5/15 CUC.* Au cœur du Barrio Chino, le quartier chinois, derrière une façade orange flashy, la salle transporte en Extrême-Orient… version Cuba. Un décor assez kitsch de laques et de statuettes, pour une carte qui associe *shop suey* à petit prix et plats créoles, sans compter les pâtes et les pizzas ! Bref, le métissage est de rigueur : une expérience sympathique et sans nulle prétention.

Mimosa – Plan IV, C2 - *Calle Salud 317, e/Gervasio et Escobar -* ✆ *(7) 867 17 90 - 12h-23h - 8/15 CUC.* Une pizzeria populaire, où l'on mange pour pas cher des pizzas gargantuesques, mais aussi des spaghettis carbonara ou des crevettes flambées au rhum. Salle assez sombre et trop climatisée mais conviviale. File d'attente monstre, arrivez tôt ou tard.

BUDGET MOYEN

😊 **Casa Miglis** – Plan IV, C1 - *Calle Lealtad n° 120 e/Ánimas et Lagunas -* ✆ *(7) 864 14 86 - www.casamiglis.com - 12h-1h - 15/25 CUC.* Non loin du Malecón, un joli endroit, à la déco soignée (œuvres d'art contemporain sur les murs peints en blanc, moulures et carrelages anciens). Il a été créé par Michel Miglis, un Suédois d'origine grecque tombé amoureux de Cuba en venant y réaliser un documentaire. Entre Europe du Nord et Caraïbes, la carte multiplie avec originalité les références internationales. L'adresse est donc branchée, mais les prix restent raisonnables si l'on fait l'impasse sur les vins.

POUR SE FAIRE PLAISIR

San Cristóbal – Plan IV, C2 - *Calle San Rafael n° 469 e/Lealtad et Campanario -* ✆ *(7) 867 91 09 - www.paladarsancristobal.com - tlj sf dim. 12h-0h - 15/30 CUC.* Cette jolie demeure semble confite dans le passé : au fil d'un long patio se découvrent des petites pièces pleines de cachet, tout en boiseries, photos anciennes et objets religieux. Rien de nostalgique, juste l'image d'une Havane intemporelle ! La cuisine joue la carte de la tradition cubaine avec une fraîcheur et une générosité totales. On passe un agréable moment. Réservation conseillée.

😊 **La Guarida** – Plan IV, C2 - *Calle Concordía n° 418 e/Gervasio et Escobar, 2ᵉ étage -* ✆ *(7) 866 90 47 - www.laguarida.com - 12h-0h - 25/35 CUC.* Au premier abord, ce petit palais Belle Époque semble abandonné : en empruntant le superbe escalier de marbre, on découvre à l'étage l'ancien grand salon (moulures, colonnes, peintures décrépites) ouvert à tous les vents… Le *paladar* niche au-dessus, dans un petit appartement au cachet rétro intact. L'endroit est digne d'un décor de cinéma ; nul hasard, c'est ici qu'a été en partie tourné le film *Fraise et Chocolat* ! Les murs sont d'ailleurs couverts des photos des nombreuses célébrités passées depuis par là. On fait donc une sorte de pèlerinage en profitant de la qualité de la table, originale : carpaccio de poulpe et sauce piment ; poulet grillé, miel et citron ; et en dessert, l'incontournable Fresa y Chocolate ! Réservation indispensable au dîner. Reste sinon la possibilité de dîner au bar sur le toit-terrasse, mais avec un choix de plats limité et d'un niveau culinaire moins élaboré.

Dans le Vedado
Voir Plan IV, p. 34-35.

BUDGET MOYEN

El Cocinero – Plan V, B1 - *Calle 26, e/11 et 13 - ℘ (7) 832 23 55 - 12h-minuit - 15/125 CUC.* Logé dans une partie de l'ancienne usine d'huile, avec sa cheminée en brique, accolée à la Fábrica de Arte, ce lieu original et hype possède un superbe bar-terrasse, qui sert à déjeuner, avec un menu cependant moins élaboré que la salle du restaurant, qui n'ouvre qu'à 19h (réserv. impérative). Cuisine cubaine et internationale : steak d'espadon avec légumes sautés, tacos d'agneau, brochette de bonite au sésame, tataki de thon. Le service est efficace et courtois.

La Cocina de Esteban – Plan IV, B1 - *Angle calle L et 21 - ℘ (7) 832 96 49 - http://lacocinadeesteban. com - 12h-minuit - 10/20 CUC.* Sous

les arcades d'une belle maison, voilà une salle ouverte agréable et une jolie terrasse ombragée de cocotiers pour s'attabler. Le restaurant est associé avec une *finca* agricole pour assurer le transit des légumes, fruits et aromates directement du champ à la table. À la carte, un choix varié de plats espagnols, italiens et cubains. Pizzas, pâtes, paellas de fruits de mer, poissons et viandes grillé, crevettes à l'ail… Service prévenant. Des musiciens assurent souvent l'ambiance.

Casa Mia Paladar – Plan IV, A1 - *Calle 1ra n°103, e/C et D - ℘ (7) 8652 - 12h30-22h - 15/25 CUC.* À l'étage, un petit paladar familial sans fioritures, dont les vitres donnent sur la baie du Malecon. Personnel accueillant et service nickel. Bonne cuisine cubaine (filet mignon, pâtes, côtes de porc, risotto de fruits de mer, filet de poisson, ropa vieja), savoureuse et bien assaisonnée.

POUR SE FAIRE PLAISIR

Café Laurent – Plan IV, B1 - *Calle M n° 257 e/19 et 21 (à l'étage de l'immeuble situé en retrait de la rue, accès par ascenseur) - ℘ (7) 831 20 90 - 12h-0h - 15/30 CUC.* Autant le quartier de la Rampa est animé et bruyant, autant ce paladar niché en haut d'un petit immeuble est un havre de paix et de fraîcheur. Voilages blancs flottant au vent, grande terrasse ombragée face au ciel, décor sobre et soigné : l'endroit est agréable, comme l'accueil. La carte offre un beau choix de viandes et de fruits de mer cuisinés avec savoir-faire.

À Miramar et Marianao
Voir Plan V, p. 67.

BUDGET MOYEN

El Aljibe – Plan V, B1 - *Ave. 7ma e/24 et 26 - ℘ (7) 204 42 33 - 12h-23h30 - 15/25 CUC.* Ambiance

1

animée dans un cadre étonnant : une immense paillote que l'on imaginerait davantage en bord de mer ! L'adresse accueille de nombreux groupes ; elle est renommée pour sa cuisine à base de poulet notamment, avec pour spécialité le *pollo criollo*, accompagné de riz, salades, pommes de terre et bananes frites à volonté. Bonne cave.

El Palio – Plan V, B1 - *Angle calles 1ra et 24* - *(7) 202 98 67 - 12h-0h - 15/25 CUC.* À deux pas de la mer, un *paladar* à l'abri derrière une haute enceinte. L'air climatisé est bien frais, peut-être un peu trop… Le nom du restaurant fait référence à la célèbre course de chevaux de Sienne, dont des photographies ornent les murs. En toute logique, la carte est italienne (pâtes, risottos, etc.). Une adresse de bonne tenue, surtout fréquentée par les notables du quartier.

La Cocina de Lilliam – Plan V, B1 - *Calle 48 n° 1311, e/13 et 15* - *(7) 209 65 14 - www. lacocinadelilliam.com - 12h-0h, fermé dim.-lun. - 20/35 CUC.* Ce *paladar* tient sa fierté de Jimmy Carter, qui y aurait mangé en 2002, soit… 21 ans après la fin de sa présidence. Impressionné ? Reconnaissons que l'ancien président a eu du nez. Somptueuse maison, superbe jardin avec ses fontaines et des plats alléchants. L'une des spécialités est la *ropa vieja*, un délicieux ragoût de mouton. Mieux vaut réserver.

À Habana del Este

Voir Plan II, p. 32, et Plan IV, p. 34-35.

BUDGET MOYEN

Los Doce Apóstoles – Plan IV, D1 - *Castillo de los Tres Reyes del Morro* - *(7) 863 82 95 - 12h-23h - 10/20 CUC.* À l'abri des imposantes murailles du Morro. Au menu : une cuisine créole honnête, pratique pour un repas rapide au cours de la visite des forteresses.

POUR SE FAIRE PLAISIR

La Divina Pastora – Plan II, B1 - *entre le Castillo de San Carlos de la Cabaña et los Tres Reyes del Morro* - *(7) 793 78 07 - 12h-22h30 - 20/35 CUC.* Environnement privilégié en bord de baie : la Vieille Havane, superbe, s'étend de l'autre côté du détroit, protégée par un impressionnant alignement de canons. Nous sommes au pied de la forteresse de la Cabaña ! L'endroit est chic et assez cher, mais ses spécialités de poisson et fruits de mer sont honorables. Vous pouvez également prendre l'apéritif dans le jardin baigné par la mer…

PETITE PAUSE

Café

Cafe O'Reilly – Plan II, A1-2 - *Calle O'Reilly n° 203 e/San Ignacio et Cuba (Habana Vieja)* - *(7) 863 66 84 - 9h-0h.* Dans un sympathique décor rétro, de gros sacs de jute pleins de café, en provenance de la région de Pinar del Río, attendent d'être torréfiés puis moulus sur place. C'est dire si la fraîcheur et les arômes sont au rendez-vous ! Petit comptoir de vente et quelques tables pour déguster cet authentique *café cubano* face à la rue. Profitez aussi du balcon en haut de l'escalier à colimaçon. Petite restauration (sandwichs) sur place.

El Escorial – Plan III, B3 - *Plaza Vieja, calle Mercaderes n° 317 (Habana Vieja)* - *(7) 868 35 45 - 9h-22h.* Sur la Plaza Vieja, un excellent café à emporter, torréfié et moulu sur place, mais il faut se lever tôt et passer avant 9h, car on fait la queue. Ce *grano* *arábico* provient de la Sierra del Escambray, au nord de Trinidad. On peut aussi consommer sur place, en terrasse, face au décor de la place, avec, à toute heure, cafés, snacks, sandwichs et pâtisseries.

Chocolat chaud

Museo del Chocolate – Plan III, B2 - *Calle Mercaderes n° 255 e/ Amargura et Brasil (Habana Vieja) - ℘ (7) 866 44 31 - 10h-19h30.* Accros du chocolat, n'allez pas plus loin. Passez la porte, asseyez-vous à une table et commandez une grande tasse de chocolat chaud (env. 0,60 CUC) ou un grand verre de chocolat froid (env. 1 CUC). Un délice ! Derrière les vitrines, d'anciens services à chocolat et autres objets justifient le nom de l'enseigne. On peut également acheter du chocolat moulé (grenouille, cheval, maison, etc.).

Glacier

Coppelia – Plan IV, B1 - *Angle Rampa et calle L (Vedado) - ℘ (7) 832 61 84 - 10h-21h.*
Mis en scène dans le film *Fraise et chocolat*, le glacier historique de la ville occupe tout un square,

autour duquel les Havanais peuvent faire la queue des heures. Sachez que le kiosque de vente situé côté Rampa est réservé aux touristes ; on y paie en CUC et l'affluence y est limitée.
Helad'oro– Plan II, B2 - *Calle Aguíar, 208 e/Empredrado et Tejadillo - ℘ 56 23 69 42 - 10h-22h.* Un excellent glacier pour faire une pause lors de la visite de la Vieille Havane. Une fois n'est pas coutume à Cuba, il y a ici des parfums pour tous les goûts !

BOIRE UN VERRE

☺ **Bon à savoir** – Certains grands hôtels réservent un cadre attrayant pour prendre un verre, souvent à un prix raisonnable. L'hôtel Ambos Mundos dans la Vieille Havane, le Saratoga et l'Inglaterra sur le Prado disposent d'une belle terrasse sur leur toit, tandis que l'Hotel Nacional du Vedado est incontournable avec son superbe jardin surplombant la mer et la ville.

Dans la Habana Vieja
Deux adresses mythiques, aujourd'hui certes un peu éculées,

1

Jour de lessive dans l'ancien salon d'honneur de La Guarida.
L. Vallecillos/age fotostock

attirant des wagons de touristes, méritent un premier arrêt :

La Bodeguita del Medio – *Plan III, A1 - Calle Empedrado n° 207 e/Cuba et San Ignacio - ℘ (7) 867 13 74 - 12h-0h*. À deux pas de la cathédrale, la taverne la plus connue de La Havane depuis 1942. Hemingway venait y siffler des mojitos, avant de filer jusqu'au Floridita écluser quelques daiquiris. L'ambiance est toujours chaleureuse entre ses murs couverts de photos, graffitis et signatures de clients célèbres ou anonymes. On y sert des mojitos à la chaîne, au rythme des musiciens, à savourer au bar, en salle ou sur la terrasse à l'étage.

El Floridita – *Plan II, A3 - Angle calle Obispo et ave. de Bélgica (Capitole) - ℘ (7) 867 13 00 - www. elfloridita.net - 11h-0h*. Plus chic, et très climatisée, cette véritable institution, fondée en 1817, sert les meilleurs daiquiris de la ville, dont le « papa's special », sa version plus alcoolisée ainsi baptisée en hommage à Hemingway. La statue de bronze de l'écrivain buveur, érigée à la place de son tabouret favori, déclenche des tempêtes de selfies. Comptez 6 CUC le cocktail tout de même !

El Dandy – *Plan III, A1 - Calle Teniente Rey (Brasil) n° 401, angle Villegas - ℘ (7) 867 64 63 - 8h-1h* - Un bar-restaurant pittoresque au coin de la petite place Santo Cristo, débordant d'animation le soir. À fréquenter surtout pour son excellent café et, le soir, ses délicieux cocktails revisités par le barman souriant. Choix de tacos et autres tapas pour les petites faims.

La Factoria Plaza Vieja – *Plan III, B3 - Plaza Vieja, angle Muralla et San Ignacio (Habana Vieja) - ℘ (7) 866 44 53 - 12h-0h. -12h-0h*. Cette brasserie aux alambics rutilants fabrique sa propre bière sur place, qu'elle débite au mètre (aux sens propre et figuré) sur sa grande terrasse toujours très animée sur la Plaza Vieja. Pour les amateurs.

Cerveceria Antiguo Almacen de la Madera y el Tabaco – *Plan II, C4 - av. del Puerto - ℘ (7) 864 77 80 - 12h-minuit* -Reconverti en brasserie sur le même principe que la précédente, cet ancien entrepôt possède un bar immense et surtout une agréable terrasse devant les quais, pour savourer une mousse le nez au vent marin. *Happy hour* de 18h à 20h, carte de tapas, sandwichs, grillades et hamburgers.

Azúcar – *Plan III, A1 - Calle Mercaderes 315 (Plaza Vieja) - ℘ (7) 801 15 63 - 11h-minuit*. À l'étage de la casa Escorial, ce bar-lounge dispose d'un petit balcon donnant sur la plaza Vieja, idéal pour observer l'activité en fin de journée tout en sirotant un bon cocktail, par exemple une *pina colada*. Service un peu nonchalant.

Los Dos Hermanos – *Plan II, C3 - Ave. del Puerto 304, angle calle Sol - ℘ (7) 861 35 14 - 8h-minuit*. En face du terminal de croisières, un ancien bar louche où Hemingway, mais aussi Marlon Brando, Garcia Lorca ou Alejo Carpentier vinrent prendre quelques casquettes. Vieux bar en bois, bons musiciens accompagnant une chanteuse douée, mojitos et daiquiris bien tassés.

Sloppy Joe's Bar – *Plan III, A1 - Calle Zulueta 252 e/Animas et Virtudes - ℘ (7) 866 71 57 - 10h30-minuit*. Ancien bar de légende des années 30 à 50 à la Havane, où les tauliers de la mafia américaine et le gratin hollywoodien prenaient leurs quartiers. Errol Flyn, Sinatra, Spencer Tracy et Clark Gable s'y encanaillèrent. Fermé en 1959, le lieu a été fidèlement restauré en 2013, avec son long bar en acajou, ses vitrines chargées de bouteilles, ses boiseries, son atmosphère cinéphile et ses photos anciennes. Belle carte de spiritueux, mais le service lambine et l'ambiance fait défaut, dommage.

Dans Centro Havana

Siá Kará – Plan II, A3 - *Calle Industria 502, angle calle Barcelona* - *℘ (7) 867 40 84 - 12h-2h.* Derrière le Capitole, ce bar lounge cosy, dont le nom signifie « libération » en afro-cubain, séduit par sa déco originale et décalée : suspension de cravates, de tableaux et d'objets en tout genre. Assis sur de douillettes banquettes-canapés, on y sirote un large choix de cocktails au son d'une bonne musique live le soir. On peut aussi y dîner convenablement.

Dans le Vedado

Cafe Madrigal – Plan II, A3 - *Calle 17 n° 809, e/2 et 4* - *℘ (7) 831 24 33 - 18h-2h, fermé lun.* À l'étage d'une maison de maître typique du Vedado, ce bar appartient à un professionnel du cinéma : vieilles pierres, long bar, tables et fauteuils en bois, posters, pochettes de disques et affiches de films aux murs plantent le décor. Fréquenté par une faune d'intellectuels, ce repaire d'initiés à l'ambiance tamisée sert de bons cocktails et tapas.

À Miramar

Espacios – Plan V, B1 - *Calle 10 n° 513 e/5 et 7* - *℘ (7) 202 29 21 - 12h-3h.* À distance raisonnable de la Fábrica de Arte, dans le quartier des ambassades, ce bar sans enseigne ne paie pas de mine. Quelle agréable surprise de découvrir, au fond, une grande cour intérieure arborée où vadrouillent des poules et des oiseaux. Ambiance relaxante

au son d'une bonne musique, quelques œuvres intéressantes aux murs, large choix de tapas, cocktails et de whiskys, vodkas, gins et tequilas.

ACHATS

Rhum

Casa del Ron – Plan II, C3 et plan III B1 - *Angle calles Baratillo n° 53 et Obispo (Habana Vieja)* - *℘ (7) 866 84 76 - lun.-jeu. 9h-17h30, vend.-dim. 9h-16h30.* La Maison du rhum se trouve dans un recoin de la Plaza de Armas. Dégustation et vente de nombreuses marques, ainsi que de cigares. Vous pouvez également acheter du rhum au **Museo del Ron** *(voir p. 46).*

Cigares

La Casa del Habano – Plan III, B2 - *Angle calles Mercaderes et Lamparilla (au sein de l'hôtel Conde de Villanueva)* - *℘ (7) 862 92 93 - lacasadelhabano.com - 10h-19h.* Au cœur de la Vieille Havane, à l'étage du beau patio de l'hôtel, on baisse la tête pour pénétrer dans cette petite échoppe connue des initiés. Atmosphère confidentielle, conseils de pro et large choix des meilleurs cigares cubains (Robaina, Montecristo, Cohiba, etc.). La boutique est contrôlée par l'État, ce qui limite les risques de contrefaçons. Si vous vous trouvez au Vedado, faites vos achats à la Casa del Habano de l'Hotel Nacional *(voir « Hébergement »),* dont le réseau d'approvisionnement passe pour être l'un des plus sûrs.

Partagás – Plan II, A3 - *Calle Industria n° 520 e/Dragones et Barcelone (juste derrière le Capitole)* - *℘ (7) 866 80 60 - 9h-19h (dim. 14h).* Un très grand choix de cigares sur le site historique de la plus ancienne manufacture de tabac de la ville *(voir p. 59).*

1

Là aussi, le contrôle de l'État est étroit, gage de qualité.

Parfums

Habana 1791 – Plan III, B2 - *Calle Mercaderes 156, e/Obrapia et Lamparilla* - ☏ (7) 861 35 25 - *9h-18h (dim. 12h)*. Dans cette ravissante parfumerie, vous choisissez parmi les fragrances celle qui vous convient le mieux. Parfums, mais aussi savons, huiles essentielles, crèmes et onguents sont pour l'essentiel à base de fleurs tropicales. On peut voir les pétales sécher dans un laboratoire à l'arrière. Les flacons sont en forme de poire, scellés avec un petit bouchon en liège ciré.

Artisanat

Des stands de souvenirs s'installent tlj sf dim. sur le **Parque Céspedes** (Plan III, A1), derrière la cathédrale. Également dans le Vedado, à l'angle de la Rampa et calle M (Plan IV, B1). Étalages de chapeaux de palme, noix de coco sculptées, tee-shirts à l'effigie du Che, dentelles : un résumé de l'artisanat cubain.

Palacio de la Artesanía – Plan II, B2 - *Dans le Palacio Pedroso, calle Cuba n° 64, entre les calles Peña Pobre et Tacón (Habana Vieja)* - *9h30-19h*. À 5mn de la cathédrale, cette belle demeure du 18e s. fut construite pour un ancien maire de La Havane. Le patio et les salles de l'étage accueillent de nombreuses boutiques, mêlant souvenirs et artisanat.

Nave San José – Plan II, C4 - *Calle Desamparados - 9h30-18h30*. Sur les quais au sud de la vieille ville, cet ancien hangar maritime a été reconverti en immense marché d'artisanat. Au fil des petites allées s'alignent des centaines d'échoppes, proposant sculptures de bois, vêtements, bijoux, casquettes, etc.

Clandestina – Plan II, B3 - *Calle Villegas 403, e/Teniente Rey et Muralla* - ☏ (7) 886 00 997 - *10h-20h (dim. 17h)*. La designer Indiana del Rio a ouvert cet atelier-boutique où, avec de jeunes créateurs associés, elle présente des t-shirts et des sérigraphies audacieuses (un touriste avachi sur une chaise de plage, un dinosaure pour illustrer l'Internet cubain), des sacs recyclés, des stickers et petits bijoux originaux. De quoi dénicher quelques amusants souvenirs.

Galeries d'art

Taller Experimental de Gráfica – Plan III, A1 - *Callejón del Chorro n° 62 (Habana Vieja)* - ☏ (7) 862 09 79 - *lun.-vend. 10h-17h*. Au fond de cette petite impasse donnant sur la place de la Cathédrale, ce grand atelier de gravure en activité – les odeurs d'encre l'attestent – vaut le coup d'œil pour le décor de ses presses et son espace d'exposition. Large choix d'estampes, signées par de jeunes artistes cubains contemporains : tous les styles et tous les prix.

Galería Taller Gorria – Plan II, B4 - *Calle San Isidro 214, e/Picota et Compostela* - ☏ (7) 864 67 13 - *www.galeriatallergorria.com - 12h30-22h - 8/10 CUC*. Galerie fondée par l'acteur cubain Jorge Perugorría, également peintre et collectionneur, afin de promouvoir ses compatriotes, peintres, sculpteurs et graveurs contemporains, émergents ou reconnus. Elle inclut aussi une petite boutique de sérigraphies, T-shirts et affiches de cinéma.

Casa de Guayasamín – Plan III, B2 - *Calle Obrapía n° 111 e/ Mercaderes et Oficios (Habana Vieja)* - ☏ (7) 861 38 43 - *mar.-sam. 9h30-17h, dim. 9h30-17h*. L'artiste équatorien, connu notamment pour son portrait de Fidel (visible à l'étage), a ici son atelier cubain : sculptures, peintures, céramiques et bijoux, à découvrir parmi les œuvres d'autres artistes.

Galería Habana – Plan IV, A1 - *Calle Línea n° 460 e/E et F (Vedado) - ℰ (7) 832 71 01 - www.galerihabana.com - lun.-vend. 8h30-17h30.* Parmi les plus renommées, la galerie reçoit la fine fleur de l'art contemporain cubain : Los Carpinteros, Choco, Carlos Quintana, etc.

Galleria Continua – Plan IV, C2 - *Calle Rayo 108, e/Zanja et Dragones - ℰ 55 51 65 07 (mobile) - www.galleriacontinua. com - 10h-18h.* Installée dans un vieux cinéma du Barrio Chino, cette galerie d'art contemporain est la seule de Cuba exposant des artistes étrangers (Daniel Buren, Anish Kapoor, Yannis Kounellis) et bien entendu cubains. Expositions, mais aussi concerts, performances et projections, le lieu est très actif.

Galería La Acacia – Plan V, B1 - *Calle 18 n° 512 e/5 et 7 (Miramar) - ℰ (7) 214 14 44 - www. galerialacacia.com - lun.-vend. 9h-17h, sam. 9h-13h.* Plus excentrée dans le quartier de Miramar, cette galerie en vue défend la production cubaine contemporaine.

Livres et affiches

Mercado de Libros – Plan III, B1 - *Plaza de Armas - tlj sf dim.* Au milieu des classiques ouvrages de Fidel Castro et Che Guevara se cachent parfois des perles rares. Prix affichés relativement élevés, mais marchandage possible.

Librería Venecia – Plan II, A3 - *Calle Obispo 502 e/Villegas et Bernaza - ℰ (7) 862 66 20 - 10h-22h.* Des livres d'occasion, mais aussi des affiches de cinéma, des photos du Che et des posters de propagande politique pour la Révolution cubaine.

Librería Memorias – Plan II, A2 - *Calle Animas 57. - ℰ (7) 862 31 53- 9h30-17h30.* Pour les chineurs de vieux timbres et monnaies anciennes, affiches sérigraphiées, cartes postales et autres curiosités vintage cubaines.

ÉCOUTER DE LA MUSIQUE ET DANSER

La musique est partout à La Havane – rares sont les repas au restaurant où l'on ne profite pas d'un concert – et il est impossible de dresser une liste exhaustive des lieux de sortie. Vous pouvez consulter le site **www.lapapeleta. cult.cu** pour connaître la programmation culturelle au quotidien.

ⓢ **Conseil** – Contrairement aux villes de province, où il suffit de se balader autour de la grand-place locale pour trouver un endroit où danser, les salles de concert de La Havane sont pour la plupart excentrées (les principales se trouvent au Vedado et à Miramar), ce qui impose d'organiser sa soirée à l'avance (prévoir un budget taxi).

Dans la Habana Vieja

Piano-bar Maragato – Plan III, A2 - *Angle calles Obispo et Cuba, au sein de l'Hotel Florida - ℰ (7) 862 41 27 - ven.-dim. à partir de 21h - entrée 6 CUC avec une boisson comprise.* Atmosphère confidentielle dans cette salle ouvrant sur le patio du bel Hotel Florida, l'un des rares endroits où danser la salsa dans la Vieille Havane. Surtout fréquenté par les touristes mais agréable.

Obini Batá – Plan II, A3 - *Prado, 615, e/Monte et Dragones (au Museo de los Orishas, p. 52) - vend. à 18h - 5 CUC.* Dans ce lieu que ne manqueront pas les amateurs de musique afro-cubaine, un groupe de six femmes tout à fait étonnantes jouent des percussions et chantent des mélodies caribéennes tout en dansant la rumba ou d'anciennes danses en l'honneur de divinités afro-américaines. Ambiance de folie à prévoir !

Dans Centro Habana

Casa de la Música – Plan IV, C2 - *Calle Galiano n° 255 e/Neptuno et Concordía - ☏ (7) 862 41 65 - tlj sf lun., 17h-21h puis 22h-3h - de 5 à 20 CUC selon l'affiche.* Excellente ambiance dans cette salle de concert centrale, où tous les types de musique cubaine sont bien représentés. Les plus grands groupes havanais s'y donnent rendez-vous en fin de semaine : un must. Bain de foule garanti autour de minuit !

Callejón de Hamel – Plan IV, B2 - *Entre les calles Aramburu et Hospital, près de San Lázaro.* Cette ruelle aux murs peints de couleurs vives est un véritable petit centre culturel d'art brut en plein air, où se tiennent certains jours des expositions, des spectacles de rue et, surtout, chaque dimanche à partir de 12h, des concerts de rumba fameux *(voir aussi p. 59).*

Dans le Vedado

Café Cantante Mi Habana – Plan IV, A3 - *Angle Paseo et ave. 39 - concerts en « matinée » à 17h et le soir à 21h - autour de 10 CUC selon l'affiche.* Sous le Teatro Nacional, sur la Plaza de la Revolución, cette salle accueille les plus grands groupes de salsa. Le lieu se transforme en discothèque les soirs sans concert (21h-5h, 10 CUC). Tenue correcte exigée.

Habana Café – Plan IV, hors plan - *Hotel Meliá Cohiba e/1ra et 3ra (Paseo) - ☏ (7) 833 36 36 - tlj à partir de 21h - 20 CUC avec boisson comprise, 30-50 CUC avec dîner.* Dans un décor *fifties* recherché, avec avion au plafond, voitures et photos, des concerts de grande qualité (à partir de 22h). Réservez !

La Zorra y el Cuervo Jazz Club – Plan IV, B1 - *La Rampa (calle 23) n°155, e/M et N - à partir de 22h - env. 10 CUC avec consommation.* Du jazz rien que du jazz et, en fin de semaine, les rythmes afro-cubains prennent la relève. Un lieu très apprécié.

El Gato Tuerto – Plan IV, B1 - *Calle O e/17 et 19 - ☏ (7) 838 26 96 - 22h-4h - 5 CUC avec consommation.* Au pied de l'Hotel Nacional, un petit endroit intime et soigné, comme la musique que l'on y écoute : de l'excellent boléro. Des chanteurs réputés débutèrent ici, dès les années 1960. Fréquenté par les couples.

La Casa del Tango – Plan IV, C2 - *calle Neptuno, n° 309 e/Galiano (av. de Italia) et Águila - ☏ (7) 863 00 97. 10h-18h, spectacle le lun. 17h-19h.* Dans cette salle de danse qui fait aussi office de musée avec ses images couvrant les murs, un passionné dispense des cours de salsa et de tango *(10 CUC/h).* Ce dernier fut chanté pour la première fois à La Havane en 1920 par un chanteur d'opéra prénommé José Muñoz.

Fábrica de Arte Cubano (FAC) – Plan V, B1 - *Angle calles 26 et 11 - www.fac.cu - jeu.-dim. 20h-3h - 2 CUC.* La musique est reine, avec plusieurs concerts chaque soir, mais aussi des expos, défilés de mode, projections, bar, happenings. Programmation pointue, vraie fenêtre sur la création cubaine dernier cri *(voir aussi p. 65).*

À Miramar

Jardines del 1830 – Plan V, B1 - *Angle Malecón n° 1252 et calle 22 - ☏ (7) 838 30 90/92 -*

12h-0h - 3 CUC. Cet élégant établissement, célèbre pour son jardin japonisant où se rejoignent les eaux du fleuve Almendares et de l'océan, est le QG des grands danseurs de salsa. Les soirs de fin de semaine, près de 200 virtuoses évoluent en rythme sur la piste. Le lieu fait également restaurant.

Casa de la Música – Plan V, B1 - *Angle ave. 35 et calle 20 - ☎ (7) 202 61 47 - concerts 17h-21h, 23h-3h, 5/20 CUC selon la programmation.* Vénérable institution, très réputée chez les amateurs de bonne salsa. Si à l'heure de la fermeture officielle, vers 3h du matin, vous n'avez pas sommeil, grimpez au **Diablo Tun Tun** (littéralement « Toc toc, le diable est là ») - *☎ (7) 204 5236),* la discothèque à l'étage du dessus, où la fête se poursuit jusqu'à 6h dans une ambiance survoltée. C'est l'antre du reggaeton et de la musique alternative cubaine en ville. Le Diablo Tun Tun est aussi très réputé pour la peña du jeudi soir, de 18h à 21h, organisée par le musicien de trova Ray Fernandez.

COURS DE DANSE

Pour apprendre à maîtriser les déhanchements de salsa, rumba, mambo et reggaeton, deux écoles réputées proposent des cours collectifs ou particuliers. Il est aussi possible de demander à ce qu'un professeur vous accompagne en soirée (*taxi dancer*) et vous fasse découvrir les meilleures adresses de la capitale pour une nuit de fête aux couleurs locales.

Casa del Son – Plan II, B2- *Calle Empedrado 411, e/Compostela et Aguacate - ☎537 86 161 79 - www. bailarencuba.com. Cours privé 1h 18 CUC, 2h 30 CUC. En groupe 1h 10 CUC.*

Salsabor a Cuba – Plan IV, C2- *Calle Neptuno, 558, e/Escobar et Lealtad - ☎ 3027501 www. salsaborcuba.com. Cours privé 1h 14 CUC, groupe 12 CUC, partenaire de danse pour la soirée 15 CUC (hors boissons, taxis et entrées).*

CLUBS ET CABARETS

Dans le Vedado

El Salón Rojo – Plan IV, B1 - *Hotel Capri, ave. 21 e/N et O - ☎ (7) 833 37 47 - à partir de 22h30 - env. 10 CUC avec boisson, 25 CUC selon programmation.* Présente selon les soirs un show très chaud (danse) ou des concerts de musique cubaine.

El Parisién – Plan IV, B1 - *Dans l'Hotel Nacional (voir « Hébergement ») - ☎ (7) 836 35 64/67 - à partir de 21h - env. 75 CUC avec dîner - Réserv. à l'avance.* Le cabaret de cet hôtel mythique propose spectacles de qualité et hymnes à la danse et à la musique cubaines.

Conjunto Folklórico Nacional - El Gran Palenque – Plan IV, Hors plan - *Calle 4 n° 103 e/5 et 7 (Vedado) - ☎ (7) 833 45 60 - www. folkcuba.cult.cu - le sam. à 15h - env. 6 CUC.* Quand il ne tourne pas à travers le monde, ce groupe de danse folklorique fondé en 1962, célèbre pour ses percussions et danses afro-cubaines traditionnelles, se produit sur cette scène à l'occasion d'un « Sábado de la Rumba » endiablé.

Copa Room Cabaret – Plan IV, Hors plan - *Angle Paseo et Malecón - ☎ (7) 836 40 51 - à partir de 22h - le prix du billet varie selon l'affiche.* Le célèbre cabaret de l'hôtel Habana Riviera.

À Marianao

Tropicana – Plan V, B2 - *Angle calle 72 et ave. 43 - ☎ (7) 267 01 74 - www.cabaret-tropicana.*

1

com - tlj sf lun. à 22h - 75/95 CUC selon la place, avec rhum inclus (il est intéressant de réserver via son hôtel ou une agence de voyages). Depuis sa création en 1939, cette institution a accueilli de nombreuses personnalités comme Nat King Cole ou Maurice Chevalier. À présent, plus de 200 danseurs offrent le plus célèbre spectacle de Cuba. Lumières, paillettes et plumes virevoltent au milieu de la végétation tropicale de ce cabaret en plein air. Malgré son prix élevé, le Tropicana est souvent plein : réservez.

THÉÂTRE ET CINÉMA

Théâtre
Gran Teatro de La Habana – *Plan II, A3 - Parque Central - ℰ (7) 861 30 76/7 - www balletcuba.cult.cu. Vend.-sam. 20h30, dim. 17h. Réservations sur place à partir du mar. 10/30 CUC.* Vous aurez peut-être la chance d'assister à une représentation du célèbre Ballet national de Cuba (www.balletcuba.cult.cu). C'est l'occasion rêvée pour visiter ce superbe édifice où se donnent également des récitals de l'Opéra national. *(voir aussi p. 51).*
Teatro Nacional – *Plan IV, A3 - Plaza de la Revolución (angle Paseo et 39) - ℰ (7) 878 07 71 - www.teatronacional.cu.* Accueille souvent des troupes de comédiens venant de l'étranger. On peut parfois assister à des concerts de l'Orchestre symphonique national.
Teatro Amadeo Roldán – *Plan IV, A1 - Angle ave. 7ma et calle D - ℰ 832 11 68.* Cette grande salle du Vedado, dans l'édifice reconstruit à l'identique de celui des années 1920, est l'une des meilleures pour écouter des concerts de musique classique. Programme affiché dans le hall.

Cinéma
On compte plus de 200 salles de cinéma dans la ville, mais il y a peu de diversité dans les films à l'affiche, sauf à l'occasion des festivals *(voir ci-après).*
Alliance française – *Plan II, A2 - Palacio Gómez, angle calles Prado et Trocadero (Centro Habana) - ℰ (7) 833 33 70 - www.afcuba.org.* Des projections de films français y sont régulièrement organisées, et en mai se tient un Festival de cine francés.

ACTIVITÉS

Excursions
Les points Infotur *(voir « S'informer »)* et leurs bureaux représentés dans les hôtels proposent des visites guidées de La Havane et des excursions, dans les environs ou vers d'autres provinces.
Agencia San Cristóbal – *Plan III, B1 - Calle O'Reilly n° 102, angle Tacón - ℰ (7) 869 74 90 - www.viajessancristobal.cu.* Cette agence touristique fondée par le Bureau de l'Historien propose différentes visites guidées à la découverte du patrimoine de la ville, à pied ou en voiture.

Activités nautiques
Marina Hemingway – *Plan I, A3 - Angle calle 248 et ave. 5ta (Santa Fé) - ℰ (7) 204 68 48 - www.hemingwaycuba.com.* Offre une gamme complète de sports nautiques : plongée sous-marine, pêche en haute mer, jet-ski et ski nautique.

Matchs de béisbol
Estadio Latinoamericano – *Plan IV, B3 - Angle calles Patría et P. Pérez (El Cerro) - www.beisbolencuba.com.* Les amateurs de *béisbol* (baseball) peuvent assister à un match lors de la saison sportive (de nov. à juin).

AGENDA

 Bon à savoir – La liste de tous les événements culturels est répertoriée sur le site **www.lapapeleta.cult.cu**.

Feria del Libro – Vers la mi-février, la foire du livre se déroule principalement dans la forteresse de la Cabaña, mais aussi en divers lieux de la ville, avec des rencontres, dédicaces et tables rondes.

Festival del Habano – Fin février, ce festival rassemble les amateurs de cigares du monde entier. *www.habanos.com*.

Tournoi international Ernest-Hemingway – Depuis 1950, ce grand tournoi de pêche sportive se tient tous les ans fin mai pendant cinq jours à la Marina Hemingway de La Havane. *www.internationalhemingwaytournament.com*.

Biennale de La Havane – Au printemps (en théorie tous les deux ans), des expositions gratuites d'art contemporain du monde entier, disséminées à travers la vieille ville. À ne pas manquer si vous tombez la bonne année. *www.biennialfoundation.org*.

Carnaval de La Havane – Entre mi-juillet et mi-août, le second plus important de l'île après celui de Santiago. Parades en soirée le long du Malecón et devant le Capitole.

Fête de Yemayá – Le 8 septembre, les habitants du quartier de Regla se succèdent du matin au soir au pied de l'autel de la grande divinité Orisha.

16 novembre – La Vieille Havane célèbre la Nuestra Señora de las Mercedes, tandis que, dans le jardin du Templete, est commémorée la fondation de la ville.

Baila en Cuba – Durant la dernière quinzaine de novembre, un festival de salsa durant lequel les écoles organisent des ateliers portes ouvertes. Concerts et spectacles dans les rues le soir. *www.baila-en-cuba.de*

Festival international du cinéma latino-américain – En décembre, le festival se déroule dans une dizaine de salles situées principalement dans le Vedado. *www.habanafilmfestival.com*.

Festival international de jazz – Vers mi-décembre, l'un des événements musicaux les plus importants de la Havane, qui attire tous les grands noms du jazz et donne aussi l'occasion à de jeunes talents de monter sur scène. Les concerts ont lieu au Théâtre national, à la Casa de la Cultura et dans de nombreuses autres salles de la capitale. *www.jazzcuba.com*.

1

L'Ouest 2

Plantation de tabac et *bohío* dans la vallée de Viñales.
Flavio Vallenari/iStock

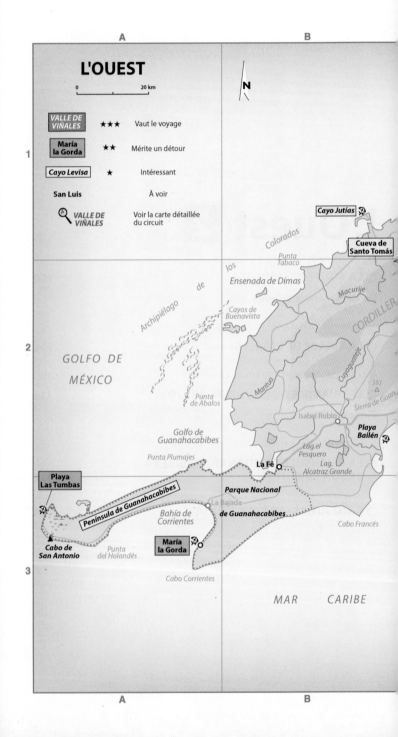

L'OUEST

0   20 km

VALLE DE VIÑALES	★★★	Vaut le voyage
María la Gorda	★★	Mérite un détour
Cayo Levisa	★	Intéressant
San Luis		À voir
🔍 VALLE DE VIÑALES		Voir la carte détaillée du circuit

N

Cayo Jutías

Cueva de Santo Tomás

Colorados

Punta Tabaco

los

Ensenada de Dimas

Macurije

de

Cayos de Buenavista

Archipiélago

CORDILLER

GOLFO DE MÉXICO

Mantua

Cuyaguateje

383

Punta de Abalos

Sierra de Guar

Isabel Rubio

Playa Bailén

Golfo de Guanahacabibes

Lag. el Pesquero

Punta Plumajes

La Fé

Lag. Alcatraz Grande

Playa Las Tumbas

Península de Guanahacabibes

Parque Nacional

La Bajada

de Guanahacabibes

Bahía de Corrientes

Cabo Francés

Cabo de San Antonio

Punta del Holandés

María la Gorda

Cabo Corrientes

MAR CARIBE

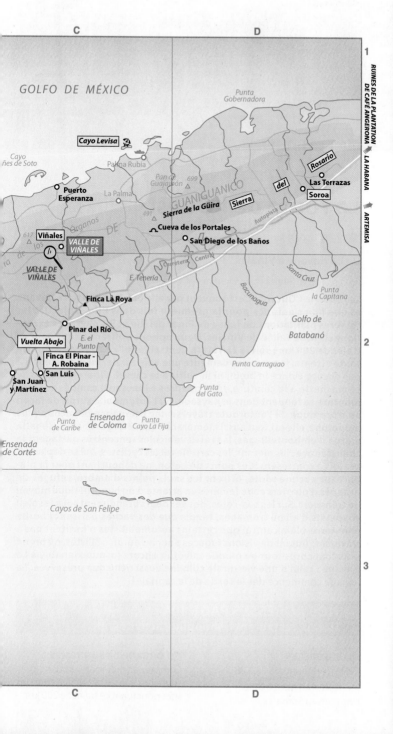

GOLFO DE MÉXICO

Punta
Gobernadora

Cayo Levisa

Cayo
ñes de Soto

Palma Rubia

Pan de
Guajaibón
699

GUANIGUANICO

Rosario

del

Puerto
Esperanza

La Palma

Las Terrazas

Soroa

Sierra de la Güira

Sierra

491

Cueva de los Portales

Autopista

Viñales

617

VALLE DE
VIÑALES

San Diego de los Baños

Arganos

DE

103

VALLE DE
VIÑALES

ra
de

E. Tenería

Carretera
Central

Santa Cruz

Finca La Roya

Bacunagua

Punta
la Capitana

Pinar del Río

Golfo de
Batabanó

Vuelta Abajo

E. el
Punto

Finca El Pinar –
A. Robaina

Punta Carraguao

San Juan
y Martínez

San Luis

Punta
del Gato

Punta
de Caribe

Ensenada
de Coloma

Punta
Cayo La Fija

Ensenada
de Cortés

Cayos de San Felipe

La route de l'Ouest

De La Havane à Viñales

Provinces d'Artemisa et de Pinar del Río

La route de l'Ouest… C'est souvent par elle que l'on quitte La Havane et que l'on s'enfonce pour la première fois dans l'île. Objectif : les célèbres plantations de tabac de Pinar del Río et les paysages exceptionnels de la vallée de Viñales. Deux options s'offrent à vous pour ce trajet de 200 km : soit la carretera Central, soit l'« autopista ». Contre toute attente, la première demeure une voie rurale, où le tracteur n'a pas encore évincé le bœuf, ni la voiture le cheval. Cigare à la bouche et machette à la ceinture, les « guajiros » (paysans) campés sur leur monture se fondent dans le paysage, où l'automobile surgit de façon anachronique. Si l'autoroute traverse une campagne beaucoup plus monotone, elle est tout aussi mémorable. Sur ce large ruban d'asphalte vierge d'embouteillages, les rares véhicules rencontrés partagent la chaussée avec les piétons, les carrioles et les cyclistes, qui se déplacent parfois à contresens. Les ponts de béton, ne débouchant pour la plupart sur aucune route, offrent les seuls points d'ombre, refuges de grappes d'ouvriers et de femmes en attente d'un hypothétique moyen de transport. Sur les bas-côtés, des vendeurs brandissent sous le soleil chapelets d'ail ou fromages, tandis que des vaches paissent l'herbe d'un terre-plein central que certains automobilistes n'hésitent pas à traverser ! Autant de visions fugaces pour les automobilistes, où prend pourtant corps tout un monde qui était encore insoupçonnable à La Havane : celui d'une vie rurale cubaine aussi riche que préservée. Le voyage commence dès la sortie de la capitale !

😊 NOS ADRESSES PAGE 104
Hôtels, restaurants, shopping, activités, etc.

◐ SE REPÉRER
Carte de région CD1-2 (p. 98-99).

◉ À NE PAS MANQUER
Une pause à Soroa.

◷ ORGANISER SON TEMPS
Comptez une journée si vous souhaitez vous attarder dans tous les sites ponctuant ce trajet de 200 km.

La Sierra del Rosario, Las Terrazas.
J. Harden/robertharding/age fotostock

Excursions Carte de région, p. 98-99

De La Havane, env. 2h route sont nécessaires pour rejoindre Viñales – le meilleur lieu de séjour dans l'ouest de l'île –, et c'est pourquoi l'on préférera l'*autopista* à la carretera Central, dont la durée du trajet est encore plus longue. Une grande partie du parcours s'effectue en longeant par le sud la belle **Cordillera del Guaniguanico**, aux doux reliefs recouverts d'une dense végétation tropicale. Ce massif préservé mérite une incursion si vous en avez le temps.

Bon à savoir – Les visites proposées ci-dessous ne peuvent s'effectuer qu'avec un moyen de transport individuel (voiture de location, taxi ou autre). Si vous louez un véhicule, la principale difficulté consistera à sortir de La Havane, en raison du manque cruel de panneaux de signalisation : demandez à votre loueur de vous expliquer précisément comment rejoindre l'autoroute de Pinar del Río (au besoin en dessinant le trajet sur un plan).

Au km 46 sur l'autoroute de Pinar del Río, prenez à gauche en direction d'Artemisa, et continuez tout droit sur 7 km, jusqu'au panneau indiquant le site à gauche.

★ Ruines de la plantation de café Angerona D1 en direction

L'occasion d'une pause insolite sur la route de l'Ouest : deux discrets piliers de pierre marquent l'entrée de cette ancienne plantation de café du 19e s., dont on découvre les ruines à l'issue d'une piste de terre rouge bordée de jeunes palmiers. Il règne une atmosphère fantomatique sur ce domaine abandonné, témoignage modeste mais émouvant de l'époque de l'esclavage. Dépourvue de toiture, la demeure des maîtres, dont les belles arches rappellent les fastes anciens, semble résister aux assauts du temps. À l'arrière, les restes du *barracón* (maison des esclaves) et des bâtiments agricoles s'évanouissent peu à peu sous la végétation. Fondée en 1813 par Cornelio Souchay, un Allemand d'origine française, la plantation qui comptait 625 000 caféiers était la plus grande de l'île. Plus de 400 esclaves y travaillaient dans des conditions qui faisaient grincer des dents les autres propriétaires : ils ne subissaient pas de châtiments corporels, ils avaient le droit de célébrer leurs fêtes et leurs rites, les couples mariés bénéficiaient d'un logement individuel, les enfants étaient gardés pendant la journée dans la maison de maître… Cornelio Souchay était soutenu dans son entreprise par une belle esclave émancipée originaire d'Haïti du nom d'Úrsula. La légende raconte qu'ils étaient amoureux et que, bravant les interdits raciaux de l'époque, Souchay lui avait fait bâtir une maison à côté de la sienne où il la retrouvait pour lui faire l'amour plusieurs fois par jour. Dès votre arrivée, un gardien se fera un plaisir de vous raconter tous les secrets du site *(pourboire bienvenu)*. La demeure devrait être restaurée et transformée en musée du Café.

Las Terrazas D1

Au km 52 sur l'autoroute de Pinar del Río, sortez à droite en direction de Las Terrazas à 8 km. Droit d'entrée dans le domaine : 2 CUC, sauf si vous avez réservé une chambre à l'hôtel Moka (voir ci-dessous et « Hébergement » p. 104).

La localité ne mérite sans doute pas un détour, mais les amoureux du **tourisme vert** y feront une belle étape en prenant le temps de découvrir les trésors naturels de la **Sierra del Rosario★**, classée Réserve de la biosphère : cascades, piscines naturelles, essences rares et surtout une exceptionnelle population d'**oiseaux**, véritable joyau de la région, dont les chants baignent tous les environs. Au cœur de cet environnement préservé, Las Terrazas est une création originale, née sur les rives de l'étang de San Juan à partir de 1971 – le style architectural de ses bâtiments l'atteste – afin d'accueillir une communauté de paysans mandatés pour reboiser une partie de la région. Le village compte à présent un millier d'habitants, qui vivent principalement de l'artisanat. Les conditions de vie modestes de la communauté contrastent avec le luxe de l'hôtel Moka, créé sur les hauteurs selon une logique environnementale et dédié à l'écotourisme. Remarquez, en arrivant, les arbres rouges dont l'écorce pèle. Surnommés avec ironie « arbres des touristes », il s'agit en fait d'*almácigos*, tout à fait insensibles aux coups de soleil !

En redescendant de l'hôtel Moka, une route sur la droite conduit 4 km plus loin aux **Baños de San Juan** *(2 CUC - parking 1 CUC)*, un rafraîchissant ensemble de piscines naturelles noyé dans une abondante végétation, très prisé des Cubains. Sur place, on peut pique-niquer, déjeuner dans l'un des deux restaurants, se changer en maillot de bain dans une des cabanes rustiques, voire y passer la nuit … à condition de ne pas craindre les moustiques !

À noter : juste avant d'arriver au poste de garde et de ressortir du site, une route à gauche mène sur la colline de Las Delicias à l'ancienne **plantation de café Buenavista**, avec sa belle maison de maître du 19e s. restaurée et transformée en restaurant. De l'esplanade occupée par une meule s'offre une **vue★** admirable sur l'intérieur de l'île.

★ Soroa D1

Au km 62 sur l'autoroute de Pinar del Río, prenez à droite la sortie pour Soroa et continuez sur 9 km.

Au cœur de la Cordillera del Guaniguanico, avec ses modestes maisons éparpillées au fil de la route, Soroa ne forme pas un village à proprement parler, même s'il doit son nom à un planteur de café d'origine basque réfugié d'Haïti au 19e s. La localité vaut assurément pour son paysage naturel : une large vallée couverte d'une végétation foisonnante d'où émerge une myriade de palmiers royaux et où résonne plus qu'ailleurs le chant des oiseaux… Quel contraste pour ceux qui viennent de quitter l'animation de La Havane !

À droite de la route principale, le **restaurant El Salto** constitue un repère bien utile. C'est du parking attenant que part le sentier menant à la cascade **El Arco Iris de Cuba★** *(9h-18h - 3 CUC)*.

Haute de 20 m, elle constitue le site le plus fameux de Soroa. On la découvre au terme d'un chemin de 250 m et de 250 marches. Tableau bucolique que ces chutes ombragées par la végétation et se jetant dans une piscine naturelle où l'on peut se baigner…

Du parking, un autre chemin monte vers le **Mirador de Venus**, qui offre un beau de point de vue sur la région *(30mn à pied)*.

En reprenant la route principale, la première route à gauche vous conduit à l'**Orquideario★** *(parking 1 CUC - ☎ (48) 52 38 71/28 48 - 9h30-16h30 - 3 CUC)*. Dans un site escarpé, entre rocailles, végétation tropicale foisonnante et nuées de fleurs, ce grand parc regroupe près de 1 000 espèces végétales, dont 500 variétés d'orchidées, plus de 250 étant endémiques de Cuba. La plupart fleurissent entre novembre et mars, mais ce superbe jardin, entretenu avec soin, mérite une promenade toute l'année.

On peut poursuivre en voiture sur la petite route de l'Orquideario, pour rejoindre en quelques minutes de montée le **Castillo en las Nubes** (« château dans les Nuages »), reconnaissable à sa tourelle. Construite à la Belle Époque par un riche Havanais auquel son médecin avait conseillé de prendre le vert, la demeure – devenue hôtel *(voir « Hébergement »)* – domine idéalement l'océan de verdure de la vallée. Belle vue plongeante du mirador au bout de la route, où s'est installé un café *(voir « Boire un verre », p. 105)*.

Sierra de la Güira CD1

Au km 102 sur l'autoroute de Pinar del Río, prenez la direction de San Diego de los Baños et suivez la route sur 14 km.

Les forêts de pins et de cèdres font l'originalité de la Sierra de la Güira, l'une des zones les plus fraîches de la Cordillera del Guaniguanico. Localité principale du massif, la station thermale de **San Diego de los Baños** ne possède d'autre intérêt que la piscine de son hôtel…

Les amateurs poursuivront leur route jusqu'au **Parque de la Güira** *(à 5 km à l'ouest de San Diego, bien indiqué ; 5 CUC)* créé sur l'ancien domaine de l'Hacienda La Cortina, une luxueuse demeure des années 1920 ravagée depuis par un incendie. Il règne une atmosphère romantique dans cet immense parc abandonné, émaillé de ruines, d'un lac et d'une cascade, où la flore et la faune ont repris leurs droits – là encore, les oiseaux sont chez eux.

En laissant l'hôtel Villa La Güira sur la gauche, une magnifique route monte ensuite à travers une forêt de conifères dans la Sierra de la Güira. Au bout de 10 km, après avoir dépassé une zone de *mogotes (voir encadré p. 107)*, la route atteint un camping *(parking 1 CUC)*, à l'extrémité duquel un chemin conduit très vite à la **Cueva de los Portales** *(en principe 8h-17h - 2 CUC… si un gardien est présent)*. La grotte, creusée dans un *mogote* et traversée par une rivière souterraine, le río San Diego, servit de quartier général au Che durant la crise des missiles de 1962. Dotée de plusieurs issues, elle constituait une formidable forteresse naturelle. Dans l'humble casemate en ciment, au cœur de la

Sur la route de l'Ouest.
S. Sarkis/age fotostock

grotte, sont conservés la radio du Che et le bureau où il s'entretenait avec ses officiers ; dans une anfractuosité de la grotte se distingue le lit où il dormait.

Plantation de tabac Finca La Roya C2

Au km 140 sur l'autoroute de Pinar del Río, à l'échangeur pour Viñales, prenez à gauche en direction de Las Ovas ; la plantation se situe 500 m à gauche après le pont sur l'autoroute - ℰ 53 03 17 54 (mobile) - 8h30-17h - 2 CUC.

Elle n'est pas la plantation de tabac la plus célèbre de la région de Pinar del Río, situé à 10 km *(voir p. 116)*, mais elle est opportunément située sur le trajet de Viñales. Michelito, fils du propriétaire, assure lui-même les visites, dans un excellent français. Ses explications retracent le processus de culture et de fabrication des fameux *puros*, avec démonstration par un *torcedor (voir « Le tabac », p. 380)*. Attention, certaines explications sont erronées et ont pour seul but de vous faire acheter des cigares sur place. Or, rappelez-vous : n'achetez jamais des cigares ailleurs que dans les boutiques d'État !

En sortant de la plantation, revenez sur l'autoroute et continuez tout droit vers Viñales, situé à 27 km. À mi-chemin, vous rejoindrez la splendide route Pinar del Río-Viñales, surnommée la « carretera de los Borrachos » (route des Ivrognes !) en raison de ses nombreux lacets sillonnant la Sierra de los Órganos.

☻ NOS ADRESSES SUR LA ROUTE DE L'OUEST

INFORMATIONS UTILES

Banque/Change
En cas de besoin, bureaux de change dans les hôtels de Las Terrazas et de Soroa, ainsi qu'une Cadeca à Las Terrazas.

Station-service
À mi-chemin entre La Havane et Pinar del Río, sur l'autoroute, à la sortie pour Soroa (24h/24).

TRANSPORTS

En bus
La compagnie **Viazul** marque chaque jour l'arrêt à Las Terrazas sur sa liaison **La Havane-Viñales** *(1h15 de trajet, 6 CUC), voir « Arriver/Partir » à La Havane p. 72 et à Viñales p. 111.*

HÉBERGEMENT

À Las Terrazas
◗ Hôtel
POUR SE FAIRE PLAISIR
Hotel Moka – *À 8 km de l'autoroute, sortie Las*

Terrazas - ℰ (48) 57 86 01 - www. lasterrazas.cu - 🍽 ✕ 🏊 *- 42 ch. 40/85 CUC* 🛏 *- bureau de change.* Créé selon une démarche écoresponsable, le bâtiment épouse le relief de la Sierra et un grand arbre a même été préservé dans le hall d'entrée, qu'il traverse du sol au plafond ! La végétation semble envahir l'édifice, jusqu'aux luxueuses salles de bains avec leur large baie vitrée. Les chambres, spacieuses et décorées avec goût, offrent tout le confort. Également quelques cabanes rustiques à proximité, ainsi que la possibilité de louer des tentes pour les amateurs.

À Soroa
◗ Casa particular
Les casas sont nombreuses entre la sortie de l'autoroute et Soroa : si vous souhaitez profiter plus longuement de la région en y passant une nuit, vous n'aurez aucun mal à vous loger. Cependant, sachez que ces chambres sont toutes relativement modestes.

PREMIER PRIX

Casa Don Agapito – *(48) 12 17 91* - 🍴 🅿 - *2 ch. 20/35 CUC*. Son avantage : être voisine de l'Orquideario. Et pour cause, Don Agapito fut l'un des premiers artisans de ce beau jardin botanique. Son fils et sa belle-fille ont aujourd'hui repris la maison, où ils proposent deux chambres simples sur l'arrière.

▶ Hôtels

POUR SE FAIRE PLAISIR

Villa Horizontes Soroa – *À 8 km de l'autoroute, sortie Soroa -* *(48) 52 35 56 - www.hotelescubanacan.com* - 🍴 🅿 - *78 ch. 50/75 CUC* - *bureau de change, services médicaux*. Au cœur de Soroa, l'établissement, créé dans les années 1970, jouit d'un site admirable : sa grande piscine semble nicher au creux de la vallée, avec pour seul décor la verdure de la forêt. Les chambres se répartissent dans 49 bungalows individuels, qui, même vieillissants, permettent un doux réveil au chant des oiseaux…

UNE FOLIE

Hotel Castillo en las Nubes – *Route de Soroa km 8 - www.cubatravelnetwork.com* - 🍴 🅿 - *6 ch. 125 CUC*. Installé dans un château d'allure médiévale *(voir p. 103)*, à deux pas du jardin des Orchidées, ce boutique-hôtel ouvert en 2017 propose des chambres bien aménagées, offrant toutes des vues inoubliables sur la vallée et les montagnes environnantes.

RESTAURATION

À Soroa

PREMIER PRIX

El Salto – *À 8 km de l'autoroute, sortie Soroa -* *(48) 52 35 34 (puis 242) - 9h-20h - 8/10 CUC.*

Pratique pour une pause déjeuner au départ du sentier menant à la cascade de Soroa, sous une grande paillote bordée par la rivière. Au menu, les incontournables de la cuisine créole et le Soroa Tentación, un mijoté de porc servi avec du riz et des bananes frites. Comme ailleurs, déjeunez à un horaire décalé si vous souhaitez éviter les groupes.

FAIRE UNE PAUSE, BOIRE UN VERRE

À Soroa

PREMIER PRIX

Snack bar Castillo – *Au-delà du castillo de las Nubes.* Un mirador avec vue imprenable sur les parties nord et sud de l'île, l'endroit idéal pour siroter un *mojito* ou se restaurer sur le pouce. Bon accueil.

ACTIVITÉS

À Las Terrazas

Deux lacs pour canoter, en bas de l'hôtel Moka et du snack Rancho El Valley *(d'1 à 2 CUC/h selon le type d'embarcation)*. Possibilité de faire de l'équitation aux Baños de San Juan. L'hôtel Moka propose des excursions à la découverte de la sierra (sous-bois, cascades, piscines naturelles, etc.) et surtout de son exceptionnelle faune avicole.

À Soroa

L'hôtel **Villa Horizontes** *(voir « Hébergement »)* propose plusieurs sorties naturalistes pour explorer les environs et, en particulier, observer les oiseaux, parmi lesquels 12 espèces endémiques de Cuba *(excursions guidées de 3h à une journée, de 10 à 25 CUC, possibilité de réserver le matin même)*.

2

La vallée de Viñales

★★★

Province de Pinar del Río

Quel spectacle ! En découvrant la vallée par le sud, depuis les hauteurs de la Sierra de los Órganos, c'est un nouveau monde qui s'offre à vous. L'immense plaine apparaît tel un jardin d'Éden, océan de verdure – alternance de champs de tabac et de bosquets de palmiers – serti entre d'incroyables reliefs, les fameux « mogotes », les uns en forme de pains de sucre, les autres de murailles dentelées, mêlant rocailles et végétation tropicale sous le survol permanent de majestueux urubus. Peu de traces de présence humaine à première vue, mais toute une vie fourmille bel et bien dans la plaine : ici un « veguero » remontant au galop un chemin sinueux, là des paysans labourant à l'aide de bœufs une terre incroyablement rouge, et partout ces « bohíos » typiques, sortes de huttes couvertes de palmes – en réalité des séchoirs à tabac – héritées de l'architecture des anciens Indiens taïnos. Au cœur de la vallée se cache Viñales, petit village où les « casas particulares » jouent à touche-touche. Très touristique, et néanmoins sympathique, l'endroit constitue une base idéale pour rayonner dans l'ouest de l'île.

NOS ADRESSES PAGE 111
Hôtels, restaurants, shopping, activités, etc.

 S'INFORMER

Infotur – *Calle S. Cisneros n° 63B (près de la place de l'Église) -* ✆ *(48) 79 62 63 - infotur@pinar.infotur.tur.cu - 8h15-12h, 12h30-16h45.* Nombreux renseignements (transport, logement, santé) et tout sur les excursions dans la vallée et l'Ouest de l'île (voir « Activités »). Bon accueil.
Cubanacán *(calle S. Cisneros n° 63C, face à la place de l'Église, 8h-16h)*

et **Paradiso** *(Calle S. Cisneros, juste à côté d'Infotur, 8h-19h)* sont les principaux prestataires d'excursions du village ; Infotur vous renverra vers eux le cas échéant. Paradiso propose aussi des cours de percussions et de salsa *(5 CUC/h).*
Centro del Visitante del Parque Nacional de Viñales – *Route de Pinar del Río km 2 -* ✆ *(48) 79 61 44 - http:// pnvinales.webcindario.com - 8h-20h*

Dans la vallée, champs de tabac et *mogotes* forment la chaîne de montagne de Guaniguanico.
S. Muylaert/Michelin

(18h en hiver). Renseignements sur le parc (avec une petite exposition présentant un plan en relief) et les visites proposées par les guides nationaux, certains parlant français (8 itinéraires au choix, à pied ou à cheval, de 5 à 8 CUC, 3 à 5h).

SE REPÉRER
Carte de région C1 (p. 98-99) - Carte de la vallée p. 109.

À NE PAS MANQUER
Admirez le coucher de soleil sur la vallée ; faites une randonnée entre *mogotes* et *fincas* de tabac.

ORGANISER SON TEMPS
Passez au moins 2 nuits à Viñales pour profiter de la vallée ; vous pouvez aussi programmer une journée pour découvrir le triangle du tabac de la Vuelta Abajo (voir p. 116) ou pour une excursion sur les plages de l'Ouest (voir « Activités »).

AVEC LES ENFANTS
Une promenade à cheval dans la vallée ; la visite en canot de la Cueva del Indio.

2

Excursions Carte de la vallée, p. 109

Cadre naturel remarquable, classé Paysage culturel de l'humanité par l'Unesco en 1999, la vallée de Viñales s'arpente idéalement à pied, à cheval ou à vélo : les excursions sont nombreuses au départ du village, alliant le plus souvent un parcours sur les chemins – non balisés – sillonnant au pied des *mogotes* et la visite d'une plantation de tabac, voire d'une grotte *(comptez une demi-journée au minimum, de 5 à 20 CUC selon l'itinéraire choisi, réservez la veille auprès*

DRÔLES DE « MOGOTES »

Ils font toute la majesté de la vallée de Viñales, ces imposants *mogotes* se dressant au-dessus de la plaine… Ces formations géologiques sont en réalité les vestiges de l'une des chaînes de la Sierra de los Órganos, que l'on traverse pour rejoindre Pinar del Río. Ici, des millénaires d'érosion ont creusé en profondeur la roche : un calcaire jurassique en effet soluble dans l'eau, au point que d'immenses cavités souterraines se sont créées, reliées par des galeries et des rivières. Cela jusqu'au moment où ces voûtes titanesques se sont elles-mêmes effondrées, formant le socle de la plaine : les *mogotes* sont les vestiges de ces gigantesques cavernes ! Ce type de formation dit « **karstique** » (par érosion souterraine) explique aussi le nombre très important de *cuevas* (grottes) dans les environs.

des agences (voir « S'informer ») ou du Museo Municipal Adela Azcuy ci-dessous). Immanquable également : la contemplation des plus beaux **panoramas** sur la vallée. Sachez que l'on jouit des meilleurs points de vue du **Centro del Visitante** (voir « S'informer »), des hôtels Los Jazmines et La Ermita (voir « Hébergement ») et, plus insolite, du restaurant Finca Agroecologica El Paraíso (voir « Restauration »). Le spectacle des mogotes est bien sûr le plus saisissant dans la lumière dorée de fin de journée !

🚌 **Bon à savoir** – Un véhicule personnel n'est pas nécessaire pour découvrir la vallée : outre les excursions, il est aisé de louer un deux-roues ou un taxi (voir « Transports ») et l'on peut profiter du **Viñales Bus Tour**, un bus touristique très utile qui relie les principaux sites de la vallée (9h-17h sauf maintenance, arrêts d'1h, départ devant le point Infotur, achat du billet dans le bus, 6 CUC/j).

★ Village de Viñales

La bourgade s'est métamorphosée avec l'essor du tourisme. Les terrasses des restaurants, qui se succèdent le long de la rue principale, sont littéralement prises d'assaut à l'heure du dîner. Il en est de même des bancs du **Parque José Martí**, la petite place de l'église, où l'on vient tenter de capter Internet sur fond de notes de salsa s'échappant de la scène du Polo Montañez (voir « En soirée ») ou du bar El Colonial, de l'autre côté de la rue.

Au n° 115 de la calle Cisneros, le **Museo Municipal Adela Azcuy** (✆ [48] 79 33 95 - 9h-22h - 1 CUC) doit son nom à l'enfant chérie du village – avec le chanteur Polo Montañez – Adela Azcuy (1861-1914), une infirmière qui s'illustra en faveur de l'indépendance cubaine. D'une modestie touchante, l'exposition témoigne aussi de la vie ancienne des paysans de la région, met l'accent sur le patrimoine du village et présente une amusante grotte de mogote reconstituée.

Enfin, tout en haut de la rue principale (à gauche après la station-service), ne manquez pas une promenade au **jardin botanique** (8h-coucher du soleil - donation bienvenue), créé il y a 100 ans par le grand-père de son actuelle propriétaire. Derrière la petite maison s'étend un parc inattendu d'un hectare regorgeant de plantes ornementales, d'orchidées, d'agrumes, de fougères arborescentes… En fin de visite, on peut déguster les jus naturels tirés des fruits du jardin, et même profiter du petit restaurant où soupes et salades mettent également en valeur la production maison.

Cueva de San Miguel

À 5 km au nord de Viñales direction Puerto Esperanza - ✆ (48) 79 62 90 - 9h-20h - 3 CUC boisson comprise.

Vocation originale pour cette grotte, qui abrite aujourd'hui un bar, un restaurant et même une discothèque le samedi soir ! L'endroit vaut le coup d'œil : au pied d'un pittoresque mogote, on découvre d'abord une large excavation, couronnée de belles stalactites, sous laquelle a été aménagé un grand bar. La grotte proprement dite s'ouvre au fond : un étroit passage, long de 140 m, qui traverse le mogote et débouche, de l'autre côté, sur un étonnant refuge de verdure isolé entre de hautes parois rocheuses – des esclaves en fuite y auraient vécu. C'est ici que se dressent les paillotes du restaurant **El Palenque de los Cimarrones** (voir « Restauration »).

Cueva del Indio

À 3 km au nord de la Cueva de San Miguel - 9h-17h - 5 CUC.

👥 Assez touristique, cette « grotte de l'Indien » servit de refuge aux Guanahatabeyes pendant la conquête de l'île par les Espagnols, au 16e s. Elle est entièrement aménagée pour la visite ; la première moitié du parcours

LA VALLÉE DE VIÑALES

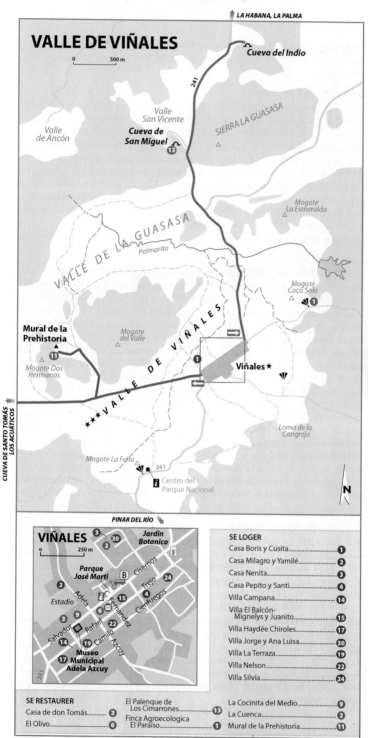

VALLE DE VIÑALES

0   500 m

LA HABANA, LA PALMA

Cueva del Indio

Valle San Vicente

SIERRA LA GUASASA

Valle de Ancón

Cueva de San Miguel **13**

Mogote La Esmeralda

VALLE DE LA GUASASA

Palmarito

Mogote Coco Solo **1**

Mural de la Prehistoria **11**

Mogote del Valle

Mogote Dos Hermanas

Viñales ★

VALLE DE VIÑALES

CUEVA DE SANTO TOMÁS LOS ACUÁTICOS

Loma de la Cangreja

Mogote La Felia

241

2 Centro del Parque Nacional

N

2

PINAR DEL RÍO

VIÑALES

0   250 m

Jardín Botanico **3** **30** **2**

Parque José Marti

Cisnero

Estadio

Adela

Trejo

24

2

B

Fernández

15 **4**

Cienfuegos

3 **9**

Rafael

Salvador

6

22

Camilo Azcuy

14 **19**

Museo Municipal Adela Azcuy **17**

241

s'effectue à pied et la seconde en canot à moteur sur 500 m de rivière souterraine. La visite est plutôt brève *(25mn)* et les commentaires du guide, sommaires.

Mural de la Prehistoria

À 4 km à l'ouest de Viñales direction El Moncada, par une belle route praticable à pied, à vélo, à cheval ou en voiture - ✆ *(48) 79 62 60 - 8h30-18h - entrée sur le site 3 CUC avec boisson comprise au restaurant (voir « Restauration »).*

Une authentique curiosité que cette fresque de 120 m de haut sur 180 de large, peinte à flanc de roche, sur un *mogote* répondant, avec son voisin, au nom de Dos Hermanas (« Deux Sœurs »). Avec ses couleurs aujourd'hui fanées, elle fut réalisée en 1961 par Leovigildo González Murillo, un disciple du fameux « muraliste » mexicain, Diego Rivera. L'ambition de l'artiste : retracer la chaîne de l'Évolution, de l'amibe à l'« *Homo socialistus* » ! À droite du *mural*, un sentier mène au sommet, d'où l'on jouit d'une belle vue.

👁 **Bon à savoir** – Une excursion d'1h à cheval (10 CUC) fait le tour du *mogote*.

Los Acuáticos

À 1,4 km du Mural de la Prehistoria direction El Moncada. Randonnées guidées uniquement (le sentier n'est pas balisé), inscriptions auprès d'Infotur ou des agences de Viñales (voir « S'informer »). Durée 3h AR - 10 CUC (16 CUC avec le transport).

🐾 Une excursion originale jusqu'au village des Acuáticos, niché, à flanc de montagne, dans la Sierra del Infierno. Étrange destin que celui de la communauté de ces « Aquatiques » ! Tout a commencé en 1936. Cette année-là, à une dizaine de kilomètres de Viñales, une certaine **Antoñica Izquierdo**, inspirée par la Vierge, aurait guéri son fils en le baignant dans un ruisseau. Forte de ce succès, Marie lui aurait conseillé d'exercer la médecine à titre gracieux en utilisant l'eau comme seul remède. Ainsi débuta une carrière et une légende, celle de la « *Milagrosa que cura con agua* ». Les paysans venaient de tout le pays pour la consulter. Tant d'influence sur les masses fit peur aux hommes politiques (eux aussi clients), qui finirent par faire interner Antoñica dans un asile, où elle mourut en 1945. Suite à ce décès, une quinzaine de familles qui formaient un bataillon de disciples furent expulsées de leurs foyers. Elles trouvèrent refuge sur les pentes de la Sierra del Infierno, qui borde Viñales. De nos jours, une quarantaine de descendants vivent toujours au même endroit en suivant les préceptes d'Antoñica. Ils refusent la médecine officielle et les papiers d'identité, mais accueillent les touristes à qui ils vendent un peu d'artisanat.

★ Cueva de Santo Tomás Carte de région B1-2 (p. 98-99)

À 17 km de Viñales après le Mural de la Prehistoria, direction El Moncada et Minas de Matahambre - 9h-17h - visite d'1h30 uniquement avec un guide professionnel - 10 CUC avec casque et lampe frontale, mais prévoyez de bonnes chaussures.

👁 **Bon à savoir** – *Des explorations sont aussi organisées par les agences de Viñales (9h-12h - 21 CUC avec le transport depuis le village et un arrêt au Mural de la Prehistoria, voir « S'informer »).*

Très impressionnante, c'est la plus grande grotte de Cuba et l'une des plus importantes d'Amérique latine ! Équipé tel un spéléologue, vous pourrez en parcourir l'une des sections : de fait, la grotte aligne plus de 45 km de galeries, dédale en partie emprunté par un cours d'eau. Partout se déploient des formations minérales aux silhouettes fantastiques : tout un monde souterrain… Attention, les pentes sont parfois raides et l'excursion demande une bonne condition physique.

☺ NOS ADRESSES DANS LA VALLÉE DE VIÑALES

Voir la carte de la vallée, p. 109.

INFORMATIONS UTILES

Banque/Change
Deux distributeurs de billets à la **Banca Popular de Ahorro** *(calle S. Cisneros n° 54A)*.

Poste
Correos – *Calle C. Fernández n° 14 (près de la place de l'église) - ✆ (48) 79 32 12 - lun.-sam. 8h-17h.*

Internet
Trois points Wifi dans la ville, accessibles via la carte Etecsa : au sein des hôtels Los Jazmines et La Ermita *(voir « Hébergement »)*, ainsi qu'à l'agence **Etecsa** *(calle C. Fernández n° 3, face à la poste, 8h30-19h)*, dont le signal peut être capté sur la place de l'église.

Station-service
Au bout de la rue du village de Viñales (sortie nord), mais pas toujours approvisionnée en *gasolina especial* (requise pour les voitures de location), prévoyez un plein à Pinar del Río si besoin.

ARRIVER/PARTIR

En bus
La compagnie **Viazul** *(www.viazul. com)* effectue deux liaisons par jour avec La Havane (départs à 9h et 14h30 de la capitale, à 8h et 14h de Viñales, entre 3h30 et 4h de trajet, 12 CUC, rens. auprès d'Infotur). Également une liaison/j. avec Trinidad, Cienfuegos et Varadero. Le terminus se trouve sur la place de l'église.
Transtur – Incluant une pause repas (20mn), la compagnie effectue un AR/j entre les grands hôtels de La Havane et ceux de Viñales (hôtel Los Jazmines, plaza Viñales, hôtel La Ermita et Rancho

San Vicente ; env. 4h30) *via* Pinar del Río. Tarif identique à celui de Viazul.

TRANSPORTS

Taxis
Les véhicules stationnent devant les hôtels et vous trouverez une agence **Cubataxi** sur la place principale *(calle S. Cisneros n° 63A - ✆ [48] 79 31 95)*. Si vous voyagez à plusieurs, les tarifs sont intéressants pour rejoindre La Havane et même Trinidad. Pour une excursion dans la région, vous pouvez aussi louer un **taxi collectif** – le plus souvent une vieille voiture américaine un brin décatie –, renseignez-vous auprès d'Infotur qui vous mettra en contact, les tarifs sont avantageux.

Location de voitures
Réservez longtemps à l'avance, le parc automobile est limité même si l'on trouve plusieurs agences : **Havanautos** *(calle S. Cisneros final, près de la station-service)*, **Cubacar** ou encore **Via** *(respectivement au sein de l'agence Cubanacán et du Centro del Visitante, voir « S'informer »)*.

Location de deux-roues
Casa de Don Tomás – *Calle S. Cisneros n° 141 - lun.-vend. 8h30-17h, sam. 12h.* Location de vélos *(2 CUC/h puis tarif dégressif)* et de scooters *(20 CUC/4h - 35 CUC/j)*.

HÉBERGEMENT

☺ **Bon à savoir** – Les maisons d'hôtes sont nombreuses à Viñales : elles s'égrènent sur la rue principale (calle Salvador Cisneros, à éviter car elle n'est pas la plus paisible du village) et ses deux parallèles côté sud (calle Rafael Trejo puis calle Camilo

2

Cienfuegos), ainsi que sur leurs perpendiculaires, dont certaines sont de simples chemins de terre : c'est la vie à la campagne, où le chant du coq retentit… dès 4h du matin ! Comptez environ 5 CUC pour le petit-déjeuner. Si vous visez une adresse en particulier, par sécurité, réservez longtemps à l'avance. On ne conseille plus les hôtels d'Etat situés dans les environs (Los Jazmines, Rancho San Vincente et La Ermita), en raison de leur vétusté et du service souvent déplorable.

À Viñales

◗ Casas particulares

BUDGET MOYEN

Villa Nelson – *Calle C. Cienfuegos n° 4 - ☏ (48) 79 61 94 - suneika85@ nauta.cu -* 🖳 ✖ *- 2 ch. 25 CUC.* Dans une rue à l'écart restée authentique, cette maison se fait remarquer : rose Bollywood, jaune pétant, vert tropique… Du toit au jardin, tout est flashy ! L'accueil se montre aussi vitaminé : un vrai lieu de vie, simple et sympathique.

Casa Pepito y Santi – *Calle R. Trejo n° 39 - ☏ (48) 79 33 71 -* 🖳 ✖ *- 2 ch. 25 CUC.* Peu de confort dans cette maison modeste, mais elle ravira ceux qui souhaitent partager le quotidien des habitants du village : Santi prodigue un accueil plein de gentillesse et il ne faut pas se priver de ses talents de cuisinière.

☺ **Villa Haydée Chiroles** – *Calle R. Trejo n° 139 - ☏ (48) 69 52 00 - casahaydee@nauta.cu -* 🖳 ✖ *- 6 ch. 25/30 CUC.* L'une des meilleures adresses du village. Son principal atout charme : l'accueil remarquable d'Haydée, qui travaille aussi au point Infotur *(voir « S'informer »)* et regorge de conseils sur la région, le tout en français. Atmosphère chaleureuse

et confort appréciable dans sa petite maison typique, cachant à l'arrière un agréable jardin où l'on peut apprécier un bon dîner le soir venu.

Casa Boris y Cusita – *Calle S. Dopico n° 19A - ☏ (48) 79 31 08 - kusysa@yahoo.es -* 🖳 ✖ 🅿 *- 2 ch. 25 CUC.* À l'étage d'une maison plutôt moderne et parfaitement tenue – située un peu à l'écart du village –, deux chambres ouvrant sur une grande terrasse, bien agréable pour prendre le petit-déjeuner en admirant la vallée. Bonne cuisine et excellent accueil.

Casa Milagros y Yamilé – *Calle A. Azcuy norte n° 10 - ☏ (48) 69 56 78 -* 🖳 ✖ *- 1 ch. 25 CUC.* Une très bonne chambre, bien équipée et confortable, dans une extension récente et indépendante avec terrasse panoramique sur le toit. Utile à savoir : les habitations voisines appartiennent à la même famille, qui loue au total 5 chambres sur ce lopin de terre.

Villa Campana – *Calle R. Trejo n° 127 - ☏ (48) 69 51 83 -* 🖳 ✖ *- 3 ch. 30 CUC.* « Campana », c'est le surnom d'Armando depuis qu'il est enfant… Avec son épouse, tout aussi sympathique, il a créé à l'arrière de la casa une extension très confortable, abritant des chambres décorées avec sobriété et impeccables. Belle terrasse à l'étage, avec vue sur la vallée.

Villa Silvia – *Calle R. Trejo n° 9 - ☏ (48) 69 67 07 -* 🖳 ✖ *- 2 ch. 30 CUC.* Deux chambres simples et colorées, tenues avec grand soin, sur une cour tranquille à l'arrière d'une petite maison traditionnelle. Accueil familial.

Casa Nenita – *Calle S. Cisneros Interior n° 1 - ☏ (48) 79 60 04 -* 🖳 ✖ 🏊 🅿 *- 9 ch. 35/40 CUC.* Nenita, petit bout de femme pleine d'énergie, est en passe de transformer sa *casa* située en bordure du village en un vrai petit hôtel. À son actif : 9 chambres bien équipées, un restaurant sous une paillote, une terrasse dominant la vallée et même une piscine (pas toujours opérationnelle). Et Nenita a encore des projets… qui risquent néanmoins de nuire à l'intimité des lieux.

Villa Jorge y Ana Luisa – *Calle Final del Policlinico* - ℘ *(48) 69 55 24* - 🍽 ✕ ⚒ 🅿 - *8 ch. 30 CUC.* Ana Luisa se met vraiment en quatre pour assurer un séjour agréable à ses hôtes, et dispose de contacts intéressants pour découvrir la vallée. Chambres au calme, propres et spacieuses, bons repas et wifi disponible.

Villa El Balcón - Mignelys y Juanito – *Calle R. Trejo n° 48A (1er étage)* - ℘ *(48) 69 67 25* - 🍽 ✕ - *4 ch. 35/40 CUC.* Très centrales, dans une maison plutôt cossue pour Viñales, des chambres confortables et fonctionnelles, réunies par une jolie terrasse dominant les toits du village, le clocher et les *mogotes*…

Villa La Terraza – *Calle C. Cienfuegos n° 26B* - ℘ *(48) 79 60 27* - www.facebook. com/villaterraza - 🍽 ✕ - *1 ch. 35/40 CUC.* Non pas une mais deux exquises *terrazas*. Elles offrent sur l'arrière une vue magistrale sur l'écrin de verdure de la vallée. Les chambres sont plus communes, mais tout à fait agréables.

RESTAURATION

À Viñales

👃 **Bon à savoir** – Si vous logez dans une *casa particular*, vos hôtes se mettront en quatre pour vous servir des repas copieux. La cuisine est ici plus épicée, et les fruits sont divins ! Quelques restaurants intéressants ont cependant fait leur apparition dans le village.

BUDGET MOYEN

El Olivo – *Calle S. Cisneros n° 89* - ℘ *(48) 69 66 54* - *12h-23h.* Au cœur du village, ce petit restaurant sort du lot. Comme son nom l'indique, il joue la carte de la « *dieta mediterránea* ». Pâtes, lasagnes et

Au menu, poulet-porc-riz, l'incontournable trilogie cubaine !
Jerome LABOUYRIE/Shutterstock.com

autres moussakas, bien cuisinées, permettent d'échapper à la trilogie poulet-porc-riz ! L'endroit est sympathique avec sa petite salle colorée et sa terrasse sous les arcades de la rue principale. Seul bémol : c'est souvent complet.

La Cocinita del Medio – *Calle S. Cisneros n° 122 - ✆ 667 762 0499 - lun.-sam. 12h-22h - autour de 15 CUC.* Jolie surprise que ce restaurant familial, créé dans sa propre maison par Gisela, qui vous annonce avec une grande douceur le menu du jour : poulet, porc ou poisson, grillés au barbecue et accompagnés de pommes de terre à l'eau, d'*arroz moro* et de salade. C'est tout simple, mais préparé avec de bons produits ; le savoir-faire de la maîtresse de maison fait le reste : on mange sans faim !

Casa de don Tomás – *Calle S. Cisneros n° 141 - ✆ (48) 79 63 00 - 10h-22h - 10/15 CUC.* Il a été l'un des premiers restaurants de Viñales. Assez touristique certes, mais agréable : il occupe la plus vieille maison du village, une jolie demeure tout en bois (1889), avec terrasse et jardin au calme, même si des musiciens sont souvent de la partie. Au menu : une cuisine créole plutôt standard, avec pour spécialité *Las Delicias de don Tomás*, une paella à base de langouste, poisson, porc, poulet et chorizo.

La Cuenca – *Calle S. Cisneros n° 97 - ✆ (53) 48 69 69 68 - 10h-22h - 15/20 CUC.* Ici, le décor noir et blanc, moderne, signe un refus de typicité qui se retrouve jusqu'en cuisine, très éloignée des standards cubains. Excellente paella, beau choix de poissons et plats présentés avec une certaine recherche. Délicieux cocktails et, chose rare, vin au verre. Service efficace.

Dans les environs

BUDGET MOYEN

Finca Agroecológica El Paraíso – *Carretera al Cementerio km 1,5 (en haut de la rue principale, passez devant la station-service et continuez tout droit sur 1,5 km) - 12h-20h - ✆ 58 18 85 81 (mobile) - 15 CUC.* Perchée sur une colline à l'écart du village, cette adorable maison en bois offre une vue intemporelle sur la vallée. À ses pieds s'étend un magnifique potager bio, qui alimente la table. Pas de carte, mais une formule unique à 15 CUC : plus de 20 assiettes se succèdent devant vous (salades de légumes, fritures, grillades, etc.), c'est gargantuesque ! Seul bémol : des cars de touristes s'arrêtent certains midis, mais il est agréable d'attendre qu'une place se libère en sirotant le cocktail maison *No Stress*. L'endroit est également idéal pour un apéritif face au coucher du soleil, juste au-dessus dudit *Valle del Silencio*…

Mural de la Prehistoria – *À 4 km à l'ouest de Viñales direction Moncada - entrée sur le site 3 CUC avec boisson (voir p. 110) - ✆ (48) 79 62 60 - 12h-18h - autour de 15 CUC.* Pour un établissement aussi touristique, la cuisine est de bonne qualité et les portions, copieuses. La spécialité : le *puerco asado estilo Viñales*, du porc mariné grillé. Attendez le départ des groupes organisés pour déjeuner sous la grande paillote et apprécier le calme de la vallée, au pied de l'original *mural*.

El Palenque de los Cimarrones – *À 5 km au nord de Viñales direction Puerto Esperanza - ✆ (48) 79 62 90 - 9h-16h45 - 15/20 CUC.* Pour une pause déjeuner dans un cadre original ! Il faut s'aventurer dans les méandres rocheux de la Cueva de San Miguel *(voir p. 108, accès 3 CUC avec boisson)* pour découvrir, de l'autre côté, l'atmosphère africaine d'un restaurant en pleine nature : jadis, des esclaves en fuite s'étaient réfugiés là. Le site est superbe, la cuisine créole simple et copieuse.

ACHATS

Bijoux en coquillages, statuettes en bois, chapeaux, etc. : pour faire des emplettes, vous trouverez de nombreux petits stands sous les arcades de la rue principale, et en plein air dans une rue proche de l'église. Également une galerie d'art sur la place de l'église.

Cigares
La Vega – *Calle S. Cisneros n° 57 (face à la place principale)* - ✆ *(48) 79 60 70 - 10h-19h.* Cette boutique spécialisée dans le cigare (mais on y trouve aussi rhum et café) propose des *puros* de grandes marques, mais l'origine de ces derniers étant toujours douteuse, vous pouvez vous rabattre sur la production locale, de moindre qualité, mais bien meilleur marché. Sur place, un *torcedor* fait des démonstrations de fabrication.

EN SOIRÉE

Sympathique surprise : Viñales jouit d'une animation nocturne, et les occasions d'y danser la salsa n'y manquent pas ! Pour ouvrir la soirée, le passage obligé est la dégustation d'un cocktail face au coucher du soleil sur la vallée. Les deux meilleurs spots pour ce faire : le bar panoramique de **Los Jazmines** et surtout le cadre préservé de la **Finca Agroecologica El Paraíso** *(voir « Restauration »).*

Concerts
Polo Montañez – *Place de l'Église - 14h-19h et 20h-1h (2h le sam.) - entrée 1 à 3 CUC selon l'affiche.* Au cœur du village, cette scène et piste de danse en plein air attire du monde chaque soir, Cubains et touristes mélangés. Au programme : groupes traditionnels et shows chorégraphiques dans une ambiance bon enfant. Révisez vos pas de danse !
El Patio de la Decimista – *Calle S. Cisneros n° 112A - 10h-0h - entrée libre.* L'adresse la plus authentique, le long de la rue principale, grand ouvert sur l'extérieur. Des groupes cubains mettent l'ambiance chaque soir dans ce bar simple et chaleureux.

Discothèque
El Palenque-Cueva de San Miguel – *À 5 km au nord de Viñales (voir p. 108 et dans « Restauration »).* Chaque samedi, le bar de la grotte de San Miguel se transforme en discothèque : grosse ambiance sous les stalactites ! La scène ouvre aussi parfois en semaine, souvent le vendredi, pour accueillir de bons groupes cubains de La Havane.

ACTIVITÉS

Outre des randonnées à pied, à cheval ou à vélo dans la vallée, les agences de Viñales *(voir « S'informer »)* proposent des excursions d'une journée sur les belles plages des *cayos* de la côte nord *(voir Cayo Jutías et Cayo Levisa, p. 124)* : **Cayo Jutías** *(9h-17h, env. 30 CUC avec repas léger)* et **Cayo Levisa** *(8h-18h30, 40 CUC avec sandwich ou repas léger).* Également une journée à **María la Gorda,** connue pour ses spots de plongée *(voir « La péninsule de Guanahacabibes » p. 121),* mais comptez deux fois 3h de bus *(7h-20h, env. 40 CUC avec repas léger).* Réservez au moins la veille.

Le triangle de la Vuelta Abajo

Pinar del Río

Province de Pinar del Río

Vous pénétrez dans le royaume du tabac, ce précieux tabac qui entre dans la confection des cigares les plus célèbres du monde ! Des quatre régions productrices de l'île, celle de Pinar del Río bénéficie de conditions naturelles exceptionnelles qui permettent d'y fabriquer les meilleurs « puros » cubains. Les feuilles des célèbres havanes proviennent de ces « vegas » (champs de tabac) enserrées dans le triangle qui s'étend au sud-ouest du chef-lieu, jusqu'aux villages de San Luis et de San Juan y Martínez. Dans cette région agricole verdoyante et très active se cachent les « fincas » (plantations) les plus mythiques, telle Robaina, ouverte aux touristes. Une visite à compléter par celle de la manufacture de cigares de Pinar del Río, où le temps semble s'être figé. Tout, vous saurez tout sur le tabac, le véritable trésor national cubain !

😊 NOS ADRESSES PAGE 119
Hôtels, restaurants, shopping, activités, etc.

🔲 S'INFORMER

Infotur – *Dans le hall de l'hôtel Vueltabajo, calle J. Martí n° 103 (en haut de la rue principale) - ☎ (48) 72 86 16 - infotur@pinar.infotur.tur. cu - lun.-sam. 8h-18h.* Tous les renseignements pratiques sur la ville et la route du tabac, en particulier la visite des plantations (excursions 20-25 CUC).

▶ SE REPÉRER

Carte de région C2 (p. 98-99).

👀 À NE PAS MANQUER

Visitez une plantation de tabac ; dégustez la liqueur de *guayabita*.

🕐 ORGANISER SON TEMPS

Préférez le calme de Viñales pour passer la nuit. Explorez la région en fév.-mars, saison de récolte du tabac.

Se promener Carte de région, p. 98-99

PINAR DEL RÍO C2

Comptez 2h.

Si vous arrivez directement de La Havane, vous serez dépaysé par l'architecture caractéristique de Pinar del Río, aux rues bordées d'un alignement de maisons basses devancées de portiques à colonnes, aux couleurs vives ou délavées, à l'ombre desquels les habitants tentent de prendre le frais… La cité est typique des gros bourgs qui animent la campagne cubaine. Petit chef-lieu de province très actif, Pinar del Río peut aussi se montrer étouffant, en particulier avec ses hordes de jeunes à vélo, sillonnant les rues à la recherche des touristes qu'ils assaillent de propositions : cigares à bon prix, visite de la Finca La Roya *(p. 104)*, ou bien une chambre chez l'habitant défiant toute concurrence… Sachez rester stoïque !

Plantation de tabac dans la vallée de Viñales.
Nikada/iStock

Calle José Martí

Il règne une activité bourdonnante sur la calle José Martí, l'artère principale située dans le prolongement de l'autoroute. Tous les commerces et sites touristiques se trouvent dans cette rue ou à proximité.

À l'angle des calles José Martí et Comandante Pinares, à l'entrée de la ville en quittant l'autoroute, on ne peut manquer le **Palacio Guasch★**, au mélange quasi fantastique des styles gothique et mauresque. Cet édifice, construit en 1917 par le Dr Francisco Guasch et étayé de toutes parts, abrite le **Museo de Ciencias Naturales Sandalio de Noda** *(ℰ [48] 75 30 87 - lun.-sam. 9h-13h, dim. 12h - 1 CUC)*. On y découvre une collection d'animaux très désuète. Le patio est peuplé d'étonnantes sculptures de dinosaures.

Trois *cuadras* plus haut sur le même trottoir, à l'angle de la calle Colón, le **Teatro José Jacinto Milanés** est l'une des institutions de Pinar del Río. Ce théâtre en bois, édifié en 1883 sur le modèle du Teatro Sauto de Matanzas, peut accueillir 540 spectateurs. En allant vers l'hôtel Vueltabajo, de nombreuses constructions Art déco bordent la rue, la plupart d'entre elles hélas dans un état de délabrement avancé.

Manufactures

La ville est connue pour ses deux productions locales : le **tabac** et la **liqueur de guayabita**. Les manufactures sont ouvertes à la visite.

La première, la **Casa Garay** *(calle Isabel Rubio, e/Frank País et Ceferino Fernández - lun.-vend. 9h-15h30, sam. 9h-12h - 1 CUC)*, produit la *guayabita*, une eau-de-vie à base de fruits du même nom ressemblant aux goyaves, mis à fermenter avec des épices et du rhum. Le procédé permet d'obtenir une liqueur plus ou moins sèche (dite « pour les hommes ») ou sucrée (« pour les femmes »). Après la visite, une dégustation est organisée dans la boutique très exiguë.

La seconde, la **Fábrica de Tabacos Francisco Donatién★** *(calle Maceo n° 157 - ℰ [48] 77 30 69 - lun.-vend. 9h-12h, 13h-16h - visite guidée de 30mn - 5 CUC)*, la plus importante manufacture de tabac de la ville, est installée depuis 1961 dans une ancienne prison. Cette fabrique d'État, à laquelle les grandes plantations de la région livrent en partie leur production, travaille sous quelques-unes des marques les plus fameuses, telles Cohiba et Montecristo. Assis côte à côte sur des bancs de bois devant leur établi, les cigariers exécutent avec rapidité et dextérité – ce qui justifie des salaires élevés par rapport à la moyenne de l'île – près de 120 cigares par jour, tous de taille et poids identiques. Attention, les photos ne sont pas autorisées ! Le magasin attenant permet d'acheter la production maison : c'est l'un des rares points de vente où l'on peut être sûr de l'origine des cigares, les risques d'usurpation des marques étant limités.

Excursion Carte de région, p. 98-99

★ **TRIANGLE DE LA VUELTA ABAJO** C2

Les villages de **San Luis** et de **San Juan y Martínez** délimitent avec Pinar del Río le triangle du tabac. C'est une région agricole particulièrement dense que l'on découvre, avec de nombreuses *casas* bordant des petites routes verdoyantes et pleines de vie, avec leur lot de piétons, de carrioles à cheval, de charrettes… et parfois de vaches en liberté ! Les *vegas* de tabac, elles, ne cessent de changer de physionomie au fil des saisons. Durant l'été, les parcelles de terre rouge sont laissées au repos – après labourage à l'aide de bœufs ; en hiver, d'immenses voiles de mousseline blanche recouvrent certaines plantations pour les protéger après le repiquage ; puis vient le temps de la récolte des plants arrivés à maturité. Si vous avez la chance d'être dans la région en **février-mars**, vous pourrez assister au travail des *vegueros* recueillant à la main les précieuses feuilles. C'est le moment idéal pour visiter les plantations, lorsque leurs beaux séchoirs se remplissent, première étape du lent processus de fabrication d'un cigare *(voir « Le tabac », p. 380)*.

😊 **Bon à savoir** – Il est aisé de sillonner les routes de la Vuelta Abajo avec un véhicule individuel (22 km séparent Pinar del Río et San Luis). Seules trois plantations sont autorisées par l'État à recevoir les touristes : la Finca La Roya *(voir p. 104)*, la Finca Hector Luis (à 3 km de Pinar del Río, sa visite est proposée par les agences de la ville, voir *« S'informer »*) et, sur la route de San Luis, la célèbre Finca El Pinar - Alejandro Robaina.

★ **Finca El Pinar - Alejandro Robaina**

À 15 km de Pinar del Río : en voiture, remontez la rue principale (calle J. Martí) et prenez à gauche au pied de l'hôtel Vueltabajo. Poursuivez sur cette route direction San Juan y Martínez et, après 12 km, bifurquez à gauche vers San Luis. Après 3,2 km, un panneau indique « El Pinar Robaina » sur la gauche. Suivez le chemin principal sur 1,5 km et tournez à droite au panneau indiquant la plantation. Lun.-dim. 9h-17h - 2 CUC.

Internationalement connu des amateurs de cigares, **Alejandro Robaina** a dirigé sa plantation jusqu'à sa mort en 2010, à l'âge de 91 ans. C'est désormais son petit-fils Hiroshi qui poursuit la tradition familiale dans les règles de l'art, produisant chaque année les fameux Unicos. Dans le cadre rustique d'un beau séchoir ancien, la visite *(français ou anglais)* retrace tout le processus de fabrication (culture, séchage, fermentation, etc.), avant qu'un habile *torcedor* ne roule devant vos yeux (et vos appareils photo) un superbe havane.

Au sortir du chemin de la plantation, vous pouvez poursuivre votre route jusqu'au village de San Luis, resté très authentique.

😊 NOS ADRESSES À PINAR DEL RÍO

INFORMATIONS UTILES

Banque/Change
Deux distributeurs automatiques sur la rue principale *(calle J. Martí), accessibles aux cartes Visa ; sinon, retraits aux guichets.*
Cadeca *–Calle Martí 46. Lun.-sam. 8h30-17h30.*

Poste
Correos *– Angle calles J. Martí et I. Rubio.*

Internet
Hotspots wifi sur les places publiques, notamment le Parque Independencia. Deux postes informatiques disponibles à l'Infotur *(voir « S'informer »).*

Stations-service
Plusieurs stations-service, en particulier sur les calles R. Morales (direction San Juan y Martinez) et I. Rubio (direction La Havane).

ARRIVER/PARTIR

En bus
La compagnie **Viazul** marque l'arrêt à Pinar del Río sur ses liaisons La Havane-Viñales *(voir p. 111)* ; comptez 2h45 à 3h et 11 CUC pour La Havane, env. 45mn et 6 CUC pour Viñales.
Transtur – Incluant une pause repas (20mn), la compagnie effectue un AR/j entre La Havane et Pinar del Río (arrêt calle José Martí ; env. 3h30), puis Viñales. Tarif identique à celui de Viazul.

TRANSPORTS

En taxi
Les voitures de la compagnie **Cubataxi** stationnent devant l'hôtel Islazul Pinar del Río.

Des chauffeurs de véhicules particuliers peuvent aussi vous conduire aux alentours de Pinar del Río *(comptez 30 CUC pour 1/2 j).*

HÉBERGEMENT

Pinar del Río, localité bruyante et polluée, n'est pas un lieu de séjour très séduisant, d'autant que le village de Viñales, meilleur point de chute dans la région, ne se trouve qu'à 25 km *(p. 108).*

🔵 Casa particular
PREMIER PRIX

Rodrigo y Tania *– Calle Colón n° 167 nord, e/M. Grajales y Labra - 📞 (48) 75 75 56 - rodrigo.tania@ nauta.cu - 🖥 - 2 ch. 20 CUC.* Accueil très chaleureux dans cette maison certes simple, mais fraîche et bien tenue. Les chambres se situent sur l'arrière, au calme.

🔵 Hôtels
BUDGET MOYEN

Villa Aguas Claras *– Route de Viñales km 7,5 - 📞 (48) 77 84 27 - 🖥 ✕ 🏊 🅿 - 50 ch. 30/40 CUC.* Outre ses prix mesurés, son cadre est préservé, en pleine nature sur la route de Viñales. En revanche, l'hébergement reste simple : 50 bungalows privatifs, à préférer loin de la route.

Islazul Pinar del Río *– Calle J. Martí (à l'entrée de la ville en arrivant de La Havane) - 📞 (82) 75 50 70 - www.islazul.cu - 🖥 ✕ 🏊 🅿 - 149 ch. 30/40 CUC 🛏. Location de voitures, bureau de change, services médicaux.* Demandez à voir la chambre avant de vous engager, car certaines sont vieillissantes. Ce complexe hôtelier organisé autour d'une grande piscine est utile en cas de besoin uniquement.

POUR SE FAIRE PLAISIR

Hotel Vueltabajo – *Calle J. Martí n° 103 angle calle R. Morales (en haut de la rue principale)* - ℰ *(48) 75 93 81 - www.islazul. cu -* 🍽✕ - *39 ch. 60/80 CUC* ☕. Rouvert en 2005, l'hôtel historique de la ville (1926) abrite des chambres très classiques, bienvenues pour une étape.

RESTAURATION

Peu de restaurants réellement recommandables dans la ville. Si vous logez dans une *casa*, profitez de la table de vos hôtes.

PREMIER PRIX

El Mesón – *Calle J. Martí n° 205 (face au Museo de Ciencias Naturales) - 11h30-23h30 - 5/10 CUC.* Une adresse couleur locale, où la simplicité est de mise. On mange poulet ou porc grillé et on repart.

BUDGET MOYEN

Rumayor – *Carretera de Viñales km 1 (à 2 km du centre-ville sur la route de Viñales) - ℰ (48) 76 30 07 - 12h-23h - autour de 15 CUC.* Connu pour son cabaret *(voir ci-contre)*, l'établissement est aussi réputé pour son *pollo ahumado*, poulet fumé au bois de goyavier. Très fréquenté par les groupes.

ACHATS

Marché

Mercado – *Calle R. Ferro, près de la gare - tlj sf lun. 8h-17h (dim. 12h).* Pour des scènes authentiques ou boire un *guarapo* (jus de canne). Préparez de la monnaie nationale.

Guayabita et cigares

En vente dans les manufactures de la ville *(voir p. 117).*

EN SOIRÉE

Le jardin du **Rumayor** *(voir « Restauration »)* offre un cadre idéal pour l'apéritif. L'endroit se transforme en discothèque tard le soir. Également une boîte de nuit au sein de l'hôtel **Islazul Pinar del Río** *(voir « Hébergement »).*

Musique cubaine

Café Pinar – *Calle G. Medina n° 34, e/J. Martí et I. de Armas - ℰ (48) 77 81 99 - 10h-2h.* Le patio accueille des groupes cubains du vendredi au lundi soir (sono mar.-jeu).

Cabaret

Rumayor *(voir « Restauration »)* – *Sam. 23h, à partir de 5 CUC selon programmation.* Ce n'est pas une revue parisienne, mais l'énergie des danseurs compense largement. Cadre sympathique sous les étoiles.

La péninsule de Guanahacabibes

Province de Pinar del Río

Au-delà du triangle de la Vuelta Abajo s'ouvre un véritable Finistère. Prise entre la mer des Caraïbes et le détroit du Yucatán, la longue péninsule de Guanahacabibes demeure une contrée sauvage, peu fréquentée des touristes. Près de 190 km de route séparent Pinar del Río du Cabo de San Antonio, à la pointe ouest de l'île. Entre terre et mer, le parcours est jalonné d'obstacles divers et variés : chevaux et troupeaux vagabondant sans surveillance sur le bas-côté ; truie traversant la route suivie de ses petits ; ou encore des milliers de crabes contraignant les vélos et les voitures à pratiquer un étrange slalom pour les éviter. Plus l'on avance et plus la nature reprend ses droits : iguanes, cerfs, colonies d'oiseaux et autres rongeurs ne sont pas rares… La péninsule, déjà auréolée du titre de parc national, a été déclarée Réserve mondiale de la biosphère par l'Unesco. Randonnées à la découverte de la faune et de la flore (sous des conditions relativement strictes), farniente sur les plages désertes de María la Gorda et plongée – on trouve ici parmi les meilleurs spots de Cuba – constitueront les principales activités d'un séjour hors des sentiers battus.

2

👓 NOS ADRESSES PAGE 123
Hôtels, restaurants, shopping, activités, etc.

🛈 S'INFORMER

Les points Infotur de Pinar del Río (voir p. 116) et de Viñales (voir p. 106) pourront vous fournir tous les renseignements sur María la Gorda et la réserve de Guanahacabibes.

▶ SE REPÉRER

Carte de région A3 (p. 98-99).

👓 À NE PAS MANQUER

Profitez des plages désertes de la péninsule, faites de la plongée sous-marine à María la Gorda.

🕘 ORGANISER SON TEMPS

Comptez une journée pour une excursion dans la réserve naturelle, davantage pour profiter des plages et faire de la plongée.

Circuit conseillé Carte de région, p. 98-99

DE SAN JUAN Y MARTINEZ À PLAYA LAS TUMBAS ABC 2-3

Circuit de 230 km. Quittez Pinar del Río en direction de San Juan y Martinez (22 km) puis poursuivez en direction d'Isabel Rubio. Après une vingtaine de kilomètres, un énorme panneau indique « Playa Bailén » à gauche. Comptez env. 3h de route jusqu'à María la Gorda.

Playa Bailén B2

👓 **Conseil** – Attention, quittez la plage avant la tombée de la nuit, car elle est envahie par les **gegenes**, petits insectes dont la piqûre provoque de très fortes démangeaisons.

À 8 km de la route principale, cette plage, essentiellement fréquentée par les Cubains, a conservé son authenticité. Les bungalows en bord de mer étant réservés au tourisme national, les étrangers y passent en général la journée et retournent à Pinar del Río en soirée.

Reprenez la carretera Central jusqu'à Isabel Rubio (20 km) puis La Bajada (70 km), où se trouve le poste de garde du parc. Poursuivez sur le chemin côtier vers le sud jusqu'à María la Gorda (14 km).

La Fé B2

Le modeste village-rue, bordé d'humbles maisons basses, se prolonge jusqu'au rivage, au fond du golfe de Guanahacabibes, où sont amarrés de petits bateaux de pêche hors d'âge. Certains sont hissés sur la terre ferme, pour une énième réparation. Un bout du monde désarmant de simplicité et d'humilité !

★★ María la Gorda A3

Après un long trajet en voiture, la route s'interrompt devant les grilles et le parking du centre international de plongée María la Gorda et de son hôtel, établi face à une longue plage bordée de cocotiers. Le nom de cette station isolée sur la Bahía de Corrientes (baie des Courants) rappelle le souvenir de María la Gorda (« María la grosse »), fille de capitaine espagnol ou femme d'origine vénézuélienne abusée par tout un équipage. Selon la légende, cette créature plantureuse procurait des jeunes filles aux pirates de passage dans la région. Ce lieu idyllique est l'un des endroits les plus sauvages de Cuba. Pour ceux qui désirent être au calme, loin des stations balnéaires bondées, ses plages vierges s'étirent sur des kilomètres face à une mer turquoise. Le **centre de plongée** attire des amateurs du monde entier, mais l'atmosphère familiale de la station plaira également aux amateurs de soleil et de balades.

😊 **Bon à savoir** – Les méduses sont nombreuses sur cette plage. Cela peut être parfois gênant pour les personnes qui font des baptêmes de plongée à quelques dizaines de mètres du rivage.

★ Parque Nacional de Guanahacabibes AB3

Entrée de la réserve au poste de garde de La Bajada. Accès seulement autorisé aux détenteurs d'une réservation à l'hôtel Cabo San Antonio. Au centre des visiteurs sont proposées différentes excursions accompagnées par des guides expérimentés : Cueva las Perlas (3h - 3 km AR à pied - 10 CUC), avec observation d'oiseaux, de reptiles et de la faune vivant dans la grotte, dont une grenouille endémique ; Dal bosque al mar. (1h30 - 3 km AR km à pied - 10 CUC), avec présentation de différents types de forêts, observation d'oiseaux et visite d'une grotte avec piscine naturelle ; Cabo de San Antonio (5h - 10 CUC), traversée de la péninsule jusqu'à son extrémité avec guide dans votre véhicule. Toutes les excursions débutent à 9h30, sauf, en juil.-août, l'excursion d'observation de ponte des tortues (à 21h30 - 45mn - 10 CUC).

😊 **Conseils** – Les guides étant peu nombreux et les groupes limités, il est prudent de réserver 4 à 5 j. à l'avance, soit auprès du centre de visiteurs de La Bajada (📞 [48] 75 03 66), soit par email (lmarquez@vega.inf.cu ou abelsosa@vauta.cu).

Près de 70 km de route rectiligne relient La Bajada au Cabo de San Antonio, sur la côte sud de la péninsule, le littoral nord étant bordé de marécages et de mangroves. C'est un territoire encore sauvage que l'on traverse, idéal pour observer la flore et la faune : de nombreuses espèces animales s'épanouissent, notamment des cerfs, des oiseaux, des iguanes mais aussi des cochons noirs et des chevaux. Attention aux crabes (mars-avril) qui traversent la chaussée pour pondre dans la mer : leurs pinces sont redoutables pour les pneus (ne vous arrêtez jamais !). Le littoral, volontiers rocailleux, n'est guère adapté à la baignade. Il est jalonné de **grottes**, qui servaient de refuge aux Indiens poursuivis par les conquistadors espagnols lors de la colonisation de Cuba. Le **phare du cap San Antonio** marque l'extrémité occidentale de l'île. À 4,5 km de là, la route débouche sur un hôtel vieillot, le Cabo de San Antonio, avant de longer la **Playa Las Tumbas★★**, somptueuse plage de sable blanc qui borde le détroit du Yucatán. À partager avec les seuls résidents de l'hôtel... Attention, la nuit, l'endroit est infesté de moustiques et de *gegenes*.

NOS ADRESSES DANS LA PÉNINSULE

INFORMATIONS UTILES

Stations-service
Une station dans le village d'Isabel Rubio, à mi-chemin entre Pinar del Río et María la Gorda. Pour plus de sécurité, faites le plein à Pinar del Río avant de partir.

TRANSPORTS

En voiture
Hormis les excursions en bus pour María la Gorda proposées au départ de Viñales *(voir « Activités » p. 115)*, seul un véhicule individuel permet d'accéder à la péninsule.

HÉBERGEMENT, RESTAURATION

À María la Gorda

◗ Hôtel-restaurant
POUR SE FAIRE PLAISIR
Villa María la Gorda – *℘ (48) 77 80 77 - www. hotelmarialagorda-cuba.com -* ▤ ✕ *- 73 ch. 60/75 CUC* ☕ *(supplément de 5 CUC pour les chambres avec vue sur mer ; pension complète possible)*. Les bungalows de ce complexe touristique donnent sur la belle plage de María la Gorda. Les chambres sont correctes, l'atmosphère, sympathique et sportive : de nombreux plongeurs séjournent ici !

À La Bajada

◗ Casa particular
BUDGET MOYEN
Villa Salvaje – *Calle A #28 (à 200 m du centre de visiteurs de La Bajada) - ℘ (52) 78 60 33 (Mobile) - jorgeluis.garriga@nauta.cu - 2 ch. 30 CUC.* La plus recommandable et la plus confortable des *casas particulares* offrant désormais une alternative aux complexes hôteliers de María la Gorda et Santo Antonio. Les chambres ont vue sur mer et sont dotées de moustiquaires. Possibilité d'emprunter des vélos ou de louer des chevaux pour se balader sur la plage.

ACTIVITÉS

Excursions
Voir ci-contre pour la découverte de la réserve protégée.

Plongée
International Diving Center
María la Gorda – *Au sein de l'hôtel ci-contre - www. hotelmarialagorda-cuba.com.* Avec plus de 30 sites de coraux, de nombreuses failles sous-marines, des grottes et une faune très diverse, María la Gorda est un des meilleurs endroits pour plonger. Location d'équipement. Comptez env. 35 CUC par immersion, des forfaits sont également proposés.

2

Cayo Jutías et Cayo Levisa

Province de Pinar del Río

À quelques milles au large de la côte nord-ouest de Cuba, face au golfe du Mexique, l'archipel de los Colorados étend son long collier d'îlots restés vierges, entre formations coralliennes et zones de mangrove. Facilement accessibles aux touristes, les cayos Jutías et Levisa en sont les perles : deux bandes de sable blanc baignées par des eaux émeraude et parsemées de cocotiers. À 60 km au nord de Viñales, ils sont tout indiqués pour une journée plage, où l'on se prendra volontiers pour Robinson !

😊 NOS ADRESSES CI-CONTRE
Hôtels, restaurants, shopping, activités, etc.

🛈 **S'INFORMER**
Le point **Infotur** de Viñales (voir p. 106) fournit des renseignements sur les cayos et les excursions organisées depuis ce village.

▶ **SE REPÉRER**
Carte de région BC 1 (p. 98-99).

😊 **À NE PAS MANQUER**
Une journée sur une plage déserte…

Excursions Carte de région, p. 98-99

Sachez que la route côtière reliant Cayo Jutías, Puerto Esperanza et Cayo Levisa (*via* l'embarcadère de Palma Rubia) est particulièrement difficile : certains nids-de-poule évoquent rien de moins que des trous de météorite ! Il est donc vivement conseillé de visiter chacun des sites indépendamment, et ce au départ de Viñales.

😊 **Bon à savoir** – Les agences touristiques de Viñales *(voir « S'informer », p. 106)* proposent des excursions en bus pour Cayo Jutías *(9h-17h, env. 25 CUC avec repas léger)* et Cayo Levisa *(8h-18h30, 30/35 CUC bateau compris, avec sandwich ou repas léger).*

★ Cayo Jutías B1

À 60 km au nord-ouest de Viñales via El Moncada et Minas de Matahambre, comptez 1h de trajet. Péage sur la route d'accès au cayo : 5 CUC/pers., parking 1 CUC. Il est relié à la côte par une route qui traverse une végétation de palétuviers jusqu'à une **plage** idyllique de sable blanc, où l'on peut se restaurer. L'endroit devient de plus en plus tranquille en approchant de l'extrémité ouest des 3 km de plage. Les cyclones qui ont traversé la région il y a quelques années semblent avoir mis un terme aux projets hôteliers : ce type d'îlot vierge est une rareté.

Puerto Esperanza C1

À 30 km au nord de Viñales via San Cayetano.
Ce village portuaire est tombé dans l'oubli avec le transfert de l'embarcadère pour Cayo Levisa à Palma Rubia. Une atmosphère de nostalgie baigne les lieux, simplement animés par l'activité des pêcheurs. Un but de balade très paisible…

★ Cayo Levisa C1

Accès en bateau de l'embarcadère de Palma Rubia, à 60 km au nord-est de Viñales via La Palma (1h de route puis 45mn de bateau). Départs à 10h et 18h, retours à 9h et 17h, traversée 25 CUC déjeuner compris (15 CUC si vous résidez à l'hôtel).

Plage de Cayo Jutías.
S. Muylaert/Michelin

Bon à savoir – Même en disposant d'un véhicule, l'excursion en bus proposée depuis Viñales offre un tarif intéressant *(8h-18h30, 40 CUC avec sandwich ou repas léger).*

À l'arrivée du bateau, dès que l'on pose le pied sur le petit ponton de bois qui permet d'accoster, le dépaysement est garanti… C'est un joli cadeau de la nature que cet îlot sauvage bordé d'une plage de 3 km : sable blanc, cocotiers et eau translucide, une véritable invitation au farniente ! Les récifs coralliens qui entourent le *cayo* en font également un excellent site pour le snorkeling ou la plongée *(voir ci-dessous).* Vous pouvez y passer la journée ou vous installer pour une ou plusieurs nuits dans son unique hôtel *(voir ci-dessous).*

2

NOS ADRESSES À CAYO LEVISA

L'unique établissement touristique sur la côte au nord de Viñales se trouve sur cet îlot préservé.

HÉBERGEMENT, RESTAURATION

Hôtel-restaurant
UNE FOLIE
Villa Cayo Levisa – *(82) 69 01 00 05 - www. hotelcayolevisa-cuba.com -* ▤ ✕ *- 33 bungalows autour de 125/150 CUC* ▭*. Loin de tout, ses bungalows se succèdent au bord* d'une plage paradisiaque. Même si les prestations n'ont rien de luxueux, ce cadre exceptionnel justifie à lui seul le prix élevé. En raison de la faible capacité d'accueil, il est nécessaire de réserver le plus tôt possible.

ACTIVITÉS

Plongée
Une vingtaine de sites sont répertoriés au large du *cayo*. Le club de plongée voisine l'hôtel.

La forteresse de Cojimar.
Dmitry Chulov/iStock

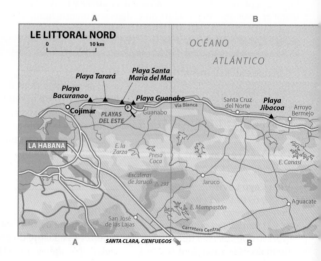

LE LITTORAL NORD

0   10 km

OCÉANO
ATLÁNTICO

Playa Tarará

Playa Santa
María del Mar

Playa
Bacuranao

Playa Guanabo

Cojimar   PLAYAS
DEL ESTE

Guanabo

Santa Cruz
del Norte

Playa
Jibacoa

Arroyo
Bermejo

Vía Blanca

LA HABANA

E. la
Zarza

Presa
Coca

E. Canasí

Escaleras
de Jaruco   △ 293

Jaruco

Aguacate

E. Mampastón

San José
de las Lajas

Carretera Central

SANTA CLARA, CIENFUEGOS

Le littoral nord 3

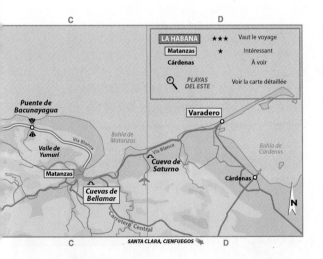

Les plages de l'Est

Province de Mayabeque

Entassés dans une vieille américaine, cheveux au vent dans un side-car, en bus, en stop, à vélo voire en coco-taxi, les Havanais se livrent chaque week-end à une véritable procession pour rejoindre les plages de l'Est, les plus proches de la capitale. Ces grandes plages de sable blanc demeurent avant tout une succursale balnéaire de La Havane et n'ont jamais connu le développement touristique escompté. En témoigne leur station principale, Santa María del Mar, aux larges avenues étonnamment vides, entre grands hôtels d'inspiration soviétique – aujourd'hui passablement décatis – et terrains vagues jamais lotis… Un endroit rêvé pour passer ses vacances ? On l'aura compris, ces plages sont pratiques pour ceux qui souhaitent s'échapper de la capitale une journée ; les autres y feront une simple halte sur le chemin de Varadero. Quant aux admirateurs d'Hemingway, ils feront un petit pèlerinage à Cojímar.

NOS ADRESSES PAGE 131
Hôtels, restaurants, shopping, activités, etc.

S'INFORMER

Infotur Santa María del Mar – Ave. de las Terrazas e/10 et 11 - ℘ (7) 796 11 11 - *8h15-16h15*.
Infotur Guanabo – 5ta Ave. e/468 et 4701 ℘ (7) 796 68 68 - *8h15-16h15*

SE REPÉRER

Santa María del Mar se trouve à environ 20 km de la Havane. Sa plage el Mégano est celle qui recueille les meilleurs suffrages des voyageurs.
Carte de région AB (p. 126-127) - Carte des plages (ci-dessous).

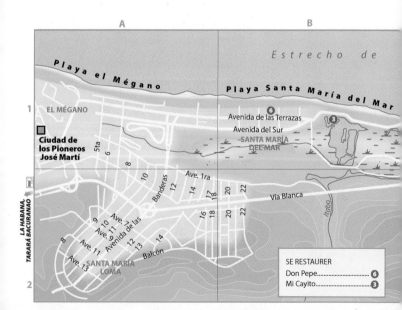

Circuit conseillé

Carte de région, p. 126-127, et carte des plages ci-dessous

COJÍMAR Carte de région A

Quittez La Havane par le tunnel de La Habana en direction des forteresses et suivez la vía Monumental sur 6 km, jusqu'à l'immense rond-point indiquant, sur la gauche, Cojímar ; descendez tout droit jusqu'au front de mer, à 1 km.

Fondé au 17e s., ce village de pêcheurs conserve face à la mer une jolie petite **forteresse** espagnole, datant de 1643, mais c'est là, il faut le dire, l'un de ses rares attraits, car la cité, aujourd'hui intégrée dans la banlieue de La Havane, semble baignée dans une atmosphère de léger abandon… On se promènera donc sur son petit front de mer en se projetant dans la cité imaginaire immortalisée par Hemingway dans son célèbre roman *Le Vieil Homme et la Mer*. Un véritable hommage rendu par l'écrivain à l'une de ses escales favorites, où fut longtemps amarré son bateau de pêche – et véritable compagnon – *El Pilar*, transféré à sa mort au musée Hemingway *(voir p. 70)*. Au bord de l'eau, le restaurant **La Terraza** *(voir « Restauration »)* vit dans le souvenir de celui que l'on surnommait affectueusement « Papa ». Aux murs, les photos évoquent notamment ses célèbres parties de pêche, que Gregorio Fuentes, son fidèle acolyte, contait lors de ses entretiens avec les journalistes *(voir encadré p. 130)*. Plus loin sur le port, à proximité de la forteresse, les pêcheurs locaux ont érigé en 1962 un **buste d'Hemingway**, le regard fixé sur la ligne d'horizon.

LES PLAGES AU FIL DE LA VÍA BLANCA Carte des plages ci-dessous

Circuit de 100 km jusqu'à Matanzas. De Cojímar, revenez sur vos pas jusqu'au grand rond-point sur la vía Monumental et empruntez cette dernière jusqu'à la sortie suivante, où s'ouvre à gauche la vía Blanca : cette grande route dessert

3

HEMINGWAY, LE VIEIL HOMME ET LA MER

Véritable figure de Cojímar, aux commandes du Pilar pendant près de 30 ans, **Gregorio Fuentes** accompagna Ernest Hemingway lors de toutes ses sorties en mer et cessa son activité de pilote à la mort de l'écrivain, en 1961. Ce pêcheur fut le modèle du personnage principal du *Vieil Homme et la Mer*, cette fable superbe illustrant l'homme en butte contre les éléments, qui valut à son auteur le prix Nobel de littérature en 1954. Gregorio Fuentes s'est éteint en 2002, le visage raviné par des années de soleil et d'embruns, à l'âge de 104 ans.

---

toutes les plages vers l'est. Après 6 km, vous traverserez le río Bacuranao (bien indiqué), où se trouve la sortie pour la première plage.

Conseil – Ne laissez pas vos affaires sans surveillance sur les plages et soyez vigilants sur la vía Blanca, où des *jineteros* tentent parfois, par des moyens très variés, d'abuser les nombreux touristes en route pour Varadero.

À l'embouchure du **río Bacuranao** se cache une petite **anse** tranquille (Carte de région A), bordée de quelques cocotiers. Plus intime que les grandes plages qui suivent, à 18 km seulement de la capitale, c'est l'une des options pour une pause baignade depuis La Havane.

En continuant sur la vía Blanca pendant 3 km, après le pont sur le río Tarará, on aperçoit à gauche la **Ciudad de los Pioneros José Martí** (A1) (cité des Pionniers). Ce village pour enfants regroupe des installations sportives et scolaires ; les meilleurs écoliers cubains sont invités à y passer quelques jours de vacances, afin de profiter de la petite **Playa Tarará** (Carte de région A). Cette infrastructure accueillit aussi après 1989 des enfants irradiés de Tchernobyl.

Sur une dizaine de kilomètres à partir de Tarará se succèdent les plus grandes plages de la côte, bordées de complexes touristiques fréquentés essentiellement par les Cubains. Les plus sympathiques et les plus propres, avec leur eau turquoise, leur sable blanc et leurs cocotiers, sont sans conteste la **Playa el Mégano** (A1) et la **Playa Santa María del Mar** (B1), surnommée aussi « Marazul » ou « Tropicoco » en raison des hideux hôtels à la soviétique – de véritables paquebots de béton qui bordent le rivage. Conviviales, flanquées de paillotes (*ranchones*) pour déjeuner, ces plages sont l'occasion de faire trempette avec les familles cubaines, loin des resorts tout-inclus exclusivement réservés aux étrangers. Après l'embouchure du fleuve Itabo, commence **Playa Boca Ciega** (C1), où se retrouve la communauté gay, suivie de **Guanabo** (D1), très populaire mais assez sale.

Changement de décor après Guanabo, où la côte se révèle plus âpre et est même jalonnée… de puits de pétrole jusqu'à Santa Cruz del Norte ! C'est également sur ce littoral que des Français ont construit une centrale électrique, avant la révolution. À la sortie de Santa Cruz, vous ne pourrez manquer l'immense emprise de la célèbre fabrique de rhum **Havana Club**.

C'est 6 km après la distillerie qu'une route à droite conduit à **Playa Jibacoa** (Carte de région B), l'un des sites les mieux préservés sur le littoral. On peut faire un crochet par la petite route qui se fraie un chemin dans la végétation, offrant quelques jolies échappées sur la mer, émeraude quand elle vient lécher des patates de corail. Situé à une soixantaine de kilomètres de La Havane, cet endroit accueille plutôt le tourisme national (avec de nombreux *campismos*) mais aussi quelques hôtels-clubs, essentiellement fréquentés par des groupes d'Italiens et de Canadiens, qui profitent notamment des fonds coralliens.

À 15 km de Jibacoa, la vía Blanca quitte la province de La Habana pour entrer dans celle de Matanzas par le **pont de Bacunayagua** (Carte de région C). Celui-ci, le plus élevé de Cuba, domine de ses 110 m de hauteur la fertile **vallée de Yumurí** (Carte de région C). Le **point de vue★** sur la vallée à droite et l'océan à gauche est très beau *(parking : 1 CUC)*, surtout au coucher du soleil. Il reste une vingtaine de kilomètres à parcourir avant d'apercevoir Matanzas.

☺ NOS ADRESSES SUR LES PLAGES DE L'EST

Voir la carte des plages p. 128-129.

☺ **Conseil** – Essayez plutôt de venir en semaine, les plages sont bondées le week-end. Sur place, location de transat *(2 CUC)* et parasol *(2 CUC)*.

ARRIVER/PARTIR

En bus
De La Havane, la meilleure option est la ligne T 3 de l'Habana Bus Tour *(voir p. 74)*, qui dessert les plages de la côte au départ du Parque Central, jusqu'à Santa María del Mar, sur le principe du *hop on/hop off (10 CUC/j)*.

En taxi
Si vous comptez y passer la journée, négociez un taxi privé, env. 40- 50 CUC pour le trajet AR.

HÉBERGEMENT

La majorité des complexes hôteliers est regroupée à Santa María del Mar, station bien peu séduisante pour un séjour balnéaire : mieux vaut dormir à La Havane (à 25 km) ou poursuivre sa route jusqu'à Matanzas ou Varadero. Plusieurs *casas particulares* à Guanabo, mais l'endroit n'a rien de romantique…

RESTAURATION

À Santa María del Mar

PREMIER PRIX
Mi Cayito – B1 - *Ave. Las Terrazas, Laguna - ☎ (7) 7 97 13 39 - 10h-18h.* Tout au bout de la station, sur un îlot lagunaire voisin d'une plage gay, un endroit original pour boire un verre, manger sur le pouce *(grillades 5 CUC)* ou profiter de la discothèque en plein air du dimanche après-midi *(14h-22h, 2 CUC)*.

BUDGET MOYEN
Don Pepe – B1 - *Ave. Las Terrazas, près de l'hôtel Atlantico- ☎ (7) 876 42 58 - 10h-18h - 10/15 CUC.* Sympathique *ranchón* au bord de la plage. Nourriture simple et copieuse, histoire de se caler à l'heure du déjeuner.

À Cojímar

BUDGET MOYEN
La Terraza – *Calle Real n° 161 - ☎ (7) 766 51 51 - 12h-23h - 20/35 CUC.* Ambiance rétro dans cet établissement qui doit sa renommée à Ernest Hemingway, qui fut son fidèle client. La carte est très classique (fruits de mer, paella, etc.). Préférez la terrasse plutôt que la salle à l'étage. On peut aussi boire un verre au bar.

À Guanabo

PREMIER PRIX
Pizzería El Piccolo – D1, en direction - *Ave. 5ta côté mer, e/502 y 504 - ☎ (7) 96 43 00 - autour de 10 CUC.* Une bonne surprise que cette pizzeria qui joue la carte de la qualité en privilégiant les produits du potager. Bonnes pizzas, pâtes maison… L'endroit est sympathique avec sa cour au calme et sa salle personnalisée.

3

Matanzas

Chef-lieu de la province de Matanzas - 140 454 hab.

Sur le trajet entre La Havane et Varadero, les voyageurs se contentent souvent de longer la ville et ne gardent qu'une impression de port moderne et tristounet, bâti sur une large baie où de rares pétroliers font escale. Pourtant, le cœur historique de Matanzas préserve quelques belles demeures coloniales : leurs élégantes ferronneries, corniches moulurées et autres pilastres ouvragés rappellent la prospérité de celle qui fut aux 18e et 19e s. l'un des poumons économiques de Cuba ! De cette réussite passée, le Parque de la Libertad demeure l'authentique vitrine : il règne une inimitable atmosphère rétro sur cette place principale, où les vieilles voitures américaines d'avant la révolution sont comme chez elles… Bien que soumise à un trafic automobile assez bruyant, la ville mérite une étape, et offre d'intéressantes possibilités d'hébergement.

😊 NOS ADRESSES PAGE 135
Hôtels, restaurants, shopping, activités, etc.

🛈 **S'INFORMER**

Renseignements au point **Infotur** de Varadero *(voir p. 138)*.

▶ **SE REPÉRER**

Carte de région C (p. 126-127).

👓 **À NE PAS MANQUER**

Flânez sur le Parque de la Libertad ; remontez le temps dans l'ancienne

pharmacie d'Ernest Triolet ; découvrez les grottes de Bellamar.

🕐 **ORGANISER SON TEMPS**

Comptez une demi-journée pour visiter la ville, qui est aussi agréable pour une étape d'une nuit.

Se promener Carte de région, p. 126-127

Il est aisé de se repérer dans Matanzas qui est – fait original – traversée par deux fleuves, les ríos Yumurí et San Juan : ceux-ci délimitent au nord et au sud le centre-ville, avant de se jeter dans l'océan. Côté baie, entre les deux ponts principaux de la cité, la Plaza de la Vigía, dominée par le Teatro Sauto, est incontournable au débouché de la vía Blanca, la route de la côte (La Havane-Varadero). Elle marque l'entrée du petit cœur historique, au strict quadrillage de rues. Trois artères le traversent en remontant vers les hauteurs : les calles 85 (appelée aussi calle Medio, son nom prérévolutionnaire dont l'usage perdure), 83 (Milanés) et 79 (Contreras), ces deux dernières longeant de part et d'autre le Parque de la Libertad, le véritable cœur de la ville.

★★ PARQUE DE LA LIBERTAD

Cette grande place, plantée de quelques arbres et palmiers, pourrait servir de cadre à un film d'époque… avec, pour immeubles figurants, ses habitants vaquant tout simplement à leur quotidien : enfants jouant à cache-cache, adolescents répétant quelques pas de danse, aînés devisant sur la chaleur chaque année plus harassante, le tout sous l'œil imperturbable de José Martí, « l'apôtre de l'indépendance », dont la **statue** de bronze (1909) trône au centre du square. Tout autour, les édifices coloniaux hérités de l'âge d'or de la ville

Une rue de Matanzas.
spooh/iStock

parfont ce décor en offrant une belle palette de couleurs et de styles : côté est, la longue colonnade classique du **Palacio del Gobierno** (aujourd'hui siège du Poder Popular) ; à sa gauche, la façade rétro du **Teatro Velasco** (transformé en cinéma) ; puis le charme Belle Époque de l'**Hôtel Velasco** *(voir « Hébergement »)*, dont le bar mérite un coup d'œil, sinon un arrêt ; et enfin, dans l'angle nord-est, la façade finement ciselée du **Casino español** (devenu bibliothèque). En face se dresse une belle maison bleue, ornée de vitraux et d'un balcon en fer forgé. Elle abrite une véritable curiosité : une grande pharmacie du 19e s., parfaitement préservée. Le tableau est complet, on remonte le temps !

★★ Museo Farmacéutico
Calle 83 (côté sud de la place) - ☏ (45) 24 31 79 - 10h-17h (dim.16h) - 3 CUC.
Une visite incontournable : cette officine née en 1882 est un formidable témoignage du passé ! Elle fut fondée par Ernest Triolet, Français originaire

---

LE LENT DÉCLIN DE « L'ATHÈNES DE CUBA »

La cité est fondée en 1693 sur l'emplacement d'anciens abattoirs, d'où le nom de Matanzas qui signifie littéralement « tuerie, abattage ». Édifiée sur la plus grande baie de l'île, elle devient rapidement le centre économique le plus important de Cuba. Exportatrice de **café** et de **tabac** au 18e s., elle est surtout connue comme la capitale du commerce du **sucre** et des **esclaves** au début du 19e s.

Avec l'arrivée de nombreux artistes, intellectuels et scientifiques, la ville se transforme même en **haut lieu culturel**, ce qui lui vaut d'être surnommée l'« Athènes de Cuba » ! Ancien centre de la musique afro-cubaine et berceau du *danzón*, la vocation culturelle de Matanzas s'est peu à peu éteinte. Après la révolution, la ville connaît un temps un regain d'activité, dû à la présence de nombreux cargos et pétroliers soviétiques dans les eaux profondes de sa baie. Depuis l'effondrement de l'ex-URSS, l'activité du quatrième port de l'île s'est considérablement réduite.

3

de Nancy, qui épousa une fille de la famille Figueroa, illustre en matière de pharmacologie à Cuba. La boutique a conservé de magnifiques rayonnages en bois rare, supportant une myriade de pots en porcelaine de Limoges. Sur le grand comptoir, une balance de marbre et de bronze voisine une caisse enregistreuse ; partout, des placards préservent des collections intactes de fioles en verre, de livres de recettes à base de plantes, de boîtes de médicaments sans âge et d'instruments oubliés (du moule à suppositoire au premier biberon créé à Paris !). À l'arrière, la table de dispensaire, taillée dans un seul arbre, remporta la médaille de bronze à l'Exposition universelle de 1900. Derrière le patio, l'ancien **laboratoire** se révèle aussi suggestif avec son grand alambic, son chaudron et son matériel en cuivre. Toute une époque est ressuscitée, qui savait cultiver le sens de l'utilité… sans sacrifier celui de la beauté !

En sortant de la pharmacie, descendez vers la droite la calle 83 et avancez d'une cuadra après le Parque de la Libertad, jusqu'à la Plaza de la Iglesia.

La **cathédrale San Carlos Borromeo** est l'édifice religieux le plus ancien de Matanzas. Un incendie détruisit cette église édifiée en 1693, reconstruite en 1730 dans un style néoroman, puis consacrée cathédrale en 1915. L'intérieur est assez dépouillé.

Continuez la calle 83 sur deux cuadras jusqu'à la Plaza de la Vigía.

★ PLAZA DE LA VIGÍA

C'est le carrefour principal de la ville, un véritable passage obligé entre le centre historique et la route de la côte, sillonné d'un flux incessant de véhicules au débouché de nombreuses rues. La terrasse du **Café de la Vigía** *(voir « Boire un verre »)* offre un excellent point de vue sur cette animation.

Aménagée à proximité de la baie, la Plaza de la Vigía marque l'emplacement de la fondation de la ville et abrite en son centre la statue du soldat inconnu, en hommage aux victimes de la guerre d'indépendance de 1895. Côté est de la place, le **Teatro Sauto** *(en cours de rénovation)*, un bel édifice néoclassique de 1862, inspira deux autres célèbres théâtres cubains, le Jacinto Milanés à Pinar del Río et le Tomás Terry à Cienfuegos. Daniele dell'Aglio, un architecte scénographe italien, en assura la conception et réalisa les **fresques** de sa salle principale. L'ancien Teatro Esteban ne prit son nom actuel qu'au début du 20ᵉ s., en hommage à Ambrosio de la Concepción Sauto y Node, pharmacien et homme politique de Matanzas. De célèbres artistes s'y sont produits, comme Sarah Bernhardt en 1887 et Anna Pavlova en 1915.

En sortant du théâtre sur la droite, la silhouette bleue du **Palacio del Junco** domine la place. Construite en 1840, cette demeure néocoloniale abrite le **Museo Histórico Provincial★** *(℘ [45] 24 31 95 - mar.-sam. 9h-17h, dim. 9h-12h - 2 CUC)*. Des objets, du mobilier et des documents retracent l'histoire de la région de l'époque précolombienne à la révolution. Une collection d'outils et d'instruments de torture offre un témoignage intéressant sur l'ancienne capitale du sucre et du commerce d'esclaves au 19ᵉ s.

En face du Palacio del Junco, la rue mène au fleuve San Juan. À gauche avant d'arriver au **pont Calixto García**, le petit **Museo de los Bomberos** *(℘ [45] 24 23 63 - lun.-sam. 9h-16h - gratuit)* occupe un beau bâtiment néoclassique. Dans cette caserne de pompiers toujours en activité sont exposés des costumes anciens, de vieilles photographies et des véhicules historiques de la lutte contre les incendies – que l'on peine quelque peu à distinguer du matériel qui reste utilisé aujourd'hui !

À proximité Carte de région, p. 126-127

Église Nuestra Señora de Monserrate

À 2 km au nord-ouest de Matanzas. Du Parque de la Libertad, prenez la calle 83 jusqu'à la calle 306 (ancienne calle Mujica). Tournez à droite et montez cette rue.
De l'église Nuestra Señora de Monserrate, bâtie au 19e s. par des Catalans, il ne subsiste que la façade. Le **point de vue★** panoramique sur la baie de Matanzas à l'est et la vallée de Yumurí au nord justifie largement l'ascension de la colline.

★ Cuevas (grottes) **de Bellamar** C

À 5 km au sud-est de Matanzas. De la Plaza de la Vigía, continuez la calle 272 dans le prolongement du pont Calixto García. À 800 m, tournez à droite devant le terminal de bus ; au carrefour suivant, à 200 m, un panneau indique Las Cuevas à gauche. ℘ (45) 25 35 38. Visites guidées ttes les h entre 9h30 et 11h30 et de 13h15 à 16h15 - 10 CUC - possibilité de restauration sur place.

Conseil – Évitez les visites avec plusieurs groupes, car les explications sont sommaires et les déplacements dans les galeries malaisés.

Les 3 km de long de ces grottes, découvertes par un esclave au milieu du 19e s., ont été partiellement aménagés pour la visite. Dans les différentes galeries, vous remarquerez le phénomène de cristallisation, d'une grande pureté (les « **lampes de cristal** » sont uniques au monde), et les formations calcaires, baptisées de noms évocateurs.

Un **musée** retrace la formation géologique de ces grottes, due à leur origine phréatique maritime, et leur utilisation comme habitat par les Indiens.

NOS ADRESSES À MATANZAS

INFORMATIONS UTILES

Banque/Change
Banco de Crédito – *Calle 85 (Medio) n° 28604 e/288 et 290.*
Cadeca – *Calle 85 (Medio) n° 28004 e/280 et 282. 8h30-20h (dim. 18h).*

Internet
Centre Etecsa – *calle 282, angle calle 83. 8h30-19h. Wifi accessible sur le Parque de la Libertad.*

Santé
Farmacia Central – *Angle calles 85 et 298 - 24h/24.*

Station-service Cupet
À la sortie est de la ville, vers Varadero.

ARRIVER/PARTIR

En bus
Terminal de Ómnibus Viazul –
À l'intersection des calles 171 et 272 (au sud del río San Juan, dans le prolongement du pont Calixto García, à env. 1 km du centre-ville. En taxi, comptez 2-3 CUC) - ℘ (45) 29 14 73 - www.viazul.com.
La compagnie dessert Matanzas 4 fois/j. sur sa liaison La Havane-Varadero. Comptez 55mn de trajet et 6 CUC pour Varadero, 2h15 et 7 CUC pour la Havane.

HÉBERGEMENT

Dans le centre-ville

Casas particulares

BUDGET MOYEN

Hostal Rey – *Calle 79 (Contreras) n° 29014 e/290 (Santa Teresa/ Parque de la Libertad) y 292 (Zaragoza) - ℘ (45) 29 42 84 - rey860920@nauta.cu -* 2 ch. 25 CUC. Voisine comme les précédentes de la place principale, cette maison coloniale

3

dégage moins de charme, mais elle possède son petit cachet. Derrière sa façade sans étage se succèdent plusieurs salons et un long patio. Les chambres se révèlent sans prétention, mais correctes pour une nuit.

Hostal Azul – *Calle 83 (Milanés) n° 29012 e/290 (Santa Teresa/ Parque de la Libertad) y 292 (Zaragoza)* - ✆ *(45) 24 24 49* - 🖥 ✕ - *3 ch. 25 CUC.* À deux pas du Parque de la Libertad, une maison coloniale du 19e s. Derrière l'immense porte en bois (5 m de haut !), la demeure, couronnée de belles charpentes, s'organise autour d'un patio. Un cadre intime sur lequel ouvrent les chambres, très grandes et très propres. L'accueil est charmant et l'on peut profiter du sympathique restaurant.

Hostal Alma – *Calle 83 n° 29008 e/290 (Santa Teresa/Parque de la Libertad) y 292 (Zaragoza)* - ✆ *(45) 29 08 57* - 🖥 ✕ - *3 ch. 25 CUC.* La maison est mitoyenne de la précédente, mais ici, on vit à l'étage : on découvre d'abord un grand salon colonial, avec chaises à bascule en rotin et superbes vitraux colorés. L'atout caché de la demeure est sa terrasse perchée, qui offre une vue extraordinaire sur la ville, ses toits de tuile et le Parque de la Libertad. Envoûtant à la nuit tombée…

▶ Hôtel

POUR SE FAIRE PLAISIR

🐷 **Hotel E Velasco** – *Parque de la Libertad (calle Contreras e/ Santa Teresa y Ayuntamiento)* - ✆ *(45) 25 38 80* - *www. hotelescubanacan.com* - 🖥 ✕ - *17 ch. 70 CUC* ☕ - *change.* Né en 1902 sur le Parque de la Libertad, rénové et rouvert récemment, cet hôtel évoque les *posadas* d'Espagne, ces « auberges » traditionnelles organisées autour

d'une cour entourée de galeries, desservant des chambres sans fenêtre et souvent bruyantes. C'est le cas ici, mais c'est le prix à payer d'un véritable voyage dans le temps ! D'autant que l'établissement arbore un superbe décor, tout en hautes colonnes, moulures colorées, beaux carreaux de ciment… Un cachet rétro que l'on retrouve dans les chambres, fort confortables (literie et aménagements de qualité).

RESTAURATION

🐷 **Bon à savoir** – La table de l'Hostal Azul (voir « Hébergement ») est ouverte à tous : une bonne option à moindre coût.

PREMIER PRIX

Le Fettuccine – *Calle Milanes 29018 e/Saragosa et Santa Teresa* - ✆ *(45) 12 25 53* - *13h-20h30, fermé jeu.* - *4/6 CUC.* Dans le hall d'une ancienne demeure bourgeoise passablement décatie, une micro-salle lotie de trois tables avec des tabourets. Spécialités de pâtes fraîches faites maison : fettuccine bien sûr, mais aussi farfalles, spaghettis, lasagnes et aussi pizza. Vraiment délicieux ! Dommage que le fromage cubain (importé d'Europe de l'Est) n'ait pas la saveur du gorgonzola italien.

BUDGET MOYEN

San Severino – *Parque de la Libertad (calle Santa Teresa e/Milanés y Contreras)* - ✆ *(45) 28 15 73* - *18h-22h* - *15/20 CUC.* Emplacement privilégié pour ce *paladar*, à l'étage d'une maison coloniale sur le Parque de la Libertad. On peut même dîner sur le petit balcon : face au spectacle de la place, romantisme assuré… Malheureusement, la cuisine est plutôt standard bien que correcte (porc ou poulet grillé au fromage, poisson en sauce).

Jardin Pelusin del Monte – *Calle Medio, e/Ayutamiento et Santa Teresa -* ☎ *536 88 171 - 11h-23h. - 10/17 CUC.* Ce bar restaurant occupe les jardins d'une salle de théâtre, un lieu sympathique débordant de plantes, peuplé d'oiseaux et d'un poulailler. La déco est amusante, le contenu de l'assiette se revèle plus banal, autour de la sempiternelle trilogie porc-agneau-poulet à la créole. On peut sinon se contenter d'y boire un verre en grignotant quelques tapas.

Hotel E Velasco – *Voir « Hébergement » - 12h-22h - 15/20 CUC.* Une jolie manière de profiter du décor si suggestif de l'hôtel historique de la ville : le restaurant prend ses aises dans sa nef intérieure, avec ses colonnes altières, ses boiseries rétro… Au menu : une cuisine créole et classique de qualité.

BOIRE UN VERRE

La Vigía – *Plaza de la Vigía -* ☎ *(45) 25 30 81 - 11h-23h.* C'est le grand lieu de rencontre de la ville, très animé et… bruyant, surtout le week-end. Pour se restaurer, grillades et pizzas à petit prix.

EN SOIRÉE

☺ **Bon à savoir** – Si la ville s'enorgueillit d'être le berceau du *danzón*, elle ne compte aucun lieu pour danser avec une programmation régulière. Renseignez-vous auprès des habitants pour connaître les éventuels concerts proposés.

Cabaret

Cabaret Tropicana – *Carretera a Varadero km 4,5 (bien indiqué sur la droite, à 8 km du centre-ville sur la vía Blanca, près de l'hôtel Canimao) -* ☎ *(45) 26 53 80 -*Spectacle vers 21h, durée 2h - Env. 50 CUC avec une boisson, réserv. dans les hôtels de la Havane et de Varadero ou au E Velasco.* Cette succursale du fameux Tropicana de La Havane, qui profite notamment de la clientèle touristique de Varadero, ne faillit pas à sa réputation de cabaret à la cubaine, avec son spectacle de jolies danseuses légèrement vêtues de paillettes et de plumes.

ACHATS

Ediciones Vigía – *Plaza de la Vigía, à l'angle de la calle 91 -* ☎ *(45) 26 09 17 - 8h30-16h, fermé dim.* Face au musée des pompiers, cet atelier d'édition vend des livres et carnets de notes ou à dessin et quelques gravures fabriqués à la main comme de vraies petites œuvres d'art, en exemplaires uniques ou à tirage limité. Il n'y a pas un choix immense, car les pièces sont longues à produire, mais c'est l'occasion de dénicher un souvenir original et pas cher (10 à 30 CUC).

ACTIVITÉS

Excursion

Unique excursion proposée dans le secteur : la remontée du río Canímar, navigable sur 12 km avant qu'il ne se jette dans la baie de Matanzas ; sur certaines portions, le fleuve se fraie un chemin entre des falaises de 90 m de hauteur *(renseignements auprès d'Infotur, voir « S'informer »).*

3

Varadero

★

Province de Matanzas

PENÍNSULA DE HICACOS plan I

Véritable enclave balnéaire, Varadero (littéralement « lieu d'échouage ») occupe la totalité de la péninsule d'Hicacos, du nom des arbustes qui recouvraient naguère la région. Cette étroite langue de terre, d'environ 500 m de large, semble s'étirer à l'infini entre le détroit de Floride et la baie de Cárdenas. Sur son littoral nord, jusqu'à la Punta de Morlas, s'étend une unique plage de sable fin longue de 20 km : voilà ce qui attire tant de voyageurs, près de 25 % du tourisme sur l'île !

Pour les amateurs d'eaux cristallines – et en particulier de nombreux Canadiens au cœur de l'hiver –, Varadero est en effet une destination idéale pour lézarder au soleil. La plupart sont pris en charge par les immenses domaines hôteliers qui s'égrènent au fil de la côte, royaumes du « tout inclus » aux accents de Floride. L'arrivée des groupes de touristes états-uniens a encore accéléré ce succès : sur l'extrémité de la péninsule encore sauvage, les hibiscus et les icaquiers cèdent chaque jour un peu plus aux mises en chantier de nouveaux établissements de luxe… La question se pose : Varadero a-t-elle encore quelque chose d'authentique à offrir ? Si vous aimez la plage, rien que la plage, la réponse est oui, pour un ou deux jours de farniente, d'autant que les chambres chez l'habitant offrent une sympathique alternative aux hôtels-clubs.

NOS ADRESSES PAGE 143
Hôtels, restaurants, shopping, activités, etc.

S'INFORMER

Infotur – Plan II, B1 - *Angle Ave. 1ra et calle 13* - ℘ *(45) 66 29 66/61* - *www.varadero.travel.com ou www. varaderoguide.net - lun.-ven. 8h30-17h30, sam. 8h30-15h.*
Toutes les infos sur les activités organisées par les prestataires officiels (dont Havanatur, Cubanacán et Cubatur, qui comptent de nombreux bureaux dans la ville et les hôtels).

SE REPÉRER

Carte de région D (p. 126-127) - Plan I, péninsule d'Hicacos (ci-dessus) - Plan II, Varadero (p. 142-143).

À NE PAS MANQUER

Profitez de la plage ; des bars et clubs musicaux en soirée.

AVEC LES ENFANTS

Le Delphinarium et ses spectacles, baignade à la Cueva del Saturno, sortie en catamaran pour du snorkeling à Cayo Blanco.

SE RESTAURER
Mansión Dupont de
Nemours (Xanadú)...........................❶

Excursions Plan I ci-dessus et plan II p. 142-143

Peu de choses à découvrir, à vrai dire, sur cette péninsule dont le véritable et unique trésor est sa longue plage de 20 km de long. Sable blanc, eaux éme-raude, quelques bouquets de cocotiers : le décor est idéal pour une journée… à ne rien faire. Si vous ne résidez pas dans un hôtel avec plage privée, sachez que la côte est difficilement accessible au nord de la péninsule (les complexes touristiques s'alignant les uns après les autres) : la meilleure option pour **aller à la plage** est de rester dans la station (Plan II). N'ayez crainte : l'immense bande de sable est rarement bondée, et quand elle est bordée par la dune, elle conserve presque des accents sauvages.

Conseil – Prévoyez une bonne protection contre le soleil : crème, chapeau mais aussi lunettes, car en milieu de journée, la lumière est éblouissante !

Le centre de Varadero Plan II

Comptez 1h à pied.

La ville de Varadero s'étend de la lagune de Paso Malo à la calle 69. Il est très facile de se repérer dans le centre grâce aux *avenidas*, parallèles à la plage, que croisent perpendiculairement les *calles*, numérotées de 1 à 69. La plupart des magasins et services destinés aux touristes sont concentrés sur l'artère princi-pale, l'**avenida Primera (1ra)**, mais les sites à visiter sont rares et la promenade n'a rien d'inoubliable. Si quelques vieilles demeures en bois ou grandes vil-las de pierre rappellent, çà et là, la richesse de leurs anciens propriétaires, les grandes avenues se distinguent surtout par leur architecture fonctionnelle. Entre les calles 56 et 59, le **Retiro Josone★** (Plan II, EF2) est l'ancien domaine d'un riche Cubain. Ce beau parc procure une pause agréable et tranquille après une journée de plage. On peut s'y restaurer ou faire un tour de barque sur le lac artificiel, sous le regard de flamants roses, tout aussi artificiels.

En face du Retiro Josone, suivez la calle 57 jusqu'en bordure de plage où une belle maison bleue en bois abrite le **Museo Municipal de Varadero** (Plan II, F1) (☎ [45] 61 31 89 - 10h-19h - 1 CUC). Des reproductions de peintures rupestres et des fragments d'ustensiles, provenant essentiellement de la Cueva de

Plages paradisiaques…
paradis artificiel ?

Varadero, fer de lance du tourisme de masse à Cuba, regroupe le tiers du parc hôtelier de l'île. Cette « zone verte », de la couleur des dollars qui l'arrosent maintenant depuis des décennies, est devenue une véritable enclave internationale : au cours de votre séjour, vous rencontrerez plus de Canadiens et d'Européens que de Cubains, dont l'accès à certaines plages et dans la plupart des établissements est limité. Tel est le résultat d'une politique étroitement pilotée par l'État, qui a tout mis en œuvre pour valoriser le potentiel de la péninsule et en faire l'une de ses sources principales de devises étrangères. Grands hôtels calibrés sur les normes internationales, large palette de loisirs nautiques, animations nocturnes sur mesure : tout ici est fait pour divertir les touristes, loin, très loin du quotidien véritable des Cubains.

Il y a encore peu de temps, les étrangers étaient la proie des *jineteras* (« écuyères »), euphémisme pour désigner notamment les prostituées à Cuba. Inquiet de l'ampleur du phénomène à Varadero, le gouvernement s'attelle dorénavant à démanteler tous les réseaux de prostitution. De nombreux policiers veillent donc à la tranquillité des touristes et, de manière générale, empêchent toute forme de commerce illégal. Le revers de la médaille de ces mesures sécuritaires est une **ambiance artificielle**, où seules quelques vieilles voitures américaines et notes de salsa viennent finalement rappeler que l'on est à Cuba, et pas ailleurs sur le globe. Les inconditionnels de séjours balnéaires se consoleront en se rappelant que partout dans le monde, rien ne ressemble plus à une plage paradisiaque… qu'une plage paradisiaque ; en revanche, les férus de visites culturelles et les voyageurs en quête d'authenticité n'y trouveront pas leur compte.

DE LA MINE AUX MILLIARDS

De la fin du 16e s. au milieu du 18e s., la péninsule se consacre essentiellement à l'exploitation des mines de sel de la région et à sa commercialisation. La fondation de la ville ne date que de la fin du 19e s., avec les premières constructions de villas. En 1915, le premier hôtel est inauguré, mais Varadero ne connaît sa véritable vocation touristique qu'au début des années 1930. **Irénée Du Pont de Nemours**, le célèbre industriel américain, réussit une opération immobilière extrêmement avantageuse en revendant à de riches familles de nombreuses parcelles de la péninsule d'Hicacos, acquises à très bas prix dans les années 1920. Il en conserve une sur laquelle il fait ériger sa luxueuse villa, qui est devenue un hôtel-restaurant. Les constructions de magnifiques demeures continuent à un rythme soutenu, jusqu'à la fin des années 1950. Une ligne aérienne directe entre Miami et Varadero permet alors aux touristes américains de rejoindre hôtels et casinos. Avec l'avènement de la révolution, les plages privées sont rendues aux Cubains. Aussi le développement international de Varadero marque-t-il un temps d'arrêt pour reprendre de plus belle au tournant des années 2000. Depuis la « période spéciale », cette enclave est devenue le symbole des devises salvatrices, nécessaires à la survie du pays. L'aéroport de Varadero, deuxième du pays, accueille des vols directs en provenance du Canada, du Mexique, de Miami ou de villes européennes. Les investisseurs étrangers s'implantent à un rythme frénétique sur la péninsule, dont les plages de sable blanc ont tout pour faire rêver sur les catalogues.

La longue plage de Varadero.
J. Fuste Raga/age fotostock

Ambrosio, retracent la vie des Indiens siboneyes avant l'arrivée des conquistadors. Quelques photographies montrent la ville au début du 20ᵉ s., avec ses célèbres régates sportives. Ce musée, semblable à bien d'autres, permet de voir l'intérieur de l'une des rares maisons anciennes de Varadero. Une ravissante terrasse donne sur la mer et un jardin planté d'*uvas caletas*.

Península de Hicacos Plan I

Comptez 1h en voiture sans les visites.

Le reste de la péninsule était quasiment inhabité jusqu'au début des années 1990, mais des complexes hôteliers de luxe gagnent peu à peu la pointe de Morlas, à l'extrémité orientale.

Prenez l'avenida de las Américas sur la droite au niveau de la calle 63. Continuez cette route pendant 4 km jusqu'à une maison juchée sur une colline.

La **Mansión Du Pont de Nemours★**, construite en 1927 pour le compte du milliardaire américain d'origine française, est également appelée **Xanadú**, d'après Kubla Khan, le poème de Coleridge qui orne l'un de ses murs : « En Xanadú, donc, Kubla Khan/Se fit édifier un fastueux palais… » Cette belle demeure, surplombant la mer du haut du rocher de San Bernardino, était au cœur d'un vaste domaine comprenant un aéroport privé, un golf, des jardins et une plage. Si la partie est de la propriété a été rachetée par des promoteurs pour y construire des hôtels, le reste a retrouvé son aspect d'origine, avec un superbe golf de 18 trous entre mer et lagune. Vous pouvez désormais séjourner dans ce décor unique à Varadero, y dîner ou simplement prendre un verre en terrasse pour profiter de la vue sur l'océan *(voir « Nos adresses »)*. La décoration intérieure, mêlant boiseries précieuses, marbre et objets d'art, dans la veine raffinée des Années folles, est aussi admirable que le cadre naturel. N'oubliez pas de jeter un coup d'œil à la cave du restaurant, l'une des plus riches de l'île.

Continuez l'autopista Sur pendant 5 km après la Mansión Du Pont de Nemours.

Le **Delfinarium** présente deux spectacles par jour *(autopista Sur km 12, ℰ [45] 66 80 31 - www.dolphinariumvaraderocuba.com - spectacles à 11h30*

3

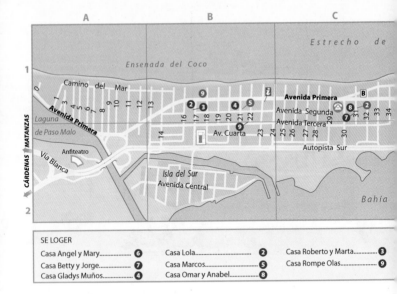

et 15h30 - 15 CUC, photo 5 CUC). Les visiteurs peuvent également nager avec les dauphins pendant une demi-heure dans la lagune *(à 9h30, 11h30, 14h30 et 16h - 89 CUC).* Toutefois, l'ambiance n'est pas terrible et les animaux pas très épanouis.

En continuant sur l'autopista Sur, après le Delfinarium, un panneau indique à gauche la **Cueva de Ambrosio** *(9h-16h30 - 5 CUC).* Cette grotte, découverte en 1961, abrite de très belles peintures rupestres de figures géométriques datant de l'époque précolombienne. Ce lieu aurait par la suite servi de refuge à des esclaves fugitifs.

À l'intersection suivante, vous entrez dans l'**Área Protegida Varahicacos**, une zone protégée (pour combien de temps encore ? Les hôtels gagnent du terrain…) où persistent la flore et la faune originales de la péninsule, autour d'une lagune. Trois sentiers d'interprétation de la nature permettent de la parcourir, en admirant au passage quelques petites grottes. Dans cet ultime bastion de vie sauvage sur la péninsule, vous pourrez voir un **cactus géant** vieux de 500 ans. *(9h-17h - 5 CUC pour chacun des sentiers, le plus long faisant 1 km pour 50mn de marche.)*

Cueva de Saturno Carte de région p. 126-127

22 km au sud-ouest de Varadero. Suivre la route vers la Havane, puis au km 116, prendre à gauche vers l'aéroport. Après 1 km, entrée à gauche - 9h-17h30 - 5 CUC. Halte populaire au programme des excursions des agences de Varadero (mieux vaut venir le matin ou en fin de journée pour éviter la foule), ce cénote vaut le coup d'œil. Il forme à la fois une caverne tapissée de belles stalactites et stalagmites et une piscine naturelle d'un bleu spectaculaire, dont les galeries descendent jusqu'à 22 m de profondeur. On plonge avec bonheur dans cette eau douce et fraîche. N'hésitez pas à apporter masque et tuba pour faire un peu d'apnée. Un snack-bar permet de se restaurer sur place.

VARADERO plan II

PENÍNSULA DE HICACOS, RESERVA ECOLÓGICA VARAHICACOS

SE RESTAURER		
Dante	⑪	La Vaca Rosada ... ⑤
El Criollo	⑨	Paladar Nonna Tina ... ①
La Casona del Arte	⑦	Salsa Suárez ... ②
		Varadero 60 ... ③

Hostal Durmiendo en las Olas (Casa Ernesto y Mary) .... ⑩

NOS ADRESSES À VARADERO

INFORMATIONS UTILES

Banque/Change
Nombreux distributeurs automatiques dans Varadero, accessibles aux cartes Visa ; pour les autres, retraits aux guichets.
Banco de Crédito y Comercio – Plan II, D1 - *Ave. 1ra e/35 et 36.*
Plaza América – Plan I - *Autopista km 11.*
Cadeca – Plan II, D1 - *Entresol du centre commercial Hicacos, ave. 1ra, entre calle 44 et 46 - 8h30-18h.* Plusieurs distributeurs à côté.

Poste
Correos – Plan II, F2 - *Calle 64 e/1ra et 2da.*

Internet
Etecsa – Plan II, C1 - *Angle calle 30 et ave. 1ra - 8h30-19h.* Vente de cartes téléphoniques et internet, postes ordinateurs pour surfer. Autre bureau dans le centre commercial Hicacos - Plan II, D1, *ave. 1ra, entre calle 44 et 46.* Des bornes Wifi sont accessibles en plusieurs lieux publics, comme le centre commercial Hicacos et le Parque Central Plan II, D1 et dans la plupart des lobys d'hôtels.

Santé
Clínica Internacional – Plan II, F2 - *Angle ave. 1ra et calle 60* - ☏ *(45) 66 77 11.* Pour les étrangers. Urgences, services spécialisés et consultations. On y trouve également une **pharmacie** ouverte 24h/24.

Assistance touristique
Asistur – Plan II, C1 - *Angle ave. 1ra et calle 30* - ☏ *(45) 66 72 77, numéros d'urgence* ☏ *(7) 866 85 27, 83 39 ou 89 20.* Le bureau local de cette agence représentant les compagnies d'assurances étrangères à Cuba, à contacter pour tout problème.

Stations-service
Nombreuses stations sur l'autopista qui dessert la péninsule.

3

ARRIVER/PARTIR

En voiture
Un **péage** de 2 CUC par véhicule est prélevé à l'entrée et à la sortie de la péninsule sur la vía Blanca (route de La Havane). Il est relativement aisé de **se garer** sur les avenues de la station, qui est sûre : vous pouvez laisser votre voiture sans surveillance, même la nuit.

En avion
Aeropuerto Internacional Juan Gualberto Gómez – *À 25 km de Varadero sur la vía Blanca en direction de Matanzas* - ℘ *(45) 24 70 15 - www.varadero-airport. com.* Nombreux vols charters en provenance du Canada mais aussi d'Europe. Bureau de change, distributeurs automatiques. Trajet entre l'aéroport et Varadero assuré par les navettes des hôtels, en taxi (env. 30 CUC). Les bus Viazul et Transtur s'y arrêtent sur leur trajet pour La Havane.
Cubana de Aviacion –Plan II, E1 - *Angle ave. 1ra et calle 55 -* ℘ *(45) 66 18 23.*

En bus
Terminal de Ómnibus Viazul – Plan II, D2 - *Angle calle 36 et autopista Sur* - ℘ *(45) 61 48 86 - www.viazul.com.* : 4 liaisons/j avec La Havane *via* Matanzas (à 8h, 12h, 14h et 18h, 3h de trajet, 10 CUC). 2 liaisons/j avec Trinidad *via* Santa Clara et Cienfuegos (à 7h25 et 14h30, 6h de trajet, 20 CUC). 1 liaison/j avec Santiago, via Santa Clara, Sancti Spiritus, Camagüey et Holguin (à 21h, 15h de trajet, 50 CUC)
Transtur – Au départ et à l'arrivée des grands hôtels, la compagnie effectue un AR/j entre La Havane et Varadero (env. 3h) avec un arrêt repas de 20mn. Tarifs identiques à ceux de Viazul. Réserv. en agence.

En taxi
Vous pouvez réserver un *colectivo* auprès de votre casa, qui viendra vous chercher à domicile. A peine plus cher que le bus et cela fait gagner du temps. En taxi privé, comptez env. 100 CUC le trajet entre Varadero et La Havane.

TRANSPORTS

⊛ **Bon à savoir** – Un véhicule est nécessaire pour parcourir la péninsule, dont les 20 km sont traversés par l'autopista Sur, reliant les grands complexes hôteliers. La ville de Varadero est elle-même relativement étendue (4,5 km de la calle 1ra à la calle 63), mais si vous êtes à pied, de nombreux coco-taxis sillonnent l'ave. 1ra : faites-vous préciser le tarif avant de monter (comptez 2/3 CUC pour une course).

En bus
Varadero Beach Tour – Ce bus touristique circule toute la journée le long de l'ave. 1ra (9h-20h, ttes les 20mn). Le ticket coûte 5 CUC/pers. : il est valable toute la journée pour un nombre de trajets illimité. Pratique pour se déplacer, peu intéressant pour profiter du panorama, la ville ne présentant aucun édifice d'intérêt.

En calèche
Des calèches destinées aux touristes sillonnent le centre de Varadero : selon la durée, comptez env. 10 CUC/pers. pour une balade à travers la station.

À scooter
S'il n'est pas possible de louer une voiture sans l'avoir réservée longtemps à l'avance, on trouve en revanche des deux-roues disponibles chez Cubacar. Comptez 25 CUC la journée.
Cubacar – Plan II, B1 - *Ave. 1ra, entre calle 21 et 22 -* ℘ *(45) 66 73 32.*

HÉBERGEMENT

🐾 **Bon à savoir** – Véritable Mecque du tourisme balnéaire cubain, Varadero est le royaume du « séjour tout inclus ». Pour une étape ou une nuit à l'improviste sur la péninsule, comptez sur les chambres d'hôte proposées en ville par les habitants ; une bonne option pour profiter des plages à moindre coût et en toute liberté !

◗ Casas particulares

BUDGET MOYEN

Casa Rompe Olas – Plan II, B1 - Calle 22 n° 204 e/ave. 2da et 3ra - ℘ (45) 61 35 88 - 🖥 ✖ - 4 ch. 35 CUC. Sur une rue calme, une agréable maison dont les chambres, sobres et bien tenues, s'organisent autour d'un jardinet très fleuri : un nid de fraîcheur appréciable après une journée sur la plage, située à 5mn à pied. Autres atouts : l'accueil, aux petits soins, et le petit-déjeuner, fort copieux.

Casa Roberto y Marta – Plan II, B1 - Calle 17 n° 102A, e/ave. 1ra et 2da - ℘ 52 38 92 56 - varr@ nauta.cu- 🖥 ✖ - 3 ch. 35 CUC. À 50 m de la plage, une pension coquette tenue par un couple de retraités accueillants. Patio, étages et couloirs sont égayés de plantes vertes, sculptures de flamants roses, canaris en cage et peintures murales des fonds marins. Les chambres, doubles et triples, dont une avec un petit salon (canapé, table, frigo), sont correctes mais un peu sombres. Mention spéciale pour les pancakes du petit-déjeuner !

😊 **Casa Lola** – Plan II, B1 - Ave. 1ra n° 1602, angle calle 17 - ℘ (45) 61 33 83 ou 52 74 79 39 - omarartemio@ nauta.cu- 🖥 ✖ - 3 ch. 40 CUC. Très bien placée à deux pas de la plage et de la mer turquoise, cette maison colorée ressemble à un véritable musée tant il y a d'œuvres accrochées au mur ! Les chambres sont belles et propres, équipées de réfrigérateur, avec des lits confortables. En bonus, des bancs en balançoire sur la terrasse et, pour le retour de la plage, une douche dans le petit jardin. Seul bémol, l'environnement est un peu bruyant : rue passante et discothèque proche, même si la musique s'arrête assez tôt.

Casa Betty y Jorge, – Plan II, C1 - Calle 31 n° 108A, e/ave. 1ra e 2da - ℘ (45) 61 25 53 - www. casadebettyandjorge.com - 🖥 - 2ch. 35/40 CUC. Dans une villa couleur vert bouteille dotée d'un joli jardinet à l'avant, des chambres très fonctionnelles, avec entrée indépendante, et une cour privée avec chaises longues où l'on peut se relaxer. Petits-déjeuners bons et copieux et excellent accueil des propriétaires.

Casa Omar y Anabel – Plan II, C1 - Calle 31 n° 104A, e/ave. 1ra et 2da - ℘ (45) 61 25 87 - sherlydayi@gmail. com - 🖥 ✖ - 1 ch. 30/35 CUC. Dans une jolie villa balnéaire des années 50, une chambre au calme, spacieuse et bien équipée, avec kitchenette et frigo, grande terrasse-solarium et douche extérieure pour le retour de plage. Omar, ancien professionnel de l'hôtellerie, parle bien anglais et concocte d'excellents dîners.

Casa Angel y Mary – Plan II, D1 - Calle 43 n° 4309 e/ave. 1ra e 2da - ℘ (45) 61 23 83 - www. casamaryyangel.com- 🖥 ✖ - 3 ch. 40 CUC. Maison au calme et à proximité de la plage, avec un garage et une grande terrasse. Chambres sobres et bien tenues, hôtes très attentifs. Wifi disponible.

Casa Marcos – Plan II, D1 - Ave. de la Playa n° 4004 e/40 et 41 (à l'étage) - ℘ (45) 61 32 96 - 🖥 - 3 ch.

3

40 CUC. Seule l'avenida de la Playa, étonnamment calme, sépare cette maison de la mer, dont on aperçoit les reflets azur à travers un bosquet de cocotiers. Les chambres se situent sur l'arrière : colorées, modernes et sympathiques, elles sont parfaites pour un séjour océanique. L'une d'elles dispose même d'une cuisine.

Casa Gladys Muños – Plan II, B1 - *Ave. 1ra n° 102A e/20 et 21* - ☎ *(45) 61 22 93* - 🖥 *- 4 ch. 35/40 CUC*. Une maisonnette sans prétention, en plein cœur de la station : si on y accède par l'avenue principale, elle se situe en réalité au fond d'une allée de boutiques qui la protège de l'animation et du bruit. Bien qu'un peu sombres, les chambres sont pratiques, et l'une d'elles est aménagée comme un petit appartement avec cuisine.

Hostal Durmiendo en las Olas (Casa Ernesto y Mary) – Plan II, D1 - *Ave. de la Playa e/43 et 44* - ☎ *(45) 61 23 63* - *www. durmiendoenlasolas.tk* - 🖥 ✕ - *2 ch. 35 CUC*. Une vraie maison de vacances, où l'on oublie que l'on est à Varadero : posée sur la dune, avec une terrasse les pieds dans le sable, la maison ne regarde que l'océan et ses ondes turquoise… Les chambres sont situées côté rue (pas de vue, donc), mais elles sont calmes et confortables. Accueil discret des hôtes.

▶ Hôtels

😊 **Bon à savoir** – Pour les hôtels-clubs de la péninsule, en formule tout-inclus, les tarifs les plus intéressants sont déclinés sur Internet par les grands voyagistes, qui proposent des séjours de 7 nuits, parfois à prix cassés en dernière minute. Parmi les plus chics : Royalton Hicacos, Iberostar, Melia, Paradisus, Riu, Barceló…

RESTAURATION

Clientèle oblige, la cuisine internationale est à l'honneur. Varadero regorge d'adresses touristiques, plutôt chères par rapport à la moyenne cubaine. Quelques petits *paladares* tirent cependant leur épingle du jeu.

BUDGET MOYEN

El Criollo – Plan II, B1 - *1ra av., angle calle 18. et Playa* - ☎ *(45) 61 47 94* - *12h-23h* - *10/15 CUC*. Sous une grande paillote bien aérée, une table de cuisine cubaine simple et honnête. Filet de poisson, crevettes à l'ail, filet mignon, langouste, *ropa vieja*, etc. Rien d'original mais portions copieuses et savoureuses.

Paladar Nonna Tina – Plan II, D1 - *Calle 38 e/1ra et Playa* - ☎ *(45) 61 24 50* - *www.paladar-nonnatina.it* - *tlj sf lun. 12h-23h* - *10/20 CUC*. Un bel endroit ouvert sur l'extérieur, avec une terrasse sous un arbre où chantent les oiseaux – on oublie la circulation de l'avenue voisine… Comme son nom l'indique (*nonna*, signifiant « grand-mère » en italien), la cuisine de la Botte est ici à l'honneur : pizzas, pâtes (pesto, carbonara), tiramisu… C'est digne d'une vraie *nonna* !

Dante – Plan II, E1 - *Parque Retiro Josone (ave. 1ra e/56 et 59)* - ☎ *(45) 66 77 38* - *12h-22h* - *10/20 CUC*. Cadre bucolique pour ce restaurant italien, installé dans un pavillon bordant le lac du joli parc Retiro Josone. Romantisme assuré en terrasse. Parmi les spécialités, poulet à la napolitaine et… plats de pâtes !

😊 **La Vaca Rosada** – Plan II, B1 - *Calle 21 n°102 e/1ra et 2da* - ☎ *52 90 83 00* - *18h-23h* - *15/20 CUC*. En terrasse à l'étage d'une maison, un endroit bien agréable pour dîner. Plats bien préparés (pizza, fajitas, steack de bœuf uruguayen, petits poivrons rouges à la béchamel), service avenant, bonne ambiance. L'adresse accueille autant des touristes que des Cubains.

La Casona del Arte – Plan II, E1 - *Calle 47 e/1ra et Playa* - ☎ *(45) 61 22 37 -12h-22h30 - 12/20 CUC.* À l'étage d'une charmante casa bleue, un restaurant aux murs ornés de nombreux tableaux. Assiettes bien présentées. Parrillada de viandes grillées, pâtes fraîches, fajitas de poulet, filets de poisson, paella. Service attentionné et prix raisonnables.

☺ **Salsa Suárez** – Plan II, C1 - *Calle 31 n° 103 e/1ra et 3ra* - ☎ *(45) 61 41 94 - tlj sf mar. 12h-23h - 15/25 CUC.* Un petit endroit soigné, sympathique et nullement clinquant. Préférez la terrasse ombragée à la salle, très (trop ?) climatisée. C'est peu courant à Cuba : la carte (pâtes fraîches maison, spécialités de poisson et fruits de mer) change tous les 15 jours ! Un gage de qualité.

POUR SE FAIRE PLAISIR

Varadero 60 – Plan II, F2 - *Angle calle 60 et ave. 3ra* - ☎ *(45) 61 39 86 - tlj sf lun. 13h-23h30 - 20/30 CUC.* Cette adresse sort du lot aussi bien pour son cadre que sa cuisine et son service ! Sa grande terrasse verdoyante se révèle intime le soir venu, et toute l'équipe se montre aux petits soins pour les clients. Le menu n'est pas en reste, associant recettes créoles et registre international (langouste farcie, tournedos de porc, etc.).

UNE FOLIE

Mansión Dupont de Nemours (Xanadú) – (Plan I) - *Km 8,5* - ☎ *(45) 66 84 82 - www. varaderogolfclub.com - 25/50 CUC.* Dans cette superbe propriété héritée des années 1920, le charme intact des Années folles perdure : boiseries anciennes, objets d'art, atmosphère

confidentielle… et superbe terrasse surplombant la mer. On y déguste une cuisine française soignée, mise en valeur par l'une des meilleures cartes de vins de Cuba. La villa propose aussi 8 chambres luxueuses au mobilier d'époque (264 CUC en demi-pension).

BOIRE UN VERRE

El Mirador – *Dans la Mansión Dupont de Nemours (voir « Restauration »).* Il occupe le dernier étage de la demeure. Dans un cadre élégant avec boiseries et piano à queue, on profite d'une vue splendide sur l'océan en sirotant un bon cocktail. Un must.

ACHATS

Cigares

Le réseau de vente officiel Casa del Habano dispose de deux boutiques dans la station. La première se situe à l'*angle de l'avenida 1ra et de la calle 39* (plan II, D1) (☎ *[45] 61 47 19 - 9h-21h*) et la seconde à l'*angle de l'avenida 1ra et de la calle 63* (plan II, F2) (☎ *[45] 66 78 43 - 9h-21h*).

Rhum

Havana Club – Plan II, F2 - *Angle ave. 1ra et calle 64* - ☎ *(45) 66 83 93 - 9h-21h.* Le représentant de la célèbre marque cubaine. La boutique abrite également un bar.

Artisanat

En vous promenant, vous croiserez de nombreuses échoppes proposant bijoux fantaisie, sculptures de papier mâché et autres vêtements de qualité variable.

Taller y Galería de Cerámica Artística – Plan II, F1 - *Angle ave. 1ra et calle 60 - boutique 9h-19h, atelier lun.-vend. 9h-17h.* Boutique à gauche, atelier juste à

3

droite : c'est la production maison qui s'expose et s'achète. Les œuvres sont signées par différents artistes cubains et on trouve aussi des petites pièces en guise de souvenirs.

EN SOIRÉE

La vie nocturne se concentre majoritairement autour des piscines des grands hôtels (la plupart proposant des shows chaque soir), les boîtes de nuit des établissements prenant ensuite le relais – renseignez-vous pour connaître les plus courues du moment. Dans la station, l'animation se concentre sur l'ave. 1ra, entre les calle 60 et 62 (Plan II, F1), avec les shows très rock du bar musical **The Beatles**, qui donne des concerts devant les passants, et les spectacles proposés en plein air par **Calle 62**.

Musique cubaine, salsa
Casa de la Música – Plan II, D1 - *Ave. Playa e/42 et 43 - ℘ (45) 66 89 18 - mar.-sam. 22h30-3h - à partir de 10 CUC selon l'affiche.* Cet ancien cinéma reconverti en salle de concert met à l'honneur la musique cubaine et la salsa. Chaude ambiance en fin de semaine !

La Comparsita – Plan II, F1 - *Angle calle 60 et ave. 1ra - ℘ (45) 66 89 74 - tlj sf lun.-mar. 22h30-3h - 10 CUC.* Ce petit cabaret en plein air offre une bonne programmation de musique traditionnelle. Un endroit authentique où touristes et Cubains se mêlent joyeusement.

Cabaret
Les spectacles les plus renommés sont ceux de La Cueva del Pirata (Autopista Sur, km 11) et du **Tropicana de Matanzas** *(voir p. 137)*. Il est préférable de réserver auprès de son hôtel.

Discothèque
Havana Club – *Angle calle 62 et ave. 1ra - ℘ (45) 66 83 93 - 9h-21h.* Dans l'hôtel Palma Beach, LA boîte pour faire la fête et danser sur des rythmes qui n'ont pas grand-chose de cubain.

ACTIVITÉS

Activités nautiques
C'est l'offre majeure de la station. Prévoyez un budget confortable. Au titre des activités principales, la **plongée** (les meilleurs spots sont situés à plus d'1h de transport de Varadero…), le **kitesurf**, le **windsurf**, ainsi que le **jet ski** et les **sorties en mer** en catamaran à but de promenade ou de pêche. Proposée par la plupart des hôtels et des agences, l'excursion à la journée à Cayo Blanco (75 CUC) inclut une baignade avec les dauphins et un peu de snorkeling.
Diving Center Barracuda (Plan II, F1) - *Angle ave. 1ra et calle 59 - ℘ (45) 61 34 81 - 8h-19h.* Le club de plongée le plus important de la péninsule.
Caribbean Riders Kite School – Plan II, E1 - *angle av. Playa et calle 53 - ℘ 59 04 48 75 - ww.varaderokiteschool.com.* cours de kitesurf et location de matériel.

Golf
Varadero Golf Club – *Mansión Dupont de Nemours - ℘ (45) 66 77 88/50 ou 66 84 82 - www.varaderogolfclub.com.* L'un des très rares terrains cubains. Parcours de 9 ou 18 trous avec vue sur la mer.

Parachute
Centro Internacional de Paracaidismo – Plan II, A1-2 - *En face de la Marina Dársena, à l'entrée de Varadero - ℘ (45) 61 12 20 - skydivingvaradero.com.* Une petite folie (comptez env. 180 CUC pour un baptême). La base propose également des vols en ULM.

De nombreuses calèches circulent dans les rues de Cárdenas.
B. Bachmann/World Pictures/age fotostock

Cárdenas

Province de Matanzas - Env. 149 000 hab.

Loin, très loin de Varadero… et pourtant juste en face de la péninsule d'Hicacos ! À moins de 15 km à vol d'oiseau des grands hôtels internationaux, la modernité ne semble pas avoir atteint Cárdenas, typique de ces villes moyennes cubaines dont le quotidien est surtout tissé de difficultés. En arrivant de la grande station balnéaire voisine, le contraste peut être brutal. Aux entrées de la ville fourmillent, faute de transports décents, une nuée de piétons foulant la poussière, de carrioles à cheval bringuebalantes et de bicyclettes rafistolées. Puis c'est le spectacle des rues bordées de petites maisons à arcades très délabrées et d'échoppes qui semblent bien vides. On découvre une cité d'un autre âge, le témoignage vivant, étonnamment vivant, d'une autre réalité cubaine… dans laquelle on peut s'immerger le temps d'une courte pause sur sa route, car ici, les touristes ne font jamais que passer.

◎ SE REPÉRER
Carte de région D (p. 126-127).

◷ ORGANISER SON TEMPS
Comptez 1h pour visiter la ville. La compagnie de bus Viazul marque l'arrêt à Cardenás sur sa liaison Varadero-Santiago de Cuba, mais tôt le matin et tard le soir. La meilleure option pour visiter la ville demeure donc un véhicule individuel ou un taxi au départ de Varadero.

Se promener Carte de région, p. 126-127

Cárdenas possède le quadrillage de rues le plus parfait de Cuba et une numérotation très logique. L'avenida Céspedes, l'artère centrale de la ville, constitue le point de départ de la numérotation des *avenidas* parallèles, impaires vers

La statue de Christophe Colomb dans le Parque Colón.
E. Stranner/imageBROKER/age fotostock

l'ouest et paires vers l'est : l'adresse précise en général si l'avenue se trouve à l'est *(Este)* ou à l'ouest *(Oeste)* de l'avenida Céspedes. Les rues perpendiculaires sont des *calles* numérotées de 1 à 29, à partir du port. Cependant, les habitants désignent encore les rues par d'anciens noms, absents des plaques et des plans de la ville. Il faut donc s'armer de patience pour trouver son chemin.

Le centre de Cárdenas

Le paisible **Parque Colón**, la place centrale de la ville, délimitée par les calles 8 et 9, est traversé du nord au sud par l'avenida Céspedes. Au centre, une **statue de Christophe Colomb** le représente pointant du doigt l'Amérique sur le globe terrestre reposant à ses pieds. Ce bronze datant de 1862 serait la plus ancienne statue du navigateur en Amérique latine.

Juste derrière s'élève la **cathédrale de la Inmaculada Concepción** édifiée en 1846 *(pas d'horaires fixes)*.

Malgré leur manque d'entretien, les édifices néoclassiques qui encadrent la place laissent deviner leur splendeur passée. À gauche de la cathédrale, on peut voir l'**hôtel Dominica** où fut hissé pour la première fois le drapeau cubain. Classé Monument national, l'établissement porte une plaque où est évoqué l'épisode du débarquement des troupes de Narciso López en 1850.

QUELQUES HEURES SOUS OCCUPATION AMÉRICAINE

Cárdenas est établie en 1820 sur une zone marécageuse et connaît un rapide essor économique grâce à « l'or blanc » (le sucre) et aux plantations de café. Le 19 mai 1850, à peine trois décennies après la date de sa fondation, elle voit débarquer 600 hommes en provenance de La Nouvelle-Orléans. Cette invasion menée par **Narciso López**, un Vénézuélien anticolonialiste, devait permettre l'annexion de Cuba par les États-Unis. Les habitants de Cárdenas aidés par l'armée espagnole mettent un terme aux quelques heures d'occupation de leur ville. À cette occasion, le drapeau national est hissé pour la première fois au sommet de l'hôtel Dominica.

LE DRAPEAU CUBAIN

Le drapeau national fut créé en 1849 par l'écrivain **Miguel Teurbe Tolón** (1820-1857). Trois bandes bleues, figurant les anciennes provinces d'Occident, de Las Villas et d'Oriente, barrent horizontalement un fond blanc dont la couleur évoque la paix. Du bord gauche du drapeau part un triangle équilatéral rouge sang dont chaque côté représente la devise « Liberté, Égalité, Fraternité ». Au centre du triangle se détache une étoile blanche à cinq branches, symbole de la liberté.

Prenez l'avenida Céspedes en laissant la cathédrale sur la droite. Au bout de trois cuadras, *tournez à gauche dans la calle 12 (Verdugo).*

À l'angle de Verdugo et de l'avenida 4, sur le Parque Echevarría, le **Museo Municipal Oscar María de Rojas** (☎ [45] 52 24 17 - 10h-18h, dim. 9h-12h - 5 CUC) occupe l'ancienne mairie datant de 1862. Ce musée, fondé en 1900, est l'un des plus anciens de l'île. Il renferme une collection hétéroclite d'armes, de pièces de monnaie et de vestiges archéologiques de l'époque des Indiens taïnos. Des vitrines présentent de nombreux spécimens de coquillages colorés, de papillons ainsi que de minéraux. La plus belle pièce du musée est un imposant **carrosse funéraire★** du 19e s., utilisé pour les enterrements jusque dans les années 1950.

En face sur l'avenida 4, la **Casa Natal de José Antonio Echevarría** (☎ [45] 52 41 45 - mar.-sam. 10h-18h, dim. 9h-13h - 2 CUC) porte le nom du leader estudiantin assassiné le 13 mars 1957 pour son opposition au régime de Batista. Sa maison natale abrite un **Museo de Historia**, consacré essentiellement aux guerres d'indépendance et à la révolution de 1958.

Enfin, à l'opposé du parque Echevarría sur l'avenida 6 (entre les calles 11 et 12) se dresse le **Museo de la Batalla de Ideas** (☎ [45] 52 10 56 - www. museobatalladeideas.cult.cu - mar.-sam. 9h-17h, dim. 9h-12h - 2 CUC), qui évoque la lutte contre l'impérialisme américain, autour de la figure du garçonnet Elián González, originaire de Cardenás, dont l'histoire défraya la chronique en 1999 *(voir encadré p. 355)*.

Revenez sur vos pas par la calle 12, traversez l'avenida Céspedes et continuez sur trois cuadras *jusqu'à l'angle de l'avenida 3.*

Au centre de la **Plaza Malakoff** se dresse un **marché couvert**. Cette structure de deux étages, coiffée d'un dôme métallique, offre un exemple d'architecture surprenant dans cette petite ville, mais les rares étals disséminés dans ce vaste espace soulignent surtout un aspect désolé…

3

⊙ NOS ADRESSES À CÁRDENAS

RESTAURATION

BUDGET MOYEN

Don Ramon – *Ave. 4 (Jenez) n°564 -* ☎ *(45) 52 21 69 - 12h-22h - 18/15 CUC.* Restaurant cubain traditionnel et authentique, offrant une petite salle climatisée aux tables dressées de nappes blanches. Bons petits plats.

BOIRE UN VERRE

Studio 55 – *Coronel Verdugo n°111, e/Vives et Jenez -* ☎ *(45) 52 21 72 - 12h-2minuit -* Le patio arboré de ce bar-au décor branché invite à siroter un jus de fruits, une bière ou un cocktail. À la carte, sandwichs, tapas et burgers à grignoter. Wifi disponible.

Le Centre 4

Dans une rue de Trinidad.
elmvilla/iStock

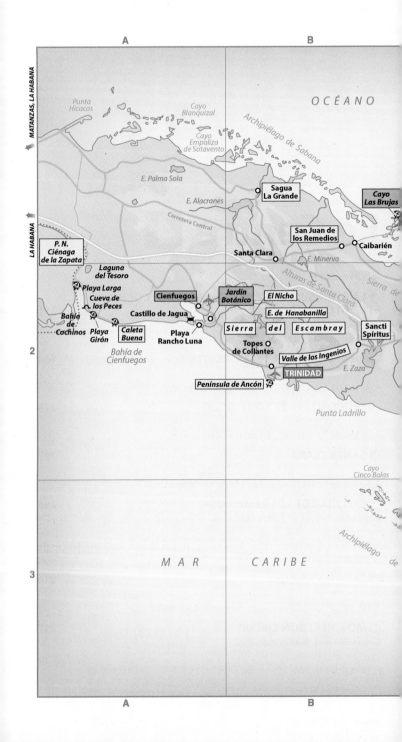

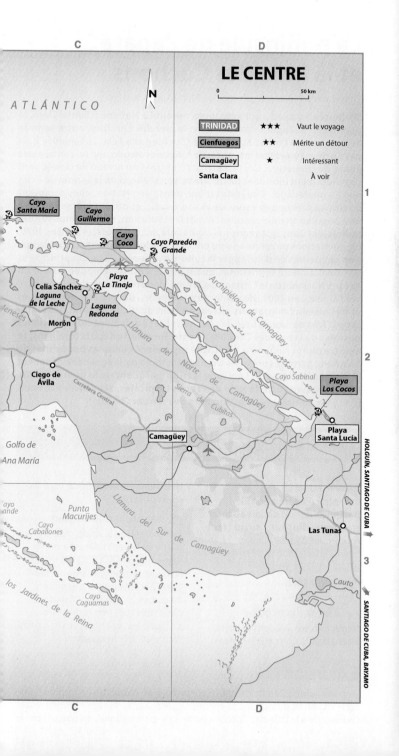

La péninsule de Zapata et la baie des Cochons

Côte méridionale de la province de Matanzas - 3 300 km²

Délimitée au nord par l'autoroute reliant La Havane à Santa Clara, la péninsule de Zapata s'avance dans la mer des Caraïbes, entre le golfe de Batabanó à l'ouest et la baie de Cienfuegos à l'est. La fameuse baie des Cochons y dessine une encoche longue et étroite, qui lui confère une allure de chaussure. Ces terres plates, situées au niveau de la mer, sont régulièrement inondées jusqu'à la saison sèche, d'où leur nom de « ciénaga » (marécage). Couvertes d'une dense végétation, elles comptent quelques précieuses zones de mangroves… et offrent même refuge à une population de crocodiles! Avant la révolution, seuls les moustiques pullulaient dans cette zone inhospitalière, mais depuis les années 1970, les plantations de canne à sucre ont été étendues, et des travaux d'irrigation ont permis de développer la culture d'agrumes, l'une des principales de l'île. L'activité touristique, quant à elle, s'est développée autour du Parque Nacional de la Ciénaga de Zapata, déclaré Réserve de la biosphère par l'Unesco en 2001 : de nombreux échassiers, des espèces endémiques et des oiseaux migrateurs élisent en effet domicile au cœur des marécages. Très nature, la baie des Cochons l'est également : loin des cartes postales de la mer des Caraïbes, la côte, formée de dépôts coralliens, se montre plutôt rugueuse. Elle cache cependant quelques beaux sites de baignade parmi les poissons tropicaux… tout en plongeant évidemment le visiteur au cœur de l'épisode le plus marquant de la guerre froide. Dévoilant une autre facette des zones tropicales, sauvage voire âpre, la région mérite une incursion hors des sentiers battus !

😎 NOS ADRESSES PAGE 161
Hôtels, restaurants, shopping, activités, etc.

🚹 S'INFORMER

Comptoir d'information **El Barquito**, *dans la station-essence et cafetería Oro Negro, au km 141 de l'autoroute, à Jagüey Grande, juste avant l'intersection vers Playa Larga.* 📞 *(45) 91 32 24. 8h-20h.*

◐ SE REPÉRER

Carte de région A2 (p. 154-155).

🐠 À NE PAS MANQUER

Nager avec les poissons à Caleta Buena ou à la Cueva de los Peces.

Une plongée bouteille sur l'un des spots de la baie.

🕐 ORGANISER SON TEMPS

Évitez la saison humide, quand une partie de la péninsule est inondée. Attention, d'avril à juillet, la route littorale entre Playa Larga et Playa Girón est envahie par des milliers de crabes (*cangrejos*) qui migrent des marécages vers la plage pour s'accoupler. Les crevaisons de pneus sont alors très fréquentes !

Excursion Carte de région, p. 154-155

La péninsule de Zapata demeure, sur la majeure partie de son territoire, une zone inhabitée, où les voies de communication sont rares : seule la route reliant l'autoroute à la baie des Cochons traverse le parc national, en passant par le

La laguna del Tesoro dans la péninsule de Zapata.
Therin-Weise/Arco Images/age fotostock

complexe touristique de La Boca, d'où un embarcadère permet de découvrir la Laguna del Tesoro, l'un des rares sites aisément accessibles. À l'ouest, la zone protégée est uniquement desservie par un chemin au départ de Playa Larga.
⊙ **Conseil** – Munissez-vous d'une lotion antimoustiques.

★ PARQUE NACIONAL DE LA CIÉNAGA DE ZAPATA A1-2

De La Havane, prenez l'autoroute en direction de Santa Clara. Au km 140, à Jagüey Grande, tournez à droite vers Central Australia.
L'entrée du parc national est située à 6 km au sud de l'autoroute. Avant de l'atteindre, quelques curiosités ponctuent le chemin : 1 km après la sortie de la voie rapide, la **Finca Fiesta Campesina** *(9h-17h - parking 1 CUC)*, petite ferme touristique, plaît en général aux enfants qui peuvent y admirer quelques animaux et un jardin d'orchidées. Le bar-restaurant propose du *guarapo*, le fameux jus de canne à sucre, à découvrir ! Un peu plus loin sur la route, la sucrerie du village de **Central Australia** ne présente pas grand intérêt et, pourtant, l'endroit est célèbre à Cuba. L'usine servit en effet de quartier général à Fidel Castro lors de l'invasion de la baie des Cochons. En mémoire de cet épisode historique, on y a ouvert un petit **Museo de la Comandancia** *(mar.-sam. 9h-17h, dim. 9h-12h - 1 CUC)*. Les restes d'un avion ennemi abattu par les troupes de Fidel sont exposés à l'extérieur du bâtiment.
De Central Australia, continuez vers le sud sur 18 km. Sur la gauche s'ouvre le complexe touristique de La Boca, où se trouve l'embarcadère pour la Laguna del Tesoro.

Laguna del Tesoro A2
Parking 1 CUC - excursions en canot à moteur (1h) 9h-15h30 - 12 CUC/pers.
Cette lagune tirerait son nom d'une légende, selon laquelle les Indiens taïnos, poursuivis par les conquistadors espagnols, y auraient jeté des sacs remplis d'or… demeurés introuvables à ce jour. Ses 9 km² d'eau douce n'en constituent pas moins un véritable trésor naturel regorgeant de truites, de carpes, de perches et de *manjuarís*, des poissons fossiles à tête de crocodile. Sur ses

berges s'épanouissent quelques zones de palétuviers, formant les mangroves caractéristiques des régions tropicales. Impossible de découvrir la lagune – ni même de la voir – sans faire l'excursion en canot à moteur. La balade commence par la remontée d'un long **canal** bordé de roseaux et de palétuviers, à l'issue duquel seulement s'ouvre l'immense plan d'eau. Moteurs à pleine puissance, on rejoint en quelques minutes **Guamá**, une série d'îlots reliés par des ponts de bois. Une partie accueille la reconstitution d'un **village taïno**, but de l'excursion : composé de *bohíos* (huttes) et d'un *caney*, le bungalow réservé au chef de tribu, il relate la vie des premiers habitants de Cuba à travers une série de **sculptures**, signées par l'artiste Rita Longa (1912-2000), montrant les Indiens dans leurs tâches quotidiennes. Une troupe de Cubains en costume exécutent également quelques pas de danse pour les touristes. Si vous n'êtes pas intéressé, vous pouvez vous échapper du groupe pour admirer la lagune et ses nombreux oiseaux. Un hôtel aux bungalows inspirés des huttes taïnos occupe l'autre partie du site (*fermé pour rénovation lors de notre dernier passage*). L'embarcadère de **La Boca** regroupe aussi des boutiques de souvenirs, un atelier de céramique et un restaurant (*voir « Restauration »*), où l'on peut déguster de la viande de crocodile ! Un centre d'élevage est en effet installé ici depuis le début des années 1960 : la **Crocodile Breeding Farm** ou **Granja de los Cocodrilo**s (*de l'autre côté de la route par rapport à l'embarcadère - ℰ [45] 91 56 66 - 9h-17h - 5 CUC*) a pour vocation la reproduction et la préservation de l'espèce, avec un important programme de réintroduction dans la réserve, mais aussi de production de viande. Regroupés par tailles et par âges dans différents étangs, plusieurs centaines de reptiles se dorent au soleil dans l'attente d'être nourris. Malgré l'odeur qui s'en dégage, cette ferme mérite une visite. Attention, l'accueil des touristes n'étant pas prioritaire, le site est régulièrement fermé. Vous pouvez également visiter le **Criadero de Cocodrilos** (*à côté de l'embarcadère - ℰ [45] 91 56 62 - 9h30-17h - 5 CUC*), ferme touristique accueillant de nombreux groupes : le spectacle des crocodiles, à l'air incroyablement vicieux, rencontre toujours un vif succès.

Les sites d'observation d'oiseaux

🐊 **Bon à savoir** – Pour accéder à la réserve protégée de la Ciénaga de Zapata, les seules sentiers praticables partent de Playa Larga, à 12 km au sud de La Boca. Il faut être accompagné d'un guide local : adressez-vous au bureau du parc national **Ecocienzap**, à l'entrée de Playa Larga (*voir « activités », p. 163*). À 30 km à l'ouest, les passionnés d'ornithologie pourront se rendre à **Santo Tomás**, un excellent observatoire d'oiseaux. Parmi les espèces de la région, certaines sont spécifiques à la péninsule, tels le pic *carpintero jabado*, la *fermina*, la perruche (également présente dans l'île de la Jeunesse) et le moineau de Zapata. On peut aussi y voir dans toute l'île le *zunzuncito*, l'oiseau-mouche. *Un autre chemin part de Playa Larga et longe l'ouest de la baie sur 10 km.*
On arrive à une lagune d'eau salée, **La Salina**, réputée pour ses nombreux flamants roses, ses diverses espèces d'échassiers et d'oiseaux migrateurs.

Circuit conseillé Carte de région, p. 154-155

BAIE DES COCHONS (Bahía de Cochinos) A2

La baie se longe par l'est : 33 km entre Playa Larga et Playa Girón, et 8 km supplémentaires jusqu'à Caleta Buena.
De longues lignes droites fendant une dense végétation côtière, de nombreux mémoriaux jalonnant les bas-côtés en hommage aux soldats morts lors de la

La baie des Cochons, la guerre froide au plus chaud

Les Indiens qui avaient élu domicile dans cette péninsule chaude et humide appartenaient à la famille des Taïnos, peuple d'agriculteurs décimé par les conquistadors. Le village de Guamá, sur la Laguna del Tesoro, tient d'ailleurs son nom du célèbre chef de tribu qui combattit vaillamment les Espagnols au début du 16e s.

La région de Zapata, délaissée pendant plusieurs siècles, servait de repaire aux pirates qui écumaient la mer des Caraïbes. Au 19e s., ses habitants se consacraient essentiellement à la production de charbon végétal, tiré de la tourbe abondante dans les marécages et transporté grâce aux canaux qui en parcourent les vastes étendues.

Dès son accession au pouvoir, Fidel Castro s'intéresse de près à cette zone vierge dépeuplée qu'il décide de sortir du sous-développement. La connaissance qu'il acquiert de cette région, jusque dans ses moindres recoins, sera considérée comme salutaire lors de l'épisode de la baie des Cochons. Pendant la campagne d'alphabétisation menée au début des années 1960, des écoles et de nombreux dispensaires sont installés dans la péninsule, puis Playa Girón et Playa Larga sont choisis pour accueillir des complexes touristiques.

UNE VICTOIRE SYMBOLIQUE : LA BAIE DES COCHONS

Au lendemain de la révolution, les relations diplomatiques avec les États-Unis se détériorent rapidement. À partir du 18 octobre 1960, date de l'instauration de l'embargo économique, les deux pays se livrent à une escalade d'actions militaires qui atteint son paroxysme avec l'épisode de la baie des Cochons.

Le 15 avril 1961, le bombardement de trois bases aériennes cubaines par les Américains fait sept morts et une cinquantaine de blessés. Dès le lendemain, Castro proclame, pour la première fois, le caractère socialiste de la révolution cubaine.

Le 17 avril, une brigade de 1 400 exilés cubains, entraînés par la CIA au Nicaragua et au Guatemala, tente de débarquer sous escorte américaine sur les plages « bleue » (Playa Girón) et « rouge » (Playa Larga) dans la baie des Cochons. Deux des cargos participant à l'opération sont aussitôt coulés par sept avions cubains, l'unique force aérienne de Castro, et les autres navires doivent prendre la fuite. Deux jours après le débarquement, plus de 20 000 castristes sont présents dans la péninsule pour repousser l'assaut des *contras*. Castro dirige les combats depuis une sucrerie de Central Australia, à 30 km au nord du théâtre des opérations. En l'absence du renfort américain promis par le président Kennedy, les mercenaires sont contraints de reconnaître leur défaite.

Le 20 avril, trois jours après le débarquement, le conflit cesse, et les 1 183 survivants de l'attaque sont faits prisonniers. Ils seront par la suite échangés contre des tracteurs et des médicaments, denrées devenues rares à Cuba.

Cette zone du débarquement conserve une forte charge symbolique : ses routes sont jalonnées de nombreux mémoriaux en l'honneur des combattants et, çà et là, de grandes affiches rappellent l'échec de cette invasion considérée comme une première victoire sur l'impérialisme des États-Unis en Amérique latine.

célèbre invasion ratée de 1961… Même sous un soleil riant, la baie des Cochons offre un visage austère. Dans le prolongement de la péninsule de Zapata, ses rives dévoilent un paysage sauvage, encore rétif à la main de l'homme… Pourtant, derrière la dureté du paysage, se dévoilent quelques bijoux : des plages aux fonds marins superbes, dont on peut profiter avec masque et tuba.

Playa Larga A2

En fond de baie, c'est la première plage que l'on rencontre en arrivant de La Boca. Elle fut l'un des principaux théâtres du débarquement des troupes anticastristes en avril 1961. Le village attenant de Caletón (*sur la droite en arrivant face à la baie*) est sans conteste le meilleur endroit de la région pour passer la nuit. Une dizaine de *casas particulares* ont planté leur terrasse sur la plage qui se déploie à l'est (*prendre sur la gauche et se garer dans le premier parking*). Quelques cocotiers, de beaux raisiniers qui dispensent une ombre salutaire, du sable blanc… la pause est agréable et l'endroit se révèle agréablement animé à la tombée du jour.

De Playa Larga, reprenez la route principale en direction de Playa Girón. Longez la côte sur 15 km jusqu'à la Cueva de los Peces.

Cueva de los Peces A2

9h-17h. Bar-restaurant et centre de plongée sur place.

Cette grotte est assidûment fréquentée par les amateurs de plongée. Une trouée dans la végétation côtière ouvre sur la mer des Caraïbes, où une échelle permet de descendre pour nager au milieu des poissons tropicaux fourmillant autour de nombreuses patates de corail. Néanmoins, la principale curiosité se trouve de l'autre côté de la route où, au milieu des raisiniers et autres palmiers, la « grotte aux Poissons » forme une belle piscine naturelle aux eaux claires. Surprise : ses entrailles, profondes de 70 m, sont reliées à la mer par des galeries souterraines ; c'est pourquoi elle offre un refuge à une foule de poissons multicolores ! Les clubs de plongée y viennent régulièrement, mais vous pouvez vous contenter de louer un masque et un tuba sur place.

Reprenez la route côtière sur une quinzaine de kilomètres jusqu'à Playa Girón.

Un autre agréable spot de baignade, avec restaurant et club de plongée, **Punta Perdiz**, est accessible 6 km après la Cueva de los Peces.

Playa Girón A2

Playa Girón tient son nom du pirate français Gilberto Girón qui y avait sa base d'où, à l'instar de François l'Olonnais et Jacques de Sores, il écumait les côtes et pillait les Espagnols. Il fut tué et décapité en 1604 par un esclave noir lors d'une embuscade, événement relaté dans le poème épique *Espejo de paciencia* (1608), considéré comme la première œuvre littéraire cubaine.

Quant à la *playa* elle-même, on peine à la trouver et pour cause, elle est devancée par un grand hôtel des années 1970 au style soviétique, dont une partie du terrain est laissée à l'abandon. Autre désagrément : face à l'établissement, la barrière de corail a été surélevée d'une immense digue afin de casser les vagues. C'est un mur de béton face au sable blanc ! Seule solution : contourner l'hôtel par l'est (*au carrefour menant à Cienfuegos et à Caleta Buena, prenez à droite et suivez ce chemin sur 500 m*) afin de rejoindre la **Playa Los Cocos**, plus séduisante avec son bouquet de cocotiers et ses barques de pêcheurs. En passant par la station balnéaire, faites une halte au **Museo Girón** (*[45] 98 41 22 - 9h-17h - 3 CUC*). Une salle y est consacrée au développement de la péninsule depuis la révolution, avec notamment de nombreuses photos sur la campagne d'alphabétisation. La seconde partie du musée relate le débarquement de la baie des Cochons, des préparatifs au déroulement des combats.

À l'extérieur sont exposés des chars, un B-26 de l'armée cubaine, ainsi que les restes d'un moteur d'avion cubain.

À la sortie de la station, reprenez la route côtière sur 8 km jusqu'à Caleta Buena.

★ Caleta Buena A2

L'entrée du site est payante de 10h à 17h : forfait de 15 CUC/pers. comprenant location d'un transat, déjeuner au restaurant et boissons au bar.

Cette ravissante crique, isolée de tout, donne l'occasion d'un véritable tête-à-tête avec la mer des Caraïbes. Il faut y venir pour la journée afin d'en profiter pleinement : le site a été aménagé avec simplicité, avec un petit restaurant (on y propose une sympathique cuisine créole), un bar sous une paillote et quelques transats éparpillés sur le rivage. Pas de plage à proprement parler, mais des récifs coralliens (évitez de marcher pieds nus) surplombant des eaux émeraude. De petites échelles permettent de descendre se baigner parmi une multitude de poissons tropicaux ; sur l'arrière, une piscine naturelle évoque même un véritable aquarium ! On peut louer sur place masque et tuba. Quiétude absolue en milieu de semaine, mais pas le week-end.

La route côtière devient impraticable après Caleta Buena : pour rejoindre Cienfuegos, revenez à Playa Girón et prenez à droite la route qui pénètre à l'intérieur des terres en direction du nord-est, jusqu'à Yaguaramas. Puis rejoignez, à droite, la carretera Central qui mène à Cienfuegos via Rodas

☺ NOS ADRESSES DANS LA PÉNINSULE

INFORMATIONS UTILES

Au carrefour à l'entrée du village de Playa Larga, près de la grande antenne, vous trouverez une **Banco de Credito** avec un distributeur automatique, une **Cadeca** (*lun.-ven. 8h-15h30, sam. 8h-11h*) pour le change, et un bureau **Etecsa** (*lun.-sam. 9h-16h*) pour les cartes de téléphone et Internet. Wifi accessible sur la place principale de Playa Larga.

ARRIVER/PARTIR

En bus

Les bus de la compagnie **Viazul** (*www.viazul.com*) marquent un arrêt 2/j. à Playa Larga et à Playa Girón sur leur trajet dans les deux sens entre La Havane et Trinidad (*trajet de 3h pour les deux villes, 13 CUC*). Ils font aussi halte à Cienfuegos (*2h de trajet, 7 CUC*).

En taxi collectif ou privé

Pour un trajet La Havane-Playa Larga ou Playa Giron, comptez 25 CUC/pers. en *colectivo*, et 110-120 CUC pour un véhicule privé.

TRANSPORT

Une navette touristique assure 2/j. la desserte des sites de la péninsule (Playa Giron, Caleta Buena, Cueva de Lo Peces, Playa Larga et Boca de Guama) pour 3 CUC. Rens. au ℰ *(45) 98 72 12.*

HÉBERGEMENT

La plupart des voyageurs préfèrent loger dans les maisons particulières en bord de mer à Playa Larga plutôt qu'à Playa Giron, où les pensions s'étalent le long d'une route sans grand charme, loin de la plage.

À Playa Larga

▶ Casas particulares

Elles se trouvent dans le village de Caletón, qui borde à l'ouest Playa Larga.

PREMIER PRIX

Casa Eneida – *Calle 1ra n° 203 -* ℰ *(45) 98 72 32 -* ▦ ✕ *- 3 ch.*

35 CUC. Une grande maison verte au milieu de la rue principale. L'accueil des propriétaires apporte une heureuse chaleur. Les chambres, sobres et impeccables, jouissent d'une entrée indépendante. L'une donne même sur une petite crique, pas très jolie certes, mais bercée par le bruit des vagues.

Casa Franck – *Calle 3ra n°8 e/2da et 4ta -* ☏ *(45) 98 71 89 - www. casafrankcuba.com-* 🍴 *- 3 ch. 25 CUC.* Dans le village, la grande maison vert pistache dispose de chambres avenantes donnant sur la terrasse à l'étage, elle-même équipée d'un jacuzzi, d'un bar et de chaises longues.

Casa de Yeni – *Calle Caletón -* ☏ *(45) 98 73 85 - www. casadeyeniplayalarga.com-* 🍴 *- 3 ch. 30 CUC.* Une maison familiale à l'âme chaleureuse. Chambres confortables et claires, cuisine copieuse et délicieuse.

Casa Mesa – *Caletón, sur la plage -* ☏ *(45) 98 73 07 -* 🍴 *- 4 ch. 30 CUC.* Des statues de naïades et de dauphins vous accueillent à l'entrée de cette coquette maison tenue par la souriante Maurette. Terrasse les pieds dans le sable avec accès direct à la plage.

Casa Kiki – *Caletón, sur la plage -* ☏ *(45) 98 74 04 - www.hostalkiki. com-* 🍴 *- 3 ch. 35/40 CUC.* Voisine de la précédente, cette grande maison accueillante, au bord de la plage, possède à l'étage une superbe chambre avec balcon face à la mer. Les 2 chambres du bas ne sont pas très grandes mais agréables. Bonne cuisine familiale.

POUR SE FAIRE PLAISIR

B & B El Varadero – *Caletón, sur la plage -* ☏ *(45) 98 74 85 - www. bbelvaradero.com -* 🍴 *- 3 ch. 40/50 CUC.* Posée un peu à l'écart des autres, sur la pointe rocheuse qui borde la plage, cette maison propre et bien équipée offre ses chambres et ses transats en terrasse face à la mer. Les propriétaires, fins cuisiniers, proposent également un petit chalet privé sur la plage.

À Playa Girón

Casas particulares

BUDGET MOYEN

Hostal El Castillito – *À l'angle des routes pour Caleta Buena et Cienfuegos -* ☏ *(45) 98 44 69 - www.elcastillitogiron.com -* 🍴 *- 3 ch. 35 CUC.* L'une des meilleures *casas* du village. Les chambres, tenues avec soin, ouvrent sur le jardin (avec accès indépendant). On peut prendre ses repas sous une sympathique paillote : la maîtresse de maison a un vrai talent de cuisinière.

RESTAURATION

Bon à savoir – Plusieurs tables opèrent en soirée sur la plage de Playa Larga, mais vous pouvez aussi bien préférer dîner au calme dans votre *casa.*

Dans le Parque Nacional

PREMIER PRIX

El Caneto – *Dans la Finca Campesina -* ☏ *52 92 19 21 - 9h-15h - 5/10 CUC.* Tables et bancs en plein air, dans un cadre agréable, mais hélas souvent envahi par les groupes. Sandwichs, plats ou formule buffet (10 CUC).

BUDGET MOYEN

El Colibri – *Dans le complexe touristique de La Boca, à côté de l'embarcadère -* ☏ *(45) 91 56 62 - 9h30-17h - 10/15 CUC.* Ce bungalow à toit de palmes, fréquenté par de nombreux groupes, propose une cuisine créole honorable. C'est ici qu'il faut manger si vous voulez goûter au crocodile grillé (15 CUC) !

LA PÉNINSULE DE ZAPATA ET LA BAIE DES COCHONS

À Playa Larga

BUDGET MOYEN

Don Alexis – *À Palpite, 4 km avant Playa Larga en venant de La Boca, sur la gauche, près du grand panneau -* ✆ *53 66 09 28 - 11h30-17h, dîner sur réserv. - 10/15 CUC.* Il bouge, parle, chante, virevolte et cuisine… le chaleureux et loquace Don Alexis assure le spectacle. Sa cuisine au barbecue (poisson, langouste, crevettes ou viandes) accompagnée de riz et salade, est à la fois simple et succulente. Des musiciens jouent des airs du Buena Vista Social Club dans la salle en plein air, tandis que des chiens montent la garde sur le toit. En partant, apposez vous aussi votre signature sur les murs.

Chuchi el Pescador – *à la sortie du village vers Playa Giron, avant le parking, à droite -* ✆ *(45) 98 73 36 - 12h-22h - 12/20 CUC.* Un sympathique *paladar* à la salle bien aérée propose des plats copieux à des prix raisonnables. Poulpe, langouste, poisson grillé, crabe et crevettes, mais aussi porc ou poulet. C'est frais et bon.

Entre Playa Larga et Playa Girón

BUDGET MOYEN

Cueva de los Peces – *À 15 km de Playa Larga vers Girón - 12h-16h30 - 10/15 CUC.* L'option la plus sympathique pour un déjeuner sur la côte : au milieu de la végétation, près du cénote, cette paillote propose grillades de poissons et crustacés, crocodile, porc ou poulet. Plébiscité par les plongeurs présents sur le site !

Caleta Buena – *À 8 km à l'est de Playa Girón sur la route côtière - 9h-18h - 15 CUC avec transat pour la journée et boissons.* Sur la jolie crique de Caleta Buena, cette paillote propose les incontournables de la cuisine cubaine (grillades et *arroz moro*).

Le déjeuner est compris dans l'entrée sur le site, et on peut profiter des transats et du bar : dans un cadre superbe, cette journée a un goût de paradis !

ACTIVITÉS

Excursions

Ecocienzap – *À l'entrée de Playa Larga, à droite.* ✆ *(45) 98 72 49 - 8h-16h.* Le bureau du parc propose trois balades guidées d'une durée de 2h à 3h, chacune au prix de 15 CUC/pers. La première autour de la lagune et des mangroves de Las Salinas, la seconde pour observer les oiseaux endémiques du parc et la troisième à la découverte des cavernes et cénotes du littoral. Il faut avoir son propre véhicule ou un taxi pour les déplacements. Départ à 8h, réserv. la veille.

Plongée

Playa Larga et la baie des Cochons sont connues pour être un paradis pour les plongeurs. La barrière de corail, près du rivage, y est facilement accessible (mise à l'eau depuis la plage) et les eaux sont le plus souvent cristallines.

Octopus Club – *À Playa Larga, en bord de plage, à la sortie du village en direction de Playa Giron -* ✆ *52 81 50 85.* Le club organise des plongées dans la mer et les grottes immergées de la baie *(25 CUC la plongée en mer, 40 CUC plongée en caverne, 30 CUC la plongée nitrox, 10 CUC la sortie snorkeling).* Il dispose d'un bus qui vient chercher les clients à leur *casa* et dessert les sites de plongée de la côte.

Vous pouvez aussi contacter le moniteur de plongée Osnedis de la **Casa del Buzo**, ✆ *(45) 98 73 96 ou 53 69 74 75,* qui organise des sorties.

4

Cienfuegos

Chef-lieu de la province de Cienfuegos - 3ᵉ port de l'île - 150 736 hab.

Quelques chiens s'ébattant au pied d'un palais Belle Époque, une ribambelle d'enfants jouant au ballon face à la mer, des couples éna-mourés flânant sous les arbres du Paseo del Prado, de nombreuses « abuelas » (grands-mères) prenant le frais assises sur le seuil de leurs maisons… et une nuée de vélos-taxis et de calèches créant un incessant ballet dans les rues. Ainsi va la vie à Cienfuegos, belle ville provinciale coulant des jours heureux au bord de son immense baie – quasiment une mer intérieure simplement reliée à la mer des Caraïbes par un étroit goulet. C'est une cité pleine d'allure que l'on découvre, préservant, de son Malecón à sa place centrale (le Parque José Martí), un patrimoine architectural exemplaire de la fin du 19ᵉ s. et du début du 20ᵉ s. Inspiré par l'urbanisme parisien – version colorisée ! –, cet ensemble aujourd'hui classé par l'Unesco a contribué au joli surnom de la ville : la « perle du Sud ». Élégance, douceur de vivre, omniprésence de la mer et sédui-sante vie nocturne : Cienfuegos s'impose pour une charmante pause de quelques jours !

😊 NOS ADRESSES PAGE 172
Hôtels, restaurants, shopping, activités, etc.

🛈 S'INFORMER

Infotur – *Ave. 56 e/33 et 35* Plan de la ville, B1 - *ou calle 37 e/18* Plan de la ville B3 - *𝒫 (43) 51 46 53 - www. infotur.cu ou www.cienfuegoscity. org - lun.-sam. 9h-18h*. Il centralise toutes les informations sur la ville et les excursions dans la Sierra del Escambray, proposées notamment par les agences d'État **Cubanacán** (calle 37, 1208 e/12 e 14), **Havanatur** (ave. 54 e/29 et 31) et **Cubatur** (𝒫 [43] 55 12 42 - calle 37 e/54 et 56).

▷ SE REPÉRER

Carte de région A2 (p. 154-155) - Plan de la ville (ci-contre).

👁 À NE PAS MANQUER

Flânez sur le Parque José Martí, le Paseo del Prado et à Punta Gorda.
Une excursion aux cascades d'El Nicho.

🕐 ORGANISER SON TEMPS

Comptez 1 jour sur place.

Se promener Plan de la ville, ci-contre

Comptez une petite journée de flânerie.

Il est très facile de se repérer dans Cienfuegos grâce au quadrillage régulier des rues. Les artères est-ouest sont des *avenidas* portant des numéros pairs, et les voies perpendiculaires des *calles* dont les numéros impairs vont crois-sant depuis la baie. Le Parque José Martí marque le cœur historique, d'où part l'artère commerçante de la cité, l'avenida 54, surnommée **« bulevar »** sur sa portion piétonne jusqu'à la calle 37. Cette longue calle 37 constitue la promenade principale de la ville : appelée **Paseo del Prado** au niveau du centre historique, où elle est bordée d'arbres et de bancs, elle prend le nom de **Malecón** en longeant la mer, avant de rejoindre le quartier chic de Punta

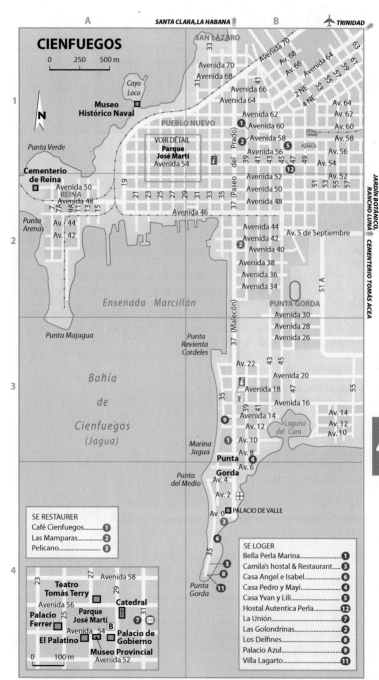

CIENFUEGOS

0   250   500 m

SANTA CLARA, LA HABANA
TRINIDAD

SAN LÁZARO

Avenida 70
Av. 68
Av. 66
Avenida 64
63
61
59

Avenida 70
Avenida 68
Avenida 66
Avenida 64
Avenida 62
Av. 64
Av. 62
Av. 60
Av. 58
Av. 56
Av. 54

PUEBLO NUEVO

Cayo Loco

Museo Histórico Naval

Punta Verde

VOIR DÉTAIL
Parque José Martí
Avenida 54

Avenida 60
Avenida 58
Avenida 56
Avenida 52
Avenida 50
Avenida 48

Cementerio de Reina

Avenida 50
Avenida 48
REINA

Punta Arenas

Av. 44
Av. 42

Avenida 46

Avenida 44
Avenida 42
Avenida 40
Avenida 38
Avenida 36
Avenida 34

Av. 5 de Septiembre

JARDÍN BOTÁNICO, RANCHO LUNA
CEMENTERIO TOMÁS ACEA

Ensenada Marcillán

PUNTA GORDA
Avenida 30
Avenida 28
Avenida 26

Punta Majagua

Punta Revienta Cordeles

Av. 22
Avenida 20
Avenida 18
Avenida 16
Avenida 14
Av. 12

Bahía
de
Cienfuegos
(Jagua)

37 (Malecón)

Laguna del Cura

Av. 14
Av. 12
Av. 10

Marina Jagua

Av. 10
Av. 8
Punta Gorda
Av. 6
Av. 4
Av. 2
Av. 0

Punta del Medio

PALACIO DE VALLE

Punta Gorda

SE RESTAURER
Café Cienfuegos...............❶
Las Mamparas.................❷
Pelicano.........................❸

SE LOGER
Bella Perla Marina...........................❶
Camila's hostal & Restaurant.....❸
Casa Angel e Isabel........................❻
Casa Pedro y Mayi..........................❹
Casa Yvan y Lili..............................❺
Hostal Autentica Perla..................⓯
La Unión...❼
Las Golondrinas.............................❷
Los Delfines...................................❽
Palacio Azul...................................❾
Villa Lagarto..................................⓫

Avenida 58
Teatro Tomás Terry
Avenida 56
Palacio Ferrer
Parque José Martí
El Palatino
Avenida 54
Catedral
Palacio de Gobierno
Museo Provincial
Avenida 52

0   100 m

Cienfuegos, la « perle du Sud »

À mi-chemin entre les plaines marécageuses de Zapata et le massif de l'Escambray, la ville de Cienfuegos s'étire sur une péninsule à l'abri de l'une des plus grandes baies du pays. Les navires doivent se faufiler entre deux langues de terre, véritables pinces de crabe, se refermant sur cette mini-mer intérieure de 90 km².

UNE BAIE PRISÉE, UNE FONDATION TARDIVE

La baie de Jagua fut pendant longtemps victime de nombreuses incursions de pirates, basés en Jamaïque et sur l'ancienne île des Pins. Dès 1745, le Castillo de Nuestra Señora de los Angeles de Jagua est érigé à l'entrée du chenal pour protéger la région contre leurs assauts, sans cesse renouvelés. Le port ne sera construit que 74 ans plus tard, avec l'arrivée du Français **Louis de Clouet**, accompagné d'une quarantaine de familles originaires de Bordeaux et de La Nouvelle-Orléans. Des noms de villages voisins tels « Perché » ou « Catorce de Julio » (14 juillet) évoquent encore l'arrivée de ces Français, contraints de quitter la Louisiane au lendemain de sa cession par la France aux États-Unis (1803).

En avril 1819, ces colons fondent la ville Fernandina de Jagua, en hommage au roi espagnol Ferdinand VII. Dix ans plus tard, elle est rebaptisée Cienfuegos, du nom de don José Cienfuegos, gouverneur espagnol alors en poste. Celui-ci avait incité les familles françaises à s'installer dans cette région à forte densité africaine afin de rétablir la proportion de Blancs. Avec leur arrivée, la ville connaît une discrimination raciale relativement sévère, obligeant notamment les populations noire et blanche à emprunter des trottoirs différents sur le Prado, l'artère principale de la ville…

UNE CAPITALE PROVINCIALE

Cienfuegos connaît un développement fulgurant, dû aux succès économiques des colons français, en particulier dans le négoce du sucre : dès les années 1860, elle devient la troisième ville du pays ! Inspirés par le néoclassicisme parisien alors en vogue, les notables édifient à un rythme rapide de superbes bâtiments publics. Frontons, colonnes, dômes : la ville acquiert une grande homogénéité architecturale, typique d'une petite capitale provinciale de la fin du 19e s. La Belle Époque apportera aussi son lot de bâtisses aussi raffinées que fantaisistes, mêlant les inspirations coloniales, baroques, Art nouveau voire mauresques. Au lendemain de la révolution, Cienfuegos se transforme en une importante zone industrielle grâce à l'aide soviétique. Avec le redécoupage de la carte administrative du pays en 1976, le port devient le chef-lieu de la province de Cienfuegos. Plusieurs sucreries à haut rendement ainsi que des minoteries sont mises en place. La ville se dote également d'un important chantier naval et de la plus grande cimenterie de l'île en 1980. La seule centrale nucléaire du pays est implantée à Cienfuegos mais, depuis la chute du bloc socialiste, les travaux d'achèvement ont été suspendus. Aujourd'hui, malgré la crise, la cité affiche l'image d'une certaine prospérité, fruit de sa riche histoire et d'un potentiel touristique évident, d'autant plus important depuis son classement au « patrimoine mondial » par l'Unesco en 2005.

Gorda, tout au sud. Les nobles édifices sont légion au fil des rues, marquées par cette animation teintée de langueur tropicale, si particulière aux villes de province.

★★ PARQUE JOSÉ MARTÍ A-B1 et zoom

Au cœur de Pueblo Nuevo, le centre historique, cette place aux proportions majestueuses offre un paysage urbain quasi intact du tournant des 19e et 20e s. Avec ses amusants alignements de chaises en métal vissées au sol, ses massifs bien taillés, ses bancs rarement vides et les augustes bâtiments qui l'entourent, l'esplanade paraît un véritable théâtre, où il se passe quelque chose à toute heure du jour et de la nuit. Si vous avez de la chance, vous verrez peut-être l'orchestre municipal prendre place sous la *glorieta* (kiosque à musique) et entraîner les habitants au son de ses rythmes afro-cubains.

Plusieurs monuments commémorent l'histoire cubaine. À l'entrée de la place, derrière deux lions de marbre, une **rosace** dessinée sur le sol marque les limites de la ville à l'époque de sa fondation en 1819. Les allées qui parcourent le square convergent toutes vers le centre, où est érigée une **statue de José Martí**, le héros national. Dans l'alignement de cette statue, à l'extrémité ouest, un **arc de triomphe** commémore l'indépendance de l'île en 1902.

Palacio de Gobierno

Le haut dôme couleur brique du siège du Poder Popular Provincial (assemblée provinciale), visible de loin, constitue un repère familier dans la ville. Ce bâtiment, le plus imposant de la place, est aussi le plus récent. Inauguré en 1950, il respecte toutefois parfaitement le style néoclassique avec ses hautes colonnes, ses pilastres et ses balustres. Certains éléments trahissent cependant son époque de construction, telles ces triples rainures blanches qui rehaussent les pilatres, d'inspiration Art déco.

Cathédrale de la Purísima Concepción

7h-12h - entrée libre.

Édifiée en 1869, elle domine le côté est du square. Flanqué de deux tours asymétriques, cet édifice typique des colonies espagnoles est orné de **vitraux** importés de France en 1870, représentant les douze apôtres. Le bâtiment est également réputé pour son bel **autel★** surmonté de colonnes corinthiennes. L'ensemble du sanctuaire est d'une grande sobriété.

★★ Teatro Tomás Terry

℘ (43) 51 33 61 - 9h-18h - 5 CUC.

À droite en sortant de la cathédrale, après l'imposant fronton néoclassique du Colegio San Lorenzo (1927), se dresse ce théâtre, baptisé du nom d'un magnat du sucre d'origine vénézuélienne. L'édifice, construit en 1889, complète la trilogie des célèbres théâtres provinciaux avec le Jacinto Milanés de Pinar del Río et le Teatro Sauto de Matanzas. Décorée de mosaïques d'or, sa belle façade trahit une inspiration italienne. La salle est restée intacte, avec ses rangées de sièges en bois pouvant accueillir 950 spectateurs. Les balcons sont d'une élégante sobriété et une très belle **fresque★** orne le plafond. La scène accueillit notamment le ténor italien Enrico Caruso.

★ Palacio Ferrer

℘ (43) 55 16 31 - tlj sf dim. 10h-17h30 - 2 CUC.

Impossible de ne pas remarquer sa ravissante tourelle vernissée dans l'angle sud-ouest de la place ! Cet édifice Art nouveau, peint de bleu tendre, résume toute la liberté architecturale d'une époque. Notez la délicatesse des détails :

les modénatures blanches qui rehaussent le dessin de la façade, les fines colonnes qui encadrent les balcons, jusqu'aux menuiseries des fenêtres qui s'arrondissent pour accentuer l'élévation générale. Le palais porte le nom de son propriétaire, un riche Catalan qui s'installa à Cienfuegos à la fin du 19e s. Il abrite la Maison de la culture Benjamin Duarte, fréquentée par de nombreux jeunes (cours de danse, de peinture, etc.).

À l'angle de l'avenida 54 et de la calle 27, **El Palatino** (voir « Cafés, bars musicaux ») occupe l'une des plus anciennes maisons de la ville, construite en 1842. Depuis le début du 20e s., cette belle demeure à arcades a successivement abrité un café-restaurant, une pâtisserie et un bar.

Peu après, de l'autre côté de la calle 27 se trouve le **Museo Provincial** (℘ [43] 51 97 22 - tlj sf dim. 10h-17h30 - 2 CUC). Il occupe l'ancien casino espagnol, où se réunissaient les membres du club Jesús Menéndez, fondé à la fin du 19e s. Les salles retracent l'histoire de la ville à travers sa culture éclectique : musique, littérature, théâtre et mobilier. Plusieurs intérieurs anciens, joliment reconstitués, méritent un coup d'œil. Les arts plastiques, notamment contemporains, font l'objet d'expositions temporaires.

À L'OUEST DU PARQUE JOSÉ MARTÍ

Quittez le Parque José Martí par l'avenida 54 ou 56 en direction de la baie.

À peine quittés les fastes de la place principale, c'est un authentique quartier populaire qui reprend ses droits jusqu'à Reina. Les scènes de rue ne manquent pas, surtout en fin de journée, entre jeux d'enfants, séances de coiffure sur le pas des portes et autres conversations animées entre voisins.

À l'angle de la calle 21 et de l'avenida 60, le **Museo Histórico Naval** (A1) (℘ [43] 51 66 17 - mar.-sam. 9h-17h, dim. 9h-13h - 2 CUC) est consacré à l'histoire de la navigation, y compris la marine de guerre de Cuba. Une place spéciale est faite au soulèvement des marins de la base navale, le 5 septembre 1957, contre le régime de Batista.

Redescendez la calle 21 jusqu'à l'avenida 48, et suivez-la vers la droite jusqu'au dépôt de bus, puis prenez le chemin de terre sur la droite (15mn à pied).

Le charmant petit **cimetière de Reina** (A2) (8h-17h - entrée libre) fut fondé en 1836. Au milieu d'un fouillis de pierres tombales, où reposent de nombreux Français, une statue en marbre de jeune femme attire l'attention. Selon la légende, la Bella Durmiente (Belle endormie) serait morte d'un chagrin d'amour à l'âge de 24 ans.

★ PUNTA GORDA B3-4

Jadis quartier chic de Cienfuegos, Punta Gorda s'étire sur une longue péninsule, au sud du centre historique : cernée par la mer, elle constitue depuis l'origine une zone de villégiature privilégiée. Le Malecón, un peu désolé par endroits, reste cependant bordé de riches villas, vestiges de la présence américaine sous Batista, à l'image du somptueux édifice de l'ancien **Yacht-Club**, dont les deux tours blanc et vert se hissent entre la baie et les avenues 10 et 12 (voir « Restauration, Café Cienfuegos »). À l'extrémité de la calle 37, on repère également sans mal l'imposante structure de béton de l'**hôtel Jagua**, ancien casino construit dans les années 1950.

Juste derrière, au milieu des arbres, une demeure à l'architecture surprenante apparaît comme par enchantement. Le **Palacio de Valle**★ (10h-22h - 2 CUC avec boisson, gratuit après 17h) réalise une étonnante combinaison de styles

roman, gothique et baroque avec une nette prédominance mauresque. Ce palais, comme sorti des *Mille et une nuits*, porte le nom du riche Cubain qui le fit édifier au début du 20ᵉ s. L'intérieur abrite un bar et l'on peut monter sur le toit-terrasse pour admirer la **vue★** dégagée sur l'extrémité de Punta Gorda.

Enfin, la calle 35 rejoint l'extrémité de la péninsule en longeant la mer. La rue n'est pas sans évoquer La Nouvelle-Orléans : elle conserve en effet un superbe alignement de **villas en bois★★**, construites par les colons de Louisiane. Les balcons ressemblent à de la dentelle délicatement ouvragée, et si les façades arborent des tons vert pistache, jaune moutarde ou rose framboise, leurs auvents caractéristiques distillent élégance et discrétion.

La calle 35 se termine par un agréable petit **square**. Dans la journée, quelques baigneurs se retrouvent au bar ou au bord de l'eau ; le soir, on y joue aux dominos. Venez y prendre un rafraîchissement, tout en admirant l'immense baie de Cienfuegos, et n'hésitez pas à profiter des concerts en plein air du dimanche *(voir « Bars, cafés musicaux »)*.

Circuits conseillés Carte de région, p. 154-155

LA CARRETERA DE RANCHO LUNA A2

◐ *Circuit de 45 km - Comptez une demi-journée avec les visites. Pour quitter Cienfuegos, prenez l'avenida del 5 de Septiembre en direction de La Milpa.*

À 2 km du centre-ville, sur l'avenida 5 de Septiembre, une réplique du Parthénon d'Athènes marque l'entrée du **cimetière Tomás Acea**. Cette vaste nécropole, construite au début du 20ᵉ s., abrite notamment un monument en hommage aux victimes du 5 septembre 1957.

Après le cimetière, effectuez 7 km jusqu'à un pont et, 1 km plus loin, prenez la route de gauche avant la station-service locale. Continuez jusqu'au bout, puis bifurquez à gauche. À 2 km, panneau sur votre gauche.

★★ Jardín Botánico

8h-17h (dernière entrée à 16h30) - 3 CUC.

⊚ **Bon à savoir** – Si vous ne disposez pas d'un véhicule personnel, *des excursions sont proposées chaque jour au départ de Cienfuegos (durée 3h - 10 CUC - rens. auprès d'Infotur, voir « S'informer »).*

À une vingtaine de kilomètres du centre-ville s'étend le plus vieux jardin botanique de l'île, malheureusement pas très bien entretenu. Cette vaste forêt fut créée au début du 20ᵉ s. par Edwin Atkins, un magnat du sucre d'origine américaine, avant de devenir un laboratoire de recherche tropicale géré par l'université américaine de Harvard, en 1919. Sur 96 ha, on peut dénombrer plus de 2 000 espèces végétales provenant de zones tropicales et subtropicales, dont plus de 300 espèces de palmiers – ce qui fait de cette collection l'une des plus importantes d'Amérique du Sud. La flore n'aura plus aucun secret pour vous si vous comprenez l'espagnol. Sinon, le guide se contentera d'énoncer en français les noms des principales plantes.

Retournez à la station-service sur la route principale et prenez à gauche. Continuez sur 5 km.

Playa Rancho Luna

Parking 1 CUC.

La plage la plus proche de Cienfuegos *(à 20 km)* forme une large demi-lune de sable face à la mer des Caraïbes. Elle est agréable pour un après-midi de farniente. Des transats et parasols sont proposés à la location, et il est possible de se restaurer sur place. Les amoureux des dauphins ne manqueront pas le **Delfinario** *(voir « Activités »)*.

Suivez cette même route au-delà de la plage sur 4 km. Vous apercevez alors l'hôtel Pasacaballo et, de l'autre côté de la baie, la forteresse de Jagua.

Castillo de Nuestra Señora de los Angeles de Jagua

Un ferry assure des traversées (2 CUC AR, toutes les 3-4h environ) depuis les rives de l'hôtel Pasacaballo (se renseigner au comptoir). En voiture, il est déconseillé de contourner la baie par l'ouest, la route étant difficile et longue. Pour une visite, le plus simple est donc d'opter pour une excursion en bateau depuis Cienfuegos (voir « Activités »).

Situé sur la rive ouest de la baie de Cienfuegos, ce fort surplombe **Perché**, un village de maisons en bois sur pilotis fondé par des Français au 19ᵉ s. Édifiée en 1745 pour protéger la baie contre les attaques de pirates, la forteresse ne présente pas un grand intérêt. On peut largement se contenter de la vue qu'en offre l'hôtel Pasacaballo juste en face. Remarquez que le site offre une vue imparable sur l'entrée de la baie, protégée par un goulet aussi long qu'étroit.

★ EL NICHO B2

À 52 km de Cienfuegos, au nord-ouest du parc naturel Topes de Collantes (voir aussi p. 187). Prendre la direction de Trinidad puis, après le jardin botanique, suivre à gauche la route jusqu'à Cumanayagua. De là, une mauvaise route de montagne mène aux chutes d'El Nicho (suivre les panneaux). Accès possible en taxi (comptez 50 CUC l'AR) ou en participant à une excursion organisée par une agence de Cienfuegos (35 CUC/pers.) - 8h-17h - 10 CUC. Bar-restaurant sur place. Venir de préférence tôt le matin pour éviter la foule. Prévoir une demi-journée.

Au cœur d'une végétation généreuse et immaculée, les eaux cristallines des rivières El Nicho et El Mamey se déversent en une série de plusieurs **cascades** dans de superbes bassins naturels. Pour se rendre jusqu'au site, il faut emprunter une route sinueuse parsemée d'ornières qui serpente dans la Sierra del Escambray, au milieu d'une forêt de palmiers drapés d'épiphytes, d'eucalyptus, de bambous, pins et caféiers. Du parking d'El Nicho, un sentier de randonnée (30mn) traverse plusieurs ponts en bois et grimpe jusqu'au sommet d'une colline, d'où l'on profite d'une vue grandiose sur le lac **Embalse de Hanabanilla** *(voir p. 188)*. Ensuite, ce sera le moment de se jeter à l'eau dans l'une des piscines naturelles couleur aigue-marine. Une baignade des plus rafraîchissantes !

DE CIENFUEGOS À TRINIDAD A-B2

Deux itinéraires permettent de relier Cienfuegos à Trinidad. Mieux vaut emprunter la **route côtière** qui se faufile entre la Sierra del Escambray et la mer des Caraïbes.

Conseil – Prenez garde aux pneus de votre véhicule entre avril et juillet, car des milliers de crabes peuvent traverser la chaussée à cette époque !

Il est fortement déconseillé de s'aventurer sur la portion de route de montagne entre Cienfuegos et Topes de Collantes *(voir p. 187)*. Les pentes très raides ne sont asphaltées qu'en partie et sont jalonnées d'énormes nids-de-poule.

4

😊 NOS ADRESSES À CIENFUEGOS

Voir le plan de la ville, p. 165.

INFORMATIONS UTILES

Banque/Change
Plusieurs distributeurs Visa dans le centre historique.
Banco de Crédito y Comercio – B1 et zoom - *Angle ave. 56 et calle 31 - lun.-vend. 8h-15h, sam. 8h-11h.* Distributeur Visa ; pour les autres cartes, retraits au guichet.
Cadeca – B1 - *Ave. 56 e/33 et 35.* Change uniquement.

Poste
Correos – B1 et zoom - *Calle 31 e/54 et 56.*

Internet
Etecsa – B1 et zoom - *Calle 31 e/54 et 56. 8h30-19h.* Vente de cartes de téléphone et Internet. Quelques ordinateurs à disposition. Hotspots Wifi au parque José Marti (A-B1 et zoom), dans les hôtels La Unión et Jagua.

Santé
Clínica Internacional – B3 - *Ave 10 e/37 et 39, Punta Gorda* - ☎ *(43) 55 16 22* - *24h/24.* Consultations, service ambulancier, pharmacie. Également une **pharmacie internationale** au sein de l'hôtel La Unión *(voir « Hébergement »).*

Stations-service
De nombreuses stations autour de la ville et sur la route de Rancho Luna.
Punta Gorda – B3 - *Angle calle 37 et ave. 16. Pratique sur le Malecón.*

ARRIVER/PARTIR

En avion
Aeropuerto Internacional Jaime Gonzalez – *À 5 km au nord-est de la ville sur la route principale en direction de Trinidad.* La Cubana de Aviación *(www.cubana.cu)* assure plusieurs liaisons par semaine avec le Canada.

En bus
Terminal de Ómnibus Viazul – B1 - *Calle 47 e/56 et 58 (près de la gare ferroviaire)* - ☎ *(43) 51 81 14* - *www.viazul.com.* La compagnie effectue 3 trajets quotidiens vers La Havane *(env. 4h30, 20 CUC),* 3 trajets vers Trinidad *(1h50, 6 CUC),* 2 trajets vers Varadero *(env. 5h, 16 CUC)* et un trajet vers Santa Clara *(1h30, 6 CUC).*
Transtur – Incluant une pause repas (30mn), la compagnie effectue un AR/j. entre les grands hôtels de La Havane et ceux de Cienfuegos (hôtels La Unión, Jagua et Rancho Luna ; env. 5h). Tarif identique à celui de Viazul.

En taxi
Des *colectivos* font le trajet régulièrement depuis la Havane *(4h de route, env. 25 CUC/pers.)* et Trinidad. Vous pouvez réserver auprès de votre *casa particular.*

TRANSPORTS

En taxi
Les taxis sont un peu plus rares ici que dans le reste de l'île. Ils sont moins chers aussi. Vous en trouverez notammen près du terminal des bus.

En calèche
La calèche offre une promenade pittoresque à très bas prix.

Location de véhicules
Plusieurs comptoirs dans la ville, en particulier face à l'hôtel La Unión *(voir « Hébergement »).* La principale agence se trouve à Punta Gorda.
Havanautos – B3 - *Angle calle 37 et ave. 16 (près de la*

station-service) - 📞 *(43) 55 12 11 -*
www.havanautos.com.

HÉBERGEMENT

🛈 **Bon à savoir** – Les chambres d'hôte sont nombreuses dans le **centre-ville**, où elles prennent leurs aises dans de belles maisons coloniales, mais les plus agréables se trouvent sans conteste sur la très tranquille **Punta Gorda**, cernée par la baie. On a l'impression d'être en vacances à la mer… mais à la ville ! De là, il faut une petite demi-heure à pied pour rejoindre le centre ancien, mais des *bici-taxis* circulent sur le Malecón jour et nuit *(1/3 CUC la course).*

Dans le centre-ville
▶ **Casas particulares**

BUDGET MOYEN

Casa Ivan y Lili – B1 - *Calle 47 n° 5604 e/56 et 58 -* 📞 *(43) 59 72 45 -*▤ ✘ *- 3 ch. 25 CUC. Wifi disponible.* D'une propreté irréprochable, les chambres de cette maison familiale donnent sur la terrasse à l'étage. À défaut d'être emballé par les couvre-lits satinés rouge pompéien

ou jaune moutarde ou par la sculpture du requin, on apprécie les équipements à disposition (coffre, sèche-cheveux, frigo, prise antimoustique), les cocktails et la cuisine maison, et surtout l'accueil charmant et les bons conseils d'Ivan et de sa fille.

Bella Perla Marina – B1 - *Calle 39 n° 5818, angle ave. 60 -* 📞 *(43) 51 89 91 - bellaperlamarina@yahoo. es -* ▤ ✘ *- 3 ch. 30 CUC.* Au cœur de la ville, une adresse très courue : réservez le plus tôt possible ! La clé de son succès ? L'accueil plein de courtoisie d'Amileidis et de Waldo, lequel voue une véritable passion à sa ville. Ambiance garantie autour de la table d'hôte (avec un chef à domicile), sur la grande terrasse débordant d'orchidées. Des trois chambres, l'une est un véritable antre contemporain, immense et immaculé, avec salle de bains ouverte et bain massant (70 CUC, jusqu'à 6 pers) : unique ! Tout en haut, ne manquez pas le mirador qui offre une vue superbe à 360° sur la ville…

Las Golondrinas – B1 - *Calle 39 n° 5816 e/58 et 60 -* 📞 *(43) 51 57 88 -* ▤ ✘ *- 3 ch. 30/35 CUC.* Voisine

4

A l'arrêt de bus, dans une rue de Cienfuegos.
Nikada/iStock

de la maison précédente, elle est la propriété du frère de Waldo, Víctor, qui prodigue également un accueil sympathique. La demeure, datant de 1920, est superbe : meubles anciens, lustres Art nouveau, azulejos et pavages d'origine, le tout inondé de lumière ! Pour un bain de fraîcheur, réfugiez-vous sur le grand toit-terrasse, noyé sous les plantes vertes.

Hostal Autentica Perla – B1 - *Calle 45 n° 5401, e/54 et 56 - ♪ (43) 51 89 91 - autentica-perla.zohosites.com -*▤ ✖ - *3 ch. 30 CUC.* Piano à queue, colonnades et statues à l'antique décorent le salon de cette maison coloniale. Elle a fière allure, avec ses hauts plafonds et ses carreaux de ciment d'origine. Les chambres ont de grands lits aux cadres de laiton et de belles salles de bains. Un patio avec fontaine et chaises longues incite au farniente. Celia, la maîtresse des lieux, dentiste de profession, s'affaire au bien-être de ses hôtes.

▶ Hôtel

UNE FOLIE

La Unión – B1 et zoom - *Calle 31 e/ave. 54 et 56 - ♪ (43) 55 10 20 - www.hotellaunion-cuba.com -* ▤ ✖ ⚓ 🅿 - *49 ch. 130/180 CUC* ☕. Ce bel édifice de 1869 abrite l'unique hôtel du centre ancien. Ses chambres, spacieuses et classiques, s'organisent autour de deux patios et d'une piscine de belle taille vu la situation en centre-ville. L'ensemble manque sans doute d'un charme plus authentique, mais il est confortable.

À Punta Gorda

▶ Casas particulares

Toutes les maisons s'alignent le long de la mer sur la langue de terre posée au milieu de la baie : lever et coucher de soleil garantis depuis votre *casa*.

BUDGET MOYEN

Casa Pedro y Mayi – B3 - *Ave. 8 n° 3901 e/39 et 41 - ♪ (43) 55 76 94 - mayelin372@gmail.com -*▤ ✖ - *4 ch. 30 CUC.* À un prix très raisonnable pour le quartier, on profite ici de chambres spacieuses, propres et aérées, à l'étage ou au rez-de-chaussée, donnant sur un jardin au calme. Accueil chaleureux et petit-déjeuner copieux. N'hésitez pas à y rester dîner, pour savourer un poisson ou une langouste au barbecue.

POUR SE FAIRE PLAISIR

Casa Angel e Isabel – B4 - *Calle 35 n° 24 e/ave. 0 et Litoral - ♪ 53 58 68 31 91 -* ▤ ✖ - *4 ch. 50 CUC.* Avec son élégante colonnade, cette maison attire les regards sur le front de mer. Tout se passe cependant sur l'arrière, avec un jardin fort coquet ouvrant sur la mer par un joli petit ponton en bois. Les chambres sont bien confortables, l'accueil courtois : là encore, une adresse séduisante.

☺ Villa Lagarto – B4 - *Calle 35 n° 4B e/ave. 0 et Litoral - ♪ (43) 51 99 66 - www.villalagarto. com -* ▤ ✖ ⚓ - *3 ch. 50 CUC.* Quel endroit… Tout à la pointe, face au square et surtout devant l'étendue de la baie, on découvre un vrai petit nid de verdure suspendu au-dessus des flots : à l'étage de la maison, les chambres s'organisent autour d'une grande terrasse en bois accrochée dans les pins ! Le programme est simple : on paresse dans les hamacs, on profite de la petite piscine et on ne cesse de s'extasier devant la vue superbe… L'adresse abrite également un bon *paladar (voir « Restauration »).*

Camila's Hostal & Restaurant – B4 - *Ave. 35 n° 4 - ♪ (43) 51 64 88 -*

camilashostalandrestaurant. com -▤ ✕ - 3 ch. 50 CUC. Cette splendide villa de style louisiane (1891), aux balcons finement ouvragés, dispose de chambres princières à la décoration soignée, dont deux avec balcon face à la mer. Il s'agit plus d'un hôtel que d'une maison d'hôtes. Les clients bénéficient d'un tarif réduit au restaurant *(voir « Restauration »)*.
Los Delfines – B4 - *Calle 35 n° 4E e/ave. 0 et Litoral -* 𝄽 *(43) 52 04 58 - www.casalosdelfines.blogspot.fr* - ▤ ✕ - *6 ch. 55 CUC.* Cette petite maison a été métamorphosée en 2015 avec l'ajout d'un étage et la création de nouvelles chambres. Le confort est au rendez-vous et l'on profite d'une belle vue sur la mer en terrasse. Bonne cuisine et accueil sympathique. Prix réduits en basse saison.

▶ Hôtels

UNE FOLIE

Palacio Azul – B3 - *Calle 37 n° 1201 e/12 et 14 -* 𝄽 *(43) 55 58 28 - www.hotelpalacioazul.com -* ▤ *- 7 ch. 170/200 CUC* ⌫. Impossible de ne pas admirer ce petit palais tout *azul* (« bleu ») sur le Malecón. Ses délicates balustres, ses frises sculptées et son élégant dôme sont exemplaires du raffinement de la Belle Époque. Il abrite aujourd'hui un hôtel confidentiel, avec seulement 7 chambres, dont 5 avec un balcon ouvrant sur la mer : romantisme garanti…

À Playa Rancho Luna

▶ Hôtel

UNE FOLIE

Faro Luna – *Carretera de Pasacaballo km 18, Playa Faro Luna -* 𝄽 *(43) 54 80 30 - www.gran-caribe.com -* ▤ ✕ ⌫ *- 46 ch. Autour de 100 CUC* ⌫. Sur une pointe rocheuse au-dessus de la mer, des chambres simples et confortables réparties dans

plusieurs bâtiments autour d'une grande piscine. Un endroit plutôt calme et agréable pour profiter de la plage voisine de Rancho Luna. Un club de plongée se trouve juste à côté.

RESTAURATION

Après de longues années de désert gastronomique, quelques bons *paladares* ont fait leur apparition dans la ville, mais soyez vigilant : de nombreuses adresses sont de médiocre qualité.

Dans le centre-ville

PREMIER PRIX

Las Mamparas – B2 - *Calle 37 n° 4004 e/40 et 42 -* 𝄽 *(43) 51 89 92 - lasmamparas@nauta.cu - 12h-22h30 - 8/15 CUC.* Excellent rapport qualité-prix dans ce discret restaurant du Paseo del Prado. Le chef a travaillé à l'étranger et cela se sent : les assiettes sont bien cuisinées et la carte sait sortir des sentiers battus, tels ces fruits de mer aux câpres (les plats oscillent entre 3 et 6 CUC : c'est imbattable !). Service attentionné et ambiance tamisée dans la salle, dont les grandes arches blanches sont ornées de photographies anciennes.

À Punta Gorda

Vous pouvez manger sur le pouce (sandwichs, plats de pâtes) dans le square à la pointe de l'île *(voir « Boire un verre »)*.

BUDGET MOYEN

Pelicano – B4 - *Ave 0 n°3506B e/35 et 37 -* 𝄽 *53 37 71 351. 12h-22h30, fermé lun. 10/15 CUC.* Belle vue depuis la terrasse au 2e étage surplombant la mer et service sympathique. Le poisson, frais, est bien cuisiné. La carte propose aussi des viandes grillées, des brochettes de légumes et de poulet. Cave à vins.

4

Camila's Hostal & Restaurant – B4 - *Voir « Hébergement » - 12h-22h - 15/25 CUC*. Restaurant plein de charme avec une terrasse au bord de l'eau. Décor marin, tables aux nappes blanches et belle vue. Plats délicieux concoctés par Ulysse, le chef cuistot, comme les côtes de porc au miel, le poulet à la bière, les pâtes aux fruits de mer, la langouste grillée ou le ceviche de poisson.

Villa Lagarto – B4 - *Voir « Hébergement » - 12h-22h - menu complet 18 CUC*. Réputée pour la qualité de sa table, cette charmante *casa particular*, nichée à la pointe de la ville, a finalement créé un véritable restaurant, ouvert à tous. Heureuse nouvelle : on profite ainsi du charme des lieux, entre mer et jardin, et d'une cuisine concoctée avec savoir-faire (brochette créole, filet de bœuf à la plancha, etc.). Ambiance romantique à la nuit tombée…

POUR SE FAIRE PLAISIR

Café Cienfuegos – B3 - *Calle 37 e/8 et 12 - ℘ (43) 51 28 91 - 18h-22h - 20/30 CUC*. Protégé par de hauts murs sur le Malecón, ce bâtiment immaculé, couronné de deux hauts clochetons, n'est pas sans évoquer un palais indien… Il s'agit de l'ancien yacht-club de la ville, superbe témoin de ses fastes à la Belle Époque. Il abrite aujourd'hui, au 1er étage, le restaurant chic de Cienfuegos : nappes blanches, bougies, bouquets, service stylé et mets de choix – la langouste est reine ici. Au déjeuner, El Marinero prend le relais au niveau - 1, proposant un simple buffet de la mer.

EN SOIRÉE

Vie nocturne aussi sympathique qu'animée à Cienfuegos : pour ceux qui aiment danser, c'est même un argument pour passer plusieurs soirées dans la ville !

Cafés, bars musicaux

El Palatino – A1 et zoom - *Parque José Martí (ave. 54 e/25 et 27) - ℘ (43) 55 13 79 - 9h-22h*. Une petite institution, installée dans l'une des plus anciennes maisons de Cienfuegos, sur le Parque José Martí. La salle, suggestive avec son long bar ancien et sa haute charpente de bois peinte en bleu, comme la terrasse sous les arcades, sont agréables pour siroter un cocktail *(3 CUC)* tout en admirant l'animation sur la place. Également quelques sandwichs pour manger sur le pouce.

Café Teatro Terry – A1 et zoom - *Parque José Martí (ave. 56 e/25 et 27) - ℘ (43) 51 10 26 - 9h-1h*. Un lieu éminemment sympathique, dans une petite cour verdoyante juste à droite du Teatro Terry. Les musiciens locaux sont chaque soir à l'honneur (généralement à 21h-2 CUC), et même sans concert, l'endroit est agréable pour boire un verre.

Palacio de Valle – B4 - *(voir « Se promener »)* - 10h-22h. On accède au toit de ce superbe palais d'inspiration mauresque par un minuscule escalier en colimaçon. Si on s'acquitte d'un droit d'entrée de 2 CUC en journée, donnant droit à une boisson, la terrasse fonctionne comme un bar à partir de 16h (cocktails 4 CUC). Un must pour admirer le coucher du soleil sur la baie.

Square de Punta Gorda – B4 - *Calle 35 (tout au sud de la pointe) - ℘ (43) 51 41 05 - 9h-22h (sam. 0h)*. Cerné par la mer, ce petit square, agrémenté d'un bar en plein air, est agréable pour une pause en journée, autour d'un verre ou de quelques grignotages. La fierté de la maison, c'est le mojito (« le meilleur de la ville ! »), à siroter face au soleil couchant… Sympathiques concerts chaque dimanche de 17h à 20h, autour des standards des années 1960.

Club Cienfuegos – B3 - *Calle 37 e/8 et 12* - ℘ *(43) 51 28 91 - 14h-2h.* Le café du yacht-club sélect de la ville *(voir « Restauration, Café Cienfuegos »)*. Sa grande terrasse y attire la « jeunesse dorée » : ambiance branchée à l'heure du coucher de soleil sur la mer ! Groupes de musique cubaine les sam. à partir de 22h et les dim. dès 17h, disco les autres soirs.

Concerts, salsa

Los Jardines de Uneac – A1 et zoom - *Parque José Martí (calle 25 e/54 et 56)* - ℘ *(43) 51 61 17 - www. uneac.org.cu -10h-2h - 2 CUC.* Cette « Unión de escritores y artistas de Cuba » est très active sur l'île. Dans ces « jardins » ouverts sur la place principale, il se passe chaque jour quelque chose : rencontres littéraires, théâtre, activités pour enfants, et les merc., ven. et sam., à partir de 20h30, des concerts (salsa, *trova*, etc.). Programme de la semaine sur la grille.

El Cubanísimo-Artex – B3 - *Calle 35 e/16 et 18* - ℘ *52 875 337 - dlv@sccfg.artex.cu - 22h-2h (sam. 3h) - entrée 1 CUC lun.-jeu., 2 CUC vend.-dim.* À Punta Gorda, une sympathique scène en plein air face à la mer ! L'endroit est très animé : humoristes le lun., musique mexicaine le mar., groupes cubains du merc. au vend., spectacle de danse le sam. et karaoké le dim. Ça danse !

Discothèque

Benny Moré – B1 et zoom - *Calle 54 e/29 et 31* - ℘ *(43) 55 16 74 - 22h-3h - 3 CUC.* Baptisée du nom du célèbre *sonero* né dans la province, cette boîte offre une grande piste illuminée pour danser sur des airs cubains ou occidentaux.

ACTIVITÉS

Excursions

Les agences touristiques de la ville *(voir « S'informer »)* proposent des promenades en bateau sur la baie (par exemple au coucher du soleil ou jusqu'au Castillo de Jagua), des visites du jardin botanique sur la route de Rancho Luna, ainsi que des sorties-découvertes de la Laguna Guanaroca et, plus prisée, de la chute d'eau El Nicho, dans le massif de l'Escambray.

Delphinarium

Delfinario –*Carretera de Rancho Luna km 17* - ℘ *(43) 54 81 20 - shows de 30mn tlj sf merc. à 10h et 14h - 10 CUC, 2-12 ans 10 CUC.* Installé dans une petite crique naturelle, à côté de la plage de Rancho Luna. Bien entretenu, il est nettement moins cher et plus agréable que les delphinariums de Varadero ou de Guardalavaca. On peut aussi nager avec les dauphins *(50 CUC, 33 CUC pour les enfants, durée 20mn)*.

ACHATS

Marché

Un marché pittoresque (B1) est organisé le dimanche matin sur l'avenida 64, à hauteur du parc.

Galeries d'art

La ville compte de nombreuses galeries, souvent tenues par des artistes que l'on peut voir travailler, en particulier sur la calle 29 *(au sud du Parque José Martí jusqu'à la mer)* et sur le Paseo del Prado *(calle 37, entre l'ave. 54 et le Malecón)*.

4

Trinidad

★★★

Province de Sancti Spíritus - 75 000 hab.

Point d'orgue d'un voyage à Cuba, inscrite au Patrimoine mondial de l'Unesco en 1988, Trinidad est à la fois un véritable bijou, une éminence de grâce coloniale et... un sommet de rusticité. Telle est la gageure offerte par cette localité unique, ni ville ni village, humble comme un bourg agricole, raffinée comme une capitale. Oubliée pendant plus d'un siècle à l'abri de la Sierra del Escambray, Trinidad a fêté ses 500 ans en 2014 ; sa fondation a suivi de peu la découverte de l'Amérique ! Témoins intacts de la colonisation espagnole, ses vieilles maisons basses aux toits de tuiles suivent le tracé sinueux de ruelles toujours pavées de « chinas pelonas » (littéralement cailloux chauves). Sous un soleil écrasant, seules quelques carrioles à cheval arpentent ces chaussées irrégulières, tandis que les passants furètent à l'ombre des murs et que les habitants tentent de se ventiler derrière les grandes fenêtres protégées par des barreaux de bois ou de fer forgé. Celles-ci laissent entrevoir un trésor inattendu : partout, des intérieurs des 18e et 19e s. comme figés dans le temps ! Ils rappellent la grande richesse qui fut alors celle de Trinidad, grâce à la florissante culture de la canne à sucre. La crise brutale de l'industrie sucrière figea son essor : le centre agricole, prospère voire sophistiqué, ne devint jamais ville moderne. Il ne perdit cependant rien de son goût de l'élégance et des plaisirs, préservant son patrimoine – décors coloniaux et autres objets d'art – à la manière de reliques, et cultivant une vitalité parmi les plus ardentes de Cuba. Impossible d'y échapper : quand la nuit arrache enfin la cité à la torpeur tropicale, la musique envahit les rues et les corps s'enfièvrent ; c'est salsa pour tout le monde !

 NOS ADRESSES PAGE 188
Hôtels, restaurants, shopping, activités, etc.

S'INFORMER
Infotur – Plan de la ville A2 - *Calle G. Izquierdo (Gloria) 101 e/P. Guinart* et *S. Bolivar -* ☎ *(41) 99 82 57/8 - www.infotur.cu - lun.-sam. 8h30-18h.* Centralise toutes les informations

Plaza Mayor, la place centrale de Trinidad.
R. Schmid/Sime/Photononstop

touristiques sur la ville et la région (logements, transports, activités).

Cubatur – A2 - *Angle calles A. Maceo (Gutiérrez) et F. J. Zerquera (Rosario)* - ✆ *(41) 99 63 14 ou 15* - *www.cubatur.cu - 8h-18h30*. L'un des principaux prestataires d'excursions.

Havanatur – B3 - *Calle G. L. Pérez n° 368 e/A. Maceo et F. Cadahía* - ✆ *(41) 99 63 17 - lun.-vend. 8h30-12h30 et 13h30-17h30, sam. 8h30-12h30 - www.havanatur.cu.*

▶ **SE REPÉRER**
Carte de région B2 (p. 154-155) - Plan de la ville (p. 180-181).

🌀 **À NE PAS MANQUER**
Déambulez dans les rues et admirez les intérieurs coloniaux des demeures ; surplombez les toits de la cité du haut du Palacio Cantero ; dansez la salsa à la Casa de la Música.

🕐 **ORGANISER SON TEMPS**
Posez-vous pour 3 nuits afin de profiter de l'ambiance nocturne de la ville et des environs en journée.

Se promener Plan de la ville, p. 180-181

Comptez une journée.

🌀 **Bon à savoir** – Les artères portent deux noms, mais les habitants utilisent en général l'ancien, mentionné entre parenthèses sur les plans de la ville.

4

VOIR ET... ÊTRE VU

Pour apprécier le charme de Trinidad, il faut se perdre dans le dédale de ses ruelles, merveilleux patchwork de couleurs et de styles. Les plus anciennes demeures remontent aux années 1740-1750 : marquées par l'architecture espagnole, elles se distinguent par une certaine austérité avec leurs lourdes portes et leurs ouvertures défendues par d'étroits barreaux de bois. Les maisons du 19e s. affichent une richesse plus ostentatoire : grilles de fer forgé délicatement ciselé, portails et pilastres sculptés d'inspiration néo-classique, voire décors en trompe-l'œil…

Mais le spectacle n'est pas que dans la rue : avec leurs fenêtres laissées ouvertes afin de laisser circuler l'air jusqu'au patio – une climatisation naturelle encore accentuée par la grande hauteur des plafonds, couronnés de belles charpentes apparentes –, les salons coloniaux, constituant la pièce maîtresse des bâtisses, sont littéralement mis en scène pour être admirés des passants. Lustres de Baccarat, statues de marbre et autres fresques témoignent de toute une société disparue !

Si le centre-ville n'est pas très étendu, le dédale de ses ruelles semble d'une richesse inépuisable : découverts sous différents angles, les mêmes placettes et édifices coloniaux dévoilent sans cesse de nouveaux charmes ; les photographes ne sauront plus où donner de la tête ! Les édifices les plus nobles environnent la Plaza Mayor, mais les rues plus éloignées, très populaires, forment également des tableaux très pittoresques, telle la **calle J. M. Márquez** (Amargura) (Plan A1), dont le défilé d'humbles maisons colorées se détache magnifiquement sur la Sierra del Escambray.

Le cœur historique de la ville, avec ses pavés disjoints, est interdit aux automobiles. Si vous arrivez en voiture, laissez-la dans un parking officiel (*5 CUC/j.*) ou dans un emplacement surveillé.

★★★ **PLAZA MAYOR** A1-2

Rien de monumental, rien d'ostentatoire, mais tout ce qu'il y a de plus joli, au sens noble du terme : de délicates grilles blanches délimitant quelques parterres de verdure, de ravissants petits bancs dont le fer forgé imite des pampres de vigne, de précieux vases de céramique disposés à intervalles réguliers, et, tout autour, des bâtisses d'une élégance discrète, qui en imposent sans en faire trop. Ajoutez le chatoiement des couleurs – ocre jaune, bleu vif, vert… – et les frisottis du vent chaud dans les palmiers royaux, et vous aurez une idée du charme unique de cette Plaza Mayor (« Grand-Place ») en mode mineur. On se plaît à la traverser plusieurs fois par jour, sous l'œil des deux lévriers de bronze qui encadrent ses marches d'accès. La nuit tombée, à la lumière des petits réverbères, le spectacle est des plus romantiques.

Iglesia Parroquial de la Santísima Trinidad B1

Porte d'accès sur le côté - 10h30-13h (messe le dim. matin).

Construite à la fin du 19e s., cette imposante église somnole la plupart du temps derrière ses grilles closes. Elle abrite un très bel autel en bois précieux et un christ de la Vera Cruz sculpté en Espagne en 1731. Au cours de votre visite de la ville, sa sobre façade d'inspiration jésuite, surplombant le nord-est de la place, vous deviendra vite familière.

★★ **Palacio Brunet** A1

Angle calles F. H. Echerri (Cristo) et S. Bolívar (Desengaño) - ☏ (41) 99 43 63 - tlj sf lun. et un dim. sur deux 9h-17h - 2 CUC.

À gauche de l'église se dresse cette grande demeure ocre, édifiée entre 1740 et 1808, et habitée par le comte espagnol Nicolás de la Cruz Brunet. Elle abrite aujourd'hui le **Museo Romántico★★**. On débouche sur un grand patio, autour duquel se distribuent de luxueux salons. L'importante collection de mobilier et d'objets d'arts décoratifs du 19e s. recrée un intérieur aristocratique cubain très « européen » : commodes en acajou, pièces en porcelaine de Sèvres, statuettes en biscuit et autres opalines françaises rappellent l'opulence historique de la ville.

TRINIDAD

0   200 m

N

Enrique Hart

José A. Echevarria

(Santa Ana)

Santa Ana

Plaza Santa Ana

Fausto Pelayo

Camilo

Cienfuegos

Santiago

José Mendoza (Santa Ana)

San Miguel

Vigía

CIEGO DE ÁVILA, VALLE DE LOS INGENIOS / SANCTI SPÍRITUS

4

★ Casa Padrón A1

Calle S. Bolívar (Desengaño) nº 457 - ℘ (41) 99 34 20 - tlj sf lun. 9h-17h - 1 CUC.
Cette petite maison coloniale fut construite au 18ᵉ s. En 1801, le propriétaire reçut la visite d'Alexander von Humboldt, l'explorateur et naturaliste allemand qui fit un bref séjour à Trinidad au cours de l'une de ses expéditions. La demeure a été transformée en **Museo de Arqueología Guamuhaya★**, consacré essentiellement à la période précolombienne – « Guamuhaya » était le nom indien de la Sierra del Escambray – à travers la présentation de squelettes, d'instruments en coquillage, de bijoux et d'une collection de céramiques.

★ Palacio de Ortíz A2

Calle R. M. Villena (Real) nᵒ 33.
Avec son balcon orné de fresques florales, c'est l'une des plus jolies demeures de la place. Elle aurait été édifiée au 19ᵉ s. à l'emplacement de la maison d'Hernán Cortés, avant qu'il n'embarquât pour le Mexique en 1518, accompagné de son armée de conquistadors. Elle abrite désormais la **Galería de Arte Universal**, où sont exposés des artistes contemporains. Les salles de l'étage, conservant un beau décor peint, offrent une vue imprenable sur la place.

★ Casa de los Sánchez AB2

Calle Ripalda - ℘ (41) 99 32 08 - tlj sf vend. 9h-17h - 1 CUC.
Sur la droite de la place si l'on fait face à l'église, l'édifice est exquis avec son large auvent de bois dont les luminaires se balancent au vent, ses grilles de fer forgé et… en entrant, toute la majesté des intérieurs *trinitarios*. La propriété est en réalité constituée de deux maisons datant respectivement de 1738 et 1785. Elle abrite aujourd'hui le **Museo de Arquitectura Colonial★★**, qui retrace l'histoire du bâti dans la ville. Plans, maquettes et vestiges des 18ᵉ et 19ᵉ s. – portes, boiseries, *rejas* (grilles), persiennes, etc. – évoquent les transformations d'ornementations toujours plus précieuses. Meubles et objets anciens attestent également un art de vivre sophistiqué. Dans le patio, une petite pièce renferme même l'ancêtre du Jacuzzi, une étonnante douche à vapeur fabriquée au début du 20ᵉ s., et dans les cabinets, l'ancêtre de la chasse d'eau !

À PROXIMITÉ DE LA PLAZA MAYOR

★★ Palacio Cantero A2

Calle S. Bolívar (Desengaño) nᵒ 423 - ℘ (41) 99 44 60 - tlj sf vend. 9h-17h - 2 CUC.
Juste en dessous de la Plaza Mayor s'élève ce palais édifié en 1828 : la façade, élégante association de tradition locale et de néoclassicisme, est superbe, en particulier ses modénatures en trompe-l'œil. Le **Museo Municipal de Historia★★** occupe aujourd'hui la demeure, qui s'ouvre par un hall grandiose. Il renferme une collection de mobilier cubain, bibelots en biscuit français et lampes d'origine américaine, et permet de visiter l'un des éléments les plus originaux du bâtiment : une haute tour de deux étages, offrant un **panorama★★** splendide sur la ville et la Sierra del Escambray.
De l'autre côté de la rue, au nᵒ 416 (angle calle Muñoz), le **Palacio de Iznaga** *(actuellement en travaux afin d'être transformé en hôtel)* est l'ancienne demeure de l'une des familles les plus fortunées de Trinidad.
Retournez sur la Plaza Mayor et prenez à gauche du Museo Romántico la calle F. H. Echerri (Cristo).

Trinidad, perle des colonies espagnoles

En 1514, Diego Velázquez lui-même fonde « Santísima Trinidad », la troisième des sept *villas* originelles, l'une des toutes premières cités de la conquête des Amériques ! Florissante aux 18e et 19e s., la cité est l'un des joyaux des possessions de la Couronne espagnole ; restée figée à cette époque, elle demeure un témoignage unique de la colonisation du Nouveau Monde par les Européens.

UNE CITÉ TERRIENNE

Les premières familles espagnoles se consacrent à l'exploitation de l'or, mais les filons s'épuisent rapidement. Dès 1518, les conquistadors repartent vers de nouveaux horizons, dans le cadre de l'expédition d'Hernán Cortés vers le Mexique, pour ne revenir à Trinidad qu'à la fin du 16e s. Pendant plus de deux cents ans, les habitants vont élever du bétail et cultiver la canne à sucre et le tabac. La région devient une plaque tournante de la contrebande en réaction au monopole imposé par les autorités espagnoles. Ce commerce florissant attire également les pirates et les corsaires, dont la dernière attaque remonte à 1702.

Dans la seconde moitié du 18e s., l'industrie sucrière se développe considérablement : Trinidad profite alors pleinement de son arrière-pays, la Valle de los Ingenios, particulièrement propice à la culture de la canne. En 1791, les révoltes menées par Toussaint Louverture provoquent la ruine d'Haïti, tout en profitant à Trinidad, qui peut vendre son « or blanc » au prix fort. On fait alors venir un grand nombre d'esclaves – ce qui explique que la présence de la *santería (voir « Religions », p. 361)* soit très forte dans la région – exploités dans les grandes haciendas, dont certaines se visitent aujourd'hui.

Au début du 19e s., 43 moulins à sucre sont dispersés dans la vallée de los Ingenios ; le port de Casilda, à 5 km au sud de la ville, est aménagé pour le commerce international, et une petite voie de chemin de fer est même créée. Trinidad connaît une activité économique et culturelle intense : les grands propriétaires terriens, certains annoblis par la Couronne espagnole, embellissent à l'envi leurs résidences urbaines, faisant venir d'Europe quantité de mobilier de prix et d'artisanat d'art – bronzes, horloges, lustres à pendeloques, porcelaine fine, etc., que l'on peut toujours admirer à l'intérieur des demeures coloniales et dont le caractère ostentatoire reste intact !

LA BELLE ENDORMIE

Au milieu du 19e s., le développement du port de Cienfuegos et surtout la montée de l'industrie betteravière en France et en Allemagne mettent un brutal coup d'arrêt à l'essor de Trinidad. Le port de Casilda devient presque inactif. Le coup de grâce est porté par l'abolition de l'esclavage et surtout les deux guerres d'indépendance, au cours desquelles les armées de libération détruisent une bonne partie des cannaies et des sucreries, symboles du colonialisme espagnol. Au début du 20e s., la ville, enclavée derrière la Sierra del Escambray, tombe dans l'oubli. Il faudra près d'un siècle pour que ses trésors soient redécouverts !

Convento San Francisco de Asís A1

Angle calles F. H. Echerri et P. Guinart - ℰ (41) 99 41 22 - tlj sf lun. 9h-17h - 1 CUC.
À une centaine de mètres de la place se dresse la silhouette jaune et brique du clocher, qui se prête à l'une des vues les plus photogéniques de Trinidad. Du couvent et de l'église érigés entre 1726 et 1747, il ne subsiste que cette tour, l'ensemble ayant été transformé en caserne de l'armée espagnole jusqu'à l'indépendance. L'édifice fut par la suite reconverti pour différents usages, dont l'élevage de poules, puis accueillit une école. Il abrite depuis 1984 le **Museo de la Lucha contra Bandidos★**. Comme son nom l'indique, ce musée est essentiellement consacré à la lutte contre les bandits, contre-révolutionnaires inclus, qui ont mené une guérilla contre les partisans de Castro dans la Sierra del Escambray, entre 1960 et 1965. Les salles présentent une série de photographies, plans et maquettes, consacrés à cet épisode. Vous y verrez notamment le fragment d'un avion de reconnaissance américain abattu pendant la crise des missiles en octobre 1962 *(voir « Histoire », p. 350)*. De la tour, la plus haute de Trinidad, la **vue★★** embrasse toute la ville, la Sierra del Escambray et la mer des Caraïbes.
Descendez la calle P. Guinart (Boca) jusqu'au croisement avec R. M. Villena (Real).

Plaza Real del Jigüe A1

Au centre, un petit arbre de *jigüe* marque le lieu où aurait été célébrée la première messe de la ville, en 1514, par le père Bartolomé de las Casas. Remarquez la jolie façade peinte en trompe-l'œil du restaurant voisin.
De la Plaza Mayor, prenez la calle S. Bolívar (Desengaño) entre le Museo Romántico (Palacio Brunet) et l'église. Remontez sur 300 m jusqu'au sommet de la petite colline.
De l'**ermitage de Nuestra Señora de la Candelaria de la Popa** (B1), édifié au 18e s., il ne reste qu'une façade murée, mais le **panorama** sur Trinidad et les petites ruelles populaires adjacentes mérite un coup d'œil. Les plus courageux poursuivront l'ascension jusqu'au sommet de la colline couronnée par une grande antenne *(comptez 20mn de montée)* ; la vue sur la côte y est imprenable, malgré la tristesse de la végétation, victime d'un incendie en 2015.
En redescendant de l'ermitage, prenez la calle J. Mendoza (Santa Ana), la deuxième rue à gauche, et continuez sur 800 m.

Plaza Santa Ana C2

La ravissante calle José Mendoza débouche sur cette grande place, un peu vide, qui contraste avec les petites rues sinueuses de Trinidad. L'**église Santa Ana** qui surplombe la place devrait être rénovée. L'**ancienne prison royale** – le grand bâtiment jaune orangé qui occupe un côté du square – a été transformée en complexe culturel regroupant un bar et une petite scène.

À proximité Plan de la ville A1, en direction

PARQUE EL CUBANO

Situé à 8 km à l'ouest de Trinidad sur la route de Cienfuegos (chemin d'accès 1,5 km après la sortie de la ville par un embranchement sur la gauche) - accès en bus, en taxi ou à cheval (puis marche de 20mn jusqu'à la cascade) - entrée 10 CUC (fermeture de la billetterie à 15h).
Une excursion idéale pour se ménager quelques heures de fraîcheur, de calme et de repos. Vous pouvez vous y promener à pied ou à cheval, et vous baigner dans les cascades et les piscines naturelles.

Farniente sur la Playa Ancón.
Hugo Martins Oliveira/Shutterstock.com

🔊 **Bon à savoir** – Possibilité de partir de Trinidad à cheval (*pour environ 10 CUC/ pers.*). Location de chevaux sur la Plaza Mayor ou *via* les agences de voyages, voir « S'informer ».

★ LES PLAGES DU LITTORAL MÉRIDIONAL

Itinéraire de 15 km (avec le crochet par Casilda, il faut ajouter 12 km AR). Pour sortir de Trinidad, descendez la calle Simón Bolívar vers l'ouest de la ville. Après la voie de chemin de fer, prenez la route de droite en direction de La Boca.

La plage la plus proche est située à 5 km de la ville, à l'embouchure du río Guaurabo. Les petites maisons à vérandas de La Boca longent un bord de mer un peu désolé. **Playa La Boca** accueille plutôt une clientèle cubaine. Ce village de pêcheurs est animé, mais attendez les plages suivantes pour la baignade.

Longez la côte vers le sud. À 5 km, une route sur la gauche mène au port de Casilda.

Le petit **port de Casilda**, à 6 km de Trinidad, connut son heure de gloire à l'époque de la prospérité économique de la ville. Depuis le développement de Cienfuegos, il fonctionne au ralenti. Si vous disposez de peu de temps, rendez-vous directement aux plages de la péninsule sans faire de détour.

Revenez à l'embranchement vers Casilda et continuez la route côtière sur 4 km.

★ **Península de Ancón** B2

Comptez 2 CUC pour le parking.

🔊 **Bon à savoir** – *Si vous n'avez pas de véhicule, les plages sont desservies chaque jour par un bus affrété par Transtur (départs devant les bureaux de Cubatur - 2 CUC AR). Vous pouvez aussi faire appel à un coco-taxi (comptez 5 CUC).*

Les deux plages de sable blanc de cette péninsule sont les plus agréables de la côte méridionale : **Playa María Aguilar★** et **Playa Ancón★** offrent 4 km de sable blond face à la mer des Caraïbes, parfaites pour un après-midi de farniente. Pour plus de calme, éloignez-vous des quelques complexes hôteliers qui émaillent la péninsule. Au large, la barrière de corail constitue un bon site de plongée.

Circuit conseillé Carte de région, p. 154-155

Patrimoine historique dans la belle Valle de los Ingenios à l'est, plages de sable blanc sur la mer des Caraïbes au sud et paysages naturels préservés de

4

la Sierra del Escambray au nord : les possibilités d'escapade ne manquent pas autour de Trinidad. Avec pour point de repère à l'horizon, au détour d'une route ou d'un sentier, la silhouette du couvent San Francisco de Asís et les toits de tuiles de la ville se découpant élégamment sur la campagne tropicale…

★ VALLE DE LOS INGENIOS B2

Comptez une demi-journée pour ce circuit de 50 km AR.
À Trinidad, de la Plaza Santa Ana, remontez la calle Camilo Cienfuegos et prenez la deuxième rue à droite en direction de Sancti Spíritus.

Cette longue plaine agricole, qui s'étend au pied de la Sierra del Escambray, fut inscrite sur la liste du Patrimoine mondial de l'Unesco en 1988, en même temps que la ville de Trinidad. Connue sous le nom de Valle de los Ingenios (« vallée des moulins à sucre »), elle évoque l'ère prospère des plantations de canne à sucre, d'où la cité tira toute sa richesse aux 18e et 19e s. Au fil d'une belle route dévoilant des paysages agricoles intemporels – ici une troupe de cavaliers traversant des champs desséchés par le soleil, là des bœufs impassibles tirant une lourde charrette –, les vestiges des anciennes haciendas nous reconduisent aux origines de la colonisation espagnole… et de l'esclavage.

🐷 **Bon à savoir** – Si vous ne disposez pas d'un véhicule, sachez qu'un train touristique, formé d'antiques wagons, remonte chaque jour la vallée au départ de Trinidad, marquant l'arrêt à Manaca Iznaga et à l'Hacienda Guachinango *(départ à 9h30 et retour vers 14h30 - 15 CUC/pers., achat du billet en agence ou en gare).* Sillonnant à travers champs, la petite voie de chemin de fer réserve de beaux panoramas. Autres options : le circuit en bus (avec arrêt en sus au Mirador de la Loma et à l'Hacienda Guáimaro) proposé par les agences de la ville *(voir « S'informer »)*, ou encore un taxi particulier *(comptez 35 CUC).*

★ Mirador de la Loma
Comptez 2 CUC pour le parking.
À 4 km de Trinidad sur la gauche, une courte route mène à ce mirador perché sur une colline. Surprise : toute la vallée se déploie sur l'arrière ! Le spectacle de la plaine, appuyée sur le massif montagneux au nord et parcourue de chemins hérissés de palmiers, est le plus beau dans la lumière du petit matin ou du coucher du soleil. Un bar propose des rafraîchissements aux visiteurs.
👥 Un petit parcours de quatre tyroliennes, **Canopy Tour**, a été aménagé dans les arbres en contrebas du site *(8h30-17h - durée env. 30mn - 15 CUC).*
Reprenez la route principale sur 5 km, jusqu'au panneau annonçant sur la droite le Sitio San Isidro, situé 1,5 km plus loin.

Sitio San Isidro de los Destiladeros
9-17h - visite guidée 1 CUC - site en cours de rénovation.
Il reste peu de chose de cette hacienda fondée en 1780, mais sa visite est instructive : elle donne un aperçu du cycle de production du rhum, à laquelle la plantation était dédiée. Dominant le site aujourd'hui envahi par la végétation, une tour de 14 m de haut paraît bien esseulée : elle servait à la surveillance des esclaves, dont les vestiges des nombreux baraquements (près de 140) subsistent à proximité. Sur l'arrière, des fouilles archéologiques ont permis de dégager les fondations de l'*ingenio* (raffinerie) et de la distillerie, en particulier du pressoir à canne et du circuit de cuisson du jus, dont on tirait la mélasse puis le rhum. La production cessa dans les années 1880, mais la demeure principale a été habitée jusqu'en 2009, avant d'être ravagée par un cyclone.

Retournez sur la route de Sancti Spíritus ; après 3 km, prenez à gauche la route de Condado ; à 800 m, juste derrière la voie de chemin de fer, une haute tour signale l'ancien domaine de Manaca Iznaga.

Manaca Iznaga

Comptez 1 CUC pour le parking. Restaurant sur place.

L'une des propriétés les plus importantes de la région aux 18e et 19e s., comme l'illustre son étonnante **tour** intacte : achevée en 1835 et haute de 44 m, elle permettait de surveiller l'ensemble de la plantation ! La cloche sonnait les heures de travail et servait de sirène en cas d'incendie. Si l'on n'est pas sensible au vertige, on peut gravir ses 137 marches pour admirer le **panorama**★ sur la vallée *(9h-16h - 1 CUC)*. Subsistent également à ses pieds le *barracón* (bâtiment où logeaient les esclaves) et, surtout, la **maison des maîtres**, transformée en restaurant. Cette noble bâtisse, construite en 1750, illustre la richesse dans laquelle vivaient les propriétaires du domaine, la famille Iznaga.

Vous pouvez ensuite poursuivre sur la route de Condado : après 3 km, un chemin sur la droite mène à l'**Hacienda Guachinango** *(9h-17h - parking 1 CUC)*, l'une des rares qui soient encore en activité. La demeure est en travaux depuis 2018 afin d'y rénover ses chambres d'hôtes et son restaurant.

Revenez sur vos pas jusqu'à la route de Sancti Spíritus et poursuivez sur 7 km, où vous prendrez à droite vers San Pedro. Après 1 km, un chemin à droite mène à Guáimaro.

★ Casa Hacienda Guáimaro

℘ 52 86 80 24 (mobile) - lun.-sam. 9h-16h, dim. 9h-13h - horaires sujets à modifications - visite guidée 1 CUC.

Elle apparaît aujourd'hui, toujours majestueuse, au cœur d'un humble hameau. Le domaine agricole a disparu, mais la demeure des maîtres est restée intacte. Elle appartenait aux Borrell, famille originaire de Catalogne qui, en moins de trois générations, devint l'une des plus fortunées de Trinidad, au point d'être anoblie par la reine Isabel II en 1860. Élevée au milieu du 19e s., la bâtisse est fastueuse, en particulier son grand salon orné de fresques signées par un artiste italien. Elle abrite un musée détaillant la production sucrière au 18e et au 19e s. dans la région de Trinidad, ainsi qu'un centre d'interprétation mettant en valeur le patrimoine de la vallée de los Ingenios.

Randonnée Carte de région, p. 154-155

★ SIERRA DEL ESCAMBRAY B2

Prévoyez entre une demi-journée et une journée de randonnée.
Sortez à l'est de Trinidad par la calle P. Guinart (Boca) en direction de Cienfuegos. À 5 km, bifurquez à droite à hauteur du poste de contrôle de la police.

⊛ **Conseil** – Vérifiez les freins et les pneus de votre véhicule avant de franchir la Sierra del Escambray.

Le massif de Guamuhaya, plus communément désigné sous le nom de Sierra del Escambray, fut le cadre de deux épisodes de l'histoire révolutionnaire. Il a successivement servi de refuge aux guérilleros de Che Guevara, avant leur entrée dans Santa Clara en décembre 1958, puis au dernier foyer de contre-révolutionnaires entre 1960 et 1965. Cette zone montagneuse, au nord de Trinidad, est dominée par le Pico San Juan (1 140 m). La route qui relie Trinidad à Santa Clara dessine des lacets serrés entre des pentes de lichen et de fougères arborescentes. Peu à peu, les plantations de la plaine cèdent la place aux caféiers et aux conifères, signe du rafraîchissement de la température.

4

Gran Parque Natural Topes de Collantes B2

ℹ Rens. et plans (selon disponibilité) au Centro de Información (station de Topes) - 𝒫 (42) 54 01 17 - 7h-19h. Prévoyez bonnes chaussures et maillot de bain.

À 20 km au nord de Trinidad, cette station située à environ 700 m d'altitude est réputée pour son microclimat. Avec une température moyenne de 21 °C, elle accueille plusieurs établissements touristiques, dont un ancien sanatorium construit dans les années 1950 pour les personnes atteintes de tuberculose. Transformée un temps en centre de formation pour enseignants, cette installation semble avoir retrouvé sa vocation d'origine, puisque le tourisme de santé s'y développe, grâce notamment aux sources thermales des environs.

🥾 Plusieurs circuits ont été aménagés. Ils font tous l'objet d'une belle randonnée, de difficulté variable, avec baignade dans les rivières, cascades ou piscines naturelles qui jalonnent l'itinéraire. L'accès aux chemins est payant *(de 5 à 15 CUC selon le sentier, bien balisé)* et tous disposent d'un restaurant *(10 à 15 CUC)*. Les plus courageux se rendront au **Salto del Caburní★**, pour se baigner au pied de chutes de 62 m de haut classées Monument national.

Du centre de Topes de Collantes, prenez la direction de Santa Clara (attention à bien bifurquer vers le nord à la sortie du village).

★ Embalse de Hanabanilla B2

Le lac se situe à 10 km au nord de Topes de Collantes (plusieurs routes d'accès selon l'excursion choisie, se renseigner auprès du Centro de Información).

🥾 L'**Embalse de Hanabanilla**, retenue artificielle de 286 millions de m³ d'eau, est alimenté par un barrage installé sur la rivière Hanabanilla en 1961. La route de Topes de Collantes à Santa Clara dévoile un beau panorama sur le défilé du plan d'eau cerné par les sommets. Ce lieu tranquille est idéal pour une excursion en bateau ou des randonnées pédestres aux alentours.

☺ NOS ADRESSES À TRINIDAD

INFORMATIONS UTILES

Voir plan de la ville, p. 180-181.

Banque/Change

De nombreuses banques dans la ville. Comme ailleurs, les distributeurs automatiques n'acceptent que les cartes Visa.

Banco de Crédito y Comercio – A2 - *Calle J. Martí (Jesús María) n° 264 e/F. J. Zerquera et C. Colón - lun.-vend. 8h-15h, sam. 8h-11h.* Deux distributeurs Visa ; retraits aux guichets pour les autres cartes ; change.

Cadeca – B3 - *Calle Marti 166, e/L. Pérez et Cienfuegos - 8h-18h (dim. 13h).* Bureau de change, retrait au guichet avec une carte.

Poste

Correos – A2 - *Calle A. Maceo (Gutiérrez) 418, e/F. J. Zerquera et C. Colón - 8h-18h (dim. 12h).*

Internet

Etecsa – A3 - *Parque Céspedes (calle G. L. Pérez) - 8h30-19h.* Vente de carte de téléphone et Internet. Plusieurs postes ordinateurs et une borne Wifi que l'on capte sur toute la place. Autre hotspot Wifi : au nord-est de la plaza Mayor (B1), sur les marches à droite de l'église, devant la Casa de la Musica.

Cafetaria Dulcinea – A2 - *Calle Maceo, à l'angle de la rue Simón Bolívar - 9h-20h,* Accès Internet (10 ordinateurs, 1 CUC/heure).

Santé
Clínica Internacional – A3, en direction - *Angle calles L. Pérez (San Procopio) et A. Cárdenas (Reforma)* - ℘ *(41) 99 64 92.* Consultations, services d'urgence 24h/24 pour les étrangers et pharmacie.

Stations-service
Deux stations à la sortie de la ville, l'une sur la route d'Ancón (A3, en direction), l'autre sur la route de Sancti Spíritus (C2, en direction).

ARRIVER/PARTIR

En bus
Terminal de Ómnibus Viazul – A1 - *Calle G. Izquierdo (Gloria) e/P. Guinart et S. Bolívar* - ℘ *(41) 99 44 48 - www.viazul. com.* La compagnie dessert particulièrement bien Trinidad : 2 AR/j avec La Havane (5h30 à 6h de trajet, 25 CUC) *via* Cienfuegos (env. 2h de trajet, 6 CUC), 2 AR/j avec Varadero (env. 6h, 20 CUC) et 1 AR/j. avec Santiago de Cuba (12h50, 33 CUC) *via* Sancti Spíritus (1h15, 6 CUC), Camagüey (env. 6h, 15 CUC), Holguín (8h40, 26 CUC) et Bayamo (env. 10h30, 26 CUC), le sens Santiago-Trinidad se faisant de nuit. Réservez de préférence la veille.
Transtur – Incluant une pause repas (30mn), la compagnie effectue un AR/j entre les grands hôtels de La Havane et ceux de Trinidad (hôtels María Dolores, Las Cuevas, Iberostar, Costa Sur, Trinidad Mar et Ancón ; env. 7h) *via* Cienfuegos. Tarif identique à celui de Viazul.

En taxi privé ou collectif
Toutes les destinations de l'île sont également desservies par les *colectivos* et taxis privés, pour un prix plus élevé que le bus, mais raisonnable si l'on est plusieurs à partager le véhicule. Comptez env. 60 CUC pour Cienfuegos, 60/80 CUC pour Santa Clara, 150 CUC pour la Havane et Varadero. Réservez par le biais de votre hôtel ou casa particular.

TRANSPORTS

En taxi
Cubataxi – ℘ *(41) 99 80 80.* Ils sont nombreux à stationner devant la gare routière (voir ci-dessus) et, dans le centre historique, face à l'agence Cubatur (voir « S'informer »).

Location de voitures
Cubacar – *Calle G. L. Pérez n° 366 e/A. Maceo et F. Cadahía* - ℘ *(41) 99 47 53 - www.cubacar.info.*

Location de deux-roues
Certaines *casas particulares* louent des vélos : renseignez-vous auprès de vos logeurs. L'agence Cubacar *(voir ci-dessus)* loue quelques scooters et motos *(25 CUC/j)*.
Hermanos Seijas –A2 - *Calle Maceo 417 B, face à la poste* - ℘ *(53 53 15 71.* Location de vélos en bon état (6 CUC/j.).

HÉBERGEMENT

C'est l'atout charme de Trinidad : une concentration unique de *casas particulares* dans de belles maisons coloniales, certaines invitant à un véritable voyage dans le passé. L'offre hôtelière de la région ne peut supporter la comparaison, en particulier les hôtels-clubs qui émaillent les plages de la péninsule d'Ancón, 7 km au sud. Faites donc de Trinidad votre point de chute pour sillonner la zone, et vous profiterez d'autant mieux de son animation nocturne !

4

Dans le centre-ville

▶ Casas particulares

PREMIER PRIX

Hostal Oasis – A3 - *Calle F. País (Carmen) n° 389 e/S. Bolívar et F. J. Zerquera -* ✆ *(41) 99 45 89 -* 🖳 ✕ *- 3 ch. 25 CUC.* Une petite maison simple et un peu excentrée, mais accueillante : Teresa, qui parle français et connaît très bien la région, est pleine d'attentions pour ses hôtes. Elle vous fera découvrir son grand jardin, une vraie surprise. Caféiers, arbres fruitiers (agrumes, mangues, etc.) et de nombreuses plantes médicinales : c'est bel et bien une oasis ! À l'étage sur la cour, la chambre « Orchidea » est la plus agréable.

Casa Balbina – B3 - *Calle A. Maceo (Gutiérrez) n° 355 e/L. Pérez et C. Colón -* ✆ *(41) 99 25 85 -* 🖳 ✕ *- 3 ch. 25 CUC.* Là encore, une noble demeure coloniale (1880) cachant sur l'arrière un grand patio fleuri. Ce dernier dessert les chambres, sans prétention et bien tenues. Sans doute un peu moins de charme qu'ailleurs, mais tout à fait correct pour une étape.

BUDGET MOYEN

Casa Amparo - Las Jimaguas – A2 - *Calle C. Colón n° 271 e/A. Maceo et J. Martí -* ✆ *(41) 99 80 05 -* 🖳 ✕ *- 2 ch. 30 CUC.* Des chambres dallées de marbre et meublées dans le plus pur style colonial, une salle de bains datant d'avant la révolution : cette maison vous invite à un véritable voyage dans le temps ! La chambre principale (une familiale de 4 lits) s'ouvre sur une succession de toits-terrasses qui dominent toute la ville.

😊 **Casa Amigos del Mundo** – A1 - *Calle C. Redondo (San José) n° 269 e/R. M. Villena et J. M. Marquez -* ✆ *(41) 99 47 80 - mariaelenatrinidad@yahoo. es -* 🖳 ✕ *- 3 ch. 30/40 CUC.* Maria-Elena, anciennement ingénieur dans le textile qui a longtemps vécu en ex-URSS, a restauré avec passion la demeure, l'une des plus vieilles de la cité, datant de 1740. Demandez-lui de vous conter la redécouverte des fresques du salon ! Les chambres se trouvent sur l'arrière, au calme et au frais ; elles sont particulièrement confortables, bien qu'assez petites. Ne manquez pas le mirador sur le toit : au-delà de la ville, la vue porte sur l'Escambray et même la mer, rougeoyante chaque soir par le soleil couchant…

Casa Colina – B3 - *Calle Maceo (Gutiérrez) n° 374 e/L. Pérez et C. Colón -* ✆ *(41) 99 23 19 -* 🖳 ✕ *- 4 ch. 30 CUC.* Surprise : la porte, discrète sur la rue, ouvre sur un grand jardin verdoyant, parfaitement entretenu, autour duquel s'agencent les chambres, toutes particulièrement confortables. Le moins que l'on puisse dire, c'est que l'adresse tourne rond, avec beaucoup de personnel autour de la maîtresse de maison : presque un mini-hôtel, l'atmosphère familiale en plus.

Casa Tamargo – A2 - *Calle F. J. Zerquera (Rosario) n° 266 e/ Maceo et J. Martí -* ✆ *(41) 99 66 69 - felixmatilde@yahoo.com -* 🖳 *- 3 ch. 30 CUC.* Derrière le beau salon 1800, on découvre un grand patio verdoyant, aux murs peints d'un bleu très profond – l'effet est assez moderne. C'est un joli endroit, moins rétro que d'autres dans la ville, mais où il est très agréable de passer le temps. Les chambres ouvrent sur ce jardin. Terrasse à l'étage.

Hostal Amatista – A1 - *Calle Piro Guinart (Boca) n° 366, e/Amargura et Cristo -* ✆ *52 71 13 78 - www. hostal-amatista.com -* 🖳 ✕ *- 4 ch. 30 CUC.* Hiraida et José accueillent leurs hôtes avec un mojito servi près de la fontaine, dans le joli patio de leur villa coloniale, avant de les conduire dans les chambres spacieuses, à l'univers kitsch et coloré. Au petit matin, les pancakes se dégustent sur le toit, à l'ombre des bougainvilliers. Les propriétaires sont toujours prêts à vous rendre service.

Hostal Sol y Son – A2 - *Calle S. Escobar (Olvido) n° 166 e/J. Martí et F. País - ☎ (41) 99 29 26 - www. solysoncuba.com - 📧 ✖ - 3 ch. 30 CUC.* Le charmant paladar Sol y Son *(voir « Restauration »)* a créé en 2014 ce séduisant *hostal* : dans une extension à l'arrière du restaurant (avec une entrée indépendante), un étonnant petit dédale de coursives, d'escaliers et de terrasses verdoyantes distribue les chambres, bien confortables et même romantiques car elles débordent de voilages. Un petit nid assurément douillet.

Casa Carlos Sotolongo – A2 - *Calle R. B. Villena n° 33 (sur la Plaza Mayor) - ☎ (41) 99 41 69 - galinkapuig@gmail.com - 📧 ✖ - 3 ch. 35 CUC.* C'est la seule maison coloniale qui permette de dormir sur la Plaza Mayor. Sur les chaises à bascule du salon, on profite à loisir, par la porte laissée ouverte, du décor de la place, toujours assez tranquille… Les chambres et les salles de bains sont un peu vieillissantes, mais c'est l'esprit de la maison, caractérisée par un joli fouillis d'objets : Carlos est le conservateur du Museo Romántico et a la passion des vieilles choses !

Casa Arandia – A2 - *Calle A. Maceo (Gutiérrez) n° 438 e/C. Colón et F. J. Zerquera - ☎ (41) 99 66 13 - luisa52cuba@ gmail.com - 📧 ✖ 📶 - 2 ch. 30/40 CUC.* Maison traditionnelle avec grand salon colonial et sympathique patio. Une chambre sur le jardin, l'autre à l'étage

(attention, l'escalier est raide !), et plusieurs terrasses. Accueil très gentil en prime.

Casa Gil Lemes – A3 - *Calle J. Martí (Jesús María) n° 263 e/C. Colón et F. J. Zerquera - ☎ (41) 99 31 42 - carlosgl3142@yahoo.es - 📧 ✖ 📶 - 1 ch. 30/35 CUC.* Un témoignage très suggestif de la richesse passée de la ville ! Derrière sa belle façade traditionnelle, c'est toujours le même ravissement : un immense salon colonial, au plafond vertigineux, illuminé sur l'arrière par un grand patio, très attirant. La chambre ne manque pas de cachet et les hôtes sont charmants.

Casa Laura y Ruben – A1 - *Ciro Redondo (San José) 279, angle Juan Manuel Marquez - ☎ (41) 99 63 37 - www.casalaurayruben.com - 📧 ✖ - 3 ch. 35 CUC.* Agrémentée d'un apaisant jardin ombragé d'un manguier et d'une terrasse jouissant d'une très belle vue sur l'église San Francisco, la maison ne manque pas d'attraits. Les chambres, spacieuses et lumineuses, peintes de couleurs gaies, affichent une propreté immaculée. Les hôtes n'habitent pas les lieux et se montrent plutôt discrets. Bonne cuisine, avec un menu langouste à 15 CUC.

Casa Muñoz – A2 - *Calle J. Martí (Jesús María) n° 401 e/F. Claro et S. Escobar - ☎ (41) 99 36 73 - www. trinidadphoto.com - trinidadjulio@ yahoo.com - 📧 📶 ✖ - 4 ch. 30/45 CUC.* L'une des adresses les plus professionnelles de Trinidad : totalement investi, Julio ne laisse rien au hasard et chaque chambre jouit d'un équipement digne d'un hôtel… Un routeur Wifi a même été installé. Avec ses pavages anciens, ses plafonds hauts de 5 m, ses immenses fenêtres, la demeure affiche un cachet colonial certain. Les deux passions de Julio sont la photographie

4

(il donne des cours et organise des expositions) et le cheval.

POUR SE FAIRE PLAISIR

Casa Brisas de Alameda – B2 - *Jesus Menendez n°84 e/Agustin Bernaz et Colon- ☎ (41) 99 83 72 ou 52 96 88 81 -* 🖥 ✕ *- 3 ch. 45 CUC.* Une casa coloniale restaurée avec goût et raffinement. Johan, le propriétaire, est très serviable et parle parfaitement français. Les chambres sont spacieuses, sobres et fraîches, dotées d'une bonne literie. Elles donnent sur un verdoyant patio-jardin où des hamacs invitent à la sieste.

😊 **Casa colonial El Patio** – A1 - *Calle C. Redondo (San José) n° 274 e/J. M. Marquez et F. H. Echerri - ☎ 53 59 23 71- www.casacolonialelpatio.com -* 🖥 ✕ *- 3 ch. 50 CUC* 🚬. C'est sans doute la plus belle maison coloniale où il est donné de dormir à Trinidad. Restaurée avec autant de soin que de goût, la demeure, datant de 1745, dévoile derrière sa vieille porte toute bleue un superbe salon : pavage ancien, haute charpente de bois et murs peints à fresque distillent une noble élégance. À l'arrière, la cuisine, tout autant figée dans le passé, ouvre sur un magnifique patio, débordant de plantes et de fraîcheur. Le confort est au rendez-vous, avec même d'heureuses touches contemporaines. Voilà un endroit que l'on quitte à regret !

🔵 **Hôtels**

UNE FOLIE

Hotel La Ronda – A3 - *Calle J. Martí n° 242 (à l'angle du Parque Céspedes) - ☎ (41) 99 85 40 -* 🖥 ✕ *- 17 ch. 120/160 CUC* 🚬 *- postes Internet.* Près du Parque Céspedes, une façade d'un rose éclatant, sur laquelle se détachent de jolis balcons en fer forgé tout blancs… Cet hôtel joue la carte

d'un confort sûr, dans une veine très classique : rien d'original, mais sans mauvaise surprise possible.

Iberostar Grand Hotel Trinidad – A3 - *Calle J. Martí n° 262 (sur le Parque Céspedes) - ☎ (41) 99 60 70 - www.iberostar.com -* 🖥 ✕ *- 40 ch. 240/280 CUC* 🚬 *- bureau de change, Wifi.* Sa longue façade classique apporte beaucoup d'élégance au Parque Céspedes, dont il domine tout un côté. L'établissement est éminemment luxueux, mêlant esprit colonial, dernier confort et service impeccable. Attention, aucun enfant de moins de 15 ans n'est admis.

RESTAURATION

Dans le centre-ville

PREMIER PRIX

Plaza Mayor – A-B2 - *Angle calles Villena (Real del Jigüe) n° 15 et F. J. Zerquera (Rosario) - ☎ (41) 99 64 70 - 24h/24 - 5-15 CUC.* À deux pas de la Plaza Mayor, une adresse avant tout pratique, où l'on peut même manger au cœur de la nuit, avec des concerts jusqu'à 5h du matin ! La cuisine est très simple et les groupes sont nombreux au déjeuner (formule buffet et grill).

El Jigüe – A1 - *Angle calles Villena (Real del Jigüe) n° 69 et P. Guinart (Boca) - ☎ (41) 99 64 76 - 11h-21h30 - autour de 10 CUC.* La ravissante Plaza Real del Jigüe doit beaucoup à sa façade qui semble couverte d'azulejos, mais regardez bien : il s'agit de trompe-l'œil ! L'adresse est connue pour son *pollo al Jigüe*, un poulet rôti avec spaghettis, fromage et sauce tomate. Utile pour un repas rapide et sans prétention.

BUDGET MOYEN

La Botija – B1 - *Calle Amargura 71-B, angle calle Boca - ☎ 53 52 83 01 47 - labotija.trinidadhostales. com - 24h/24 - 10/15 CUC.* Logée dans une ancienne maison coloniale du 18e s., cette taverne, un peu victime de son succès, ne désemplit pas. De larges tables en bois invitent à discuter avec ses voisins, au milieu d'un décorum rustique (murs en pierre apparente ornés d'objets anciens, dont des chaînes d'esclaves). Au menu, des tapas, pizzas, pâtes, soupes, burgers et brochettes cuites au charbon de bois. Bonne ambiance, chauffée par un groupe de musiciens le soir. Cuisine à petits prix mais qui n'a rien d'exceptionnel.

San José – B2 - *Calle A. Maceo (Gutiérrez) n° 382 e/C. Colón et Smith - ℘ (41) 99 47 02 - midi et soir - 10/20 CUC*. Une grande salle sous une haute charpente caractéristique, des photos de vieilles voitures américaines sur les murs, un mobilier en bois massif : l'endroit est relativement soigné, plus encore dans la 2e salle, climatisée derrière une grande paroi de verre. La cuisine, classique, se révèle généreuse et bien faite : crème de malanga, spaghettis à la langouste, grillades, etc. Bon rapport plaisir-prix.

La Redacción – A2 - *Calle Gutierrez n°463, e/Bolivar et F.J. Zerquera - ℘ (41) 99 45 93 -www.laredaccioncuba.com - 11h30-22h30 - 15/20 CUC*. L'ancien local du journal El Liberal a été reconverti en bistrot par un groupe de jeunes. Des journaux font office de sets de table sur les tables en bois et l'on coche son choix de plats et boissons sur une feuille volante. La cuisine mêle plats européens et recettes cubaines revisitées. Le burger d'agneau est un régal. Très bons poulet au chocolat, poisson, pâtes aux *mariscos*. Avant de partir, allez jeter un œil aux toilettes à l'ancienne…

Sol y Son – A2 - *Calle S. Bolívar (Desengaño) n° 283 e/J. Martí et F. País - ℘ (41) 99 29 26 - www.solysoncuba.com - 11h-23h - 15/20 CUC*. Une institution : Sol y Son a été l'un des premiers *paladares* créés dans la ville et prend ses aises dans une belle demeure coloniale. On traverse le salon regorgeant de pièces anciennes (vases, statues, mobilier, etc.) pour rejoindre le patio, nid de verdure très agréable pour un repas. La cuisine honore la tradition locale (fruits de mer et viandes, tel le poulet au chocolat), avec une proposition originale : un menu indien à base de currys et de samosas. Accueil adorable.

La Ceiba – A1 - *Pablo Pich Giron 263 e/Independencia et Vicente Suyama - ℘ (41) 99 24 08- www.restaurantlaceiba.com - 12h-22h - 15/20 CUC*. Au-delà de l'entrée un peu confidentielle, il faut monter l'escalier pour découvrir la belle terrasse ombragée par un gigantesque fromager centenaire, d'où s'offre une vue magnifique sur la campagne alentour. Bon cocktails et des plats bien présentés qui sortent un peu de l'ordinaire comme le poulet au miel, l'agneau à l'ananas ou les crevettes au miel et au rhum. Un peu cher toutefois.

Cubita – A2 - *Calle A. Maceo (Gutiérrez) n° 471 e/S. Bolivar et F. J. Zerquera - ℘ (41) 99 43 89 - midi et soir - 15/25 CUC*. Les bonnes odeurs qui s'échappent par les portes et les fenêtres ne trompent pas : ici, on mange bien ! À la carte, soupe de poisson et autres classiques revisités (même les incontournables porc, poulet et fruits de mer), dont un menu végétarien (tortilla aux légumes). Côté déco, beaucoup de chaleur : charpentes de bois, moellons apparents et graffitis laissés par les clients… visiblement ravis !

4

Museo 1514 – B1 - *Simon Bolivar n°515 e/Amargura y F.H. Echrri (Cristo)* ℘ *(41) 99 42 55*- *12h-23h* - *20/25 CUC*. Cadre majestueux, un vrai musée, avec de belles pièces de cristallerie, d'argenterie et de porcelaine, des bibelots et tableaux partout. Le service, un peu long, fait montre d'une même élégance surannée. La carte propose des mets bien élaborés. Tout les plats chauds sont cuits au charbon de bois. Musiciens et danseurs accompagnent la soirée.

Los Conspiradores – B1 - *Calle F. H. Echerri (Cristo) n° 38 - ℘ 53 13 14 00 (mobile) - losconspiradores@ gmail.com - midi et soir - 15/25 CUC.* Un endroit charmant, que l'on prenne place dans la cour noyée sous la verdure - au pied de l'Escalinata où la Casa de la Música donne ses concerts ! - ou sur le très romantique petit balcon de l'étage, avec vue sur la Plaza Mayor… Le restaurant fait aussi galerie, où sont exposées les sculptures et peintures de l'artiste cubaine Yami Martínez, dont le travail interroge la question du féminin. Bref, le cadre sort du lot et la cuisine n'est pas en reste, faisant la part belle aux produits de la mer. Également quelques plats de pâtes à petit prix.

POUR SE FAIRE PLAISIR

😊 **Sol Ananda** – A1 - *Calle R. M. Villena (Real) n° 45 (Plaza Mayor, à l'angle de la calle S. Escobar) - ℘ (41) 99 82 81 - www.solananda.trinicuba.com - solanandatdad@yahoo.com - midi et soir - 20/30 CUC - réservation conseillée.* Face à la Plaza Mayor, ce *paladar* jouit d'un décor superbe : hautes charpentes, murs peints de fresques, objets d'art, à travers une série de pièces qui respectent l'organisation initiale de la demeure – jusqu'aux chambres conservant tout leur précieux mobilier ! La cuisine ne se prive pas d'originalité : gaspacho andalou, curry de champignons, langouste à l'ananas, etc. Et des musiciens de qualité sont souvent de la partie. Une belle adresse.

Dans la Valle de los Ingenios

BUDGET MOYEN

Restaurant Manaca – *Manaca Iznaga, face à la tour - ℘ 52 90 90 58 - 10h-16h - 10/15 CUC.* En terrasse sous les arcades de la maison donnant sur un jardin à l'arrière, on déguste ici une bonne cuisine cubaine : longe de porc sauce créole, fricassée de poulet, cochon de lait grillé. Le tout servi en musique et dans la bonne humeur.

À Topes de Collantes

PREMIER PRIX

Mi Retiro – *Carretera a Topes de Collantes (2 km avant d'arriver à Topes de Collantes en arrivant de Trinidad) - 8h-20h - 5/10 CUC.* Bien visible sur la route en lacets qui rejoint Topes de Collantes, une grande bâtisse sur les hauteurs, jouissant de l'écrin naturel de la Sierra del Escambray : la forêt s'étend à perte de vue jusqu'à la mer… Des cars de touristes marquent souvent l'arrêt au déjeuner, sans vraiment troubler le calme des environs. Spécialité maison : le *cerdo asado al jugo* (« porc rôti au jus »). Parfait pour une pause repas.

PETITE PAUSE

Café Don Pepe – A1 - *Calle Piro Guniart (Boca), en face du couvent San Francisco - ℘ 53 37 67 332 - 8h-22h30 -*. Dans un petit coin de verdure ombragé de lianes et avocatiers, entre des murs anciens où zigzaguent des lézards, une adresse sympathique. Vous pourrez y déguster, dans des tasses en céramique, un large choix de cafés servis, froids ou chauds, avec de la crème fouettée et de la liqueur de framboise, de la glace à la vanille ou du rhum. Les propriétaires cultivent leurs propres grains dans le massif de Guamuhaya, au cœur de l'île.

ACHATS

Cigares et rhum
Casa del Tabaco y del Ron – A2 - *Angle A. Maceo (Gutiérrez) et F. J. Zerquera (Rosario)* - 📞 *(41) 99 62 56 - 9h-19h*. En plein centre, un large choix de rhums et de cigares. On peut assister aux démonstrations d'un torcedor roulant les feuilles de tabac.

Artisanat
Vous aurez l'embarras du choix, tant la ville ressemble à un petit marché aux ruelles emplies d'étals, en particulier entre la Plaza Mayor et la calle E. V. Muñoz (Media Luna) (A-B2). On y trouve surtout des vêtements en dentelle, des nappes brodées et des objets en bois : une production un peu plus authentique qu'ailleurs dans l'île. Attention, la plupart des marchands font relâche le week-end.

Galeries d'art
De nombreuses galeries au fil des rues, mais la plupart proposent, il faut le dire, des œuvres stéréotypées pour les touristes.
😊 **Galería Taller Deustua** – B2 - *Calle A. Maceo (Gutiérrez) n° 396 e/C. Colón et Smith* - 📞 *(41) 99 34 15 - www. galeriadeustua.com - 9h30-22h*. Cette galerie se distingue : c'est dans la maison familiale qu'Alejandro López Bastida, passé par les Beaux-Arts de La Havane, expose ses dessins, ses sculptures mais surtout ses céramiques. Un joli travail, tout en sobriété et finesse, tels ces vases aux formes

épurées, patinés d'un seul ton (jaune moutarde, vert émeraude, etc.), proposés à partir de 10 CUC !

Disquaire
Casa de la Música – *Voir « En soirée »* - *10h-20h*. Un bon choix de CD cubains à des prix imbattables par rapport à ceux pratiqués dans l'île.

EN SOIRÉE

Trinidad jouit d'une vie nocturne parmi les plus intenses de Cuba, impossible de ne pas en profiter ! Le soir venu, les airs de salsa emplissent les rues, en particulier autour de la Plaza Mayor : il suffit de laisser la musique guider vos pas, pour vous arrêter dès qu'un endroit vous plaît, mais voici les institutions à ne pas manquer.
La Canchánchara – A1 - *Calle Real del Jigüe 90* - 📞 *53 37 67 332 - 12h-minuit*. On s'installe autour des tables basses de cette vieille taverne de Trinidad pour écouter des musiciens locaux en sirotant dans des godets d'argile la *canchánchara* (3 CUC), une boisson locale à base de jus de citron, de miel et d'*aguardiente* (eau de vie). Beaucoup de touristes viennent s'y déhancher le soir au son de la salsa.
😊 **Casa de la Música** – B1 - *Calle F. J. Zerquera n° 3 (derrière la Plaza Mayor, à droite de l'église)* - 📞 *(41) 99 66 23 - 10h-3h30 - 1 CUC*. Célèbre dans tout Cuba ! Dès le matin et jusqu'à minuit, les groupes s'enchaînent sans relâche. Les serveurs passent pour proposer sodas, bières et cocktails, et la grande piste de danse reste rarement vide… À partir de minuit, la discothèque prend le relais dans le bâtiment situé en haut des marches : le week-end, il faut voir toute la jeunesse de Trinidad, très apprêtée, s'y bousculer !

4

Casa de la Trova – B1-2 - *Angle Calle F. H. Echerri (Cristo) n° 29 et J. Menéndez (Alameda) -* ℘ *(41) 99 64 45 - 10h-1h - entrée 1 CUC après 20h.* À deux *cuadras* à l'est de la Plaza Mayor, cette maison du 19ᵉ s. accueille chaque soir dans son patio de nombreux groupes de musique traditionnelle. C'est l'un des musts de la ville.

Palenque de los Congos Reales – B1 - *Calle F. H. Echerri (Cristo) e/Plaza Mayor et J. Menéndez (Alameda) -* ℘ *(41) 99 45 12 - 10h-0h - entrée 1 CUC.* Une grande salle en plein air, proposant des concerts de musique traditionnelle et, plus original, des spectacles de danse afro-cubaine, de 10h30 à 13h30 et de 22h à 23h.

Ruinas de Segarte – B1 - *Angle Calle J. Menéndez (Alameda) et Callejón Galdós - 8h-0h.* Un bar musical en plein air, intime pour siroter sous les étoiles un cocktail sur les airs latins de « crooners » cubains.

Discothèque Alaya – B1, en direction - *finca Santa Ana, à 10mn à pied en montant la colline au nord-est du centre-ville - 23h-3h - 5 CUC avec boisson.* Connue aussi sous le nom de la *cueva*, cette boîte de nuit se cache sous terre, au fond d'une grotte ornée de stalactites. Il y règne une chaleur humide et une ambiance de folie en fin de semaine ! Un mélange de salsa cubaine, de reggaeton et de techno se déverse des enceintes tandis que vidéos et jeux de lumière scintillent dans la fumée. La légende raconte que la caverne servait jadis de repaire à un abominable tueur !

ACTIVITÉS

Excursions

Outre l'excursion en train ou en bus dans la Valle de los Ingenios, les agences touristiques de Trinidad proposent de nombreuses randonnées à pied, en jeep ou à cheval dans la Sierra del Escambray.

Plongée

Les hôtels-clubs de la péninsule d'Ancón proposent un vaste choix d'activités nautiques, dont la plongée à la découverte de très beaux fonds sous-marins, notamment près de Cayo Blanco, avec son récif de corail noir, à une vingtaine de kilomètres au sud-est de la péninsule.

Catamaran

En lien avec les agences de la ville, la **Marina Marlin** *(carretera M. Aguilar, Peninsula Ancón)* propose chaque jour une croisière en catamaran jusqu'au petit Cayo Blanco, incluant une séance de snorkeling sur la barrière de corail et un déjeuner léger *(départ 9h30, retour 16h - 50 CUC/pers., 10 CUC pour le transfert en bus jusqu'à la marina, réserver la veille).* Prévoyez une bonne protection solaire.

Cours de salsa

Quel meilleur endroit que Trinidad pour apprendre la salsa ? La célèbre **Casa de la Música** *(voir « En soirée » et « Achats »)* propose des cours chaque jour de 10h à 18h *(10 CUC en cours collectif, 15 CUC en individuel, renseignements au magasin de CD ou au ℘ 52 47 21 40).*

Santa Clara

Chef-lieu de la province de Villa Clara - 216 142 hab.

Santa Clara est incontournable pour ceux qui s'intéressent à la vie d'Ernesto Che Guevara et à la Révolution cubaine. Celui qui précipita la chute de Batista à l'occasion de la célèbre attaque du train blindé repose ici depuis que son corps a été rapatrié de Bolivie après avoir été découvert dans une fosse commune en 1997. Hormis cela, il faut l'avouer, Santa Clara ne présente pas d'intérêt particulier. Formant un carrefour important au centre de l'île, sur le versant nord de la Sierra del Escambray, la cité est typique de ces grosses capitales provinciales actives et plutôt bruyantes, à ceci près qu'elle se distingue par une vie étudiante particulièrement riche. On pourra y faire une utile étape d'une nuit, mais si l'on souhaite un lieu de séjour plus charmant, autant pousser jusqu'à Sagua La Grande, paisible bourgade qui s'éveille au tourisme, à 50 km au nord.

😊 NOS ADRESSES PAGE 201
Hôtels, restaurants, shopping, activités, etc.

▣ S'INFORMER

Infotur – *Calle Cuba n° 68 e/ Candelaria et E. Machado -* ✆ *(42) 20 13 52 - www.infotur.cu - lun.-ven. 8h-12h, 13h-17h, sam. 8h-12h, fermé dim.*

Havanatur –*Calle Gomez 13, angle Independencia -* ✆ *(42) 20 40 01.*

▷ SE REPÉRER

Carte de région B1 (p. 154-155).

😊 À NE PAS MANQUER

Marchez sur les traces de Che Guevara.

🕐 ORGANISER SON TEMPS

Compter une demi-journée de visite.

Se promener Carte de région, p. 154-155

En 1689, une vingtaine de familles originaires de San Juan de los Remedios *(voir p. 205)* décident de fonder Santa Clara, à l'intérieur des terres, loin des attaques de pirates. La ville s'agrandit vite, devient capitale de la province de Las Villas au 19e s., puis chef-lieu de Villa Clara après le redécoupage administratif de 1976. De cette croissance rapide naît un tissu urbain très homogène, constitué de rues à angle droit bordées de petites maisons datant principalement du 19e s. Le flux de piétons et de véhicules mène immanquablement à la grande place centrale, le Parque Leoncio Vidal.

😊 **Bon à savoir** – S'orienter dans les rues perpendiculaires de Santa Clara ne pose pas de problème : en arrivant de l'autoroute, l'Avenida 9 de Abril (San Miguel) traverse le cœur de la ville en coupant ses deux artères principales, les calles Cuba et Colón, qui remontent vers le Parque Leoncio Vidal. La plupart des *casas particulares* et *paladares* se situent dans ce petit périmètre.

PARQUE LEONCIO VIDAL

La place centrale de Santa Clara est toujours animée. Les habitants aiment se retrouver à l'ombre des *guásimas* de son square à toute heure de la journée. En fin de semaine, c'est le rendez-vous des étudiants qui viennent y danser au son des orchestres installés sous la *glorieta*. À proximité du kiosque à musique, un monument est érigé en hommage à Leoncio Vidal Sánchez, un patriote de la ville tué au cours de la lutte pour l'indépendance en 1896.

4

Au nord de la place, à l'angle de la calle Máximo Gómez, se dresse le **Teatro de la Caridad**, réputé pour sa programmation. Il fut édifié en 1885. Une visite guidée (*℘ [42] 20 55 48 - 9h-16h - 1 CUC*) permet de découvrir l'intérieur, orné de **fresques** peintes par l'artiste Camilo Zalaya. Tous les jeudis soirs, à 19h, un concert est donné dans le hall du théâtre.

★ Museo de Artes Decorativas

Angle calles Luis Estévez et Céspedes - ℘ [42] 20 53 68 - lun.-jeu. 9h-17h, vend.-sam. 9h-22h, dim. 9h-12h, 18h-22h - 2 CUC.

À droite du théâtre, un bâtiment construit en 1740, ancienne propriété d'une riche famille sucrière, a été aménagé en musée. L'histoire de l'ameublement et des arts décoratifs cubains depuis le 17e s. y est retracée dans une superbe mise en scène. Faites-vous accompagner d'un guide.

Au milieu du côté suivant, signalée par deux frontons très solennels, l'imposante architecture du **Palacio Provincial**, l'ancien palais du Gouverneur (début du 20e s.), a été rénovée pour abriter la bibliothèque provinciale José Martí.

Dans l'angle de gauche en face s'élève la tour en béton de l'**hôtel Santa Clara Libre**, où furent échangés les derniers coups de feu de la bataille de Santa Clara en 1958. Les impacts de balle sont toujours visibles sur la façade, même s'ils ont été badigeonnés de peinture verte lors du dernier ravalement.

AU NORD DU CENTRE-VILLE

Fabrica de Tabacos Constantino Pérez Carrodegua

Calle Maceo n°181, e/Julio Jover et Berenguer, à 10mn à pied du Parque Leoncio Vidal - lun.-ven. 9h-13h - 4 CUC, billet en vente à Infotur ou à l'agence Cubatur (voir « s'informer ») et non sur place - Photos interdites.

L'usine, l'une des plus réputées du pays, produit des Montecristos, Partagás et Romeo y Julieta. Près de 400 ouvriers y travaillent à une cadence effrénée, roulant quelque 30 millions de cigares par an. La visite guidée est hélas bien vite expédiée *(20mn)*, avec peu d'explications. De l'autre côté de la rue, la boutique **La Veguita** sert de point de vente. Même si vous n'achetez pas de cigares, entrez admirer les boiseries. À l'arrière, un bar sert un excellent café.

LES MÉMORIAUX DE LA RÉVOLUTION

🐾 **Conseil** – Tous les sites et monuments révolutionnaires se situent en périphérie de la ville : il est préférable de se déplacer en voiture.

Monumento al Asalto y Toma del Tren Blindado

Remontez la calle Luis Estévez d'une cuadra *au nord du Parque Leoncio Vidal et tournez à droite dans la calle Independencia. Suivez cette rue pendant 800 m, puis passez le río Cubanicay.*

Entre le fleuve et la voie ferrée, une esplanade accueille le célèbre Monumento al Asalto y Toma del Tren Blindado, à proximité de l'endroit où eut lieu, le 29 décembre 1958, l'assaut du train blindé de l'armée de Batista par Che Guevara et ses hommes. L'ensemble comprend le bulldozer utilisé pour saboter les rails, des sculptures évoquant les explosions et le déraillement du convoi, ainsi que quatre des vingt-deux wagons d'origine. Seuls deux d'entre eux ont été aménagés en **musée** *(mar.-sam. 8h30-17h, dim. 9h-13h - 1 CUC)*, qui renferme quelques objets, armes et photographies d'époque.

Retournez au Parque Leoncio Vidal et prenez la calle Rafael Tristá qui part à gauche de l'hôtel Santa Clara Libre. Suivez cette rue, toujours tout droit, pendant 1,5 km.

Mémorial érigé à la mémoire d'Ernesto Che Guevara.
L. F. Ayerves/age fotostock

Plaza de la Revolución-Complejo Escultórico Che Guevara

Excentrée, la Plaza de la Revolución semble abandonnée à elle-même. Une **statue de bronze★** représente le Che, fusil à la main, debout sur un socle portant la devise : « *Hasta la victoria siempre* » (« Jusqu'à la victoire toujours »). Ces mots restés célèbres concluent la lettre d'adieu qu'il adresse le 1er avril 1965 à Fidel Castro avant son départ pour la Bolivie, et dont le texte émouvant est reproduit à proximité sur un monument en marbre.

Un petit **musée** *(tlj sf lun. 8h30-17h - gratuit)* rend hommage au guérillero argentin : des photographies et objets personnels retracent sa vie jusqu'à son assassinat en Bolivie en octobre 1967.

Les mémoriaux qui se dressent sur l'esplanade sont tous consacrés à Che Guevara. Le monument le plus important, et probablement le plus célèbre de Cuba, se situe sous l'esplanade : il s'agit du **mausolée** où le Che repose aux côtés de six de ses compagnons, après de longues années de recherches et d'interrogations sur le sort de ses ossements. À la veille du 30e anniversaire de sa mort, son corps a été retrouvé à Vallegrande, en Bolivie, puis rapatrié à La Havane le 12 juillet 1997. Pendant quelques jours, les habitants de la capitale ont afflué par milliers sur « leur » Plaza de la Revolución afin de rendre hommage au « guérillero héroïque », avant son transfert définitif à Santa Clara, en 1998.

4

UN SQUARE À DOUBLE SENS

De nombreux Cubains sourient à la simple évocation du Parque Leoncio Vidal. Au siècle dernier, les hommes et femmes de la bonne société devaient circuler en sens contraire sur cette place. Si la dame répondait aux propos galants que son soupirant lui glissait en la croisant, celui-ci pouvait alors marcher à ses côtés pour lui faire sa cour. Cette coutume, qui perdura bien après la révolution, est à présent tombée en désuétude.

LA BATAILLE DE SANTA CLARA

Le nom de la ville reste définitivement associé aux dernières heures de la guérilla révolutionnaire. Après un an et demi de conflit dans la Sierra Maestra, **Che Guevara** et Camilo Cienfuegos sont chargés de libérer l'ouest de l'île. Le 28 décembre 1958, la colonne du Che parvient aux portes de Santa Clara et de violents combats s'engagent. Le lendemain, Batista tente d'envoyer, en renfort vers l'est de l'île, un train blindé transportant hommes et munitions. Il ne dépassera pas Santa Clara. Le convoi est pris d'assaut par le Che et ses compagnons, qui ont saboté la voie ferrée. Tout se déroule comme prévu : en tentant de faire machine arrière vers La Havane, le train déraille. Bombardés de cocktails Molotov, les soldats de Batista sont contraints de se rendre. Grâce à l'important arsenal récupéré, les guérilleros s'emparent de Santa Clara le 31 décembre 1958. À l'annonce de sa défaite, Batista quitte le pays et laisse la voie libre aux *barbudos*, qui entreront dans La Havane le 2 janvier 1959.

À proximité Carte de région, p. 154-155

★ **SAGUA LA GRANDE** C2

À 52 km au nord de Santa Clara.
Baignée par le fleuve Sagua La Grande qui lui donne son nom, cette bourgade de 52 000 âmes sommeillait dans sa torpeur, au creux d'une plaine agricole parsemée de buttes calcaires (*mogotes*), quand le ministère du Tourisme cubain s'avisa, en 2018, de lui donner le baiser du prince afin d'en faire une nouvelle destination touristique. Rénové à grands frais et coups de peinture aux tons pastel, son centre historique a vu renaître son église, son cinéma et ses deux palaces locaux, restaurés en hôtels de charme. Une zone piétonne a été aménagée près de la place centrale, où une agence Havanatur attend ses clients de pied ferme. L'ouverture prochaine d'une marina à **Isabela de Sagua**, l'ancien port de la ville à l'embouchure du fleuve Sagua, à 18 km plus au nord, et les aménagements sur le **Cayo Esquivel**, l'un de ces paradisiaques îlots de l'archipel de Sabana où les pirates trouvaient jadis refuge, devraient amplifier l'attractivité touristique de la région. En attendant, on savoure le

GRANDEUR ET DÉCADENCE

Fondée en 1812, Sagua La Grande connut un essor fulgurant dans la seconde moitié du 19e s., grâce aux plantations de canne à sucre et à la coupe forestière. On raconte que l'**Escurial de Madrid** a été construit avec le bois issu de ses forêts littorales. Elle fut l'une des premières villes cubaines à recevoir l'électricité, le chemin de fer, le tout-à-l'égout et le téléphone. En 1860, Sagua assurait 11 % de la production sucrière nationale et était l'un des trois centres, avec La Havane et Matanzas, à partir desquels s'organisait la traite négrière. Sa prospérité se poursuivit avec l'industrialisation de l'île jusque dans les années 1950. Entre 1954 et 1958, elle servait de point de départ à une grande course automobile vers la Havane, qui réunissait Buick, Jaguar, Packard et autres bolides. Mais la Révolution sonna le glas des réjouissances pour les riches familles de Sagua qui prirent le chemin de l'exil, laissant derrière elles la ville sombrer peu à peu dans le marasme.

charme suranné de cette cité provinciale, à la circulation réduite à quelques guimbardes cahotantes, carrioles transportant passagers et matériel dans d'invraisemblables équilibres, cyclopousses aux allures surréalistes et vélos qui déambulent sans bruit.

Autour du Parque La Libertad

Animé comme une place de village à la Pagnol, le Parque La Libertad rassemble des édifices pour la plupart de style néo-classique, telle l'imposante **Iglesia de la Purísima Concepción** (8h-11h30), édifiée en 1860, qui abrite un autel en marbre blanc de Carrare. En face, de l'autre côté de la place, s'élève l'exubérante façade du **Casino Español** (1908), qui servait de club social et de salle de bal à la bourgeoisie locale. A deux cuadras plus à l'est, l'hôtel **Palacio Arenas** (*angle calle Solís et Padre Varela*) arbore une magnifique structure Art nouveau teintée de touches mauresques. Enjambant les rives du fleuve Sagua, **El Triunfo**, pont à poutrelles métalliques, fait la fierté de la ville.

À l'ouest de la place centrale, le **Museo Municipal** (*calle Martí n°68, e/Ribalta et García – mar.-sam. 9h-12h, 13h-17h, dim. 9h-12h – gratuit*) exhibe un embryon de collection dédiée à la flore et à la faune ainsi qu'à l'histoire locale, des indiens Sabaneque à la Révolution cubaine. Le **Museo de la Música** (*calle Solís n°170 e/Martí et Maceo - lun.-ven. 10h-17h, w.-end 10h-16h - gratuit*) présente lui une modeste collection d'instruments. Des concerts y sont donnés régulièrement.

En flânant de rues paisibles en placettes ombragées de flamboyants, on ne manque pas d'être frappé par l'inflation de statues grandiloquentes qui jalonnent la ville. Sagua La Grande se flatte en effet d'avoir été le berceau de nombreux personnages illustres, au premier rang desquels le peintre surréaliste **Wifredo Lam**. Une petite place a été dédiée à l'artiste, avec statue et fresque murale. Au coin du Parque Libertad, jetez aussi un œil à la **Galería de Arte Wifredo Lam** (*angle calles Céspedes et Martí - mar.-ven. 12h-20h, sam. 8h-12h, dim. 14h-18h*), galerie privée qui présente des artistes de la région.

😊 NOS ADRESSES À SANTA CLARA

INFORMATIONS UTILES

Banque/Change
Banco Financiero Internacional – *Calle Cuba n°6, angle Rafael Trista, sur le Parque Leoncio Vidal - lun.-vend. 8h-15h* Change et distributeur.
Cadeca – *Calle Cuba n°2, sur le Parque Leoncio Vidal. Lun.-sam. 9h-19h, dim. 9h-18h.*
Bureau également à Sagua La Grande, *calle Maceo n°80.*

Poste
Correos – *Calle Colón e/Vidal et Machado (une cuadra au sud du Parque Vidal).*

Internet
Etecsa – *Angle calles Marta Abreu et Enrique Villuendas (une cuadra à l'ouest du théâtre) - 8h30-19h.* Vente de cartes téléphone et Internet. Hotspot wifi sur le Parque Leoncio Vidal.

Santé
Farmacia – *Calle Colón e/ Candelaria et 9 de Abril (San Miguel).*

ARRIVER/PARTIR

En bus
Terminal de Bus Viazul – *Carretera Central angle Oquendo (à 2,5 km au nord-ouest du Parque*

4

Leoncio Vidal par la calle Marta Abreu, env. 5 CUC en taxi - ☏ (42) 22 25 24 - www.viazul.com. La compagnie s'arrête à Santa Clara sur son trajet entre La Havane et Santiago de Cuba (3 fois/j *via* Sancti Spíritus, Camagüey, Holguín et Bayamo ; env. 4h et 20 CUC pour la Havane, 11h30 et 35 CUC pour Santiago), ainsi que sur son itinéraire Varadero-Trinidad (2 fois/j *via* Cienfuegos ou Sancti Spíritus selon la direction ; env. 3h pour Trinidad, env. 3h30 et 11 CUC pour Varadero).

TRANSPORTS

🚌 **Bon à savoir** – Les différents sites touristiques de la ville sont assez éloignés les uns des autres. Mieux vaut se déplacer en voiture.

En taxi
Cubataxi – *☏ (42) 22 25 55.*

En calèche/bici-taxi
Comme dans la plupart des villes de province, c'est le moyen de transport local. Comptez 1 ou 2 CUC maximum.

Location de voitures
Transtur – *Calle M. Abreu e/ Alemán et Zayas - www.transtur.cu.*

HÉBERGEMENT

À Santa Clara

🔵 **Casas particulares**

BUDGET MOYEN

Hostal Villanueva – *Calle R. Pardo (Buen Viaje) n° 16 e/Parque Vidal et Maceo - ☏ (42) 20 66 23 -jcessar@gmail.com -🛏✖ - 1 ch. 25 CUC.* Situation avantageuse : la rue donne sur la place principale de la ville. À l'étage de la maison, plutôt moderne, la chambre profite d'une agréable terrasse où vous pourrez prendre vos repas ou un cocktail, car le jeune et sympathique propriétaire y a installé un bar où il aime… « perfectionner sa science du mojito ». Mirador sur le toit.

Hostal d'Cordero – *Calle L. Vidal (Gloria) n° 61 e/Maceo et Estevez (Unión) - ☏ (42) 20 64 56 - www.hostaldecordero.com -🛏✖ - 5 ch. 30 CUC.* À une *cuadra* à l'est de la place principale, une excellente adresse sise dans une maison coloniale. Son propriétaire est antiquaire, ce qui explique le décor d'objets d'art et de meubles anciens. Derrière la belle façade rose et blanche de la demeure, un grand patio est bordé d'une noble colonnade ocre jaune. Un endroit soigné et agréable.

Hostal Florida Center – *Calle Maestra Nicolasa Este (Candelaria) n° 56 e/Colón et Maceo - ☏ (42) 20 81 61 - www.hostalfloridacenter.com -🛏✖ - 2 ch. 35 CUC.* Son *dueño*, Angel, est une figure de la vie touristique locale : sa maison coloniale, emplie de souvenirs, est devenue une authentique pension, où toutes les nationalités se croisent. Les chambres, au charme rétro, ouvrent sur le patio, rempli de fleurs et d'arbres fruitiers ; il se transforme en restaurant le soir *(voir « Restauration »).*

Casa Colonial Héctor Martínez – *Calle R. Pardo (Buen Viaje) n° 8 e/ Parque Vidal et Maceo - ☏ (42) 21 74 63 -🛏✖ - 2 ch. 30/35 CUC.* À deux pas de la place, cette maison coloniale, au cachet certain, abrite un très agréable patio. L'accueil est soigné : le propriétaire emploie un chef pour la préparation du repas du soir.

Casa Olga Rivera Gómez – *Calle Evangelista Llanes n° 20 e/M. Gómez et Callejón del Carmen - ☏ (42) 21 17 11 -🛏 ✖ - 2 ch. 30 CUC.* Face à la place du Carmen, à six *cuadras* au nord du Parque Vidal, une maison avec patio fleuri et terrasse sur le toit. Un hamac et des oiseaux agrémentent l'endroit, les chambres sont d'une propreté exemplaire et Olga est très accueillante !

Florida Terrace – *Calle Maestra Nicolasa Este (Candelaria) n° 59 e/ Colón et Maceo -* 📞 *(42) 22 15 80 -* 🖥️ *- 6 ch. 30 CUC.* Angel, de la Casa Florida, récidive ! Il a investi cette bâtisse, juste en face, pour en faire un véritable petit boutique-hôtel, inauguré en 2015 après de longs travaux. Une succession de terrasses sur quatre niveaux, de beaux matériaux et du mobilier ancien : cette nouvelle adresse ne fait pas dans la dentelle.

La Casona Jover – *Calle Colón n° 167 e/San Miguel et Nazareno -* 📞 *(42) 20 44 58 - www. lacasonajover.com -* 🖥️ ✖️ *- 5 ch. 30 CUC.* Fraîcheur et calme règnent sur cette jolie maison coloniale habillée de bleu, au mobilier ancien et carrelage d'origine. Les chambres, impeccables, donnent sur le patio en longueur, doté d'un petit bassin pour faire trempette.

🜨 Hôtels

UNE FOLIE

Hotel Central Villa Clara – *Calle Parque (sur le Parque Vidal) -* 📞 *(42) 20 15 85 - www.cubanacan. cu -* 🖥️ ✖️ *- 25 ch. 80/110 CUC* 🛏️ *- Wifi.* Ravissant palace de style Art déco (1929) parfaitement restauré, il dispose d'une appréciable terrasse sous les arcades de la place principale. Les chambres sont modernes et confortables, avec télévision par satellite à écran plat et belles salles de bains, mais certaines n'ont pas de fenêtres.

Hotel América – *Calle Mujica n° 9 e/Colón et Maceo (à une cuadra au sud-est du Parque Vidal) -* 📞 *(42) 20 15 88 - www.cubanacan. cu -* 🖥️ ✖️ 🛏️ *- 27 ch. 80/110 CUC*

🛏️ *- Wifi.* En centre-ville, avec une piscine en plein air, un hôtel récent (2012) proposant un bon niveau de confort.

À Sagua la Grande

🜨 Casas particulares

BUDGET MOYEN

Hostal Unidos – *Calle Maceo n° 31 e/Colón et Luz Caballero -* 📞 *(42) 66 63 47 - hostalunidos@nauta. cu -* 🖥️ *- 3 ch. 25 CUC.* A l'heure actuelle, c'est l'une des seules maisons d'hôtes de la ville. Juan-Antonio, le propriétaire, loue des chambres propres et coquettes à l'arrière de sa maison, dont une à l'étage, avec frigo, coffre et téléviseur.

🜨 Hôtels

POUR SE FAIRE PLAISIR

Hotel E Sagua – *Calle Carmen Ribalta e/Martí y C. Barton (pl. principale, à g. de l'église) -* 📞 *(42) 66 55 36 - www.cubanacan.cu -* 🖥️ ✖️ 🛏️ *- 51 ch. 50 CUC* 🛏️ *- Wifi.* Le palace de la ville (1925) a bénéficié d'une restauration complète. Il a conservé son charme, et possède une appréciable piscine, un restaurant et un bar terrasse. Chambres modernes et douillettes. L'hôtel gère également les réservations du **Palacio Arenas** (*11 ch., même tarif*).

RESTAURATION

À Santa Clara

Pour l'heure, la ville compte peu de bons restaurants. Un repas dans une *casa particular* est de loin la meilleure option !

BUDGET MOYEN

Sabore de Arte – *Calle Maceo Norte n°7, e/Independencia et Céspedes -* 📞 *(42) 20 67 30 - 12h-22h - 10/15 CUC.* Un excellent rapport qualité/prix pour cette table fréquentée principalement

4

par des locaux, où l'on déguste dans la salle en plein air poulet grillé, langouste, *ropa vieja* et *parrilladas*. Portions copieuses.

Hostal Florida Center – *voir « Hébergement » - 19h-23h - 10/15 CUC.* Appréciée pour la qualité de sa table d'hôte, Casa Florida fait dorénavant restaurant : bœuf à l'étouffée, poisson grillé, langouste… On dîne dans le patio débordant de plantes, c'est sympathique à souhait.

La Aldaba – *Hostal Autentica Pergola, calle Luis Estévez n°61, e/Independencia et Marti - ℘ (42) 20 86 86- www. hostalautenticapergolasantaclara. com- 19h-22h30 - 15/25 CUC.* Ouvert à tous, le restaurant de cette casa particular, situé sur le toit-terrasse, a pour spécialité l'agneau et le poulet cuit au charbon de bois. Service prévenant, cuisine copieuse et bonne pour un prix modéré.

PETITE PAUSE

Cafe-Museo Revolución – *Calle Independencia 313, e/San Isidro et Unión (près du Tren Blindado) - tlj sf dim. 11h-23h.* Étonnant café dont les murs sont intégralement recouverts de photos et documents sur la révolution cubaine. Des glaces, cocktails, sandwichs et cafés y sont servis avec le sourire.

Coppelia – *Calle Colón e/Vidal et Machado - mar.-vend. 12h-22h, w.-end 10h-23h30.* Une succursale de l'enseigne havanaise. De nombreux parfums manquent souvent à l'appel, mais la vanille est une valeur sûre.

EN SOIRÉE

Bar
La Marquesina – *Parque Leoncio Vidal (angle calles M. Abreu et M. Gómez) - ℘ (42) 22 48 48 - 10h-0h.* À gauche du Teatro de la Caridad, une petite institution incontournable pour boire un verre. Elle fait chaque soir l'animation sur la place principale avec ses concerts de musique cubaine *(à 21h30 sauf exception selon la programmation du théâtre).* Un must !

Concerts
Casa de la Cultura – *Parque Leoncio Vidal (calle Cuba, à côté de l'hôtel Santa Clara Libre) - ℘ (42) 20 71 81.* Elle propose de nombreuses manifestations culturelles : concerts classiques, lectures, *café cantante.* Vérifiez le programme sur le panneau d'entrée.

Club, musique cubaine, cabaret
El Mejunje – *Calle M. Abréu e/ Zayas et Fabián - ℘ (42) 28 25 72 - 17h-20h (dim. dès 14h) puis 23h- 1h (certains soirs dès 22h selon programmation) - entrée 2 CUC (5 CUC le sam.).* Il se passe toujours quelque chose au Mejunje, l'incontournable des nuits locales : jazz le lundi, rock le mardi, disco le mercredi, *trova* le jeudi, groupes cubains le vendredi, *danzón* le dimanche après-midi… et shows de travestis les sam. et dim. soir !

Théâtre
Teatro de la Caridad – *Parque Leoncio Vidal - ℘ (42) 20 55 48.*

ACTIVITÉS

Excursions
Les agences de la ville (voir « S'informer ») proposent des excursions dans les villes du centre de l'île (Remedios, Sancti Spíritus, Trinidad), sur les *cayos* du Nord, ainsi que dans la Sierra del Escambray, en particulier au lac Hanabanilla *(voir p. 188).*

San Juan de los Remedios

Cayo Las Brujas★★ et Cayo Santa María ★★

Province de Villa Clara - 45 000 hab.

Une belle endormie se réveille… À l'occasion du 500ᵉ anniversaire de sa fondation en 2015, San Juan de los Remedios, plus communément appelée Remedios, s'est lancée dans des travaux, afin de mettre en valeur son patrimoine. Longtemps oubliée des circuits touristiques, la cité semble seulement découvrir son pouvoir d'attraction. Rien de grandiose, rien d'intimidant : simplement le charme d'une ville coloniale en miniature, paisible et riante comme une bourgade provinciale. Sa place centrale semble sortir d'une carte postale ancienne et ses habitants se montrent très accueillants. Autre atout : la proximité du Cayo Santa María, aux plages sauvages idylliques, que l'on rejoint par le « pedraplén », une route de 48 km fendant la mer ! Une excuse supplémentaire pour faire étape à Remedios…

😊 NOS ADRESSES PAGE 209
Hôtels, restaurants, shopping, activités, etc.

📕 S'INFORMER

Infotur – *Angle calles Pi y Margall et M. Gómez, sur la place principale, à côté du café El Louvre -* ☎ *(42) 39 72 27 - www.infotur.cu - lun.-vend. (et 1 sam. sur 2) 9h-13h, 13h30-16h30.* Le local héberge également une agence Gaviota Tours, qui organise des excursions aux cayos La Brujas et Santa Maria et le bureau de location de voitures Via Rent a Car.

▶ SE REPÉRER

Carte de région B1 (p. 154-155).

😊 À NE PAS MANQUER

Flânez sur le Parque José Martí ; assistez au carnaval de Remedios (fin déc.) ; baignez-vous sur les plages idylliques du cayo Santa María.

🕐 ORGANISER SON TEMPS

Prévoyez au moins une journée pour profiter des plages sauvages.

4

Se promener

Comptez 1h.

Créée en 1515 par l'Espagnol Vasco Porcallo de Figueroa, Remedios fut l'une des premières cités de Cuba. Attaquée par les pirates, elle fut abandonnée en 1689 par plusieurs familles, qui partirent fonder Santa Clara. Trois ans plus tard, après un grave incendie, d'autres *Remedianos* les rejoignirent. La proximité du chef-lieu de province a certainement limité la croissance de Remedios. De nos jours, la cité ne semble guère avoir changé depuis la révolution : ici un bus d'avant-guerre transportant des écoliers, là une voiture américaine crachant ses poumons, partout des enseignes aux airs de Far West, et des vieilles carrioles… Tout un spectacle qu'il faut apprécier en prenant soi-même son temps.

★ Parque José Martí

Dès le matin, les habitants se rassemblent sous les rares points d'ombre et les longs portiques qui l'encadrent : le Parque José Martí est digne d'une place de village… Sur ses flancs, **El Louvre** *(voir « Boire un verre »)* est un lieu de rencontre inévitable : né en 1866, il passe pour l'un des premiers cafés de Cuba. Cadre de vie familier, la place étonne par ses larges dimensions, qui témoignent du destin avorté de la ville. Fait unique à Cuba : elle abrite deux églises.

★ Église de San Juan Bautista

Entrée par la sacristie à l'arrière, lun.-sam. 9h-12h, 14h-17h.
Édifiée en 1545 sur le côté sud de la place, elle dut être reconstruite en 1939 après un tremblement de terre : le sanctuaire reste cependant l'un des plus anciens de l'île. Typique des colonies latino-américaines, sa façade jaune et blanche, couronnée d'un clocheton et d'un campanile, ouvre sur une nef ouvragée, due à l'artiste cubain Rogelio Atá : des charpentes en acajou rivalisent avec un maître-autel baroque, au bois de cèdre rehaussé d'or. Dans les niches garnies de statues, on découvre une Vierge enceinte sévillane du 18e s.

Église del Buen Viaje

Érigée en 1852 à l'autre bout de la place, l'église del Buen Viaje se révèle plus humble. Elle doit son nom à une statue de la Vierge qu'auraient découverts en mer des pêcheurs de la ville, d'où le vocable de « bon voyage ». En travaux, l'édifice est fermé au public. Notez, sur le parvis, la statue de la Liberté, signée par un artiste italien (1904) : son flambeau est électrifié !

Museo de la Música

Calle C. Cienfuegos - ☎ (42) 39 78 51 - mar.-sam. 9h-12h, 13h-18h, dim. 9h-13h -1 CUC.
Entre les deux églises, le musée de la Musique occupe l'ancienne demeure d'Alejandro García Caturla, juriste-compositeur, qui vécut au début du 20e s. et introduisit les rythmes africains dans la musique cubaine. Les salles renferment ses objets personnels, des instruments de musique, des partitions originales, ainsi que des coupures de presse relatant son assassinat en 1940. Le musée organise des concerts *(voir « Boire un verre, écouter de la musique »).* *Remontez la calle M. Gómez et prenez la première rue à droite.*

★ Museo de las Parrandas Remedianas

Calle Alejandro del Río 74, e/M. Gómez et E. Maralet - mar.-dim. 8h-12h, 13h-17h - 1 CUC.
Il retrace l'histoire du fameux carnaval de Remedios *(voir encadré)* à travers photographies, étendards, instruments de musique, costumes et très beaux chars en modèle réduit. Une maquette du Parque José Martí permet de mieux voir les différentes étapes de cette étonnante compétition de Noël.

LES PARRANDAS REMEDIANAS, UN NOËL UNIQUE

Tout commença en 1822, quand le curé de Remedios envoya un groupe de jeunes gens chahuter sur la voie publique afin d'attirer ses paroissiens à la messe de Noël. L'année suivante, ceux-ci se vengèrent par un vacarme plus assourdissant encore. Depuis lors, chaque **24 décembre**, les quartiers de San Salvador et d'El Carmen se retrouvent sur le Parque José Martí : à grand renfort de costumes, d'étendards et de chars humoristiques, les deux équipes s'affrontent jusqu'au lendemain avec, pour seules armes, des instruments de musique, des pétards, des feux d'artifice, et plus encore une joyeuse énergie. Au petit matin, chaque camp se proclame vainqueur, avant de se remettre illico à la préparation des chars et costumes pour le Noël suivant, avec le concours de tout le quartier et dans le plus grand secret…

Plaza Mayor, l'église del Buen Viaje.
F. Guiziou/hemis.fr

Revenez sur la place principale, prenez la calle J. A. Peña qui commence au pied de l'hôtel Barcelona et tournez dans la première rue à gauche.

Museo de Historia
Calle A. Maceo, 56 e/G. Carrillo et Fe del Valle - ☏ (42) 39 67 92 - lun. 13h-17h, mar.-sam. 8h-17h - 1 CUC.

Il propose un humble témoignage sur l'histoire de la ville, à travers divers objets et documents, autour d'un joli patio du 19ᵉ s.

À proximité Carte de région, p. 154-155

Museo de Agroindustria Azucarera Marcelo Salado
Carretera Caibarien, à 6 km au nord-est du centre-ville - ☏ (42) 36 43 34 - visite guidée en espagnol ou en anglais, tlj sf dim. 9h-16h - 3 CUC, dégustation de guarapo (jus de canne) incluse - boutique de rhum régional.

Cette usine sucrière, qui a cessé d'opérer en 2000, convie à un édifiant voyage au pays de la **canne à sucre.** Une vidéo d'introduction (disponible en français) survole l'histoire des plantations pour s'attarder sur le processus industriel de fabrication du sucre : broyage des cannes par des moulins cylindriques, ébullition, chaulage et décantation du jus, cristallisation de la mélasse dans des chaudières. Dans les hangars désaffectés reposent des cuves et des machines d'aspect antédiluvien. Une même ambiance fantomatique baigne le parc adjacent, où s'alignent d'antiques locomotives à vapeur et au charbon qui servaient à l'acheminement des récoltes. Un aller-retour en train à vapeur est proposé aux groupes de la gare de Remedios, sur réserv. la veille (9 CUC).

★★ Cayos Las Brujas et Santa María

Carte de région, p. 154-155 B-C1

Prévoyez une journée de farniente. Comptez 110 km AR depuis Remedios.

☺ **Bon à savoir** – Votre passeport vous sera demandé au poste de péage *(4 CUC AR)*. Il n'y a plus de plages publiques à Cayo Santa María : elles sont toutes payantes !

Appelés les cayos de Villa Clara, les trois îles de Las Brujas, Ensenachos et Santa Maria font partie de l'archipel Jardines del Rey, avec les cayos Coco et Guillermo. Au creux de leurs dunes et mangroves, elles abritent un grand nombre d'espèces d'oiseaux et font partie de la réserve de la biosphère Buena Vista. Le choix d'y implanter une litanie de complexes hôteliers (13 000 chambres au total) aux formules tout-inclus, où les touristes viennent en masse s'y faire bronzer et festoyer, n'est néanmoins pas neutre sur le plan écologique.

À 9 km à l'ouest de Remedios, l'entrée du port de **Caibarién** (B1) est signalée par une sculpture de crabe géant. Cette localité, frappée par la crise du transport maritime, attriste : les témoignages de sa prospérité passée (demeures coloniales, manufactures, etc.) tombent aujourd'hui en ruine…

C'est à 1 km au sud de Caibarién que s'élance le **pedraplén★**, cette digue impressionnante, longue de 48 km (dont 17 km en pleine mer, avant de sillonner entre caillots et mangroves) et enjambant 49 ponts permettant le mouvement des marées. La route forme une voie royale vers les *cayos* Las Brujas (avec la première plage, au km 30) et, enfin, Santa María, les seuls de l'archipel de Sabana disposant d'infrastructures touristiques.

Outre une marina, un delphinarium et un golf, Santa Maria a inauguré voici peu, dans sa partie orientale, la **Plaza Las Terrazas**, un quartier touristique incluant un club de plage, des restaurants et bars et une galerie marchande.

Mais l'attraction principale reste bien sûr les plages, qui s'étirent sur 13 km. Sur ce littoral resté en partie sauvage, les expressions « sable fin » et « eau turquoise » ne sont pas galvaudées ! La nature – en particulier les flamants roses et échassiers – semble avoir encore ses droits, notamment sur l'ultime plage au bout de la route, **Playa Las Gaviotas**, que l'on rejoint par un chemin de 700 m dans la végétation. Prenez garde cependant aux courants lors de vos baignades.

⊛ NOS ADRESSES À SAN JUAN DE LOS REMEDIOS

INFORMATIONS UTILES

Change
Cadeca – *Calle M. Gómez (sur la place principale, près de l'hôtel Mascotte) - lun.-sam. 8h30-16h.*
Banco de Credito y Commercio – *à l'angle des calles Maceo et Pi y Margall.* Distributeur et change.

Poste
Correos – *Angle calles J. A. Peña et A. Ramero.*

Internet
Pas de boutique Etecsa à Remedios. Le wifi se capte dans les hôtels Camino del Principe, Mascotte et Bausa situés à proximité de la place principale. Leurs réceptions vendent des cartes Internet Nauta.

Santé
Farmacia – *Angle calles Independencia et A. Maceo (une cuadra face à l'église principale).*

Stations-service
Deux stations aux entrées de la ville, l'une sur la route de Santa Clara, l'autre de Caibarién.

ARRIVER/PARTIR

En voiture
Remedios se situe à 50 km de Santa Clara : il faut sortir de cette ville par l'Ave. de la Liberación, qui commence au mémorial du train blindé ; puis poursuivez tout droit.

En bus
Terminal Viazul – *Calle Pi et Margall -* www.viazul.com. La ville est desservie chaque jour sur la liaison Trinidad-Santa Clara-Caibarién-Cayo Santa María. De Trinidad, comptez 4h et 14 CUC. Le bus venant de Trinidad passe à 11h30 et arrive au Cayo Santa Maria à 13h. De là, il repart 13h40 et passe à Remedios à 15h.

TRANSPORTS

Pour vous rendre sur les cayos, vous pouvez prendre un taxi (comptez 50 CUC/j), louer un scooter à l'agence Via Rentacar située dans le local d'Infotur (35 CUC/j.) ou encore vous joindre à une excursion organisée par Gaviota Tours (28,50 CUC).
Sur les cayos, un bus panoramique fait la navette entre les différents hôtels et centres commerciaux. Les horaires sont affichés à la réception des hôtels.

HÉBERGEMENT

À Remedios

▶ Casas particulares
BUDGET MOYEN
La Casona Cueto – *Calle Alejandro del Río n° 72 e/E. Maralet et M. Gómez (à côté de la petite église del Buen Viaje, sur le côté de la place principale) - ☏ (42) 39 53 50 -* 🖼 ✗ *- 9 ch. 25 CUC.* Derrière sa lourde porte en bois clouté, on

4

découvre un décor colonial plein de charme (mobilier ancien, objets de piété) rafraîchi par un grand patio sur l'arrière. Bien conçues, les chambres sont agréables et très calmes, à l'unisson de l'accueil, tout en douceur.

Casa Colonial La Paloma – *Parque José Martí (calle Balmaceda n° 4) - ℰ (42) 39 43 90 -* 🖩 🗙 *- 5 ch. 25 CUC.* Un accueil d'une gentillesse infinie : voilà ce qui distingue cette maison coloniale, située sur la place principale. Autour de la délicate Iraida, chacun se met en quatre pour vous faire passer le meilleur moment, du petit-déjeuner au repas du soir *(voir « Restauration »).* Avec ses vieux pavages et son mobilier de famille, la demeure possède un cachet naturel. Une adresse où l'on se sent bien.

Hostal Buenviaje – *Calle Andrés del Río n° 20 e/E. Maralet et M. Gómez (la rue longe par l'arrière l'église del Buen Viaje) - ℰ (42) 39 65 60 - www. hostalbuenviaje.blogspot.fr -* 🖩 🗙 *- 3 ch. 25 CUC.* Encore une belle maison coloniale, à deux *cuadras* au nord du Parque José Martí. Dans le joli patio pavé de terre cuite, un oranger produit des naranjas ácidos pressées pour le petit-déjeuner… Bon confort, cuisine de qualité et excellent accueil : tout pour faire un buen viaje, un « bon voyage ».

Casa colonial Perez Ramos – *Calle Alejandro del Río n°78 - ℰ (42) 39 54 79 - www.casacolonialperezramos. com -* 🖩 🗙 *- 2 ch. 25 CUC.* Un vrai musée que cette maison coloniale croulant sous les lustres rococo, statues, bibelots, peintures et horloges anciennes ! Nichées au fond, les chambres donnent sur un patio verdoyant où coule une fontaine.

Casa colonial Alelusa – *Calle Brigadier González n° 34, e/*

Independencia et Jose Antonio Peña - ℰ (42) 39 53 31 - hostalalelusa@ gmail.com - 🖩 🗙 *- 3 ch. 30 CUC.* Décorée avec goût, notamment un mobilier en bois de style Renaissance espagnole, cette maison d'hôtes séduit par son cachet authentique, son frais patio débordant de plantes et surtout grâce à l'amabilité d'Alexey et Leticia, hôtes discrets mais attentifs.

▶ Hôtels

Le groupe d'État Cubanacan gère, via sa chaîne Encanto, les six hôtels du centre-ville. Leurs tarifs en ligne sont quasiment identiques.

UNE FOLIE

Hotel Camino del Principe – *Calle Cienfuegos n°9, e/Montalvan et A. del Rio - ℰ (42) 39 51 44 - www.cubanacan.cu -* 🖩 🗙 *- 26 ch. 70/100 CUC* ☕ *. - wifi.* Dans une bâtisse néocoloniale du 19e s. bien rénovée, avec un hall lumineux et d'agréables balcons à l'étage. Chambres grandes et fonctionnelles. Certaines hélas sont borgnes, tandis que les autres, plus lumineuses, ouvrent sur la place Marti.

Hotel E Casa Bauza – *Parque José Martí (calle M. Gómez n° 114) - ℰ (42) 39 51 44 - www.cubanacan. cu -* 🖩 🗙 *- 24 ch. 70/100 CUC* ☕ *- wifi.* Inauguré en 2018, ce charmant établissement occupe une ancienne demeure privée au style colonial. La terrasse de son restaurant sur la place jouit d'une belle vue sur l'église San Juan Bautista. Chambres claires, belles et propres, bonne literie.

Hotel Mascotte – *Parque José Martí (calle M. Gómez n° 114) - ℰ (42) 39 51 44 - www.cubanacan. cu -* 🖩 🗙 *- 10 ch. 70/100 CUC* ☕ *- wifi.* L'un de ces hôtels au cachet très rétro qui font le charme des petites villes cubaines. Situé dans un très bel édifice du 19e s.

surplombant la place centrale, l'établissement fut le cadre de la rencontre entre le président des États-Unis Mac Kinley et le général cubain Máximo Gómez, le 10 février 1899. Choisissez l'une des 5 chambres avec vue sur le Parque.

Hotel Barcelona – *Parque José Martí (au début de la calle J. A. Peña, devant l'église principale) - 𝄐 (42) 39 51 44 - www.cubanacan.cu - ▤ ✖ - 24 ch. 70/100 CUC ▱. - wifi.* Au premier coup d'œil, on est sous le charme de son patio ceint de galeries d'où s'échappe une myriade de plantes vertes. La majorité des chambres en revanche n'ont pas de fenêtres et le petit-déjeuner laisser beaucoup à désirer.

Sur les cayos

▶ Hôtels

Le cadre sauvage des îlots, avec leurs plages ourlées d'une eau translucide, est unique pour un séjour balnéaire à l'écart de tout. Hormis l'hôtel Villa Las Brujas ci-dessous, les complexes hôteliers pratiquent des formules « tout inclus », souvent déclinées en forfaits de 7 jours. L'idéal est de réserver *via* un voyagiste et sur Internet. Sauf offre promotionnelle, les prix varient entre 80 et 250 CUC/j selon le standing et les animations proposées. Parmi ces grandes enclaves calées sur les normes internationales, la marque espagnole **Meliá** gère plusieurs complexes *(www.melia.com)*, dont le luxueux Paradisus. On note également des enseignes du groupe asiatique Banyan Tree comme l'Angsana et le Dawa, ou encore le Royalton du groupe canadien Sunwing.

UNE FOLIE

☺ **Villa Las Brujas** – *À Cayo Las Brujas - 𝄐 (42) 35 00 40 - www.gaviotahotels.com - ▤ ✖ - 24 ch. 95 CUC ▱ - change.* À l'écart des gros complexes hôteliers, au-dessus d'une anse de sable blanc, des bungalows nichés dans la végétation et reliés par des passerelles en bois. Les prestations sont simples, mais le site est superbe, le calme total. Peu d'endroits donnent autant l'impression d'avoir la nature et la mer pour soi ! Hors saison, certaines chambres restent libres, passez à l'improviste.

RESTAURATION

À Remedios

BUDGET MOYEN

Casa Colonial La Paloma – *Voir « Hébergement » - midi et soir - env. 15 CUC.* Même sans y être résident, n'hésitez pas à profiter de la table de cette adresse : le soin apporté aux assiettes – typiques de la cuisine familiale cubaine, telles la soupe de haricots rouges et les grillades de porc ou de poulet –, ainsi que le guitariste, souvent de la partie, vous feront passer un bon moment.

Hostal La Estancia – *Calle Cienfuegos n°34, e/Ave. Carrillo et José Antonio Peña - 𝄐 (42) 39 55 82 - www.laestanciahostal.com - 19h-22h30 - 15/25 CUC.* Cette casa particular ouvre sa table à tous et concocte une cuisine savoureuse, à base de produits frais : langouste, crevettes, crabe, filet de poisson ou côte de porc grillés au charbon de bois. Si vous ne savez pas quoi choisir, faites confiance au chef, vous ne serez pas déçu !

BOIRE UN VERRE, ÉCOUTER DE LA MUSIQUE

Tout se passe autour du Parque José Martí et il suffit souvent de se balader pour s'arrêter là où la musique est bonne. L'offre est riche pour un si petit bourg!

El Louvre – *Parque Leoncio Vidal (calle M. Gómez) - ☎ (42) 39 56 39 - 8h30-0h30 - autour de 5 CUC.* Rétro à souhait, c'est le café principal de la localité, où il fait toujours bon boire un verre. Très régulièrement, un groupe joue des airs traditionnels à l'heure de l'apéritif (18h-21h).

Casa de la Cultura – *Parque Leoncio Vidal (calle J. A. Peña) - ☎ (42) 39 55 81 - 8h-23h.* Près de l'église, un lieu ouvert à tous, proposant rencontres littéraires, cours de danse ou de hip-hop, entre autres, et chaque samedi soir, des concerts de musique cubaine. Vérifiez le programme à l'entrée.

Complejo Cultural Las Leyendas – *Parque Leoncio Vidal (calle M. Gómez) - ☎ (42) 39 71 31 - 9h-0h (w.-end 2h) - 1/5 CUC selon programme.* Une autre scène en plein air sur la place. La programmation (affichée dans la cour) alterne spectacles d'humoristes, solos de guitare ou groupes cubains.

Museo de la Música – *Parque José Martí - Voir « Se promener ».* Outre l'espace d'exposition, il propose en moyenne un concert par semaine (classique, musique ancienne, formations traditionnelles). Le programme est indiqué à l'entrée.

El Parrandero – *Parque José Martí (calle Balmaceda) - 8h30-0h30.* Entre bar à vins et bar à tapas, l'établissement propose régulièrement musique live et piano-bar.

ACTIVITÉS

Plages – Les plages des cayos sont publiques, mais l'accès passe le plus souvent par les hôtels qui exigent un droit d'entrée. La Villa Las Brujas pratique un prix abordable (15 CUC, donnant droit à un crédit de 12 CUC au restaurant-bar). Mieux encore, le club de plage Las Terrazas du cayo Santa Maria qui, pour 5 CUC, donne accès aux installations de la plage (douche, transats et paillotes) et inclut une boisson au bar.

Delfinario Cayo Santa Maria – *Cayeria Norte, à l'entrée du cayo Santa Maria, juste après le cayo Ensenachos - ☎ (42) 35 00 13.* L'un des plus grands delphinariums d'Amérique latine! Six bassins d'interaction (pour un maximum de 21 dauphins), un amphithéâtre de 260 places pour les spectacles (11h et 15h). Entrée 5 CUC, nage avec les dauphins 69 CUC.

Sancti Spíritus

★

Chef-lieu de la province de Sancti Spíritus - 108 482 hab.

Son emplacement, au carrefour de l'Oriente et de l'Occidente, fait de Sancti Spíritus un point de passage presque obligé pour les voyageurs. Et pourtant, rares sont ceux qui prennent le temps de découvrir ce chef-lieu de province, en dépit de son inscription sur la liste des monuments historiques nationaux. De l'époque coloniale, la ville a en effet conservé un joli centre ancien, qui mérite une balade. Sur votre route en traversant l'île, n'hésitez donc pas à y marquer une courte pause.

☺ NOS ADRESSES PAGE 215
Hôtels, restaurants, shopping, activités, etc.

 S'INFORMER
Cubatur – ☎ *(41) 32 85 18 - Parque Serafín Sánchez*. Gère uniquement les réservations d'hôtels ; pour tout renseignement, adressez-vous à l'Infotur de Trinidad.

▶ **SE REPÉRER**
Carte de région B2 (p. 154-155) - Plan de la ville (ci-contre).

👁 **À NE PAS MANQUER**
Flânez dans le quartier San Juan.

🕐 **ORGANISER SON TEMPS**
La ville se découvre facilement à l'occasion d'une pause déjeuner.

Se promener Plan de la ville, p. 214

Comptez 1h.
La route venant de Trinidad longe la voie ferrée jusqu'à la gare de Sancti Spíritus. Prenez à droite l'avenida Jesús Menéndez, traversez le fleuve et continuez tout droit sur 500 m jusqu'au Parque Serafín Sánchez.
Les rues de Sancti Spíritus suivent un tracé irrégulier qui incite à une promenade sans but précis. Les curiosités touristiques se concentrent essentiellement entre le Parque Serafín Sánchez et le pont Yayabo.

4

★ Parque Serafín Sánchez
Au cœur de la ville, cette vaste place, inondée de soleil en journée, porte le nom du héros indépendantiste de la ville, mort au combat en 1896. Les bâtiments qui la bordent, néoclassiques ou Belle Époque, arborent des tons très vifs : leurs balustres, balcons et colonnes, laissés en blanc, paraissent d'autant plus éclatants. Sur le côté ouest du Parque, le **Museo Provincial General** *(mar.-sam. 9h-17h, dim. 9h-12h - 1 CUC)* occupe une belle maison du 18ᵉ s. ; ses salles retracent l'histoire de la région, des Indiens à la révolution. Enfin, côté sud-est s'ouvre la **calle Independencia**, le *bulevar* piéton de la ville, où se concentrent de nombreux commerces et cafés.

Museo de Historia Natural
Calle M. Gómez n° 2 - ☎ (41) 32 63 65 - mar.-jeu. 9h-17h, ven.-sam. 14h-22h, dim. 8h30-12h - 1 CUC.
À 30 m au sud de la place, ce petit musée ne présente pas grand intérêt, avec ses animaux empaillés et sa collection un peu poussiéreuse de minéraux, coquillages, insectes et crustacés.
Suivez la calle M. Gómez sur 100 m jusqu'au joli petit Parque Honorato.

Iglesia Parroquial Mayor del Espíritu Santo

9h-17h30 - visites guidées possibles (pourboire) - montée au clocher 1 CUC.

Le clocher d'un bleu inouï, rivalisant avec la profondeur du ciel, domine la petite place Honorato. Le destin de cet édifice semble refléter l'histoire de Sancti Spíritus. Érigé en 1514, il dut être transféré en même temps que la cité en 1520. Pillée et mise à sac par les pirates au cours du 17ᵉ s., l'église fut définitivement reconstruite en 1680. La tour (86 marches, 34 m de hauteur) fut ajoutée au 18ᵉ s., puis la coupole au 19ᵉ s. De belles **boiseries★** ornent le plafond de la nef et surtout du chœur.

Poursuivez sur la calle M. Gómez encore 100 m.

★★ Palacio de Valle Iznaga-Museo de Arte Colonial

Angle calles M. Gómez et Plácido - ℘ (41) 32 54 55 - mar.-jeu. 9h30-17h, ven.-sam. 9h30-13h30, 19h-22h, dim. 8h-12h - 2 CUC.

Ce grand hôtel particulier du 18ᵉ s., avec ses grilles aux fenêtres et son balcon en fer forgé, fut la première maison à deux étages de Sancti Spíritus. Des meubles du 19ᵉ s. provenant de la région ont été réunis dans les différentes salles pour reconstituer un riche intérieur de l'aristocratie cubaine. Quelques vitraux ainsi que des objets d'arts décoratifs complètent cette collection.

Continuez la calle Máximo Gómez et prenez la calle Padre Quintero sur la gauche, la dernière rue avant le pont.

★★ Barrio San Juan

Le quartier le plus traditionnel de Sancti Spíritus s'étend sur quelques rues entre la calle Panchito Jiménez et le río Yayabo. Ses ruelles pavées, bordées de

petites maisons colorées coiffées de tuiles, évoquent un charmant petit village. Loin de tout bruit de circulation, descendez jusqu'aux berges du fleuve. Vous apercevrez sur votre droite la silhouette jaune et brique du **Puente Yayabo** enjambant le fleuve du même nom. Ce pont en pierre de style médiéval fut inauguré en 1825.

😊 NOS ADRESSES À SANCTI SPÍRITUS

Voir le plan de la ville p. ci-contre.

INFORMATIONS UTILES

Banque/Change
Cadeca – *Calle Indepencia Sur n° 31 - 8h30-16h (dim. 11h30).* Change et retrait au guichet.
Banco Financiero Internacional – *Calle Independencia n° 2.* Distributeur.

Poste
Correos – *Calle Independencia n° 10.*

Téléphone/Internet
Etecsa – *Calle Independencia n° 14.* Vente de cartes Internet. Hotspot wifi sur le Parque Serafin Sanchez.

Stations-service
Aux entrées de la ville, sur les routes de Santa Clara et de Ciego de Ávila.

ARRIVER/PARTIR

En bus
Estación Viazul – *Sur la carretera Central en direction de Ciego de Ávila, à 2 km du Parque Serafín Sánchez -* 📞 *(41) 33 49 83 - www.viazul.com.* La ville est desservie sur les liaisons La Havane-Santiago (3 arrêts/j dans les 2 sens), Varadero-Trinidad (1 arrêt/j) et Trinidad-Santiago (1 arrêt/j), ces lignes marquant aussi l'arrêt dans de nombreuses villes : Santa Clara, Camagüey, Holguín, Bayamo, etc. Comptez environ 1h30 de trajet pour Trinidad et Santa Clara, 3h30 pour Camagüey et 5h pour Varadero.

TRANSPORTS

Le centre-ville, autour du Parque Serafin Sanchez et des berges du rio Yayabo, se parcourt facilement à pied. De nombreuses calèches et des bici-taxis parcourent la ville (env. 1 CUC le trajet).

HÉBERGEMENT

Dans le centre-ville

▶ Casa particular
PREMIER PRIX
Hostal Los Richards – *Independencia Norte n°28 (angle nord-est du Parque Serafín Sánchez), 1er étage -* 📞 *(41) 32 26 56 -* 🍴 *- 4 ch. 25 CUC.* Chambres plutôt grandes avec de hauts plafonds, dont deux avec balcon sur la place principale (attention au bruit certains soirs) et une autre en retrait sur l'arrière, avec une belle salle de bains. Coin cuisine à disposition, bon accueil et petit-déjeuner copieux.

▶ Hôtels
UNE FOLIE
Hotel Plaza – *Parque Serafín Sánchez (angle calle Independencia et ave. de los Mártires) -* 📞 *(41) 32 71 02 - www.islazul.cu -* 🍴 *- 27 ch. 80/100 CUC* ☕ *- change, Internet (postes fixes).* Impossible de manquer sa petite façade toute bleue sur la place principale. Si vous ne craignez pas le bruit, choisissez une chambre sur l'avant pour la vue. Atmosphère coloniale et confort sans fioritures distinguent cet établissement assez intime.

4

Hotel del Rijo – *Parque Honorato del Castillo n° 12 - ☎ (41) 32 85 88 - www.islazul.cu - 🍴 🗒 - 16 ch. 80/100 CUC ☕ - change, Internet (postes fixes).* Atmosphère d'époque dans ce bel édifice du 19e s., faisant face au paisible Parque Honorato. Les chambres s'agencent autour d'un patio plein de noblesse (avec restaurant). Préférez celles situées à l'étage, avec un balcon surplombant la place. Bon niveau de standing.

Hotel Don Florencio – *Calle Independencia Sur n° 63 - ☎ (41) 32 85 88 - www.islazul. cu - 🗒 - 12 ch. 80/100 CUC ☕ - change, wifi.* Sur le *bulevar* piéton, cet hôtel joue pleinement la carte du charme colonial : murs colorés, objets d'art, vitraux, stucs et moulures, joli patio. Les chambres sont chic et spacieuses (préférez celles à l'étage, plus claires).

RESTAURATION

PREMIER PRIX

Mesón de la Plaza – *Calle M. Gómez n° 34 e/Parque Central (Cervantes) et Honorato - ☎ (41) 32 85 46 - 9h-22h45 - 5/10 CUC.* Une grande taverne bien connue en ville. Elle accueille de nombreux groupes de touristes et reste authentiquement chaleureuse, avec souvent des musiciens accompagnant le repas. Soupe de haricots blancs, porc ou poulet grillé, entre autres : parfait pour un repas rapide et pas cher.

Taberna Yayabo – *Jesus Menendez n°106 - ☎ 54 47 30 86 - 9h-22h30 - 10/12 CUC -* Proche du Puente Yayabo, cette taverne aux allures andalouses avec ses jambons suspendus au-dessus du comptoir, ouvre ses fenêtres sur la rivière et dispose d'une terrasse en contrebas. Au menu, des tapas de jambon serrano, de chorizo, fromage et fruits secs, et des plats cubains classiques. Bonne sélection de vins issus de la cave au sous-sol. Happy hour de 17h à 18h pour les cocktails.

Al Medio – *Calle M. Gómez n° 15 Sur- ☎ 53 42 08 51 - 9h-22h - 5/12 CUC.* Grande salle climatisée d'inspiration italienne, entre murs de brique et sol en terre cuite. À la carte, une honnête cuisine : pizzas, escalope de porc au citron, côtelettes de porc au miel, filet de poisson aux crudités ou salade de thon aux petits légumes.

BUDGET MOYEN

Hotel del Rijo – *Voir « Hébergement » - midi et soir - autour de 15 CUC.* La table de cet élégant hôtel se distingue. On prend place dans le beau patio, rafraîchi par une petite fontaine. La cuisine est teintée d'influences internationales : pâtes italiennes, *chop suey*, grillades à la cubaine.

EN SOIRÉE

Concerts

Casa de la Trova – *Calle M. Gómez n° 26 e/Parque Central (Cervantes) et Honorato - ☎ (41) 32 80 48 - 21h-2h - 1 CUC.* On peut y prendre un verre en profitant des groupes qui s'y produisent chaque soir (*trova*, musique traditionnelle cubaine).

ACTIVITÉS

Le lac Zaza *(à 10 km de Sancti Spíritus par la route de Ciego de Ávila)* concentre la plupart des activités nature : promenades en bateau, pêche au brochet et à l'alose (*s'adresser à l'hôtel Zaza, sur les rives du lac*).

Morón

Cayo Coco★★ et Cayo Guillermo★★

Province de Ciego de Ávila - 68 300 hab.

Disons-le tout net : Morón ne constitue pas un but en soi. Avec ses rues rectilignes bordées de maisonnettes relativement décaties et mal éclairées le soir, la localité n'offre pas le lieu de séjour le plus charmant. Elle accueille pourtant un nombre non négligeable de touristes… Mais quel est son secret ? Tout simplement la proximité de plages de rêve, celles des cayos Coco et Guillermo ! Si Playa Pilar, qui passe pour l'une des plus belles de Cuba, se trouve tout de même à 100 km de route, Morón offre la seule possibilité d'en profiter sans avoir à résider dans l'un des luxueux hôtels-clubs installés sur les îlots. Les voyageurs individuels amoureux des plages paradisiaques font donc ici étape sans regret. Le rêve se mérite !

😀 NOS ADRESSES PAGE 220
Hôtels, restaurants, shopping, activités, etc.

⛃ S'INFORMER

Infotur – *deux points d'information à Cayo Coco, à l'aéroport et au centre commercial La Gaviota, à l'entrée principale de l'île, devant Playa Larga - ☎ (33) 30 10 01 - www.infotur.cu et www.jardinesdelrey.travel- 9h-17h.*
De nombreuses agences proposent excursions et activités sur les *cayos* :
Cubatur – *À Morón (calle Martí n° 169 e/Libertad et Agramonte) ; à Cayo Coco, villa Azul, edif. 5, ☎ (33) 30 13 38.*
Cubanacán – *À Cayo Coco, dans l'hôtel Tryp Cayo Coco, ☎ [33] 30 12 25.*

Havanatur – *À Cayo Coco, 1ra Rotunda, ☎ [33] 30 13 71 ou 30 12 34.*

▶ SE REPÉRER
Carte de région C2 (p. 154-155).

😊 À NE PAS MANQUER
Le *pedraplén*, route-digue traversant la mer pour rejoindre les cayos ; Playa Pilar, tout au bout de Cayo Guillermo.

🕐 ORGANISER SON TEMPS
De Morón, partez tôt le matin pour rentabiliser le trajet et bien profiter des plages.

Se promener

Comptez 45mn.
À l'entrée de la ville, un **coq** en bronze pousse son étrange cri mécanique deux fois par jour. Mis à part cet emblème, Morón ne se distingue pas des autres villes moyennes de Cuba. Sur la calle José Martí, l'artère principale de la ville qui se différencie par son enfilade de colonnes, il fait bon siroter un *batido* aux fruits (milk-shake) sous les arcades aux couleurs usées. Les rues transversales mènent à des chemins de terre puis se perdent dans la campagne… Dans le bas de la rue principale, non loin de la jolie gare ferroviaire restée dans son jus années 1920, le **Museo Municipal** *(calle José Martí n° 374 e/D. Daniel et S. Antuñas - ☎ [33] 50 45 01 - lun.-mar. 9h-17h, merc. et sam. 8h-22h, dim. 8h-12h, 18h-22h - 1 CUC)* renferme des pièces archéologiques latino-américaines (ustensiles, haches de pierre pétaloïdes, *esferolitias* – pierres enterrées avec les morts –, céramiques). Quelques documents et objets personnels rendent hommage aux indépendantistes originaires de la ville. Une salle est consacrée aux rites religieux influencés par le vaudou haïtien.

4

À proximité Carte de région, p. 154-155

Ciego de Ávila C2
À 35 km au sud de Morón.
Chef-lieu de la province, véritable nœud de communications terrestres, aériennes et ferroviaires, Ciego de Ávila est un passage obligé pour rejoindre Morón. Les touristes traversent rapidement la ville pour poursuivre leur route : la localité, morne et bruyante, ne présente pas suffisamment d'intérêt pour s'y arrêter. Les amateurs de paysages ruraux s'attarderont dans les hameaux alentour, dispersés entre les plantations de canne à sucre, d'agrumes et d'ananas.

Circuit conseillé Carte de région, p. 154-155

DE MORÓN À LA MER C2

Suivez la calle José Martí vers le nord et continuez tout droit pendant 5 km le long du canal.
Vision magique que celle de la **Laguna de la Leche** (« lagune du Lait »), qui tient son nom de l'aspect laiteux que prend son eau, riche en carbonate de sodium. Il est possible de faire des promenades en barque sur cette immense et très paisible étendue de 67 km², la plus grande lagune du pays. Les embarcations peuvent être louées auprès de la base nautique à proximité du restaurant *(voir « Restauration »)*.
Depuis le centre-ville et la calle José Martí, tournez à droite à Libertad jusqu'à la carretera Nueva, qui se dirige vers les cayos.
À 16 km au nord de la ville, la **Laguna Redonda** constitue l'un des meilleurs sites cubains de pêche à la truite. On peut s'arrêter au bar-restaurant situé sur la rive ou louer une embarcation pour faire le tour du lac.
À 4 km de la lagune en direction de Cayo Coco, la route passe à proximité du **Pueblo Celia Sánchez**, également appelé le « village hollandais ». Ses maisons à colombages, perdues au cœur de pâturages où paissent des vaches rousses, offrent un spectacle inattendu dans un pays tropical.
La route se dirige à droite vers Cayo Coco et Cayo Guillermo.
Si vous manquez de temps pour les *cayos* ou que vous préférez une baignade ambiance cubaine, la **Playa La Tinaja** (C2) sera tout à fait adaptée *(avant la route pour les cayos, tournez à droite à San Rafael, puis à gauche après Manati)*.

ENTRE OCCIDENTE ET ORIENTE
En 1538, l'Espagnol Jácome de Ávila acquiert un domaine qui, en s'agrandissant, devient un relais clé pour les voyageurs effectuant le long trajet de Santiago de Cuba à La Havane. La ville de Ciego de Ávila, actuel chef-lieu de la province, n'est fondée qu'en 1840 et, quelques années plus tard, la région prend une importance accrue lors des guerres d'indépendance. Conscients de sa situation stratégique, les Espagnols décident de construire la Trocha (« sentier »), une fortification reliant Morón à Júcaro au sud, afin de barrer la route aux indépendantistes de l'Est. Ce même dispositif sera utilisé par Batista pour empêcher les *barbudos* d'assurer la jonction entre l'est et l'ouest de l'île pendant la guérilla révolutionnaire. De ces 70 km de murailles, il ne reste que quelques vestiges autour de Morón.

L'archipel des Jardines del Rey, à Cayo Guillermo.
H. Leue/Look/age fotostock

★★ Cayos Coco et Guillermo Carte de région, p. 154-155

Comptez 1h30 de route (sans marquer d'arrêt) de Morón à Playa Pilar, la plage la plus éloignée. Un poste-frontière (péage 2 CUC) marque l'entrée des cayos.

🐦 **Bon à savoir** – Un passeport est en principe exigé pour l'accès aux cayos. Merveille de la nature isolée au milieu de la mer, à une quinzaine de kilomètres au large de la côte, l'archipel des Jardines del Rey (« Jardins du Roi »), comprenant Cayo Coco et Cayo Guillermo, alterne terres à fleur d'eau, zones de mangrove et plages de sable blanc ourlées d'eaux limpides. Baignade, bain de soleil, observation des oiseaux et des poissons, pêche et sports nautiques rythment les journées sur ces îlots du bout du monde.

★★ Cayo Coco C1

Le **pedraplén★**, la route-digue qui relie l'île principale à Cayo Coco sur une vingtaine de kilomètres dans la bahía de los Perros (baie des Chiens), semble s'étendre à l'infini au beau milieu de l'océan. Il présente un spectacle inoubliable au coucher du soleil, mais soyez prudent, car la chaussée n'est pas éclairée et ne dispose d'aucune barrière de sécurité sur les bas-côtés.

À 17 km du poste-frontière, la route aborde les côtes marécageuses du sud de Cayo Coco. Cette île de 370 km² est couverte de forêts abritant de nombreuses espèces d'oiseaux dont des flamants roses, des pélicans ou des ibis, visibles notamment du haut du petit mirador installé au snack-bar **La Silla**.

Continuez tout droit sur une quinzaine de kilomètres jusqu'au nord du cayo, où se concentrent les complexes hôteliers.

La majorité des hôtels se concentrent sur **Playa Larga★★**, longue plage de sable qui s'étire sur plus de 2,5 km. Pour plus de tranquillité, explorez les petites plages plus au nord-ouest : **Playa Flamingo★★** et **Playa Prohibida★★** *(à 60 km de Morón, comptez 1h de voiture si vous y venez directement)*, sont les plus jolies. Restauration le midi.

De retour au rond-point (Rotonda), prenez vers l'ouest en direction de Cayo Guillermo sur environ 35 km.

★★ Cayo Guillermo C1

La route traverse une zone de mangroves avant de pénétrer dans Cayo Guillermo. La petite superficie (13 km²) de cet îlot le rend plus convivial que son voisin. Il n'offre que 5 km de plage, mais se révèle un excellent site de pêche et de kitesurf.

De **Playa Pilar★★**, la plus belle plage de l'archipel – hélas envahie par les parasols, transats et autres –, un catamaran peut vous emmener à **Cayo Media Luna**, juste en face ; un îlot réputé pour la beauté de ses fonds coralliens.

Enfin, vous pouvez vous rendre sur l'une des dernières îles ouverte au tourisme, le **Cayo Paredón Grande**, au nord du Cayo Romano, en continuant vers l'est depuis le rond-point (Rotonda) de Cayo Coco. Un phare et de belles plages vous y attendent.

NOS ADRESSES À MORÓN ET SUR LES CAYOS

INFORMATIONS UTILES

Banque/Change

Bandec – *Calle J. Martí n° 330 e/G. Arenas et S. Sanchez, à Morón.*
Cadeca – *Calle J. Martí n° 346 e/G. Arenas et S. Sanchez, à Morón.*
Banco Financiero Internacional – *À la station-service Servicupet de Cayo Coco.*

Poste

Correos – *Calle J. Martí n° 324 e/G. Arenas et S. Sanchez, à Morón.*

Internet

Etecsa – *Parque J. Martí (angle calles J. Martí et Céspedes), à Morón.* 4 ordinateurs, vente de cartes Internet. La plupart des *casas particulares* ont du wifi.

Santé

Plusieurs pharmacies à Morón et dans les grands hôtels.
Clínica Internacional – *Sur Cayo Coco. Consultations, laboratoires, pharmacie.*

Stations-service

Une station à l'entrée de Morón, sur la route de Ciego de Àvila (ave. de Tarafa). Stations Servicupet au rond-point central (Rotonda) de Cayo Coco et à l'entrée de Cayo Guillermo.

ARRIVER/PARTIR

En bus

Viazul – *www.viazul.com.* La compagnie dessert uniquement Ciego de Ávila, à 35 km de Moron. Des taxis font la liaison entre les deux villes (*20 CUC, env. 45mn de trajet*). Bus 4/j. pour La Havane (7h à 7h30 de trajet, 27 CUC) et Santiago (8h à 8h30 de trajet, 24 CUC), et 1/j pour Camagüey (2h30, 17 CUC), Varadero (6h30, 19 CUC) et Trinidad (3h, 9 CUC).

En avion

Aéroport international Jardines del Rey – *Au sud-est de cayo Coco.* Vols charters en provenance d'Europe et du Canada. Liaison avec la Havane sur Cubana.

TRANSPORTS

Bus

Une navette à toit panoramique fait un circuit en boucle à travers les cayos, toutes les heures, de 8h à 19h, et dessert les principaux hôtels, les plages et zones commerciales. L'horaire est affiché dans les hôtels. Ticket : 5 CUC/j. Pas de liaison en revanche entre les cayos et Moron : il faut prendre un taxi ou disposer d'un véhicule.

Taxis

Cubataxi - ☎ *(33) 50 32 90.* Ils stationnent près de la gare de Morón et dans les grands hôtels des cayos. *De Morón, comptez autour de 50 CUC pour Cayo Coco et Cayo Guillermo, 90 CUC pour un taxi à la journée.*

Location de véhicules

Comptoirs de location Transtur *(www.transtur.cu)* dans la plupart des grands hôtels des cayos.

HÉBERGEMENT

À Morón

◗ Casas particulares

PREMIER PRIX

Casa Carmen – *Calle General Peraza n°38* - ☎ *(33) 50 54 53* - *casacarmenmoron@gmail.com* - 🖥 ✕ 🅿- *2 ch. 25 CUC - Wifi.* Près de la gare, une pimpante maison tenue par Magaly et Alfonso, des propriétaires adorables. Chambres très propres avec douche à l'italienne, petit patio à l'arrière débordant de plantes, l'endroit idéal pour déguster la délicieuse cuisine concoctée par Magaly.

Hostal Belkis – *Castillo 175 | e/Callejas et Serafin Sanchez* - ☎ *(33) 50 52 05* - 🖥 ✕- *2 ch. 25 CUC - Wifi.* Une maison bleue tout en longueur, avec son jardinet à l'arrière. Chambre au rez-de-chaussée avec terrasse ou à l'étage avec balcon. Bon accueil des hôtes, très serviables, et cuisine savoureuse.

Hostal Martha & Beto – *Calleja n°99, e/Castillo et Luz Caballero* - ☎ *(33) 50 35 07* - *hostalmarthaybeto.com* - 🖥 🅿- *2 ch. 25 CUC - Wifi.* À l'étage d'une maison proprette tenue par un gentil couple de retraités, des chambres spacieuses et nickel de propreté, équipées d'un frigo. Petit-déjeuner plantureux.

Hostal Oasis Papito – *Calle L. Caballero n° 38 e/Libertad et Agramonte* - ☎ *(33) 50 30 77* - *oasispapito@nauta.cu* - 🖥 ✕- *3 ch. 25/30 CUC.* Dans une maison rose avec une appréciable terrasse, des chambres impeccables, grandes et propres, et un accueil très chaleureux. Papito vous donnera toutes les infos utiles pour votre séjour et pourra vous aider pour vos déplacements.

Alojamiento Maite B & B – *Calle L. Caballero n° 40B e/Libertad et Agramonte* - ☎ *(33) 50 41 81* - 🖥 ✕ 🌊 - *8 ch. 25/30 CUC.* Quelle personnalité que celle de Maite ! Entièrement dévouée à ses hôtes, elle ne cesse de s'enquérir de leur satisfaction et multiplie les bons conseils pour profiter des *cayos.* Elle a peu à peu transformé sa *casa* en un vrai petit hôtel-restaurant, simple et impeccablement géré. Plusieurs terrasses à différents niveaux et, cerise sur le gâteau, une petite piscine. Réservez si possible la chambre située tout en haut, sur les toits, un vrai nid perché !

Sur les cayos

Seules de grandes chaînes hôtelières sont présentes sur Cayo Coco et Cayo Guillermo. Elles proposent des prestations similaires : pension complète, location de voitures, bureaux de change, services médicaux, avec un large éventail d'activités sportives, d'animations et d'excursions. Ces hôtels étant surtout fréquentés par des groupes, les prix négociés par une agence sont plus intéressants, de même que les offres Internet. Les meilleurs établissements sont gérés par les groupes **Meliá**, qui comprend aussi les marques Sol et Tryp *(www.melia.com)*, **Iberostar** *(www.iberostar.com)*, **Gran Caribe**

4

(www.gran-caribe.com) et **Pullman** (www.accorhotels.com).

Villa Gregorio – *Carretera a Cayo Guillermo, à l'entrée sud du cayo, près de la marina, à droite juste après le pont* - ℘ *(33) 30 16 11* - *www.islazul.cu* - 🗇 ✕ 🏊 - *14 ch. 50/70 CUC*. Fréquenté par les Cubains, ce petit ensemble style motel constitue une alternative économique aux hôtels tout compris des alentours. Les chambres sont propres et correctement équipées, sans être folichonnes. Tout près se trouve une mangrove peuplée de flamants roses.

RESTAURATION

À Morón

BUDGET MOYEN

Restaurante Maite La Qbana – *Voir « Hébergement »* - *midi et soir (réservez 2h à l'avance)* - *10/15 CUC*. Maite, qui auparavant satisfaisait les estomacs de ses seuls hôtes, a ouvert sa table à tous : elle propose une bonne cuisine traditionnelle, de la soupe de haricots rouges aux fruits frais, en passant par le poulet frit. Le service est très agréable, le cadre simple et sympathique, et les assiettes très généreuses !

El Diamante – *Calleja n°45A, e/ Narcisso Lopez et Avellaneda* - ℘ *(33) 50 43 13* - *12h-23h* - *10/15 CUC*. Une enseigne de néon rouge indique le lieu. Dans cette salle surclimatisée et peu éclairée, on déguste des plats classiques : porc, poulet, crevettes en sauce ou poisson en papillote. Les cuissons et saveurs donnent satisfaction.

La Atarraya – *Laguna de la Leche (à 5 km au nord de la ville, tout droit par la calle J. Martí, bien indiqué)* - ℘ *(33) 50 53 51* - *tlj sf lun. 12h30-17h* - *10/20 CUC*. Un

long ponton en bois mène à cette bâtisse entièrement vitrée, posée directement sur la lagune : la vue sur l'immense étendue d'eau est superbe. Le plus souvent, seuls quelques pêcheurs à pied, lançant leurs filets lestés de pierres, troublent le calme des ondes… Le poisson est évidemment la carte maîtresse du restaurant, ainsi que les fruits de mer.

Sur les cayos

Vous pourrez déguster poissons et langoustes grillés sur les plus belles plages, qui abritent de sympathiques restaurants quasiment les pieds dans le sable : sur Cayo Coco, **Ranchón Las Dunas** à Playa Larga, **Ranchón Prohibida** (appelé aussi Lenny's Bar & Grill) à Playa Prohibida et **Ranchón Flamencos** à Playa Flamencos ; sur Cayo Guillermo, **Ranchón Pilar** sur la belle Playa Pilar *(comptez 10/15 CUC)*.

EN SOIRÉE

À Morón

Si Morón paraît plutôt calme en soirée, quelques adresses concentrent toute l'animation. Le nombre de touristes étant limité, vous vous mêlerez plus qu'ailleurs aux Cubains.

Casa de la Trova – *Calle Libertad n° 74 e/J. Martí et N. López* - *jeu.-dim.* Une petite institution de la musique traditionnelle à Morón. Vérifiez le programme à l'entrée : les concerts ont généralement lieu en fin de semaine à partir de 21h ou 22h.

Patio El Gallo – *Angle calle Narciso Lopez n° 272 et Libertad* - ℘ *(33) 50 46 02* - *8h-0h (1h les vend. et dim., 2h le sam.)*. Une salle très fréquentée par les jeunes de la ville, alternant soirées karaoké, spectacles d'humoristes et concerts, principalement de musique cubaine. Accès refusé aux moins de 18 ans.

Sur les cayos

La plupart des hôtels proposent des animations en soirée, puis leurs discothèques prennent le relais.

Cueva del Jabalí – *Non loin de la Playa Prohibida, sur le Cayo Coco - 22h-2h - 25 CUC.* À l'écart des hôtels, ce bar-cabaret-discothèque jouit d'un cadre original : une grotte naturelle, sur laquelle les jeux de lumière prennent des accents rupestres. Spectacles de cabaret ou groupes cubains selon les soirs cèdent plus tard la place à la discothèque. La plupart des hôtels proposent une navette avec ce club.

ACTIVITÉS

Sur Cayo Coco et Cayo Guillermo, les activités nautiques sont évidemment à l'honneur : **plongée**, sorties en **catamaran, kitesurf, pêche en haute mer**, etc. La plupart des hôtels possèdent un bureau de tourisme qui saura vous détailler le programme en vigueur, généralement très riche. Si vous résidez à Morón, renseignez-vous auprès des agences *(voir « S'informer »)* pour profiter d'une excursion au départ de la ville.
Voici un échantillon des offres disponibles :

Boat Adventure –*à l'entrée de Cayo Guillermo, à gauche après le pont, en face de la marina - ℰ (33) 30 15 79.* Conduisez votre propre bateau biplace (speedboat) et suivez le guide à travers la jungle des canaux autour de Cayo Guillermo. L'aventure se prolonge par du snorkeling sur un récif de corail. Durée 2h, 46 CUC (enf. 23 CUC).

Blue Coco Diving – *À l'hôtel Pullman de Cayo Coco - ℰ (33) 30 81 79* - Centre de plongée SSI (Scuba School International). Plusieurs types de plongées sont proposés, de jour et de nuit, dans des récifs coralliens, des épaves et des grottes. Comptez 45 CUC la plongée, tarif dégressif.

Delfinario Cayo Guillermo – *À l'entrée de Cayo Guillermo, sur la gauche après le pont - ℰ (33) 30 16 95.* Ce delphinarium dispose de trois enclos semi-naturels. Shows à 9h30, 10h30 et 13h30. Entrée 5 CUC, activités interactives 55 CUC (enf. 27 CUC), nage avec les dauphins 110 CUC (enf. 60 CUC).

Centre de kitesurf Ola – *Hotel Melia Sol Cayo Guillermo - ℰ 550 33 987 - www.kite-cuba.com.* Club géré par des Allemands, équipé en matériel North. Cours 80 CUC/h, location matériel 60 CUC/h., tarif dégressif.

Un autre club de kitesurf, géré par des Italiens, se trouve dans le Sercotel Gran Caribe de Cayo Guillermo.

4

Camagüey

Chef-lieu de la province de Camagüey - 306 152 hab. - 3ᵉ ville de Cuba

On dit que le labyrinthe de ses rues sinueuses a été tracé délibérément pour égarer les pirates, dont les incursions étaient nombreuses au 17ᵉ s. Voilà qui ne manque pas de dérouter les visiteurs habitués au damier régulier des villes cubaines ! Et ce n'est pas la moindre originalité de la cité, dont le cœur piéton se révèle si pimpant et commerçant qu'il donne presque l'impression… d'être en Europe. Active et dynamique, Camagüey attire un tourisme d'un certain standing – l'offre hôtelière s'y distingue par sa richesse et sa qualité – autour de son patrimoine joliment mis en valeur : quelques places aux airs villageois, une vingtaine d'édifices religieux qui lui valent le surnom de « cité des Églises » et, au fil des rues, de lourdes portes en bois ouvrant sur des patios silencieux où disparaissent sous la végétation des « tinajones ». Ces grandes jarres en terre cuite, mesurant jusqu'à 2 m de profondeur, furent façonnées à partir du 16ᵉ s. par les Catalans afin de conserver l'eau, sur le modèle des jarres à huile espagnoles. On en aurait dénombré plus de 16 000 dans la ville, qui en a logiquement fait son symbole !

NOS ADRESSES PAGE 229
Hôtels, restaurants, shopping, activités, etc.

S'INFORMER

Infotur – *Calle I. Agramonte, dans une galerie, e/República et Plaza de los Trabajadores -* ℰ *(32) 25 67 94 - www.infotur.cu - tlj sf dim. 8h-17h.* Tous les renseignements sur la ville, les transports et les excursions sur la côte, proposées notamment par les agences Cubanacán, Cubatur et Havanatur.

SE REPÉRER

Carte de région D2 (p. 154-155) - Plan de la ville (p. 226).

À NE PAS MANQUER

Perdez-vous entre la Plaza del Carmen et la Plaza San Juan de Dios ; baignez-vous à Playa Los Cocos.

ORGANISER SON TEMPS

Une étape d'une nuit parfaite entre Oriente et Occidente.

Se promener Plan de la ville, p. 226

Comptez une demi-journée à pied.
Le centre-ville est coupé du nord au sud par l'un des seuls tracés rectilignes de Camagüey : la **calle República**, sa principale rue commerçante où le flux des piétons semble ininterrompu. La plupart des curiosités touristiques se trouvent à l'ouest de cette artère qui constitue un bon point de repère.
De la calle República, remontez la calle José Martí jusqu'à la Plaza del Carmen.

★ PLAZA DEL CARMEN

Joyau de la cité, cette minuscule place du 19ᵉ s., tranquille et colorée, est très agréable en début de matinée et en soirée. Plusieurs statues de bronze semblent prendre vie dans son décor : représentant là des grands-mères papotant sur des chaises, ici un porteur de jarres, elles sont l'œuvre de l'artiste

Camagüey, la cité des Églises.
J. Arnold Images/hemis.fr

cubaine **Martha Jiménez Pérez**, dont l'atelier se trouve sur la place. Ses sculptures, à la fois réalistes et généreuses, lui valent une reconnaissance internationale : ne manquez pas de jeter un coup d'œil à l'espace d'exposition *(Plaza del Carmen n° 282 - ℘ [32] 25 75 59 - 8h-20h)*.

★ Iglesia del Carmen

Ouvert pendant les messes.
Cet édifice élégant, avec sa belle façade rose clair surmontée par deux clochers, date du 19e s. L'intérieur est des plus dépouillés.
Promenez-vous dans le dédale de ruelles au sud de la place et rejoignez la Plaza San Juan de Dios.

★ PLAZA SAN JUAN DE DIOS

Classée Monument national, la Plaza San Juan de Dios se pare d'une église blanche et verte, encadrée de constructions bleu lavande, vieux rose ou ocre. Entièrement rénovés, ses édifices aux couleurs éclatantes donnent l'impression de sortir tout droit d'un livre d'images…

★ Iglesia y Hospital San Juan de Dios

Ces deux bâtiments furent construits en 1728. L'église renferme un bel ensemble de boiseries. L'ancien hôpital, le premier de la ville, a fonctionné jusque dans les années 1970. Il abrite désormais le petit **Museo San Juan de Dios** *(℘ [32] 29 13 88 - mar.-sam. 9h-17h, dim. 9h-13h - 2 CUC)*, dont les salles, agencées autour du beau cloître, retracent l'histoire de Camagüey.
Sortez de la place par le nord pour rejoindre le Parque Ignacio Agramonte.

★ PARQUE IGNACIO AGRAMONTE

Les habitants de Camagüey aiment à venir sur cette place se reposer sur ses bancs ombragés. Dans une agglomération qui compte de si nombreuses places et églises, il est difficile de déterminer le centre-ville, mais le Parque

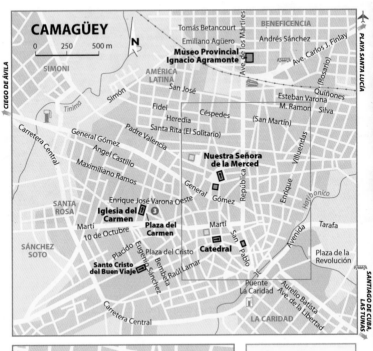

CAMAGÜEY

0   250   500 m

N

TOMÁS BETANCOURT
Emiliano Agüero
Andrés Sánchez
BENEFICENCIA
Ave. Carlos J. Finlay
PLAYA SANTA LUCÍA
Museo Provincial Ignacio Agramonte
Ave. de los Mártires
(Rosario)
Quiñones
SIMONI
AMÉRICA LATINA
San José
Esteban Varona
M. Ramon
Silva
Simón
Tinima
Fidel
Céspedes
(San Martín)
CIEGO DE ÁVILA
Heredia
Santa Rita (El Solitario)
Carretera Central
General Gómez
Padre Valencia
Villuendas
Enrique
Hatibonico
Angel Castillo
Maximiliano Ramos
Nuestra Señora de la Merced
República
General Gómez
SANTA ROSA
Enrique José Varona Oeste
Iglesia del Carmen
Plaza del Carmen
Martí
Tarafa
Martí
San Pablo
10 de Octubre
Placido
Eugenio Sánchez
Plaza del Cristo
Bembeta
Raúl Lamar
Catedral
Plaza de la Revolución
SÁNCHEZ SOTO
Santo Cristo del Buen Viaje
Puente La Caridad
Aurelio Batista
Ave. de la Libertad
SANTIAGO DE CUBA, LAS TUNAS
Carretera Central
LA CARIDAD

Fidel Céspedes (San Martín)
Santa Rosa
Manuel Ramon
Heredia
Fidel Correa
Céspedes (San Martín)
Santa Rita (El Solitario)
República
Avellaneda
Olallo
Villuendas
Teatro Principal
San Pamón
Nuestra Señora de la Merced
Oscar Primelles (San Esteban)
Enrique
(Rosario)
Plaza de los Trabajadores
Ignacio
San Fernando
Agramonte
General Gómez
Casa Natal de Ignacio Agramonte
Alegria (C. Pacheco)
Oeste
Independencia
Montera
Avellaneda
Vate Morales
Agüero
Cisneros
Martí
Martí
Villuendas
Hatibonico
Tarafa
Casa de la Trova
Parque Ignacio Agramonte
San Pablo
Avenida
Catedral
Independencia (San Clemente)
Cisneros
Museo del Movimiento Estudiantil
Enrique
Plaza de la Revolución
Lamar (San Clemente)
Plaza San Juan de Dios
Puente La Caridad

UNE HISTOIRE MOUVEMENTÉE

La sixième *villa* de l'île est fondée en 1514 par **Diego Velázquez**, sous le nom de Santa María del Puerto Príncipe, sur la côte occidentale de la baie de Nuevitas. En 1516, la localité est transférée sur les rives du río Caonao puis, en 1528, après un incendie, elle est reconstruite sur le site actuel. Les pirates et les corsaires n'hésitent pas à s'aventurer à l'intérieur des terres pour piller cette cité qui connaît une forte croissance économique. Les épisodes les plus marquants de cette époque sont l'attaque d'Henry Morgan en 1668, qui quittera la région avec 500 bœufs, puis celle de François Granmont en 1679. À la fin du 19e s., Camagüey va jouer un rôle très actif pendant les deux guerres d'indépendance, où s'illustre notamment **Ignacio Agramonte**, figure locale importante dans la lutte contre les Espagnols.

Ignacio Agramonte marque néanmoins le cœur historique.

Cette place, la première de la ville, fut fondée en 1528. Détruite par un incendie en 1616, l'ancienne place de l'Église dut être reconstruite l'année suivante. Baptisée Plaza de Armas en 1850, elle fut un haut lieu d'exécution ; de nombreux indépendantistes y furent tués par les Espagnols. Depuis 1912, elle porte le nom d'Ignacio Agramonte, patriote local qui, statufié sur son cheval, trône aujourd'hui en son centre.

L'un des principaux édifices religieux de la ville, la **cathédrale Nuestra Señora de la Candelaria** (1864), domine la place.

Longez la calle Cisneros (côté Casa de la Trova) vers le nord : 400 m plus loin, cette rue débouche sur la Plaza de los Trabajadores.

PLAZA DE LOS TRABAJADORES

La place « des Travailleurs », aux allures de vaste carrefour, compte plusieurs bâtiments intéressants.

★ Casa Natal de Ignacio Agramonte

Angle calles Ignacio Agramonte n° 459 et Cisneros - ☏ (32) 29 71 16 - www.cadenagramonte.cu - mar.-sam. 10h-17h45, dim. 8h-12h - 2 CUC.

La demeure offre un superbe exemple de construction de la fin du 18e s. avec son balcon couvert en bois brun courant sur toute la longueur de sa façade ocre. Au centre de la maison, le patio renferme des *tinajones*, ces jarres symboles de Camagüey.

Le musée est consacré au plus important patriote de la ville, mort au combat en 1873, à l'âge de 32 ans. Les salons de sa maison recréent l'ambiance d'une demeure du 19e s. Le piano est le seul meuble d'origine, avec quelques objets personnels, souvenirs de sa lutte pendant la guerre des Dix Ans.

★ Iglesia y Convento de Nuestra Señora de la Merced

☏ (32) 29 27 40 - lun.-vend. 13h-16h45 - donation bienvenue.

Situé en face du musée, cet ensemble fut édifié en 1747, puis reconstruit au milieu du 19e s. Ancien couvent de carmélites, il encadre un jardin ordonné, ponctué de *tinajones* et de petits bancs. La pièce maîtresse de l'église, à droite du chœur, est un **saint sépulcre★** exécuté en 1762 à partir de 20 000 pièces d'argent fondues.

Près de l'autel, un escalier descend aux **catacombes** où sont conservés des ossements et exposés pêle-mêle divers objets religieux. On remarquera le très beau tabernacle datant de 1733.

4

Iglesia de Nuestra Señora de la Merced.
S. Muylaert/Michelin

Prenez l'avenida Ignacio Agramonte vers l'est, puis tournez à gauche dans la calle República et remontez jusqu'à la gare ferroviaire.

Museo Provincial Ignacio Agramonte

Avenida de los Mártires n° 2 - ℘ (32) 28 24 25 - www.cadenagramonte.cu mar.- sam. 10h-17h30, dim. 10h-14h - 2 CUC.

Les salles de cette ancienne caserne édifiée en 1848 sont agencées autour d'un vaste patio, où des *tinajones* gisent au pied des arbres. Outre des collections d'insectes, d'escargots et d'animaux empaillés du monde entier, ainsi que d'objets d'arts décoratifs du 19e s., le musée abrite l'une des plus importantes sections de beaux-arts de l'île, avec une large exposition d'œuvres de peintres cubains du 18e au 20e s.

Excursion Carte de région, p. 154-155

La ville de Camagüey occupe le centre de la région la plus étendue de l'île, avec 14 150 km². Environ 80 km séparent le chef-lieu des deux côtes. Pour se rendre sur les plages du littoral nord, les routes traversent des champs de canne à sucre et une zone de plaine, consacrée à l'élevage bovin et à la production de lait. Le même paysage se déroule jusqu'au chef-lieu de la province de Las Tunas.

DES VACHES DE COMPÉTITION

Le triangle laitier de Camagüey possède un important cheptel de bovins « originaux ». Au lendemain de la révolution, des zébus importés pour leur résistance aux conditions climatiques de l'île furent croisés, par insémination artificielle, avec des vaches Holstein, originaires du Canada, plus fragiles mais meilleures productrices de lait. Ainsi naquit la F1, une nouvelle race de vache laitière dotée d'une grande robustesse, aisément reconnaissable à sa bosse sur le garrot.

★ PLAYA SANTA LUCÍA D2

À 110 km de Camagüey. De Camagüey, suivez la direction de l'aéroport et roulez jusqu'à Minas. Continuez pendant 16 km après ce village, puis prenez la route à droite vers San Miguel de Bagá. Suivez la route principale jusqu'à Playa Santa Lucía.

Les complexes hôteliers qui se multiplient à Playa Santa Lucía forment le centre névralgique de cette station balnéaire un peu triste. Quelques maisons disséminées à l'entrée de la plage et des immeubles délabrés près des hôtels ne suffisent pas à animer l'endroit. Cependant, avec ses 20 km de sable et sa barrière de corail, ce site est agréable pour ceux qui aiment la baignade, la plongée et les sports nautiques.

Continuez la route sur 6 km vers le nord, au-delà du groupe d'hôtels de Playa Santa Lucía. Derrière le petit village de pêcheurs de La Boca, traversez un cours d'eau en barque ou à gué.

On accède à **Playa Los Cocos★★**, petite plage de rêve couverte de cocotiers, et accessible aux Cubains. Vous trouverez un bon restaurant de grillades sur place. Si vous venez très tôt le matin, vous serez absolument seuls dans ce cadre idyllique.

EN ROUTE POUR HOLGUÍN

La carretera Central qui contourne le centre-ville de Camagüey file en direction des provinces de l'Est. À 125 km de Camagüey, **Las Tunas** (D3), chef-lieu de la province du même nom, ne présente pas vraiment d'intérêt. La route longe des maisons de style néoclassique aux couleurs acidulées, tous ses édifices coloniaux ayant été détruits par plusieurs incendies au 19e s. La carretera Central reprend sa traversée jusqu'à Holguín *(voir p. 238)*, entre champs de canne et zones d'élevage.

😊 NOS ADRESSES À CAMAGÜEY

Voir le plan de la ville, p. 226.

INFORMATIONS UTILES

Banque/Change
De nombreuses agences dans la ville ; comme ailleurs, les distributeurs automatiques n'acceptent que les cartes Visa.
Banco Financiero Internacional – *Calle Independencia n° 221 e/H. Agüero et J. Martí.*
Cadeca – *Calle República n° 335 e/ Santa Rita et O. Premelles.*

Poste
Cubapost – *Calle Avellaneda n° 277 e/O. Premelles et Correa.*

Internet
Etecsa – *Calle República n° 453 e/F. Céspedes et M. Ramon.* Vente de cartes téléphoniques et Nauta Internet. Bornes wifi au Parque Ignacio Agramonte, sur la Plaza los Trabajadores et dans les halls des hôtels d'Etat.

Stations-service
Pas de problèmes d'approvisionnement à Camagüey. Vous trouverez une station à l'entrée de la ville en arrivant de Ciego de Ávila, ainsi qu'en direction de Las Tunas, près du pont sur le fleuve. Également une station sur la côte à Playa Santa Lucía, mais il est plus sage de faire le plein avant de quitter Camagüey.

4

ARRIVER/PARTIR

En avion
Aeropuerto Internacional Ignacio Agramonte – *À 8 km au nord-est de Camagüey sur la route de Nuevitas - ℘ (32) 26 10 10 ou 26 18 89 - camaguey.airportcuba.net.* La **Cubana de Aviación** assure des vols réguliers avec La Havane et le Canada.

Cubana de Aviación – *Angle calles República n° 400 et Correa - ℘ (32) 29 13 38 ou 29 21 56 - www. cubana.cu.*

En bus
Terminal de Ómnibus Viazul – *À 2 km au sud-est du centre-ville sur la carretera Central en direction de Las Tunas (angle calle Perú). Comptez env. 5 CUC en taxi - www. viazul.com.* La ville est desservie sur de nombreuses liaisons : La Havane-Holguín, La Havane-Santiago de Cuba, Trinidad-Santiago, etc. *(comptez 5h et 15 CUC avec Trinidad, 6 à 7h et 18 CUC avec Santiago).* Également une liaison quotidienne avec **Santa Lucía** *(en provenance de Trinidad dans le sens de l'aller, en direction de La Havane au retour ; 1h40 à 2h et 8 CUC).*

Terminal de Ómnibus Intermunicipal – *Près de la gare ferroviaire.* Bus publics pour Nuevitas et Santa Lucía. L'attente peut être longue.

Transtur – Incluant une pause repas (30mn), la compagnie propose un AR/j entre les grands hôtels de La Havane et l'hôtel Camagüey (env. 10h), puis Holguín et Santiago de Cuba. Tarif identique à celui de Viazul.

TRANSPORTS

En taxi
Les véhicules de la compagnie officielle stationnent devant les gares et hôtels, ainsi qu'à l'aéroport. Les tarifs d'une course de Camagüey à Santa Lucía sont prohibitifs *(entre 70 et 100 CUC).*

Cubataxi – *À Camagüey : ℘ (32) 29 33 17 ; à Playa Santa Lucía : ℘ (32) 33 64 64.*

Location de véhicules
Nombreuses agences en ville, à l'aéroport et dans les hôtels de Santa Lucía.

Transtur Camagüey – *Plaza de los Trabajadores - ℘ (32) 28 53 27 - www.transtur.cu.*

HÉBERGEMENT

😊 **Bon à savoir** – Le stationnement est difficile dans le centre-ville de Camagüey, mais comme ailleurs, si vos hôtes ne disposent pas d'un garage, ils sauront faire garder votre véhicule pour 2 CUC/nuit en moyenne.

😊 **Conseil** – Attention aux *luchadores* qui indiquent de fausses adresses de *casas particulares.*

Dans le centre-ville
▶ **Casas particulares**

PREMIER PRIX
Casa Puchy – *Calle San Antonio n° 70 e/J. Martí & H. Agüero - ℘ (32) 29 33 17 - 🖥 ✕ 🅿 - 3 ch.* 25 CUC. Une petite maison parfaitement tenue, dont la déco assez kitsch est typique de certains intérieurs cubains. C'est très propre, tranquille, bien équipé (TV dans les chambres). Accueil gentil en prime.

BUDGET MOYEN
Casa Alfredo y Milagros – *Calle Cisneros n° 124, angle R. Lamar (San Clemente) - ℘ (32) 29 74 36 - allan. carnot@gmail.com - 🖥 ✕ 🅿 - 5 ch.* 20/25 CUC, 30/35 CUC pour les 2 ch. plus modernes. Bien située, une maison assez spacieuse et fraîche, agencée autour d'un large

patio. Si elle n'a pas le charme d'une vieille demeure coloniale, elle est confortable et on y profite de l'accueil chaleureux des propriétaires, la famille Carnot, fière de ses racines françaises ! Deux chambres ultramodernes ont été ajoutées à l'étage, avec une petite terrasse.

Los Vitrales – *Calle Avellaneda n° 3 e/G. Gómez et J. Martí - ℘ (32) 29 58 66 - requejobarreto@ gmail.com -* 🖿 🅿 *- 4 ch. 25 CUC.* Cette demeure coloniale (salon ancien, chambres hautes de plafond, patio verdoyant, etc.), vraie maison de famille, aurait abrité un couvent, mais rien ne le rappelle, et encore moins les peintures ornant les murs, kitsch… voire un tantinet érotiques. Le propriétaire, parlant français, assure un accueil très expansif.

Casa Natural Caribe – *Calle Avellaneda n° 8 e/G. Gómez et J. Martí - ℘ (32) 29 58 66 - requejoarias@nauta.cu -* 🖿 🅿 *- 2 ch. 30 CUC.* Elle appartient au fils du propriétaire des Vitrales (juste en face), architecte comme lui. Tous les deux ont conçu le décor de la maison, en revendiquant une forme de « minimalisme tropical » : le béton, la pierre et le bois dominent, et si certains éléments ont été bricolés avec les moyens du bord, l'ensemble est original et d'une grande faîcheur.

Casa Caridad – *Calle Oscar Primelles (San Esteban) n° 310A e/B. Masó (San Fernando) et P. Olallo (Pobre) - ℘ (32) 29 15 54 - www.hostalescaridad.com -* 🖿 ✖ 🅿 *- 3 ch. 30 CUC.* Caridad et José, sympathique couple de retraités, assurent un accueil des plus conviviaux dans leur agréable maison coloniale, astiquée comme un sou neuf et cachant, sur l'arrière, un fort joli jardin. Les chambres sont impeccables

(bonne literie), et l'on peut profiter de la table d'hôte, de qualité. Une maison où l'on se sent bien.

Casa Eduardo y Geraldine – *Calle Gollo Benitez (Principe) n° 61 e/S. Ramon et G. Gómez - ℘ (32) 29 09 95 -* 🖿 *- 3 ch. 30 CUC.* Ambiance jeune et colorée dans cette maison moderne. L'étage est réservé aux hôtes : trois terrasses ensoleillées, des chambres lumineuses et d'esprit plutôt contemporain ; l'endroit est très sympathique.

◗ Hôtels

UNE FOLIE

Hotel Colón – *Calle República n° 472 e/San José et San Martín - ℘ (32) 25 15 20 - www.melia. com -* 🖿 ✖ 🅿 *- 48 ch. 90/120 CUC* 🛏. Légèrement excentré, ce petit hôtel néocolonial possède un certain cachet. Beau bar en bois dans le hall d'entrée. Petites chambres ouvrant sur un couloir un peu austère ou sur un ravissant patio.

Gran Hotel – *Calle Maceo n° 67 e/I. Agramonte et G. Gómez - ℘ (32) 29 20 93 - www.melia. com -* 🖿 ✖ 🛦 *- 72 ch. 90/120 CUC* 🛏. Au cœur de la ville, sur sa principale artère piétonne, le « grand hôtel » de Camagüey joue la carte du classicisme et d'un confort sûr : grand hall d'esprit colonial, patios, salle de restaurant (et de petit-déjeuner) dominant la ville au 5e étage, mirador sur le toit, piscine, etc. Un établissement au fonctionnement bien rodé.

Hotel E La Avellaneda – *Plaza de la Soledad e/República et I. Agramonte - ℘ (32) 24 49 58 - www.hotelescubanacan.com -* 🖿 ✖ *- 80/120 CUC* 🛏. Non pas un, mais trois hôtels associés dans la même structure, inaugurés en 2014 dans des bâtiments historiques voisins, rénovés avec grand soin. La qualité des

4

prestations, le caractère des décors et une belle atmosphère intime (en particulier à la Avellaneda et au Camino de Hierro, comptant moins de 10 ch.) en font la meilleure offre hôtelière de la ville. À noter : chaque adresse dispose de sa réception, mais La Avellaneda ne possède pas de restaurant, contrairement aux deux autres.

Hotel El Marqués – *Calle Cisneros n° 222 e/H. Agüero et J. Martí -* ℘ *(32) 24 49 37 - www.cubanacan. cu -* 🖃 *- 6 ch. 80/120 CUC* ☕. Pavages anciens et plafonds vertigineux dans les chambres, beau patio orné d'un *tinajón* (et d'un jacuzzi, ce qui est moins dans le ton) : un havre de calme et de charme colonial.

À Playa Santa Lucía

👀 **Bon à savoir** – Si vous souhaitez dormir sur place, vous devrez opter pour la pension complète : les principaux complexes hôteliers présents dans la station appartiennent au groupe Cubanacán, qui propose des séjours « tout compris » sur son site *(www.hotelescubanacan. com)* ou par des voyagistes. *Comptez entre 80 et 150 CUC/j hors offre promotionnelle.*

RESTAURATION

Dans le centre-ville

PREMIER PRIX

Casa Italia – *Calle San Ramón n° 11 e/Astilleros et G. Gómez -* ℘ *52 71 26 54 - 12h-23h, fermé le mar. - 5/10 CUC.* Dans une petite rue discrète, cette maison traditionnelle, organisée autour d'un large patio, offre un cadre agréable pour une pause repas. Tout simple, le menu propose essentiellement pâtes et pizzas : ce n'est pas d'une qualité exceptionnelle, mais cela change

du rituel porc-poulet-riz et c'est très correct pour le prix. Accueil sympathique.

La Campana de Toledo – *Plaza San Juan de Dios -* ℘ *(32) 28 68 12 - 10h-22h - autour de 10 CUC.* Quelques marches mènent à ce restaurant occupant une maison coloniale de 1748, sise sur la jolie Plaza San Juan de Dios. Les tables sont disposées dans le patio planté d'arbres, où l'on peut admirer d'énormes *tinajones*, les jarres typiques de la ville. La spécialité de la maison est le *boliche mechado*, à base de bœuf farci. Accueil sympathique.

BUDGET MOYEN

Restaurante 1800 – *Plaza San Juan de Dios -* ℘ *(32) 28 36 19 - www.1800restaurante.com- 11h-0h - 10/15 CUC.* Sa grande terrasse s'étend sur la belle Plaza San Juan de Dios : un décor très privilégié, mais la salle intérieure est également agréable : boiseries anciennes, tableaux et nappes blanches forment un cadre à la fois rustique et élégant. Tortilla aux crevettes, ragoût d'agneau, salade de fruits tropicaux… La carte sort du lot, et l'on peut aussi opter pour la formule « buffet à volonté » (12 CUC).

El Paso – *Plaza del Carmen (calle Hermanos Agüero n° 261) -* ℘ *(32) 27 43 21 - 9h-23h - 10/15 CUC.* Installez-vous en terrasse pour profiter de la Plaza del Carme. Le soir venu, elle est désertée par les touristes : on y dîne sous les étoiles, parmi les enfants du quartier qui jouent ! Moins de magie côté cuisine, mais les spécialités cubaines sont honorables. On peut aussi profiter de la carte de cocktails.

À Playa Santa Lucía

Bonnes grillades de poissons et langoustes dans les restaurants de plages.

ACHATS

Marché

Mercado Agropecuario El Río – *Au sud de la Plaza San Juan de Dios, au bord de la rivière - tlj sf lun. 8h-16h.*

EN SOIRÉE

La vie nocturne de Camagüey se concentre autour du Parque Ignacio Agramonte et dans les rues environnantes. Les animations musicales ne sont pas rares dans les bars.

Concerts

Casa de la Trova – *Parque Ignacio Agramonte (calle Cisneros n° 171) - ℘ (32) 29 13 57 - lun.-sam. 15h-1h, dim. 12h-15h, 20h30-1h. 1 à 3 CUC selon programmation.* Un sympathique patio, proposant chaque soir (souvent vers 22h) des concerts de musique cubaine : salsa, mambo, cha-cha-cha, *trova camagüeyana*…

Teatro Principal – *Calle Padre Valencia n° 64, à deux cuadras de l'église de la Merced - ℘ (32) 29 30 48.* Renseignez-vous sur sa programmation : ce théâtre propose parfois des concerts de musique folklorique ou des représentations du ballet *clásico* de Camagüey, qui jouit d'une certaine renommée.

AGENDA

Festivals, célébrations et salons sont nombreux à Camagüey. Les principaux rendez-vous :

Carnaval – Né au 17e s., le carnaval de Camagüey culmine entre le 24 et le 29 juin, durant les fêtes de San Pablo et de San Pedro.

Festival nacional de Teatro – L'un des principaux festivals de théâtre à Cuba. Tous les deux ans.

Fiesta del Tinajón – Chaque année au mois de novembre, ce festival culturel met notamment à l'honneur la musique et la danse cubaines et locales.

ACTIVITÉS

La station de Playa Santa Lucía offre l'occasion de nombreuses **activités nautiques** (ski nautique, pêche et sorties en catamaran, etc.), souvent associées aux formules « tout compris » des hôtels. Les amateurs de **plongée** pourront se rendre au club indépendant **Shark's Friends** *(sur la plage entre les hôtels Brisas et Gran Club Santa Lucía)*.

4

L'Est 5

Plaza de la Revolución, à Santiago de Cuba.
S. Muylaert/Michelin

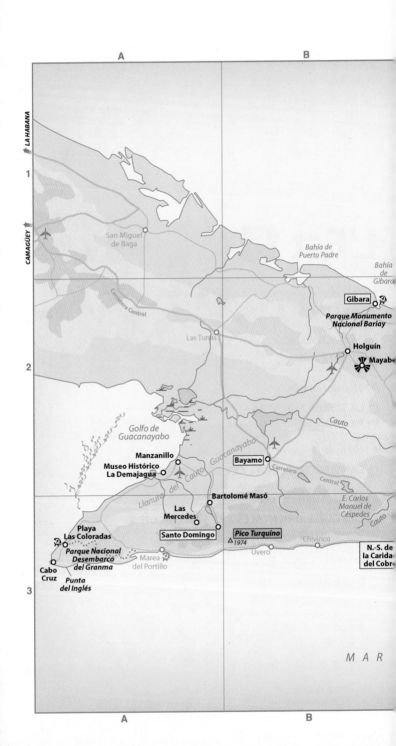

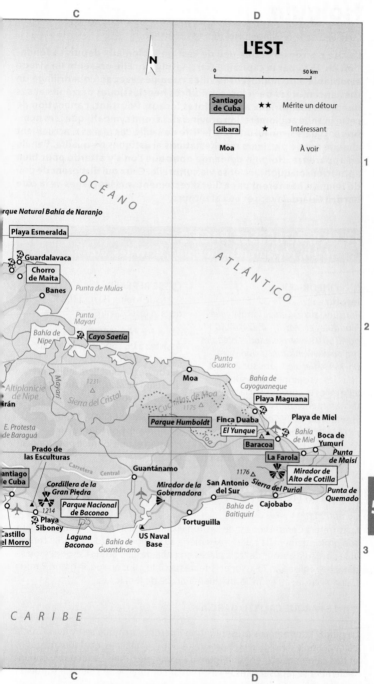

C   **D**

N

L'EST

0   50 km

Santiago de Cuba	★★	Mérite un détour
Gibara	★	Intéressant
Moa		À voir

1

O C É A N O

rque Natural Bahía de Naranjo

Playa Esmeralda

A T L Á N T I C O

Guardalavaca

Chorro de Maita

Banes

Punta de Mulas

Punta Mayarí

2

Bahía de Nipe

Cayo Saetía

Punta Guarico

Bahía de Cayoguaneque

Moa

Altiplanicie de Nipe

irán

1231 △

Sierra del Cristal

Cuchillas de Moa

1175 △

Playa Maguana

Parque Humboldt

Finca Duaba

Playa de Miel

El Yunque △

Bahía de Miel

Boca de Yumurí

Baracoa

E. Protesta de Baraguá

La Farola

Punta de Maisí

Prado de las Esculturas

Carretera   *Central*

Guantánamo

1176 △

Mirador de Alto de Cotilla

antiago de Cuba

Cordillera de la Gran Piedra

Mirador de la Gobernadora

San Antonio del Sur

Sierra del Purial

Punta de Quemado

5

1214 ▲

Parque Nacional de Baconao

Cajobabo

Playa Siboney

Bahía de Baitiquirí

Castillo el Morro

Laguna Baconao

Bahía de Guantánamo

US Naval Base

Tortuguilla

3

C A R I B E

C   **D**

Holguín

Chef-lieu de la province d'Holguín - 352 600 hab.

La cité n'a conservé que peu de vestiges coloniaux depuis sa fondation en 1525 par le capitaine García Holguín. Elle présente un visage semblable à de nombreuses villes cubaines avec son quadrillage de rues encombrées de vélos, ses édifices néoclassiques décrépits et ses quelques mémoriaux aux patriotes locaux. Pourtant, l'animation de cette grande agglomération provinciale la rend sympathique : ses nombreux squares, qui lui ont valu le titre de « ville des places », accueillent chaque année plusieurs manifestations artistiques de qualité. Banale en apparence, Holguín demande donc que l'on s'y attarde pour bien apprécier son quotidien et sa vie culturelle. Ceux qui disposent de peu de temps n'hésiteront pas à filer directement vers les plages de la côte nord, à Guardalavaca et aux alentours.

😀 NOS ADRESSES PAGE 243
Hôtels, restaurants, shopping, activités, etc.

🔲 S'INFORMER

Infotur – Plan de la ville B2 - Parque Calixto García (angle *calles Manduley et Martí*) - ☎ *(24) 42 50 13 ou 42 50 03 - www.ciudaddeholguin. org ou www.infotur.cu - lun.-sam. 8h-16h30 (fermé 1 sam. sur 2).* Tous les renseignements sur la ville et les excursions sur la côte (notamment à Bahía de Naranjo).

Havanatur – B2 - *Calle Frexes n° 172 e/M. Lemus et N. López - ☎ (24) 46 80 91 - www.havanatur.cu.* Le principal prestataire d'excursions.

◯ SE REPÉRER

Carte de région B2 (p. 236-237) - Plan de la ville (ci-contre).

😀 À NE PAS MANQUER

Assistez à un concert en plein air sur le Parque Calixto García ; découvrez le cimetière indien près de Guardalavaca ; faites un safari-photo à Cayo Saetía.

🕐 ORGANISER SON TEMPS

Comptez 2h pour découvrir Holguín et une journée pour longer la côte.

Se promener Plan de la ville, ci-contre

Comptez 2h.

La carretera Central venant de Las Tunas débouche à l'ouest d'Holguín. Dans son prolongement, la calle Frexes mène au Parque Calixto García. Le centre-ville s'articule autour de trois places en enfilade : le Parque Céspedes, où se détache l'église San José sur un square paisible ; plus au sud, le grand Parque Calixto García ; et, enfin, le charmant Parque de las Flores.

SUR LE PARQUE CALIXTO GARCÍA B2

La plupart des édifices présentant un intérêt touristique se trouvent sur la place centrale d'Holguín ou à proximité. Sous ses arcades, quelques magasins et des cafétérias attirent une foule d'*Holguineros*, mais beaucoup viennent seulement se reposer dans le vaste square ombragé, où s'élève la statue du général Calixto García, le héros indépendantiste de la ville.

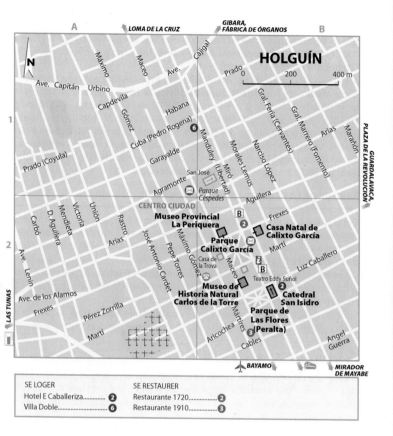

SE LOGER
Hotel E Caballeriza............. ❷
Villa Doble............................ ❻

SE RESTAURER
Restaurante 1720................❷
Restaurante 1910................❸

Museo Provincial La Periquera

Calle Frexes n° 198 - 𝄐 (24) 46 33 95 - mar.-sam. 8h30-12h, 12h30-16h30 - 1 CUC.
Une façade couleur brique ornée de volets bleus surplombe le côté nord de
la place. Cette demeure, construite entre 1860 et 1868 par des esclaves noirs
et des Chinois pour un riche commerçant espagnol, devint une caserne militaire. De là vient le terme péjoratif de *periquera* (« cage à perroquets ») utilisé
par les indépendantistes pour désigner ce bâtiment où les Espagnols, vêtus
de leur uniforme bariolé, ressemblaient à des oiseaux derrière leurs grilles.
Après avoir servi de siège au gouvernement provincial jusqu'en 1984, l'édifice a été transformé en **Museo de Historia Provincial**. Ses immenses salles
retracent l'histoire de la région depuis l'époque précolombienne jusqu'à la
révolution. Près de l'entrée sont exposés des objets hétéroclites – instruments
de musique, carillons, bijoux indiens – ainsi que la pièce majeure du musée,
devenue le symbole de la ville depuis 1981 : une **hache** pétaloïde (en forme
de pétale de fleur) en pierre représentant une figure humaine. La section
historique (photos, armes et instruments de torture) occupe l'aile gauche du
bâtiment, tandis que l'aile droite accueille des outils agricoles.

Casa Natal de Calixto García

Angle calles Miró n° 147 et Frexes - 𝄐 (24) 42 56 10 - mar.-dim. 9h-17h - 1 CUC.
À une *cuadra* de la place, cette belle maison, aux grilles en bois peintes en
bleu, pavée de tomettes, évoque le souvenir du héros de la ville né en 1839.

Elle renferme son mobilier d'origine, des armes et des dessins sur la guerre d'indépendance. Le conservateur du musée a fourni un réel effort de présentation pour rendre la visite attrayante.

À 100 m du Parque Calixto García, calle Maceo n° 129, on peut faire un détour par le **Museo de Historia Natural Carlos de la Torre**, installé dans une très belle bâtisse coloniale à péristyle *(✆ [24] 42 39 35 - mar.-sam. 9h-17h, dim. 9h-12h - 1 CUC)*. Son importante collection de minéraux, coquillages, squelettes, animaux naturalisés, dont une tortue, présente un véritable cours d'histoire naturelle. On peut notamment y découvrir les deux oiseaux symboles de Cuba : le *zunzuncito*, l'oiseau-mouche présent dans toute l'île, et le *tocororo*, dont les couleurs rappellent celles du drapeau cubain.

PARQUE DE LAS FLORES (OU PARQUE PERALTA) B2

Cette place, aux proportions plus réduites que le Parque Calixto García, est empreinte d'une atmosphère toute provinciale. Elle est constamment animée, surtout aux heures d'ouverture du principal glacier de la ville, qui provoque de longues files d'attente jusqu'au square central.

Un **mémorial** en son centre rend hommage à Julio Grave de Peralta, qui prit la tête du soulèvement contre le joug espagnol en 1868 en attaquant La *Periquera*, la caserne militaire du Parque Calixto García.

Sur l'un des côtés de la place s'élève la **cathédrale San Isidro**, le principal édifice religieux d'Holguín, érigé en 1720 *(ouverte en principe toute la journée)*.

À voir aussi Plan de la ville, p. 239

Du Parque Calixto García, suivez la calle Maceo vers le nord jusqu'au pied de la colline. Pour atteindre le sommet en voiture, prenez l'une des rues de gauche, qui rejoignent l'avenida Capitán Urbino, puis continuez cette avenue par la droite.

Loma de la Cruz (Colline de la Croix) A1, en direction
En voiture, rejoignez l'extrémité est de la calle José Martí et bifurquez à droite dans l'avenida de los Libertadores. Tournez à gauche après le stade.

⚲ **Conseil** – Pour apprécier la vue sur Holguín sans être ébloui par le soleil, allez-y **tôt le matin** ou en **fin d'après-midi**.

En venant à pied depuis la ville, il faut s'armer de courage pour gravir les 460 marches menant au sommet de la colline, où s'élève une croix du 18e s. plantée par un moine dont la sévère statue se dresse à quelques pas. Les habitants déposent traditionnellement bougies et vœux au pied de la croix.

Fábrica de Órganos (Fabrique d'orgues de Barbarie) B1, en direction
Route de Gibara, 301 - lun.-vend. 8h30-16h - entrée libre.

La famille Cuayo entretient ici la tradition de la fabrication d'orgues mécaniques, à raison d'une production de six pièces par an. L'atelier produit aussi des guitares et des contrebasses. Peut-être aurez-vous la chance d'entendre l'un de ses orgues un après-midi au parque Céspedes ?

Plaza de la Revolución B1-2, en direction
À 3 km à l'est du centre-ville, cette esplanade démesurée est bien évidemment consacrée aux héros des guerres d'indépendance. Sur une barre de béton, un **bas-relief** immortalise les visages des principaux généraux *holgineros*. À proximité se trouve la **tombe du général Calixto García**, dont les cendres furent transférées des États-Unis le 11 décembre 1980.

La plage de Guardalavaca.
cunfek/iStock

À proximité Carte de région, p. 236-237

La province d'Holguín abrite l'un des principaux centres sucriers du pays, ainsi que de nombreuses mines de cobalt et de nickel à l'est. Outre son importante activité économique, elle compte quelques localités que devraient apprécier les amateurs d'histoire et de préhistoire. Vous découvrirez ses paysages à partir d'Holguín ou des plages de Guardalavaca, sur le littoral nord.

Mirador de Mayabe B2

À 10 km au sud-est d'Holguín. Rejoignez la carretera Central à l'extrémité sud de la calle Maceo. Au croisement de la carretera Central et de la Circunvalación, prenez cette dernière à gauche, puis la 2e sortie à droite. Comptez 15mn.

Les installations touristiques du complexe Mirador de Mayabe s'étagent sur une colline. Outre la **vue** panoramique de la terrasse sur toute la vallée de Mayabe, ce lieu est réputé pour son âne amateur de bière. « Panchito », dans sa minuscule écurie coincée à côté du bar, attend que les visiteurs lui offrent à boire.

Guardalavaca C2

À 55 km à l'est d'Holguín. À Holguín, prenez l'avenida XX Aniversario jusqu'au rond-point, à 1 km derrière la Plaza de la Revolución et suivez la direction de Guardalavaca sur 55 km. Comptez 1h.

👁 **Bon à savoir** – La route est très bonne, fréquentée par les touristes et les véhicules de police.

La plupart des visiteurs se rendent directement sur les plages de Guardalavaca, l'attraction principale de la province. Cette station balnéaire construite sur des plages sauvages aux allures de carte postale commence cependant à montrer des signes de vétusté. Au sein d'une succession de complexes hôteliers où les vacanciers vivent en vase clos, inutile de chercher un quelconque centre-ville, ni même un peu d'animation Quant aux Cubains, ils sont relégués dans des barres d'immeubles, à 400 m de là, à l'intérieur des terres.

Les choses s'arrangent à 6 km à l'ouest, sur la charmante **Playa Esmeralda★,** cernée par la végétation d'où émergent quelques hôtels de luxe.

À 4 km de Playa Esmeralda, sur un îlot, le **Parque Natural Bahía de Naranjo** possède un **delphinarium** *(visite et trajet en bateau : 50 CUC/pers. (enf. 30 CUC),*

5

108 CUC (enf. 54 CUC) pour nager 20mn avec les dauphins). Sur la côte, au pied des falaises, le **sentier éco-archéologique Las Ganas** *(9h-17h - env. 2 km - 4 CUC)* propose une agréable promenade à travers une végétation qui compte une dizaine d'espèces endémiques.

Revenez à Guardalavaca et continuez vers l'est en direction de Banes. À 6 km sur la droite, une route jalonnée de bohíos et de palmiers monte pendant 2 km jusqu'au Chorro de Maita.

Le **Chorro de Maita★** *(mar.-sam. 9h-17h, dim. 9h-13h - 2 CUC)* serait le plus grand cimetière indien des Caraïbes. Découverts en 1930, les ossements réunis dans une fosse au centre du bâtiment datent de 1490 à 1530. Les 62 squelettes sont exposés tels qu'ils ont été retrouvés lors de l'excavation ; les aborigènes enterrés dans la position fœtale et les Espagnols couchés sur le dos, les bras croisés. Des étiquettes de couleur indiquent la nature des offrandes retrouvées près d'eux (or, corail, cuivre, os, etc.). Autour de ce cimetière reconstitué sont exposés divers fragments de céramique, des vases aborigènes, des bijoux, des ustensiles ainsi que les photographies prises pendant les fouilles.

Banes C2

À 82 km à l'est d'Holguín et à 33 km de Guardalavaca. Comptez 30mn.

La route vallonnée qui relie Guardalavaca à Banes traverse un superbe paysage jalonné de bananeraies et ponctué çà et là de *bohíos*. À 33 km au sud-est des plages, en entrant dans la rue principale de cette localité animée, vous serez frappé par les traits indiens de certains habitants.

Dans la rue principale aux portiques de bois délavés, les nombreux vélos et piétons, les petits stands de boissons et de *pan con lechón* (sandwich de viande de porc) assurent un dépaysement total aux visiteurs arrivant de Guardalavaca. Celle que l'on surnomme pompeusement la « capitale archéologique de Cuba » est connue pour son musée rassemblant une grande collection d'objets découverts dans les 96 sites des environs.

Le **Museo Indocubano Bani★** se trouve à proximité de la rue principale *(calle General Marrero n° 305 e/Martí et Céspedes - ☎ [24] 80 24 87 - f. pour travaux en 2017 - 1 CUC).* Ce musée compte la plus importante collection d'objets archéologiques de Cuba. On peut admirer des instruments de travail aborigènes, des ustensiles de cuisine en coquillages, des outils, des bijoux ainsi qu'une collection de céramiques. Une reproduction de l'**idole de Banes**, petite statuette féminine en or, constitue la pièce la plus importante du musée. Les objets exposés ne sont pas toujours mis en valeur, faute de moyens.

Birán C2

À 72 km au sud-est d'Holguín.

Berceau de la famille Castro, ce petit village conserve, intacte, leur vaste hacienda agricole, la **Finca Las Manacas★**, transformée en musée en 2002 *(à 3 km au nord du village, mar.-sam. 9h-15h30, dim. 9h-12h - 10 CUC).* Achetée en 1915 par le père de Fidel, Angel Castro y Argiz, un immigré de Galice devenu riche propriétaire terrien, cette ancienne plantation de canne à sucre forme un vrai petit village : cahutes des ouvriers agricoles haïtiens, bureau de poste, école, salle de cinéma, bar, épicerie, boucherie, arène des combats de coqs… Montée sur pilotis et peinte en ocre, la maison familiale (une réplique, l'originale a été détruite par un incendie) abrite des centaines de photos ainsi que le lit d'enfance de Fidel Castro. Un cimetière abrite la tombe d'Ángel Castro et de son épouse, Lina Ruz.

Excursion Carte de région, p. 236-237

★★ **Cayo Saetía** C2

À 130 km à l'est d'Holguín - 5 CUC - env. 15 km de piste jusqu'au site de Ranchón Playa (restaurant près de l'embarcadère).

Bon à savoir – Des excursions comprenant transport, tour en catamaran, snorkeling, safari en Jeep, pause sur les plages et déjeuner sont proposées dans les hôtels de Guardalavaca et playa Esmeralda. Comptez env. 70 CUC pour une journée.

Différentes prestations sur place : safari-photo en Jeep dans la réserve de chasse ; promenade à cheval, partie de pêche à bord d'un catamaran, promenade en barque, snorkeling, découverte du cayo au soleil couchant.

Cette presqu'île de 42 km², bordée de petites criques surplombées de falaises, s'avance dans la baie de Nipe, à 40 km au nord-est de Mayarí. Fait original : elle a longtemps accueilli une réserve de chasse… africaine pour les dignitaires du régime, transformée depuis en parc naturel ! Les guides vous amènent en safari-photo, à bord de vieilles Jeep, pour observer zèbres, girafes, buffles, chameaux et antilopes importés d'Afrique ! Mais si cette option ne vous tente pas, rien ne vous empêche de simplement profiter de la superbe plage de sable blanc ou de partir faire une balade en bateau.

NOS ADRESSES À HOLGUÍN

INFORMATIONS UTILES

Voir le plan de la ville, p. 239.

Banque/Change
Banco do Credito y Comércio– B1 - *Parque Céspedes.* Avec distributeurs de billets.
Cadeca – B2 - *Calle Manduley n° 205 e/J. Martí et L. Caballero.*

Poste
Correos – A1 - *Sur le côté ouest du Parque Céspedes.*

Internet
Etecsa – B2 - *Calle J. Martí n° 122 e/M. Gomez et Mártires.* Plusieurs postes Internet, attente à prévoir.

Santé
Clínica Internacional de Guardalavaca – *Calle 2da (en face de l'hôtel Atlántico) - ℘ (24) 30 291.* À 55 km de Holguín, dans la grande station balnéaire.

Stations-service
Aux entrées de la ville, direction Bayamo ou Las Tunas.

ARRIVER/PARTIR

En avion
Aeropuerto Internacional Frank País – B2, en direction - *Sur la carretera Central, à 14 km au sud d'Holguín - ℘ (24) 47 45 25 - holguin.airportcuba.net.* Le terminal accueille de nombreux vols internationaux, principalement en provenance du Canada et des Etats-Unis. La **Cubana de Aviación** propose 1 vol/j entre Holguín et La Havane. Pour rejoindre Guardalavaca en taxi, comptez 35/40 CUC.
Cubana de Aviación – B2 - *Edificio Pico de Cristal, angle calles Manduley et J. Martí, 2ᵉ étage - ℘ (24) 46 16 10 - www.cubana.cu.*

En bus
Terminal de Ómnibus Viazul – A2, en direction - *Angle carretera Central n° 19 et calle 1ᵣₒ de Mayo (vers Las Tunas) - ℘ (24) 42 68 22 - www.viazul.com.* Deux AR quotidiens avec La Havane (env.

5

12h, 44 CUC) via Santa Clara, Ciego de Ávila et Camagüey. La ville est aussi desservie sur les trois liaisons entre Santiago de Cuba *(env. 3h45 - 11 CUC)* et La Havane.

Transtur – Incluant une pause repas (30mn), la compagnie relie 1 fois/j. les grands hôtels de La Havane à l'hôtel Pernik (env. 11h), avant de poursuivre sa route vers Santiago de Cuba. Tarif identique à celui de Viazul.

TRANSPORTS

En taxi

Cubataxi – *℘ (24) 42 32 90.* Stationnés à l'aéroport et sur la place principale.

En bici-taxi

Les cyclo-pousse sont un excellent moyen de locomotion pour découvrir Holguín. Ils sont généralement garés à proximité du Parque de las Flores (B2). Comptez 1 CUC pour un trajet dans le centre-ville.

Location de véhicules

Transtur Holguín – *Edificio Pico de Cristal, angle calles Manduley (Libertad) et J. Martí - ℘ (24) 46 85 59.* Comptoirs à l'aéroport, à l'hôtel Pernik et dans les hôtels de Guardalavaca.

HÉBERGEMENT

À Holguín

▶ Casas particulares

BUDGET MOYEN

Casa colonial Carmen – Hors plan par B2 - *Calle Peralejo 78, e/ Miro et Morales Lemus - ℘ (24) 42 69 87 - 🖵 ✖ - 2 ch. 30 CUC.* Dans une jolie demeure coloniale bien restaurée, proche du centre, des chambres confortables avec frigo. Agréable patio verdoyant. La propriétaire parle français.

Villa Doble – A-B1 - *Calle Manduley (Libertad) n° 74 e/Cuba et Garayalde - ℘ 52 94 46 48 - 🖵 - 2 ch. 30 CUC.* À l'étage de la maison, les deux chambres jouissent d'un accès indépendant du logis des propriétaires. C'est propre, plutôt moderne, sans grand charme mais tout à fait convenable pour une nuit d'étape.

Hostal Refugio de Reyes – Hors plan par B2 - *Calle Peralejo 23 e/ Cervantes y Fomento - ℘ (24) 42 51 75 - www.refugiodereyes.com- 🖵 ✖ 🏊 - 3 ch. 30 CUC.* Tenue par Sara et David, cette grande maison niche dans un jardin tropical avec piscine. Très bon accueil et excellente table.

▶ Hôtels

POUR SE FAIRE PLAISIR

Hotel E Caballeriza – B2 - *Calle Miro n°203 e/Luz Caballero et Aricochea - ℘ (24) 24 42 91 91 - www.hotelescubanacan.com- 🖵 ✖ - 21 ch. 50 CUC.* Dans un très bel édifice de 1810 impeccablement restauré, juste derrière la cathédrale, dont l'architecture mêle les styles baroque et mauresque. Chambres agréables, mais l'isolation phonique laisse à désirer.

Au Mirador de Mayabe

▶ Hôtel

POUR SE FAIRE PLAISIR

Villa Mirador de Mayabe – *Alturas de Mayabe - ℘ (24) 42 21 60 - www.islazul. cu - 🖵 ✖ 🏊 - 24 ch. 75 CUC 🍴.* À 8 km au sud-est d'Holguín, sur une colline surplombant la vallée de Mayabe, ce petit complexe touristique jouit d'un calme absolu, quand la sono de la piscine se tait. Les chambres sont agréables et donnent sur une petite forêt. Une halte champêtre appréciable pour ceux qui ont une voiture.

À Guardalavaca

Bon à savoir – Comme dans les autres enclaves balnéaires de l'île, on y trouve d'imposants complexes hôteliers (jusqu'à 700 chambres) pratiquant des formules « tout inclus ». Passer par un voyagiste et Internet permet d'obtenir des tarifs plus avantageux. À Playa Guardalavaca, deux établissements se distinguent par leurs prix compétitifs *(offres à partir de 40 CUC/j)* : le **Club Amigo Atlántico** *(www.hotelescubanacan.com)* **et le Brisas Guardalavaca** *(www.brisasguardalavaca.com)*. Pour un meilleur standing, faites le choix des deux luxueux établissements de la chaîne espagnole Meliá *(www.melia.com)* à Playa Esmeralda : le **Río de Luna y Mares** *(à partir de 130 CUC/j)* **et le superbe Río de Oro Resort & Spa** *(à partir de 250 CUC/j)*.

À Cayo Saetía

Hôtel

POUR SE FAIRE PLAISIR

Villa Cayo Saetía – (24) 51 69 00 - www.villacayosaetia.com - 🛏 ✕ - 12 ch. 80/100 CUC 🖵. Dans le cadre unique de cette belle presqu'île isolée, transformée en petite savane africaine *(voir « Cayo Saetía », p. 243)*. Les chambres se logent dans de confortables bungalows, répartis dans un parc arboré, à deux pas des plages.

RESTAURATION

À Holguín

BUDGET MOYEN

La Loma de la Cruz – A1, en direction - *Promontoire de la Loma de la Cruz* - 52 85 56 47 (mobile) - 12h-21h45 - 10/20 CUC. Juste à côté de la fameuse croix, un établissement plutôt touristique offrant, situation oblige, une vue imprenable sur la ville. On y sert d'honnêtes spécialités créoles. Musique en fin de soirée et ambiance bon enfant.

Restaurante 1720 – B2 - *Calle Frexes n° 190 e/Manduley (Libertad) y Miró* - (24) 46 85 88 - 9h-22h - 15/20 CUC. Un endroit plutôt intime et raffiné. De part et d'autre d'un agréable patio, un joli bar à cocktails et un petit restaurant chic avec nappes en tissu, service soigné et carte classique. En soirée, vous pouvez également profiter du Bar Terraza *(tlj sf lun.-mar. 20h-1h)*, installé sur le toit de l'établissement ; on y sirote de bons cocktails en appréciant des petits concerts en fin de semaine.

Restaurante 1910 – B2 - *Calle Mártires n° 143 e/Cables et Aricochea* - (24) 42 39 94 - www.1910restaurantebar.com - 12h-23h - 15/20 CUC. Malgré un extérieur peu attirant, n'hésitez pas à vous attabler à cette adresse réputée, servant une délicieuse cuisine cubaine et des Caraïbes, dont du poulpe à l'ail et des viandes grillées.

À Guardalavaca

Bon à savoir – Hormis ceux des hôtels, vous trouverez de sympathiques petits restaurants sur les plages.

PETITE PAUSE

Glacier

Cremería Guamá – B2 - *Parque de las Flores (angle calles L. Caballero et Manduley)* - (24) 46 26 22 - 10h-23h. Le plus grand glacier d'Holguín, véritable institution.

BOIRE UN VERRE

Bar

La Begonia – B2 - *Parque Calixto García*. Un agréable café dans

5

un patio abrité par une tonnelle croulant sous les fleurs. Bel endroit pour découvrir la Mayabe, la bière locale, ou prendre un repas léger.

EN SOIRÉE

En début de soirée, fanfare et orchestre occupent souvent le **Parque Calixto García** (B2)**,** qui se transforme en piste de danse sous les étoiles… À deux pas, entre les calles J. Martí et L. Caballero, la **Plaza de la Marqueta** (B2) est aussi l'un des incontournables de la vie nocturne. De nouveaux lieux branchés naissent régulièrement dans la ville : renseignez-vous auprès des habitants.

Concerts
Casa de la Trova – B2 - *Parque Calixto García (calle Maceo) - tlj sf lun. 10h-18h, 21h-1h entrée 1 CUC.* Groupes de musique traditionnelle cubaine, dans un ravissant patio sous une tonnelle.
Casa de la Música – B2 - *Parque Calixto García (angle calles Manduley et Frexes) - concerts vers 23h30 - 1 CUC.* Le soir en fin de semaine. Chanson cubaine traditionnelle.
Fondo Cubano de Bienes Culturales – B2 - *Parque Calixto García (à côté de La Periquera).* Concerts en fin de semaine.

Discothèque
Hotel El Bosque – B1, en direction - *Ave. J. Dimitrov, Reparto Pedro Díaz Coello (à 3 km du centre, à l'est de la Plaza de la Revolución).* L'hôtel abrite la discothèque la plus fréquentée par les touristes et les habitants d'Holguín. Musique salsa et techno de 22h à 2h.

Théâtre
Teatro Eddy Suñol – B2 - *Parque Calixto García (calle J. Martí e/ Maceo y Libertad) - ☎ (24) 42 79 94.* Un établissement mythique.

Spectacles
Cabaret Nocturno – Hors plan - *Carretera Central (direction Las Tunas), à 6 km à l'ouest du centre-ville - ☎ (24) 42 51 85 - tlj sf lun. 20h-2h, spectacle à partir de 22h - 10 CUC.* Spectacle de cabaret à ciel ouvert.

ACTIVITÉS

Matchs de béisbol
Estadio Calixto García – Hors plan. Le grand stade sur l'ave. de los Libertadores, près de l'hôtel Pernik. Achats des billets dans les agences de voyages ou sur place.

AGENDA

Romerías de Mayo – *1re sem. de mai.* La fête s'ouvre par une grande procession à la Loma de la Cruz pour commémorer les libérateurs de l'île. Les jours suivants sont consacrés à la culture : concerts, théâtre et lectures publiques dans toute la ville.
Carnaval – Fin août.
Semana de la cultura iberoamericana *(www.casadeiberoamerica.cult.cu)* – Fin octobre. Concerts, conférences et rencontres littéraires entre l'Espagne et l'Amérique du Sud.

Gibara

Province d'Holguín - 72 000 hab.

Vous rêvez d'un petit port du bout du monde, oublié de tous, avec la mer, rien que la mer, pour horizon ? Gibara est fait pour vous ! De l'Occident cubain, la route est longue pour l'atteindre (comptez 240 km et 3h30 de voiture depuis Camagüey), mais c'est le prix à payer pour aller là où peu d'autres vont… Imaginez que Christophe Colomb, lui, a traversé tout un océan inconnu pour arriver ici ! C'est en effet sur cette côte restée quasi inchangée que le navigateur aurait abordé Cuba en 1492. À l'écart de tout, malgré une relative prospérité à l'époque espagnole, le petit port ne s'est jamais développé. On découvre aujourd'hui un humble village de pêcheurs, aux rues malmenées par les ans : ici des baraques bancales jamais remises du dernier cyclone, là des poteaux électriques esseulés face à des entrepôts désertés et, au cœur de la cité, entre ses deux jolies places principales, des demeures patriciennes patinées par les ans, sous les colonnades desquelles des fauteuils à bascule semblent remuer les souvenirs de jours heureux. Rien de nostalgique, rien de désolé : juste la vie paisible d'un petit bout de terre qui semble attendre l'arrivée… de nouveaux explorateurs. Pourquoi pas vous ?

😎 NOS ADRESSES PAGE 250
Hôtels, restaurants, shopping, activités, etc.

⊙ **SE REPÉRER**
Carte de région B2 (p. 236-237).

🕐 **ORGANISER SON TEMPS**
La ville offre de bonnes possibilités d'hébergement ; c'est une étape originale et paisible pour 1 ou 2 nuits.

Se promener

Comptez 1h30.
En arrivant d'Holguín, la route dévoile d'abord l'arrière-pays de Gibara, terre sauvage où persiste une végétation tropicale éparse, dominée à l'horizon par de belles éminences rocheuses. Puis s'ouvre la baie de Gibara, aux rives bordées de plantes rases, surplombée par la silhouette plane de la Silla de Gibara (« selle de Gibara »). La ville s'étend sur le cap qui referme la baie au nord-ouest, et à la pointe duquel se dresse un petit **fort espagnol** du 19e s. Hormis le contour irrégulier du front de mer, les rues dessinent un quadrillage parfait, centré sur la **calle Independencia**. Cette artère, qui concentre les quelques commerces de la localité, prend naissance au niveau du fort avant de rejoindre, deux *cuadras* plus haut, la petite place principale.

Autour du Parque Calixto García
Bordé de demeures coloniales aux façades bigarrées et dominé par l'**Iglesia de San Fulgencio** (19e s.), le Parque *Calixto García* reconduit une bonne centaine d'années en arrière. À droite de l'église, n'hésitez pas à jeter un coup d'œil au **Museo Joachim Fernández de la Varapi** *(calle Luz Caballero n° 23 - ☎ [24] 84 44 58 - lun. 13h-16h, mar.-sam. 8h-12h, 13h-16h, dim. 8h-12h - 1 CUC).*

5

Les vitrines de ce petit musée d'histoire naturelle présentent divers coquillages et oiseaux empaillés mis en scène dans leur environnement reconstitué. On peut également observer un squelette de baleine. Tout est si désuet que cela en est touchant.

À l'angle de la calle Independencia, le **Museo de Historia Municipal** *(mar.-sam. 8h-12h, 13h-17h, dim. 8h-12h - 1 CUC)* s'intéresse à l'histoire de la ville et à l'intervention de jeunes de Gibara aux côtés des indépendantistes angolais.

À côté, le **Museo de Arte** *(mar.-sam. 8h30-16h30, dim. 8h-12h - 1 CUC)* abrite une collection d'environ 2 000 objets décoratifs des 19e-20e s., dont un bel ensemble de *mamparas*, portes intérieures ornées de vitraux illustrant des paysages d'Europe.

Remontez la calle Independencia d'une cuadra *et prenez à droite la calle J. Peralta.*

L'architecture Belle Époque de l'**Hotel Ordoño** *(voir « Hébergement »)* mérite un coup d'œil : à défaut d'y dormir, allez boire un verre sur son toit-terrasse, qui offre une **vue★** à 360° sur la cité et la baie !

Revenez sur la calle Independencia et remontez-la de trois cuadras.

Plus intime que le Parque Central, la **Plaza de la Cultura** conserve sur ses flancs de belles façades néoclassiques (certaines avec fronton et colonnes), qui suggèrent parfaitement la vie des notables de la cité au 19e s.

Playa Blanca

De l'autre côté de la baie, cette petite plage déserte, au sable immaculé, est desservie par un bac : renseignez-vous sur les quais *(comptez 1 CUC)*.

Parque Monumento Nacional Bariay

☎ (24) 43 33 11 - 9h-17h - 8 CUC - accès par la route de Guardalavaca, puis à g. en direction de Santa Elena après avoir dépassé Fray Benito (bonnes indications ; présenter son passeport).

Juste à l'est de la baie de Gibara, la **baie de Bariay** s'enorgueillit d'avoir vu Christophe Colomb accoster pour la première fois à Cuba. Dans ses carnets, le navigateur décrit en effet une baie dominée par une montagne au sommet plat, telle la Silla de Gibara… mais, à en croire les habitants de Baracoa, il s'agirait de leur Yunque ! Bien que le débat ne soit pas tranché, un mémorial – étrange monument associant colonnades à l'antique et idoles indiennes – commémore l'événement au sein du parc touristique aménagé dans la baie *(entrée 8 CUC, enf. 4 CUC)*. On y découvrira aussi un faux hameau indien *(boisson offerte)* et, un peu plus loin, sous une construction couverte d'un toit de palme, de modestes vestiges archéologiques. La plage, petite et parfaitement entretenue, est très agréable.

Vue sur le centre historique de Gibara, depuis le mirador.
golero/iStock

😊 NOS ADRESSES À GIBARA

INFORMATIONS UTILES

Banque/Change
Banco Popular de Ahorro – *Calle Independencia (au-dessus de la Plaza de la Cultura). Change et retraits aux guichets.*

Poste
Correos – *Calle Independencia, au-dessus du Parque Calixto García.*

Internet
Wifi et plusieurs postes ordinateurs dans le hall de l'hôtel Ordoño *(voir « Hébergement »).*

Santé
Pharmacie sur la rue principale.

Station-service
Faites le plein à Holguín.

ARRIVER/PARTIR

En voiture
Faute de transports publics décents, un véhicule individuel est nécessaire pour rejoindre Gibara.

HÉBERGEMENT

▶ Casas particulares
BUDGET MOYEN
La Casa de los Amigos – *Calle Céspedes n° 15 e/L. Caballero y J. Peralta* - 🕾 *(24) 84 41 15* - 🖃 ✕ *- 3 ch. 25 CUC.* Un endroit très original ! Chantal et Alex, elle française et lui cubain, ont confié à Nelson, « le peintre de la ville », le soin de décorer leur jolie maison coloniale. Le patio déborde de couleurs et de motifs naïfs, entre repaire de pirates et antre bohème ! Les chambres fourmillent de détails éclectiques, et l'ambiance est à la détente, en particulier autour des repas du soir...
Hostal Sol y Mar – *Calle J. Peralta n° 59 (sur le front de mer)* - 🕾 *52 40 21 64* - *www. hostalsolymargibara.jimdo. com* - 🖃 ✕ *- 6 ch. 25 CUC.* Cette villa orange et bleue, postée sur le front de mer, a tout d'une maison de vacances ! Ambiance sans chichis, vue imprenable sur les flots depuis le toit-terrasse, confort et simplicité : on s'y installe en toute décontraction. Les deux jeunes propriétaires parlent français, en particulier Yván, qui partage son temps entre Gibara et… Paris.
Hostal Los Hermanos – *Calle Céspedes n° 13 e/L. Caballero y J. Peralta* - 🕾 *(24) 84 45 42* - 🖃 ✕ *- 5 ch. 25 CUC.* Une demeure plus classique que les précédentes, mais qui a son cachet : derrière le joli salon colonial, qui conserve son mobilier de famille, on découvre un grand patio encadré de toits de tuiles. Les chambres sont simples et bien tenues, et en cas de besoin, on peut se rabattre sur la maison voisine, qui appartient à la même famille (2 ch.). La propriétaire a ouvert en 2015 un petit *paladar* sur le même trottoir : La Perla del Norte.

▶ Hôtel
UNE FOLIE
😊 **Hotel Iberostar Ordoño** – *Calle J. Peralta e/D. Mármol et Independencia* - 🕾 *(24) 84 44 48* - *www.iberostar.com* - 🖃 ✕ *- 27 ch. 75/135 CUC* 🖵 - Sa petite tour panoramique domine tout le centre de la cité… Dans une localité aussi humble, un tel bâtiment ne manque pas de surprendre ! Superbe héritage de la Belle Époque, il a rouvert en 2013 après avoir été longtemps inoccupé : sa façade sculptée a retrouvé tout son lustre, de même que ses belles menuiseries, ses vitraux, ses moulures…

Autant d'ornementations qui font le charme des chambres, particulièrement confortables. La ville étant encore peu fréquentée, on a souvent l'impression d'avoir pour soi seul cet établissement digne du château de la Belle au bois dormant !

RESTAURATION

🐛 **Conseil** – Si vous résidez dans une *casa particular*, n'hésitez pas à profiter de sa table d'hôte, car l'offre en restaurants est limitée à Gibara.

PREMIER PRIX

Las Terrazas – *Calle Calixto García n° 40 e/Céspedes et Mora -* ☎ *(24) 84 44 61 - 11h-22h - autour de 10 CUC.* Demandez aux passants si vous ne trouvez pas, l'entrée est discrète : ce petit *paladar* se cache sur le toit-terrasse d'une maison. Baignée par l'air marin, la déco cultive un petit côté île au Trésor (hamac, sculptures de requin, etc.), et la carte met le cap sur la mer, rien que la mer, selon la pêche du jour : poissons, poulpe, fruits de mer, etc. Le tout à bon prix : le repas en est d'autant plus sympathique !

La Cueva – *Calle 2ᵈᵃ n° 131 (à 2 km du centre-ville : longez la mer vers le nord et tournez à droite au niveau de la piscine « olímpica » ; tournez à gauche au dernier grand building, puis prenez à droite le chemin de terre dans le 2ᵉ virage ; l'entrée se trouve à 30 m à gauche) -* ☎ *(24) 84 53 33 - tlj sf lun. 12h-20h - 6/8 CUC.* Ce petit endroit est difficile à trouver, mais on est content d'y avoir refuge… C'est une vraie arche de Noé que l'on découvre, avec un jardin potager et aromatique, une basse-cour (oies, dindons, etc.), un iguane et même un crocodile ! Les tables sont installées sous une jolie paillote, et la cuisine met à l'honneur la production maison ainsi que la pêche locale. C'est tout simple et savoureux, et les prix sont modestes.

EN SOIRÉE

Ambiance nonchalante à Gibara, où l'on peut passer sa soirée à regarder les habitants deviser sur les places de la ville, parmi les enfants en train de jouer. L'animation se concentre sur la calle Independencia : tout en bas, face à la mer, l'ancien fort espagnol abrite dorénavant un café, **La Batería**, qui accueille des concerts *(vend.-dim. à 22h)* ; plus haut dans la rue, sur la Plaza de la Cultura, le patio du bar culturel **La Loja** organise régulièrement des manifestations (musique, danse, etc.) ; n'hésitez pas à jeter un coup d'œil.

Siglo XX – *Parque Calixto García -* ☎ *(24) 84 54 75 - lun.-mar. 9h-17h, merc.-dim. 9h-0h - concerts en principe vend.-dim. - entrée 5 CUC (boisson comprise).* Sur la place de l'église, ce grand café propose la programmation la plus régulière, avec des concerts de musique cubaine tous les vend., sam. et dim. soir (sauf exception). L'endroit est aussi sympathique pour siroter un cocktail.

AGENDA

Festival de Cine pobre – *Tous les 2 ans en avril - ficgibara.cult. cu.* Créé par Humberto Solas *(voir « Arts et culture » p. 375)*, cinéaste cubain décédé en 2008, ce festival international du cinéma social connaît un certain retentissement.

5

La Sierra Maestra

De Bayamo à Santiago de Cuba

Provinces de Granma et de Santiago de Cuba

Dominant la tranquille petite ville de Bayamo, la Sierra Maestra règne en maître incontesté sur le littoral méridional de l'île, à cheval sur les provinces de Granma et de Santiago de Cuba. La plus haute chaîne de montagnes du pays, dominée par le Pico Turquino (son point culminant à 1 974 m d'altitude), ravit les amateurs de belles randonnées. Le nom de cette cordillère semble également dominer le pays tout entier par les liens étroits qu'elle a entretenus avec son histoire : depuis l'arrivée des conquistadors, la région a été le cadre de la première déclaration d'abolition de l'esclavage et celle de l'indépendance. Mais la Sierra Maestra reste surtout le symbole de la lutte révolutionnaire, les « barbudos » s'y étant réfugiés pendant près de deux ans avant de renverser Batista ! La zone, mal desservie et peu fréquentée, demeure aujourd'hui un refuge pour tous ceux qui veulent quitter les sentiers battus.

😊 NOS ADRESSES PAGE 258
Hôtels, restaurants, shopping, activités, etc.

🛈 S'INFORMER

Infotur Bayamo – Plaza del Himno e/J. J. Palma et Padre Batista (à côté de la place principale) - ☎ (23) 42 34 68 - www.infotur.cu - lun.-vend. 8h-17h, sam. 8h-12h. Le meilleur point d'information avant de s'engager dans la Sierra, et un point de contact très pratique avec les agences ci-dessous.

Ecotur – Au sein de l'hôtel Sierra Maestra, près de Bayamo (voir « Hébergement, Restauration ») - ☎ (23) 48 70 06 - www.ecoturcuba.tur. cu. Le principal prestataire pour les randonnées dans le parc naturel.

Centro de Información de Santo Domingo – Près de la Villa Santo Domingo (voir « Hébergement, Restauration ») - ☎ (23) 56 53 49. La maison des guides du parc est le point de départ des randonnées.

Infotur Manzanillo – Au sein de l'hôtel Guacanayabo (voir « Hébergement, Restauration ») - ☎ (23) 57 44 12. Renseignez-vous sur l'état de la route si vous souhaitez suivre le littoral méridional.

▶ SE REPÉRER
Carte de région AB3 (p. 236-237).

👁 À NE PAS MANQUER
Marchez sur les traces des barbudos à Santo Domingo ; faites l'ascension du Pico Turquino.

🕐 ORGANISER SON TEMPS
Comptez 2 jours pour l'ascension du Pico Turquino ; préparez l'excursion assez tôt avec les agences ci-contre (du matériel spécifique peut être nécessaire). La location d'un 4×4 est vivement conseillée pour emprunter la route du littoral sud.

Se promener Carte de région, p. 236-237

★ **BAYAMO** B2

À 70 km d'Holguín. Comptez 1h.

Point de passage quasi obligé sur la route de Santiago de Cuba, Bayamo mérite un arrêt. La cité se laisse bercer par le pas des chevaux et les souvenirs de son histoire mouvementée. Ce chef-lieu de 238 000 habitants semble si tranquille que l'on a peine à imaginer qu'il ait tant influencé le destin de Cuba, comme en témoignent les plaques commémoratives à chaque coin de rue. Visiter Bayamo offre un petit cours d'histoire, bien que cette *villa* originelle compte peu de vestiges antérieurs au 19e s.

La carretera Central venant d'Holguín arrive à l'ouest de Bayamo. Dans son prolongement, la calle Perucho Figueredo aboutit, à trois *cuadras*, au sud de la Plaza de la Revolución.

★ Plaza de la Revolución

La Plaza de la Revolución, ancien Parque Céspedes, rompt avec les habituelles esplanades post-révolutionnaires, destinées à accueillir une foule démesurée. Cette place carrée piétonnière, encadrée d'édifices néoclassiques repeints de frais, marque le centre-ville.

Dans son square, le buste de **Pedro Figueredo Cisneros**, père de l'hymne cubain, et la statue de bronze de **Carlos Manuel de Céspedes**, « père de la patrie », rendent hommage à ces deux personnages historiques. Sur le côté nord de la place, une plaque sur l'*ayuntamiento* (hôtel de ville) évoque d'ailleurs la première déclaration d'abolition de l'esclavage en 1868.

Sur le côté ouest du square, la **Casa Natal de Carlos Manuel de Céspedes** (℘ [23] 42 38 64 - tlj sf lun. 9h-17h, w.-end 9h30-13h30 - 1 CUC) a vu naître

---

BAYAMO, BERCEAU DE LA NATIONALITÉ CUBAINE

Diego Velázquez fonde, en novembre 1513, San Salvador de Bayamo, la deuxième *villa* de l'île après Baracoa. Tout est mis en œuvre pour lui assurer une croissance sans heurts : la suppression de la résistance indienne avec l'exécution du cacique indien Hatuey, un emplacement à l'intérieur des terres hors de portée des pirates et une plaine fertile pour l'agriculture et l'élevage.

Ces atouts en firent le principal centre de contrebande de l'île, rarement troublé jusqu'au 19e s. Le seul fait notoire relaté par **Silvestre de Balboa** dans le premier poème cubain en 1608, *Espejo de Paciencia (Miroir de patience)*, est l'enlèvement d'un évêque par le pirate français Gilbert Giron. Les habitants de Bayamo refuseront d'accéder à la demande de rançon du ravisseur et parviendront à le capturer et à l'exécuter.

C'est au 19e s. que Bayamo connaît une période de troubles. Dix jours après la libération des esclaves de son domaine de La Demajagua *(voir « Histoire », p. 343)*, **Carlos Manuel de Céspedes** s'empare de Bayamo le 20 octobre 1868. L'hymne de Bayamo, composé par le patriote local Pedro « Perucho » Figueredo, devient à cette occasion l'hymne national, et la ville est proclamée capitale de la République en armes.

Trois mois plus tard, le 12 janvier 1869, face à la menace de l'armée espagnole, les *Bayameses* préfèrent réduire leur propre ville en cendres plutôt que de la voir tomber aux mains de l'ennemi, acte patriotique qui lui conférera le titre de Monument national.

l'homme politique le 18 avril 1819. On peut voir des documents et objets liés à sa lutte pour l'indépendance, dont une copie du *Cubano libre*, le premier journal indépendantiste.

Juste à côté, le **Museo Provincial de Granma** (☎ [23] 42 41 25 - *mar.-vend. 9h-17h, sam. 9h-13h, 17h-21h, dim. 9h-13h - 1 CUC*) est installé dans l'ancienne demeure du chef d'orchestre Manuel Muñoz Cedeño, qui participa à la mise en forme de *La Bayamesa*, l'hymne national. Des instruments du temps de l'esclavage sont présentés dans la première partie de ce musée. On remarquera le tableau dédié au général Antonio Maceo, réalisé par un esclave avec 13 000 morceaux de bois de 20 variétés différentes, et une étonnante guitare, avec son étui, fabriquée en 1896 avec 19 109 pièces. Une partie du bâtiment est consacrée à la révolution, notamment à l'attaque de la caserne de Bayamo en 1953, concomitante de l'assaut de Moncada à Santiago de Cuba.

Plaza del Himno Nacional

Au sud-ouest de la Plaza de la Revolución, la calle Maceo s'élargit pour déboucher sur une église encadrée de maisonnettes colorées. Le parvis, désigné sous le nom de « place de l'Hymne », constitue le berceau de la nation cubaine puisque le chant patriotique national y retentit pour la première fois dans l'histoire de l'île. Une plaque indique que la marche composée par Perucho Figueredo fut jouée le 2 juin 1868 dans l'église sous la direction du chef d'orchestre Manuel Muñoz Cedeño. À ce même endroit, le 8 novembre 1868, les indépendantistes allaient entonner ce chant patriotique après s'être emparés de la ville.

De l'**église Parroquial Mayor de San Salvador**, édifiée en 1613, il ne reste rien. Elle fut reconstruite en 1740, mais l'incendie de 1869 n'épargna que la **Capilla de Dolorès**. Dans cette chapelle, vous pourrez admirer un beau retable en cèdre de style baroque.

En face de l'église, une petite maison blanche, la **Casa de la Nacionalidad Cubana**, abrite le bureau de l'historien de la ville.

Sortez de Bayamo par l'avenida Amado Estévez, au sud-ouest de la ville, vers Yara, puis prenez la direction de Bartolomé Masó.

BARTOLOMÉ MASÓ A3

À 49 km de Bayamo. Comptez 45mn.

Bien que peu fréquentée par les touristes, la ville qui porte le nom d'un politicien qui lutta contre le pouvoir colonial espagnol abrite un petit **musée** (*lun.-sam. 8h-16h, dim. 8h-11h - entrée libre*) dédié au Che, installé dans la baraque où il commanda une colonne. On y découvre quelques effets personnels du révolutionnaire comme son célèbre béret, des photos, et le premier exemplaire du *Cubano libre*, journal officiel de la rébellion. Bartolomé Masó est également le point de passage obligé vers **Santo Domingo**, porte du parc national de la Sierra Maestra (*voir ci-dessous*), et vers **Las Mercedes** (*12,5 km au sud-ouest*), dont le nom reste attaché à la bataille de l'été 1958 quand les forces de Fidel Castro faillirent se retrouver piégées.

Excursions Carte de région, p. 236-237

★ PARQUE NACIONAL DE LA SIERRA MAESTRA AB3

Entrée du parc à Santo Domingo, à 19 km au sud de Bartolomé Masó.

👁 **Bon à savoir** – Les randonneurs doivent impérativement être accompagnés d'un guide. Le mieux est de s'adresser au Centro de Información de Santo

Domingo, ou de programmer l'excursion à l'avance auprès d'une agence à Bayamo *(voir « S'informer »)*.

Ce superbe parc national se prête admirablement à la randonnée, pédestre ou équestre. L'entrée dans un lieu aussi mythique que la Sierra Maestra a toujours été sévèrement contrôlée. Cette zone, encore imprégnée de la présence des *barbudos*, abrite quelques sites dont les noms évoquent les faits d'armes de Castro et de ses compagnons. C'est sur ce « premier territoire libre d'Amérique » que, de mai à août 1958, les troupes de Batista connaîtront d'importants revers, qui aboutiront au triomphe de la révolution. S'ajoutent à cela des raisons d'ordre écologique, une épidémie ayant touché les plantations de café sur le massif il y a quelques années.

Vous pouvez accéder au magnifique **site de Santo Domingo★** (A3), perdu dans une végétation luxuriante, en conduisant toutefois avec une extrême prudence tout le long des 22 km de route très escarpée qui relient Bartolomé Masó à Santo Domingo. Le hameau comporte une poignée de *casas particulares* et un seul hôtel *(voir « Hébergement, Restauration »)* d'où partent plusieurs sentiers de randonnée, en particulier le long de la belle rivière de Yara.

De l'autre côté du cours d'eau, la charmante maison qui abrite le petit **musée de Santo Domingo** *(horaires aléatoires - 1 CUC)* fut occupée par le collaborateur de Fidel Castro, Mandoza. Ce héros de la révolution revit à travers ses objets personnels et ses vêtements. Une maquette intéressante retrace la contre-offensive de la Sierra Maestra.

Au-delà de l'hôtel Villa Santo Domingo, la route est barrée à la hauteur du centre d'information. Un 4x4 *(5 CUC ; départ vers 9h)* effectue les 5 km de route extrêmement abrupte et escarpée menant au belvédère **Alto de Naranjo**. De là, un guide *(env. 20 CUC)* vous conduit à la **Comandancia de la Plata** *(3h AR ; facile)* d'où Fidel Castro dirigea la guérilla. Vous marcherez sur les traces des *barbudos* préparant leur offensive contre les hommes de Batista. Le site de l'ancien campement héberge aujourd'hui un **musée**, où l'on peut découvrir l'émetteur de Radio Rebelde, la « Voix de la révolution ».

Des excursions au **Pico Turquino★★** de deux ou trois jours, avec bivouac, *(comptez entre 70 et 90 CUC/pers., repas compris)* sont également proposées au centre de visiteurs. Celles-ci étant contingentées, il est prudent de contacter à l'avance l'Empresa para la Protección de la Flora y la Fauna (ENPFF) par mail (esp.com1@oc.ffauna.cu). Une excellente condition physique est nécessaire, de même que de bonnes chaussures et un duvet chaud.

En tout, il faut marcher env. 8h pour effectuer les 13 km séparant Alto de Naranjo du Pico Turquino, plus haut sommet de l'île (1 974 m). Accompagné d'un guide, vous traverserez un paysage de forêt tropicale très dense, tapissée de fougères arborescentes et d'orchidées, avant d'atteindre une étendue de conifères. Après une nuit dans un refuge, vous atteindrez le sommet, souvent prisonnier des nuages, en empruntant un sentier très raide (2h30/3h). Si la vue est dégagée, l'effort sera récompensé par un **panorama★★** sur la mer des Caraïbes d'un côté, et l'ensemble de la Sierra Maestra de l'autre.

MANZANILLO A2

À 20 km de Yara et 65 km de Bayamo. Comptez 1h.

La musique occupe une place centrale à Manzanillo, avec ses orgues mécaniques qui, venus de France à la fin du 19e s., furent introduits dans les rythmes cubains. La ville s'enorgueillit également d'être le berceau de la *nueva trova*, un courant de ballade traditionnelle créé au début des années 1970.

Dans le centre-ville

On peut flâner dans les ruelles animées de cette cité portuaire d'où l'on exporte du sucre de canne. En suivant le fantomatique **malecón**, le boulevard du front de mer ouvert sur le golfe de Guacanayabo, on croise des rues en terre battue qui montent vers les quartiers populaires.

Le **Parque Céspedes★**, la place principale de la ville, apporte sa contribution à la réputation musicale de Manzanillo avec sa **glorieta★** au centre du square. Ce kiosque à musique finement ciselé, de style mauresque, n'est pas sans évoquer une place andalouse.

Dépassez la station-service au sud-ouest du centre-ville. Suivez la route en direction de Niquero sur 10 km et, au panneau indiquant La Demajagua, tournez à droite vers la côte.

Museo Histórico La Demajagua A2

☎ 52 19 40 80 - mar.-sam. 8h-17h, dim. 8h-14h - 1 CUC.

L'ancien domaine de Carlos Manuel de Céspedes, déclaré Monument national, est l'endroit où débuta la guerre des Dix Ans. Celui que l'on surnomme le « père de la patrie » y libéra ses esclaves le 10 octobre 1868 et, avec un groupe d'hommes, dont Perucho Figueredo, commença sa marche sur Bayamo. Le musée renferme ses biens ainsi que des objets archéologiques. Dans le parc, la cloche qui servait à appeler les esclaves est enchâssée dans un mur de pierres. Le maître des lieux l'utilisa pour la dernière fois le 10 octobre 1868 pour leur annoncer leur libération. À proximité, il reste quelques vestiges de la plantation, notamment une roue de moulin prisonnière du tronc d'un *jagüey*.

Rejoignez la route en direction de Media Luna à 34 km. Au bout de 10 km, la route se sépare en deux. L'embranchement de droite conduit à Niquero, situé à 11 km, et continue sur 19 km jusqu'à Playa Las Coloradas.

★ LE LITTORAL MÉRIDIONAL

Environ 250 km de Cabo Cruz à Santiago de Cuba. Comptez une journée.

☺ Conseil – Attention, la route est très endommagée entre Pilón et Chivirico : un 4x4 est nécessaire pour franchir certains passages (éboulis, effondrement, etc.), le risque d'immobilisation étant réel avec un véhicule de tourisme. Et cette portion est à éviter absolument par temps de pluie.

Sur toute la côte méridionale, la Sierra Maestra plonge dans la mer des Caraïbes, avec, pour seule démarcation entre les deux, l'une des plus belles routes de Cuba... bien que très difficile si l'on souhaite rejoindre Santiago de Cuba. Mais, au cours de ce trajet cahoteux, vous serez récompensé par la diversité des paysages traversés : vagues balayant les falaises, parois rocheuses d'où émergent des arbustes secs, tapis d'herbe jaunie, plantations de bananes, troupeaux vagabonds paissant sur les bas-côtés, criques cernées d'*uvas caletas*. Déception : aucune plage de rêve en chemin, tout au plus quelques étendues de sable noir. En fin de journée, les paysans regagnent, sur leur charrette bringuebalante, les hameaux nichés dans la montagne ou les rares villages que vous rencontrerez sur le parcours.

Dans le sud-ouest de la province, à partir de Belic, vous entrez dans le **Parque Nacional Desembarco del Granma** (A3), qui tire son nom du célèbre épisode historique *(voir « Histoire », p. 348)*. Le 2 décembre 1956, après une semaine de traversée mouvementée à bord de la vedette *Granma*, Fidel Castro et ses 81 compagnons débarquent du Mexique à **Playa Las Coloradas** (A3). Cette étroite plage bordée de palétuviers, bien que recouverte de plantes halophiles (vivant dans les milieux salés), demeure l'une des plus agréables de la

5

région. À 1 km de là, en direction de Cabo Cruz, un **mémorial** en béton a été érigé en hommage au débarquement.

Du *campismo* qui borde la plage, seul hébergement possible dans cet endroit *(voir « Hébergement, Restauration »)*, des sentiers éco-archéologiques sont proposés aux visiteurs, sur les traces des aborigènes qui avaient élu domicile dans des **grottes** *(cuevas)* voisines. L'une d'entre elles, la **Cueva del Fustete**, permet de pratiquer la spéléologie et renferme des pictogrammes. Des guides spécialisés de la flore et de la faune *(centre d'information à Belic ou demander au campismo)* vous accompagnent dans cette nature d'arbres endémiques de Cuba, où moustiques et oiseaux rares attireront votre attention.

La route se termine 9 km plus loin à **Cabo Cruz** (A3), à l'extrémité sud de l'île. Le **phare** de ce cap domine des mangroves qui s'étendent au-delà du village, là où le terrain se perd dans la mer. À 6 km à l'est, la **Punta del Inglés** (A3) marque le point le plus méridional de Cuba.

NOS ADRESSES DANS LA SIERRA MAESTRA

INFORMATIONS UTILES

Banque/Change
Banco Financiero Internacional – *Carretera Central km 1, à la sortie de Bayamo vers Santiago.* Retirez suffisamment d'espèces si vous partez en excursion dans la Sierra.

Poste
Poste dans les principales localités, dont Bayamo *(Plaza de la Révolucíon)* et Manzanillo *(calle Martí, près de la place centrale)*.

Internet
Wifi au sein de l'hôtel Royalton, à Bayamo *(voir « Hébergement »)*.

Stations-service
Plusieurs stations dans les villes de l'itinéraire : à Bayamo *(route de Santiago, derrière la gare routière)*, Manzanillo, Niquero et Pilón. Des défauts d'approvisionnement sont toujours possibles : faites le plein dès que vous le pouvez.

ARRIVER/PARTIR

En bus
Terminal Viazul – *Carretera Central n° 501, à 1,5 km du centre-ville en direction de Santiago de Cuba -* ℘ *(23) 42 14 38 - www.viazul.*com. Nombreux arrêts quotidiens à Bayamo sur les lignes reliant Santiago de Cuba à Trinidad, Varadero et La Havane *(comptez env. 2h10 et 7 CUC pour Santiago, env. 1h15 et 6 CUC pour Holguín, 3 à 4h et 11 CUC pour Camagüey)*.

TRANSPORTS

Conseil – Il est vivement conseillé de louer une voiture pour se déplacer dans la région. Si vous souhaitez atteindre les zones reculées de la Sierra ou contourner le massif par le sud afin de rejoindre Santiago, un 4x4 est nécessaire.

Location de véhicules
Transtur Bayamo – *À l'hôtel Sierra Maestra (voir « Hébergement, Restauration ») -* ℘ *(23) 48 29 90 - www.transtur.cu.* Également une agence dans l'hôtel Guacanayabo de Manzanillo *(voir« Hébergement, Restauration »)*.

HÉBERGEMENT, RESTAURATION

À Bayamo

Hôtels

BUDGET MOYEN
Villa Bayamo – *Carretera a Manzanillo -* ℘ *(23) 42 31 02 - www.*

islazul.cu - 🖥 ✕ 🛋 - 34 ch.
55/70 CUC 🛋. À 3 km à l'ouest de
la ville (direction Manzanillo), une
halte toute simple, au calme, dans
la verdure. Accueil chaleureux et
chambres correctes pour le prix.

Sierra Maestra – *Carretera
Central km 7,5 (à l'extérieur de la
ville en direction de Santiago)* -
✆ *(23) 42 79 70* - *www.islazul.
cu* - 🖥 ✕ 🛋 - *204 ch. 50/60 CUC*
🛋 - Malgré son architecture en
béton et son cadre peu attrayant,
les chambres restent correctes
bien que vieillissantes. Utile en cas
de besoin.

POUR SE FAIRE PLAISIR

Royalton – *Parque Céspedes (calle
Maceo n° 53)* - ✆ *(23) 42 22 90* -
www.islazul.cu - 🖥 ✕ - *33 ch.
60/110 CUC* 🛋 - *Wifi.* Sa très belle
façade d'un jaune éclatant (19e s.)
domine la place principale, au
cœur de la ville. Cachet colonial et
charme simple dans les chambres,
dont le confort est appréciable : le
meilleur hôtel de la région.

▶ Restaurant

BUDGET MOYEN

Restaurante San Salvador –
*Calle Maceo n° 107 e/Martí et
Marmol* - ✆ *(23) 42 69 42* - *11h-
23h* - *autour de 15 CUC.* À une
cuadra au nord-ouest de la place
principale, ce *paladar*, installé
dans le séduisant cadre ancien
d'une petite maison coloniale,
propose une bonne cuisine
traditionnelle, assortie d'un choix
de pizzas, pâtes et sandwichs à
petit prix. Les tarifs sont indiqués
en *pesos cubanos*, mais l'on pourra
vous faire la conversion en CUC.

Mesón Cuchipapa – *Calle
Parada/Martí y Marmol (en face du*

restaurant San Salvador) - ✆ *(23)
41 19 92* - *11h-23h* - *10/15 CUC.*
Dans cette salle où de gros
ventilateurs pendent au plafond,
on est d'emblée mis à l'aise par
l'adorable *abuela* qui nous reçoit,
d'une bonne humeur contagieuse.
Le décor vitaminé (carte de Cuba
lumineuse, tableaux, drapeaux)
et le soin apporté à la cuisine
traditionnelle locale, pimentée
d'une pointe d'originalité,
achèvent de nous séduire. Plats et
formules à choisir sur de grandes
ardoises accrochées au mur.

Dans le parc national

▶ Hôtels

POUR SE FAIRE PLAISIR

Villa Santo Domingo – *Carretera
La Plata km 16, à Santo Domingo
(au sud de Bartolomé Masó)* -
✆ *(23) 56 55 68* - *www.islazul.
cu* - 🖥 ✕ - *20 ch. 60/100 CUC* 🛋.
Cadre naturel très privilégié pour
ces petits bungalows rustiques
nichés dans une superbe vallée
de la Sierra Maestra, au bord
du río Yara. Point de départ de
randonnées.

À Manzanillo

▶ Hôtels

BUDGET MOYEN

Hotel Guacanayabo – *Ave.
C. Cienfuegos* - ✆ *(23) 57 40 12
ou 77 84* - *www.islazul.cu* - 🖥 ✕
🛋 - *112 ch. 25/30 CUC* 🛋 - *bureau
de change, services médicaux.*
De ce gros complexe hôtelier
perché sur une colline au-dessus
de la Circunvalación, à 2,5 km du
centre-ville, on peut voir au loin
le golfe de Guacanayabo. Mais les
chambres manquent de charme et
l'ensemble a vécu.

Santiago de Cuba

Chef-lieu de la province de Santiago de Cuba - 510 000 hab. -
2ᵉ ville du pays

**Avec son nom, véritable acte d'allégeance au pays, Santiago de Cuba
est bel et bien la plus cubaine de toutes les villes ! Sa mosaïque d'habitants, à la peau sombre et à l'accent mélodieux, s'active jour et nuit
dans un véritable tourbillon à la fois chaotique et attachant, où chaque
patronyme, chaque visage perpétuent le souvenir d'un ancêtre espagnol, africain, haïtien, jamaïcain, français ou chinois. Tous les continents
finissent par se côtoyer dans ses quartiers populaires où la musique et
la danse mêlent leurs influences européennes et africaines. Dans ses
ruelles délabrées dont les maisons semblent dévaler la pente jusqu'à
la mer, le tempo quotidien alterne entre indolence et vitalité ; comme
devant ce pas-de-porte où un trio de musiciens égrène des ballades
traditionnelles. Si la musique occupe dans la vie de tous les jours – et
de toutes les nuits – une place centrale, chaque année pendant le carnaval, elle déborde de tous les interstices de la ville. Les Santiagueros
vibrent alors à l'unisson, au rythme des tambours dans une succession
de défilés, de danses, de farandoles et d'orchestres. Cet état de transe
collective, puisant dans ses racines africaines, renvoie Santiago à ce
qu'elle est et a toujours été : une ville bouillonnante et agitée, à l'image
de sa devise, « Rebelde ayer, hospitalaria hoy, heroica siempre » (Rebelle
hier, hospitalière aujourd'hui, héroïque toujours) !**

◉ NOS ADRESSES PAGE 277
Hôtels, restaurants, shopping, activités, etc.

▤ S'INFORMER

Infotur – Plan de la ville B3 et zoom -
*Parque Céspedes (angle Heredia et
General Lacret) - ☎ (22) 66 94 01 -
infotur@santiago.infotur.tur.co -
8h-12h, 13h-17h. Point d'information
complet sur la ville, en lien avec
les agences* Cubatur, Havanatur
et Cubanacán qui proposent des
excursions alentour (Sierra Maestra,
El Cobre, etc.) ; un bureau également
à l'aéroport - *☎ (22) 69 21 43 ou
69 20 88.*

▶ SE REPÉRER
Carte de région C3 (p. 236-237) - Plan
de la ville (p. 262-263).

☺ À NE PAS MANQUER
Une soirée salsa à la Casa de la
Trova et dans les nombreuses salles
de la ville ; le carnaval fin juillet ; la
vue depuis le Castillo del Morro au
coucher du soleil.

◷ ORGANISER SON TEMPS
Programmez au moins 2 nuits pour
profiter de l'animation en soirée,
idéalement en fin de semaine.
Réservez un hôtel le plus tôt possible
en période de carnaval. Rendez-
vous à la basilique d'El Cobre le
8 septembre, fête d'Ochún.

Catedral de Nuestra Señora de la Asunción.
golero/iStock

Le quartier historique Plan de la ville, p. 262-263

Comptez une demi-journée à pied.

 Conseil – Malgré la présence de la police, évitez de vous promener avec un sac et des objets de valeur.

Au cours de votre séjour à Santiago, vous ne cesserez de parcourir les deux rues commerçantes qui relient les places principales du centre-ville : le Parque Céspedes, le Parque Dolores et la Plaza de Marte. À tous les coins de rue, surtout dans la calle Heredia et la calle Bayamo, piétonnière et lieu de promenade favori des habitants, vous serez sollicité par des grappes de jeunes gens vous proposant *casas particulares* et restaurants de leur secret, ainsi que les meilleurs endroits pour danser la salsa ou écouter de la musique. Restez ferme, mais ne manquez pas d'apprécier leurs extraordinaires bagou et bonne humeur !

★ PARQUE CÉSPEDES B3 et zoom

Dominée par la silhouette massive de la cathédrale, l'ancienne place d'Armes, rebaptisée Parque Céspedes en l'honneur du « père de la patrie », est encadrée des plus anciens bâtiments de Santiago. Animée à toute heure du jour et de la nuit, elle constitue le cœur de la ville. Les touristes préfèrent généralement observer les allées et venues des habitants, de la terrasse de l'hôtel Casa Granda. Si vous avez envie de rencontrer des *Santiagueros*, asseyez-vous parmi eux sur l'un des bancs du square… mais sachez que la plupart d'entre eux vous ignoreront, trop occupés à « attraper » une hypothétique connexion Internet !

Catedral de Nuestra Señora de la Asunción
Horaires aléatoires.

Sur le côté sud du Parque Céspedes, et surélevée par rapport à la place, elle repose sur un socle de boutiques, dont celle d'Etecsa (cartes téléphoniques, cabines, postes Internet et Wifi) avec son inévitable file d'attente ! La cathédrale fut édifiée en 1522, l'année du transfert de la ville sur le site actuel. Elle était

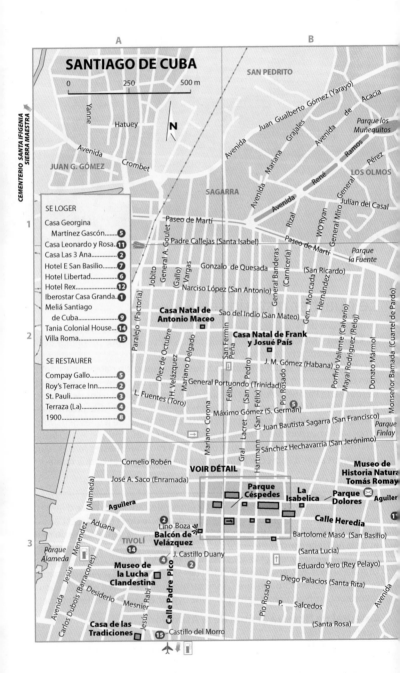

SANTIAGO DE CUBA

0   250   500 m

N

CEMENTERIO SANTA IFIGENIA
SIERRA MAESTRA

SE LOGER

Casa Georgina
  Martínez Gascón.........5
Casa Leonardo y Rosa..11
Casa Las 3 Ana............2
Hotel E San Basilio.......7
Hotel Libertad.............6
Hotel Rex..................12
Iberostar Casa Granda...1
Meliá Santiago
  de Cuba..................9
Tania Colonial House....14
Villa Roma................15

SE RESTAURER

Compay Gallo.............5
Roy's Terrace Inn.........2
St. Pauli..................3
Terraza (La)..............4
1900......................8

NUESTRA SEÑORA DE LA CARIDAD DEL COBRE

Plaza de la Revolución

Teatro José María de Heredia

Estadio Guillermón Moncada

Latour

Andrés

Capdevila

Avenida Patricio Lumumba

Avenida de los Libertadores

SANTA ROSA

Pinar del Río

Matanzas

Angel Luís Salazar (Independencia)

Parque Sueño

Avenida de las Américas

SORRIBES

Paseo de Martí

Saturnino Lora

Avenida de los Libertadores

Avenida de Céspedes

SUEÑO

Bosque de los Heroes

PARQUE DE BACONAO, VISTA ALEGRE

Parque Histórico Abel Santamaría

Cuartel Moncada

Parque de los Estudiantes

Coppelia

Victoriano

Garzón

Juan Clemente Zenea (Escario)

Parque Iglesia

SANTA BÁRBARA

Plaza de Marte

Parque Rojo

Heredia

24 de Febrero (Trocha)

Gral Carlos Roloff (Celda)

Gral Francisco Peraza (Pizarro)

Gral Julio Sanguily

Valeriano

V. Betancourt

Corona

Casa de la Música

Félix Peña

José A. Saco (Enramada)

Pío Rosado

Aguilera

Ayuntamiento

Club San Carlos

(San Pedro)

(San Félix)

Museo Emilio Bacardí

Casa de Diego Velázquez

Parque Céspedes

Casa Granda Casa de la Trova

Museo del Carnaval

Catedral

Casa de la Cultura

Hartmann

Calle Heredia

Casa de J. M. de Heredia

Mariano

Bartolomé Masó (San Basilio)

0   50 m

Museo del Ron

orientée est-ouest avant les destructions successives dues aux tremblements de terre et aux incendies, puis on lui donna une nouvelle orientation lors des reconstructions, dont la dernière date de 1922. Sa haute façade néoclassique grise et blanche, flanquée de deux clochers encadrant un *Ange de l'Annonciation* aussi monumental qu'aérien, mérite d'être observée du toit-terrasse de l'hôtel Casa Granda voisin *(voir « Boire un verre »)*. L'intérieur de l'édifice est chatoyant depuis sa restauration et la nef s'orne d'un beau plafond à caissons. Il est possible de monter dans l'un des clochers pour profiter du panorama sur la ville *(9h-18h - 1 CUC)*.

★★ Casa de Diego Velázquez

℘ (22) 62 41 19 - 9h-13h, 14h-16h30, dim. 9h-13h - 2 CUC.
En face de l'hôtel Casa Granda, de l'autre côté de la place, cette maison porte le nom du premier gouverneur de Cuba qui y résida. Construite en 1516, c'est l'une des plus vieilles demeures d'Amérique latine et peut-être la plus belle maison coloniale de Cuba ! Derrière cette sobre façade de pierre ornée de moucharabiehs en bois se trouve le **Museo de Ambiente Histórico Cubano★**. Au 1er étage, le mobilier, exposé dans un ordre chronologique du 17e au 19e s., permet de suivre l'évolution d'un style espagnol vers un style spécifiquement cubain, avec des meubles aux pieds courbes de l'époque de Luis de Las Casas, gouverneur de la fin du 18e s. Les murs et les boiseries sont d'origine, contrairement aux moucharabiehs. Au rez-de-chaussée subsistent les vestiges de l'ancienne fonderie d'or. Il faut alors traverser le patio pour poursuivre la visite dans une demeure du 19e s. Celle-ci renferme un riche mobilier colonial et a conservé sa cuisine d'époque.

Ayuntamiento

En continuant le tour de la place dans le sens des aiguilles d'une montre, on peut observer la façade de l'**hôtel de ville**. Celle qui fut l'une des plus anciennes mairies d'Amérique latine accueillit Hernan Cortés, le premier maire de Santiago. Un bâtiment de style néoclassique fut construit en 1855, à la place de l'ancienne mairie, mais l'édifice actuel *(fermé au public)* fut bâti dans les années 1950 selon des plans de 1783, d'où sa noblesse tout espagnole.
Enfin, sur le côté est de la place se dressent deux institutions de la vie mondaine de la ville aux tournants des 19e et 20e s. : à l'angle des calles Aguilera et General Lacret, l'ancien **Club San Carlos** avec sa façade néoclassique très ouvragée ; puis l'**hôtel Casa Granda** *(voir « Hébergement » et « Boire un verre »)* dont la colonnade (avec terrasse) forme un véritable balcon au-dessus du Parque.

★ CALLE HEREDIA B3 et zoom

À gauche en descendant les marches de l'hôtel Casa Granda, vous entrez dans l'une des rues les plus animées de la ville, véritable sanctuaire de la musique

---

« L'AUTRE HEREDIA »

Qui n'a pas appris dans son jeune âge des poésies de José María de Heredia (1842-1905) ? Saviez-vous qu'il était né près de Santiago de Cuba ? Il fut appelé José María en souvenir de son cousin. Élevé en France, il écrivit ses poèmes en français et devint l'un des maîtres de l'école parnassienne. Il est surtout connu pour son recueil *Les Trophées* et plus particulièrement pour son sonnet *Les Conquérants*, à la gloire de ses ancêtres conquistadors. « Comme un vol de gerfauts hors du charnier natal… »

Casa de Diego Velázquez.
allOver images/vario Images RM/age fotostock

Santiago de Cuba, ville rebelle

Nichée au fond d'une baie profonde, à l'est de la Sierra Maestra, la ville jouit d'une position privilégiée au cœur de l'Oriente… et de l'histoire révolutionnaire cubaine !

UNE CAPITALE DÉLAISSÉE

Fondée par **Diego Velázquez en 1514**, Santiago est proclamée capitale de la colonie quelques mois après. Elle est transférée de l'autre côté de la baie, à son emplacement actuel, huit ans plus tard. Peu à peu, les conquistadors se désintéressent de cette ville dont ils ont épuisé les richesses : les mines d'or alentour se tarissent et la main-d'œuvre indienne, victime de mauvais traitements, s'amenuise considérablement. L'attention se déplace alors vers La Havane, devenue résidence des capitaines généraux dès le milieu du 16e s. En 1607, Santiago perd officiellement son titre de capitale et devient le « centre administratif du département oriental ». Elle se consacre dès lors à l'extraction du cuivre, à la culture de la canne à sucre et à l'élevage. Elle connaît le même sort que toutes les villes portuaires, en proie à d'incessantes attaques de corsaires et de pirates dont celle de Jacques de Sores en 1554. À partir de 1633, les habitants se dotent d'un dispositif de forteresses dont le Castillo de San Pedro de la Roca (El Morro), encore visible à l'entrée de la baie.

UN FOYER D'IMMIGRATION FRANÇAISE

En 1791, plus de 20 000 colons français fuient Haïti devant la révolte des esclaves menée par Toussaint Louverture. Les nouveaux arrivants s'implantent dans la région de Santiago où ils introduisent la culture du café et modernisent le système d'exploitation de la canne à sucre. La ville se trouve dynamisée par ce nouvel apport culturel, la langue s'enrichit de mots créoles, la musique et la danse combinent l'influence française aux rythmes africains.

LA VILLE DE L'INDÉPENDANCE

À la fin du 19e s., le foyer indépendantiste de la Sierra Maestra *(voir p. 348)* gagne rapidement Santiago. La ville, souhaitant se libérer du joug de la lointaine Havane, s'engage activement dans les guerres d'indépendance.
Le général **Antonio Maceo**, un mulâtre originaire de la localité, devient le symbole de cette lutte lorsqu'il refuse, à la fin de la guerre des Dix Ans (1878), les termes du pacte de Zanjón. Estimant que les Espagnols proposent une trêve inéquitable, sans abolition de l'esclavage ni indépendance, il appelle à la reprise des combats. Cet épisode, connu sous le nom de « Protesta de Baraguá » (« protestation de Baraguá »), n'empêchera pas la signature du traité de paix qui contraindra Maceo et d'autres généraux à l'exil. Ils reviendront, recrutés par José Martí, pour participer à la guerre d'indépendance de 1895. Lors de cette nouvelle guerre, les États-Unis entrent dans le conflit, après l'explosion du *Maine* en rade de La Havane *(voir « Histoire », p. 346)*. Les Américains débarquent en juin 1898 à Siboney, sur la côte méridionale près de Santiago. En quelques semaines, les Espagnols connaissent plusieurs défaites et capitulent à Santiago en juillet 1898. Le général Calixto García et sa troupe, comptant de nombreux Noirs, ne sont pas autorisés à entrer dans la ville pour participer aux cérémonies. Les Cubains ne seront pas non plus conviés à la signature du

Mausolée de José Martí, cimetière de Santiago de Cuba.
alxpin/iStock

traité de Paris (10 décembre 1898) au terme duquel les Espagnols renoncent à leur colonie. Le triomphe de la révolution, un demi-siècle plus tard, sera en quelque sorte une revanche sur cette victoire confisquée.

LE BERCEAU DE LA RÉVOLUTION

Le 26 juillet 1953, Santiago est à nouveau projetée sur le devant de la scène nationale. Profitant de l'animation du carnaval, plus d'une centaine d'assaillants menés par le jeune avocat **Fidel Castro Ruz** tentent de s'emparer de la caserne militaire de **Moncada**. Cet assaut tourne rapidement au drame. La moitié des rebelles est tuée pendant la fusillade ou lors de la répression qui s'ensuit. Les survivants sont traduits devant les tribunaux. Cette série de procès connaît son apogée avec la célèbre plaidoirie *L'histoire m'acquittera* prononcée par Fidel Castro pour assurer sa propre défense. Il sera condamné, avec plusieurs de ses compagnons, à 15 ans de prison sur l'île des Pins (actuelle île de la Jeunesse), puis amnistié le 15 mai 1955.

L'épisode de la Moncada semble avoir irrémédiablement scellé le destin de Santiago à l'histoire révolutionnaire. Aussi Fidel Castro choisit-il de revenir trois ans plus tard sur l'île par sa côte méridionale. Le 30 novembre 1956, le Mouvement du 26-Juillet (M-26), nommé ainsi en souvenir de l'assaut de la Moncada, organise le soulèvement de Santiago afin de faire diversion le jour prévu du débarquement. Non seulement le M-26 mené par Frank País connaît une répression sanglante, mais les hommes de Batista, désormais sur le pied de guerre, repèrent dès son arrivée le **Granma**, qui accoste avec deux jours de retard. En trois jours, la plupart des *barbudos* en fuite sont faits prisonniers ou exécutés, tandis qu'un petit groupe de survivants parvient à se réfugier dans la Sierra Maestra. Après deux ans de guérilla, c'est au balcon de l'hôtel de ville de Santiago que Fidel Castro annonce le triomphe de la révolution, le 1er janvier 1959.

cubaine! Le samedi, il est pratiquement impossible d'y circuler : dès la nuit tombée, les *Santiagueros* affluent de toutes parts et il faut alors se frayer un passage au milieu d'une foule compacte, remuant comme un seul corps sur les rythmes endiablés s'échappant de nombreuses institutions!

Tout de suite sur la droite, la **Casa de la Cultura**, installée dans un ancien hôtel particulier, accueille de multiples activités culturelles, dont des expositions de peintres contemporains cubains *(entrée libre)* ; elle apporte son lot à la frénésie de la rue en fin de semaine, avec de bons concerts gratuits *(voir « En soirée »)*.

Juste à côté, au n° 206, une petite maison abrite l'une des plus grandes institutions de Santiago, réputée dans toute l'île : la **Casa de la Trova★**. Du matin au soir, des groupes égrènent les ballades traditionnelles du répertoire cubain dans le décor suggestif de boiseries anciennes couvertes de portraits de musiciens ou dans le patio sur l'arrière ; y passer une soirée est incontournable *(voir « En soirée »)*.

Restez sur le même trottoir et traversez la calle Hartmann (San Félix).

Casa Natal de José María de Heredia
Calle Heredia e/Hartman et Pio Rosado - ☎ (22) 62 53 50 - mar.-sam. 9h-19h, dim. 9h-13h - 1 CUC.

Chaque année, le 7 mai, des activités littéraires rendent hommage à Heredia et José Martí, deux grandes figures de la culture cubaine, tous deux décédés au mois de mai. Dans cette maison du 18e s. naquit le 31 décembre 1803 le poète romantique cubain José María de Heredia y Campuzano, à ne pas confondre avec son cousin José María de Heredia Girard, « l'autre Heredia », le Français *(voir encadré p. 264)*.

Ce musée retrace l'œuvre du poète *santiaguero* célèbre pour son *Ode au Niagara* et rend hommage à ses activités indépendantistes, qui l'obligèrent à s'exiler aux États-Unis, puis au Mexique où il mourut en 1839. Vous pourrez également apprécier le **patio** planté de jasmin, myrthe, oranger, rosier et d'un palmier royal.

★ Museo del Carnaval
Calle Heredia n° 303 - ☎ (22) 62 69 55 - 9h-17h (sam. 22h), fermé lun. - 1 CUC.

À l'angle de la calle Pio Rosado (Carnicería), des marches conduisent à ce petit musée attendrissant, qui vous donnera sans doute envie de revenir à Santiago au mois de juillet pour participer aux festivités. L'histoire du carnaval y est retracée à travers des documents photographiques, des coupures de presse, des maquettes, des costumes, des étendards, des *cabezones* (grosses têtes en papier mâché) ainsi que de nombreux instruments utilisés pendant le défilé : tambours, *tumbas*, *chachá*, maracas et une jante métallique utilisée comme instrument à percussion. Pour compléter la visite, des **spectacles folkloriques** se tiennent dans le patio chaque jour à 16h (sf dim.).

Redescendez les marches du Museo del Carnaval et prenez la calle Pío Rosado sur la droite, sur une centaine de mètres, jusqu'à l'angle de la calle Aguilera.

★ Museo Emilio Bacardí
Angle calles Pío Rosado et Aguilera - ☎ (22) 62 84 02 - lun. 13h-17h, mar.-vend. 9h-17h, sam. 9h-13h - 2 CUC.

Ce grand bâtiment néoclassique à colonnes abrite le plus ancien musée de l'île, inauguré en 1899 par Emilio Bacardí Moreau, premier maire de Santiago sous la République. Il évoque l'histoire de la province.

Le **rez-de-chaussée** consacré à l'histoire et l'ethnographie présente notamment des objets indiens (tête réduite et momies péruviennes) et égyptiens (base de sarcophage et art funéraire). La personne de José Maria de Heredia

est évoquée, de même que les héros des mouvements de libération natio-
nale comme José Martí, à travers leurs vêtements et autres effets personnels.
Remarquez aussi une torpille électrique utilisée par les hommes de Calixto
García contre les vaisseaux espagnols mouillant dans le río Cauto.

À l'**étage** sont présentés dans une première section des tableaux d'artistes
espagnols qui appartenaient au Prado, parmi lesquels on retiendra surtout
l'élégante représentation allégorique des *Quatre Saisons*, par Juan de Madrazo.
La seconde section s'intéresse à la peinture à Cuba et à Santiago de Cuba, avec
de nombreuses œuvres du paysagiste José Joaquín Tejada, des portraits de
Federico Martínez Matos, et un ensemble de peintures naturalistes.

AUTOUR DE LA CALLE AGUILERA B-C3

En remontant la calle Aguilera, on aboutit au **Parque Dolores★**, une jolie place
coloniale tout en longueur, point de rendez-vous des jeunes *Santiagueros*
Le **café La Isabelica**, dans l'angle sud-ouest, demeure un lieu de sociabilité
cubaine : de nombreux habitants, mêlés de quelques touristes, viennent y
déguster un bon *café cubano*, tout en conversant autour de tables en bois
(voir « Boire un verre »).

Plaza de Marte

La calle Aguilera continue jusqu'à cette place, la troisième du centre-ville.
Créée en 1860, elle servait aux exécutions publiques des condamnés, mais
le grand square central n'a été aménagé que dans les années 1940. En soirée,
les musiciens la transforment en grande piste de danse.

Ceux qui n'ont pas encore visité un musée de sciences naturelles à Cuba
peuvent faire un crochet par la calle José Antonio Saco (Enramada) : une *cuadra* avant la Plaza de Marte, à l'intersection de Monseñor Barnada (cuartel de
Pardo), se trouve le **Museo de Historia Natural Tomás Romay** (℘ *[22] 62
32 77 - lun.-vend. 8h-17h30, sam. 8h-14h- 1 CUC)*. Essentiellement destiné aux
groupes scolaires, il comporte plusieurs sections consacrées à la faune et à
la flore du monde entier. Les vitrines réunissent des spécimens de coraux,
d'éponges et de *polymitas*, escargots colorés vivant dans les caféiers. Les
animaux empaillés sont à l'honneur, avec notamment un impressionnant
tinglado, tortue géante. Au premier étage, à proximité d'un tigre du Bengale
et d'un lion, est conservé un os de cachalot pêché à la Punta de Maisí (extrémité orientale de l'île) en 1978. Quelques planches de dessins sur la prévention
des tremblements de terre, ainsi qu'une sélection de minéraux et d'herbiers
complètent cette exposition didactique.

*Revenez au Parque Céspedes. De là, prenez la calle Félix Peña, la rue qui longe
le côté droit de la cathédrale. Tournez à droite à la première intersection, dans
la calle Bartolomé Masó.*

★ BARRIO TIVOLÍ A3

Les Français chassés d'Haïti s'installèrent à la fin du 18e s. dans cette zone, au
sud-ouest du Parque Céspedes, où des maisonnettes délavées épousent le
relief capricieux d'une colline. Plus que dans tout autre quartier de Santiago, il
y règne une atmosphère de bourgade nonchalante. Des femmes en bigoudis
gravissent lentement ses rues en pente, des enfants jouent au *béisbol* au milieu
de la chaussée, tandis que des voisins s'affrontent aux dominos sur le trottoir.
Une *cuadra* après le Parque Céspedes, à l'angle des calles *Bartolomé Masó* et
Mariano Corona, un belvédère connu sous le nom de **Balcón de Velázquez**
(7h-19h - entrée libre, 1 CUC si l'on veut prendre des photos) permet de découvrir

un beau **panorama★** sur les toits de tuiles du quartier dégringolant vers la baie de Santiago, avec la Sierra Maestra en toile de fond.

Descendez la calle Bartolomé Masó et bifurquez à gauche dans la calle Padre Pico.
La petite **calle Padre Pico★**, l'une des rues les plus typiques de Tivolí, doit sa renommée à son **escalier**. Du haut des marches, elle offre une superbe vue plongeante sur l'amoncellement des maisons construites à flanc de colline.

En haut des marches à droite, suivez la rue en courbe jusqu'à la calle Jesús Rabi.
Au sommet de la colline, un très bel édifice du 19e s. à patio couronne le quartier et domine la ville. Cet ancien commissariat, attaqué le 30 novembre 1956 par le Mouvement du 26-Juillet, a été transformé en **Museo de la Lucha Clandestina** (*℘ [22] 62 46 89 - tlj sf lun. 9h-17h - 1 CUC*). Le musée relate les actions clandestines contre la dictature de Batista et évoque plus particulièrement l'assaut du 30 novembre 1956 dirigé par Frank País.

Un peu plus loin dans la même rue, entre les calles José de Diego (Princesa) et C. García (San Fernando), vous trouverez en haut de quelques marches la **Casa de las Tradiciones**, jolie bicoque à fréquenter le soir pour les bons groupes de musique traditionnelle qui s'y produisent *(voir « En soirée »)*.

Reprenez le chemin du Parque Céspedes et, au Balcón de Velázquez, tournez à droite dans la calle Bartolomé Masó.
Le **Museo del Ron** (B3 et zoom) *(calle Bartolomé Masó n° 358 - ℘ [22] 62 88 84 - tlj sf dim. 9h-21h - 2 CUC)* permet de comprendre la fabrication et l'histoire du rhum. Plusieurs machines sont exposées, dont une pour contrôler la qualité de la production. En principe, une dégustation est proposée.

Le nord de la ville Plan de la ville, p. 262-263

Comptez une demi-journée avec un moyen de locomotion.
Cette partie est moins pittoresque que le cœur historique, mais les amateurs d'histoire cubaine y verront de nombreux mémoriaux consacrés aux héros et aux épisodes décisifs de l'indépendance et de la révolution.

CUARTEL MONCADA C2

À 500 m de la Plaza de Marte, à l'angle de l'avenida de los Libertadores et de la calle General Portuondo, se dresse un lieu hautement symbolique. Cette caserne est entrée dans l'imagerie révolutionnaire avec l'assaut manqué du 26 juillet 1953. Les impacts de balles visibles sur la façade du bâtiment ne sont toutefois pas d'origine.

À l'intérieur de la place forte ont été installés une école et le **Museo Histórico del 26 de Julio★** (*℘ [22] 62 01 57 - mar.-sam. 9h-19h, dim.-lun. 9h-12h30 - 2 CUC - visite possible en français*). Ce musée est consacré à la préparation de la révolution et à la lutte du M-26, à travers des documents, photos et maquettes. Sont présentés les cibles d'entraînement, les articles de journaux relatant l'attaque de Moncada, les vêtements de certains assaillants, ainsi que le véhicule grâce auquel Fidel Castro a eu la vie sauve. Sont également exposés des objets de torture utilisés par la dictature, des armes fabriquées artisanalement dans la sierra Maestra et des effets personnels de combattants. La visite se termine dans la salle des portraits des héros, témoin d'une muséographie inchangée depuis des décennies…

De l'autre côté de l'avenida de los Libertadores, le **Parque Histórico Abdel Santamaría** complète la visite de la caserne de Moncada, puisqu'une partie des assaillants occupa l'ancien hôpital Saturnino Lora, au moment de l'assaut. Dans ce même bâtiment fut également organisé le procès de Fidel Castro, le

Le quartier Tivolí.
Nikada/iStock

16 octobre 1953. Avec sa fontaine centrale à l'effigie d'Abel Santamaría, le parc évoque encore le souvenir du *moncadiste* torturé et assassiné par la police de Batista après l'attaque de la caserne.

Dans le **Museo Abel Santamaría** (📞 [22] 62 41 19 - tlj sf dim. 9h-17h - 1 CUC), des documents évoquent les conditions de vie sous la dictature de Batista.

Rejoignez la calle los Maceos à l'angle nord-ouest du Parque Abel Santamaría et avancez de huit cuadras jusqu'à l'intersection de la calle General Banderas.

Casa Natal de Frank y Josué País B2

Calle General Banderas n° 226 e/J. M. Gómez et los Maceos - 📞 (22) 65 27 10 - tlj sf dim. 9h-17h- 1 CUC.

Elle renferme les objets personnels des deux frères érigés en martyrs de la tyrannie batistienne. Une place plus importante est accordée à Frank País, celui qui dirigea à 22 ans le soulèvement du 30 novembre 1956. Il fut jugé, relâché puis assassiné le 30 juillet 1957, un mois jour pour jour après son frère, qui participait également au M-26. Des photographies montrent son impressionnant cortège funéraire à travers les rues de Santiago, du Parque Céspedes au cimetière Santa Ifigenia.

Revenez dans la calle los Maceos et remontez la rue de 300 m vers l'ouest.

Casa Natal de Antonio Maceo A2

Calle los Maceos n° 207 e/M. Corona et M. Delgado - 📞 (22) 62 37 50 - tlj sf dim. 9h-17h - 1 CUC.

Cette belle demeure du début du 19ᵉ s. a vu naître en 1845 l'un des plus grands généraux des deux guerres d'indépendance. Dans sa maison natale, on rend hommage au « Titan de bronze », mort au combat le 7 décembre 1896, à San Pedro de Punta Brava, au sud de La Havane.

Parmi les objets personnels de Maceo réunis dans ce musée et les documents sur les guerres d'indépendance, on remarquera le **drapeau** utilisé lors de l'invasion et la presse sur laquelle était imprimé le *Cubano libre*, « l'artillerie de la révolution ». Dans le patio, des manguiers de Baraguá et de Mantua

5

symbolisent la lutte d'est en ouest si chère à Maceo : Baraguá, où il dénonça les termes du traité de paix proposé par les Espagnols (1878), et Mantua (province de Pinar del Río), où ses troupes pénétrèrent au début de 1896, l'année suivant son retour d'exil.

Au bout de la calle los Maceos, prenez à droite le long de la voie ferrée. Remontez pendant 500 m jusqu'à l'avenida Crombet et prenez à gauche. Derrière le canal, tournez de nouveau à gauche jusqu'au parking du cimetière.

★ **CEMENTERIO SANTA IFIGENIA** A1, en direction

℘ *(22) 63 27 23 - 8h-18h - 5 CUC.*

Cette vaste nécropole de 6 ha, fondée en 1868, réunit un grand nombre de patriotes tombés lors des guerres d'indépendance ou pendant la révolution. Les personnages les plus importants de l'histoire de Cuba, et plus particulièrement de l'Oriente, y reposent à l'ombre du drapeau national ou des bannières du M-26.

Le **mausolée d'Emilio Bacardí Moreau**, le premier maire de Santiago sous la République, évoque son appartenance à la franc-maçonnerie par la forme pyramidale du monument.

Un hommage est rendu à **Mariana Grajales**, la mère des Maceo, communément désignée comme la « mère de la patrie cubaine ».

Un **panthéon des vétérans**, en forme de château fort, renferme les dépouilles de 11 des 27 généraux indépendantistes morts au combat.

Une colonne, surmontée d'une amphore où brille une flamme, marque le **tombeau de Carlos Manuel de Céspedes**, qui délivra les esclaves du joug colonial.

Un obélisque de granit entre quatre palmiers abrite le corps de **Pedro Figueredo Cisneros**, le compositeur de l'hymne cubain.

Plusieurs tombes des martyrs du M-26 sont également visibles, dont celles de **Frank et Josué País**, recouvertes du drapeau national et d'une bannière de leur mouvement.

Enfin, le monument majeur de ce cimetière est le **mausolée de José Martí★**, une grande tour de pierre hexagonale, trouée d'arches permettant au soleil d'illuminer la tombe de « l'apôtre de l'indépendance » à toute heure du jour. Sur chaque face, des cariatides représentent les six anciennes provinces de Cuba et leurs emblèmes. Chaque détail fait référence à une pensée de José Martí ou à un épisode de sa vie. À l'extérieur du mausolée, 28 blocs de pierre évoquent ses campagnes jusqu'à celle de Dos Ríos, où il perdit la vie le 19 mai 1895.

Juste à côté du mausolée de José Martí, le monument où repose **Fidel Castro** contraste par sa simplicité : une grosse pierre arrondie sur laquelle figure simplement l'inscription « Fidel ».

L'Est : l'avenida de las Américas

Plan de la ville D1-2, p. 262-263

L'hôtel Meliá Santiago de Cuba marque le point de convergence de plusieurs districts : à l'est, **Vista Alegre**, le quartier résidentiel jalonné d'anciens hôtels particuliers ; au sud-ouest, les ruelles sinueuses du cœur historique ; et enfin, au nord, l'avenida de las Américas avec son tracé rectiligne jusqu'à la sortie de la ville.

Au début de l'avenida de las Américas, l'hôtel **Meliá Santiago de Cuba** *(voir « Hébergement »)*, réalisé par José Antonio Choy, un architecte local, constitue un point de repère familier : ce bâtiment asymétrique et coloré, construit en

1991, domine fièrement tout Santiago du haut de ses 15 étages. Montez au bar panoramique qui offre une **vue** vertigineuse sur la ville.

De l'autre côté de l'avenue, un **monument en marbre** au centre du **Bosque de los Heroes** rend hommage à Che Guevara et à ses compagnons, morts en Bolivie en 1967.

★ PLAZA DE LA REVOLUCIÓN D1

Deux kilomètres plus loin, l'avenue débouche sur cette vaste esplanade, qui peut accueillir 200 000 personnes. Au centre, une colossale **statue d'Antonio Maceo**★ invite de la main à rejoindre le combat. Ce monument, complété par 23 barres de fer dressées représentant des machettes, évoque le 23 mars 1878, date de la « *Protesta de Baraguá* » *(voir « Histoire », p. 346)*. Sous le monument, le **Memorial a Antonio Maceo** retrace la vie du héros de l'indépendance.

À proximité Carte de région, p. 236-237

À quelques kilomètres seulement de Santiago, loin de l'agitation de la cité, la nature cubaine reprend tous ses droits. Une échappée d'une journée permet de s'aventurer dans les replis de la cordillère qui s'étire de part et d'autre de la ville, soit vers la Sierra Maestra à l'ouest *(voir p. 252)*, soit vers la Gran Piedra à l'est. La qualité des plages de la côte méridionale est médiocre, mais les paysages rencontrés sur le parcours justifient l'excursion.

★ Castillo del Morro C3

À 10 km du centre de Santiago. Prenez la direction de l'aéroport. Suivez cette route pendant 7 km en direction de l'aéroport et du Morro. Comptez 2h avec la visite. ☎ (22) 69 15 69 - 9h-19h - 4 CUC.

L'ancien Castillo San Pedro de la Roca, juché sur une falaise à l'entrée de la baie au sud de la ville, offre un **point de vue**★★ incomparable sur la côte caraïbe, la Sierra Maestra et la baie de Santiago. Édifiée pendant la première moitié du 17ᵉ s., cette forteresse bénéficiait ainsi d'un emplacement idéal pour prévenir les attaques de pirates. Après de nombreux assauts, elle est détruite, puis rebâtie au 18ᵉ s. L'époque de la piraterie achevée, elle est transformée en prison où les *mambises* seront détenus par les Espagnols pendant les guerres d'indépendance.

Déclaré Patrimoine de l'humanité, le bâtiment a finalement été rénové, après avoir été laissé à l'abandon pendant plus d'un demi-siècle. Dans ses dédales de salles loge le **Museo de la Piratería**. Derrière ses épaisses murailles sont exposés des documents, des dessins et des armes retraçant l'histoire des corsaires et des pirates depuis l'époque coloniale. Une salle évoque la bataille navale entre l'Espagne et les États-Unis.

Revenez sur vos pas par la carretera del Morro. À 3 km, prenez l'embranchement de gauche (en venant de Santiago, un panneau indique El Morro à gauche et Cayo Granma à droite). Suivez la route côtière sur 2 km jusqu'à la marina de Punta Gorda.

À quelques centaines de mètres, au milieu de la baie, le village de pêcheurs du **Cayo Granma** *(20mn de traversée en bac, plusieurs arrêts avant le cayo - 3 à 5 CUC AR selon le type d'embarcation)* serait paradisiaque si les eaux qui l'entourent n'étaient frappées, depuis quelques années, d'une pollution industrielle due aux fuites des usines alentour.

★ Nuestra Señora de la Caridad del Cobre B3

À 20 km de Santiago. De Santiago, prenez la carretera Central dans le prolongement de l'avenida de los Libertadores derrière la Plaza de la Revolución. À 16 km,

5

LA VIRGEN DE LA CARIDAD DEL COBRE

Son histoire commence en 1606 lorsque trois mineurs découvrent dans la baie de Nipe une Vierge en bois portant l'inscription « *Yo soy la Virgen de la Caridad* » (« Je suis la Vierge de la Charité »). Une procession traverse alors la région du nord au sud jusqu'au village d'El Cobre où la statue est placée dans un ermitage.

---

tournez à gauche au panneau « El Cobre » et continuez pendant 4 km. Transfert possible depuis Santiago par l'intermédiaire des agences de tourisme (voir « S'informer »). En taxi, comptez env. 25 CUC. Comptez 2h avec le trajet et la visite. Ouvert 6h30-18h ; messes à 8h mar.-sam., 10h15 lun.-vend., et le dim. à 8h et 10h.

La route de montagne, à l'ouest de Santiago, s'anime chaque **dimanche** d'une procession parcourant tant bien que mal ses 20 km de lacets avant l'heure de la messe : des camions ploient sous le poids de fidèles pris en stop, les longues voitures américaines où s'entassent des familles nombreuses peinent dans les côtes. Enfin, à la sortie d'une courbe, la silhouette crème de l'église coiffée de trois dômes rouges surgit miraculeusement au cœur de la vallée. Aux abords du village minier d'El Cobre (« le cuivre »), les vendeurs de fleurs et de cierges jalonnent les bas-côtés, où des enfants encerclent les acheteurs potentiels. Avant d'entrer dans le sanctuaire, les touristes seront assaillis par les laveurs de voiture et les marchands ambulants sur le parking.

La basilique renferme la statue de la **Virgen de la Caridad del Cobre** (Vierge de la Charité du Cuivre), déclarée patronne de Cuba le 10 mai 1916. Elle fait l'objet d'un véritable culte puisqu'elle est associée, dans la *santería*, à **Ochún**, la déesse de l'amour, de la féminité et des eaux douces. Le premier sanctuaire est construit près des mines de cuivre entre 1683 et 1710 ; le second, inauguré en 1927, est celui que l'on peut voir actuellement.

Au rez-de-chaussée, la **salle des ex-voto** renferme une multitude d'objets offerts par les fidèles : béquilles abandonnées par les miraculés, vêtements, mèches de cheveux, lettres adressées à la Vierge, photographies, balles de base-ball, ballons de football. Un escalier mène au *camarín*, une chapelle au premier étage où les fidèles déposent des fleurs au pied de la **statuette de la Vierge** *(photos interdites)*. À l'heure de la messe, cette Vierge richement parée d'une couronne et d'une robe jaune (la couleur d'Ochún) est tournée vers les fidèles ayant pris place dans la nef.

Circuit conseillé Carte de région C3, p. 236-237

★ PARQUE NACIONAL DE BACONAO

Circuit de 90 km - Comptez une demi-journée.

À l'est de Santiago, un immense parc naturel s'étend sur 80 000 ha jusqu'à l'embouchure du río Baconao. Classé **Réserve naturelle de la biosphère** par l'Unesco, ce site comprend les montagnes de la Cordillera de la Gran Piedra – qui fait toujours partie de la Sierra Maestra – et une agréable côte. Il a été jalonné d'attractions touristiques pour les Cubains à une époque où le tourisme local se développait. Vous apprécierez peut-être davantage les paysages et les panoramas qui s'offrent le long du trajet que les attractions elles-mêmes.

Quittez Santiago de Cuba par le rond-point de l'hôtel Las Américas et l'avenida Raúl Pujol vers l'est en direction de Baconao. À 3 km derrière le village de Sevilla,

à l'embranchement de Las Guásimas (12 km du centre de Santiago), un panneau indique la Gran Piedra à gauche. Continuez sur 500 m après l'embranchement, puis prenez à gauche.

Prado de las Esculturas
8h-16h - 1 CUC.

Vous pouvez parcourir ce « champ de sculptures » à pied ou en voiture. Depuis 1988, vingt sculptures d'artistes contemporains cubains et étrangers y sont disséminées entre des blocs de granit, sur 40 ha. Des vaches paissent tranquillement au pied des œuvres en bois, béton, fer, brique et pierre.

La route s'élève ensuite, bordée de manguiers, *yagrumas* et caféiers qui cèdent la place aux pins et aux bambous à mesure que la température descend. À 14 km du Prado, on arrive à l'hôtel de la Gran Piedra.

Gran Piedra
Conseil – Mieux vaut s'y rendre le **matin**, avant l'arrivée des nuages.

Le site doit son nom de « grande pierre » à l'énorme rocher de 20 m de haut qui culmine à 1 234 m au-dessus du niveau de la mer toute proche. Un escalier de 425 marches *(1 CUC)* mène au sommet où, du **mirador★**, la vue s'étend sur toute la région et même, paraît-il, par temps clair, sur la Jamaïque et Haïti. Deux kilomètres au-delà du rocher, par une route difficilement praticable, vous arrivez au **Cafetal La Isabelica** (*8h-16h - 1 CUC*), une ancienne **plantation de café** transformée en **musée**. Elle fut fondée par Victor Constantin, un Français réfugié d'Haïti au début du 19e s. Des plates-formes devant la maison servaient à faire sécher les grains de café. Au rez-de-chaussée sont exposés divers objets liés à la culture du café ainsi que des instruments de torture pour les esclaves. Un traitement spécial était réservé aux femmes enceintes, châtiées dans une pièce au sol creusé de trous permettant de les immobiliser sur le ventre. Une photo représente la dernière esclave, qui serait morte en 1972 à l'âge de 132 ans ! Au premier étage, les salles conservent leur mobilier d'époque.

Redescendez et, après l'hôtel, tournez à droite.

Les amateurs de fleurs pourront suivre le chemin qui mène de l'autre côté de la montagne au **Jardin Botánico** (*mar.-dim. 8h-16h30 - 3 CUC*). Cette vaste terrasse sur la Sierra est un champ de fleurs du paradis, en floraison toute l'année, et d'autres espèces intéressantes, comme l'enivrante *mariposa*, fleur nationale.

Retournez à l'embranchement de Las Guásimas et prenez la route de gauche vers la mer en direction de Siboney.

Sur 2 km après l'embranchement de Las Guásimas, **26 mémoriaux** jalonnent le bas-côté de la route, en hommage aux victimes de l'assaut de La Moncada le 26 juillet 1953.

La **Granjita Siboney** (*Carretera Siboney km 13,5 - ☎ [22] 39 91 68 - lun. 9h-13h, mar.-dim. 9h-17h - 1 CUC*), une ferme louée par Fidel Castro et ses compagnons, a été transformée en musée consacré aux préparatifs de l'assaut de Moncada. Des objets ayant appartenu aux *moncadistes* sont exposés et tous les préparatifs sont expliqués en détail.

Sur la route également, un hangar sert de **Museo de la Guerra Hispano-cubano-norte americana** (*tlj sf dim. 9h-17h - 1 CUC*), inauguré en 1998 pour le centenaire de l'indépendance du pays et de la fin de la colonisation espagnole.

Playa Siboney C3
En reprenant la route tout droit vers le sud pendant 2 km, on atteint cette jolie plage. Bordée de palmiers et encadrée de collines, elle offre cependant un sable de qualité médiocre. Desservie par les transports en commun et

fréquentée par les familles cubaines, elle connaît une certaine animation durant le week-end.

De retour sur la route principale, à 9 km au sud-est de l'embranchement de Las Guásimas, la route traverse la **Valle de la Prehistoria** (*℘ [22] 39 92 39 - 8h-17h - 1 CUC - passage gratuit en dehors de ces horaires*). Sous un énorme faux rocher en forme d'arche, vous pénétrez dans ce parc de 2 000 m², qui tient du décor de Jurassic Park. Il compte une quarantaine de sculptures d'animaux préhistoriques évoquant les différentes ères géologiques. Les chèvres broutent tranquillement aux pieds des dinosaures et des brontosaures géants, qui s'éparpillent dans un paysage de collines verdoyantes. Tableau surprenant très apprécié des enfants !

Deux kilomètres plus loin, le **Museo Nacional del Transporte** (*℘ [22] 39 91 97 - 8h-17h - 1 CUC*) expose de vieilles voitures (vous remarquerez la seule voiture réalisée à Cuba, qui ressemble à celle d'Abdallah dans *Tintin au pays de l'or noir*) et, dans une annexe, une fabuleuse collection espagnole de 2 500 voitures miniatures retraçant l'histoire de l'automobile.

En sortant du musée et en continuant un peu plus avant, à 300 m sur la droite, une route mène à **Playa Daiquirí** (*zone militaire interdite au public*). Selon la légende, elle porte le nom du cocktail que les Américains auraient créé en 1898, à l'issue de la guerre d'indépendance. Pour vous détendre sur le sable, il vous faudra poursuivre jusqu'à la plage suivante, la petite **Playa Verraco**, large anse surplombée par la falaise côtière et très peu fréquentée.

Enfin, juste avant l'hôtel Carisol, vous pourrez vous arrêter au petit **delphinarium** (*℘ [22] 35 62 64 - shows à 10h30 et 15h - 5 CUC*) et assister à un spectacle de dauphins.

Laguna Baconao C3

Possibilité de visite guidée - 2 CUC.

La route continue jusqu'à une lagune que l'on peut parcourir en barque. Ce site abrite également une **ferme d'élevage de crocodiles** ouverte au public (*1 CUC*) et un restaurant. Au-delà de la lagune, la route devient rapidement impraticable et contraint les automobilistes à faire demi-tour.

☺ NOS ADRESSES À SANTIAGO DE CUBA

Voir le plan de la ville, p. 236-237.

INFORMATIONS UTILES

Banque/Change

☺ **Bon à savoir** – Vous trouverez des bureaux de change dans tous les grands hôtels. La ville est bien pourvue en distributeurs automatiques mais, comme ailleurs, ils ne sont accessibles qu'aux cartes Visa (retraits aux guichets pour les autres).

Banco de Crédito y Comercio – B3 et zoom - *Parque Céspedes (angle calles Heredia et F. Peña) - lun.-vend 8h-15h, sam. 8-11h. Arrivez tôt pour éviter l'affluence.*

Cadeca – B3 - *Calle Aguilera n° 508 e/M. Rodriguez et Clarín.*

Poste

Correos – B3 - *Calle Aguilera n° 519 e/M. Rodriguez et D. Marmol.*

Internet

Etecsa – B3 et zoom - *Angle calles Heredia et F. Peña.* Cartes téléphoniques, cabines, postes Internet et Wifi. Hotspots wifi sur les places publiques dont le Parque Cespedes et dans les grands hôtels tels le Rex.

Santé

Clínica Internacional – D2 en direction - *Angle calles Ferrero*

5

(R. Pujol) et 10 (près du Parque de los Estudiantes) - ☎ (22) 64 25 89. Établissement réservé aux étrangers.

😊 **Bon à savoir** – Les grands hôtels possèdent aussi leur service médical (infirmerie).

Assistance touristique

Asistur – B3 et zoom - Parque Céspedes (en bas de l'hôtel Casa Grande) - ☎ (22) 68 61 28. Assiste les touristes étrangers à Cuba pour toute question d'argent, d'assurance ou de droit (voir p. 398).

Centre culturel

Alliance française – Hors plan - Angle calles 6 et 11 (Vista Alegre) - ☎ (22) 64 15 03 - administration@ afstgo.co.cu. Organise des vernissages, des concerts et un festival de cinéma en juin. Programme sur place.

Stations-service

Nombreuses stations dans cette grande ville, en particulier sur l'avenida Jesús Menendez (longeant la baie) (A3) et sur l'avenida de los Libertadores en direction de la Plaza de la Revolución (C1).

ARRIVER OU PARTIR

En avion

Aeropuerto Internacional Antonio Maceo – À 8 km au sud du centre-ville, sur la carretera del Morro - ☎ (22) 69 10 53 - santiagodecuba.airportcuba.net. Il reçoit chaque semaine (en haute saison) des vols de/vers Toronto, Miami, Saint-Domingue, Port-au-Prince et, dans une moindre mesure, de Paris. Trajet entre l'aéroport et le centre-ville assuré par les navettes d'hôtels ou en taxi (10 CUC jusqu'au Parque Céspedes).

Cubana de Aviación – B3 et zoom - Angle calles J. A. Saco

et General Lacret - ☎ (22) 65 15 77/78/79. La compagnie nationale assure plusieurs liaisons quotidiennes avec La Havane.

En bus

Terminal de Ómnibus Viazul – C1 - Ave. de los Libertadores n° 457 (à l'angle de la Plaza de la Revolución) - ☎ (22) 62 84 84 - www.viazul.com. De nombreux bus, certains de nuit, relient Santiago à la plupart des villes cubaines : 3 AR/j avec La Havane (env. 15h, 51 CUC) via Santa Clara, Sancti Spíritus, Camagüey, Holguín et Bayamo. Également 1 liaison/j avec Trinidad (env. 12h, 33 CUC), Varadero (env. 15h, 49 CUC) et Baracoa (env. 5h, 15 CUC) via Guantánamo.

😊 **Conseil** – Achetez vos billets à l'avance sur place ou sur le site Internet de la compagnie.

Transtur – Incluant une pause repas (30mn), la compagnie effectue un AR/j. entre les grands hôtels de La Havane et l'hôtel Meliá (env. 15h). Tarif identique à celui de Viazul.

En voiture

Une autoroute relie La Havane à Santiago jusqu'à Sancti Spíritus, qui se transforme ensuite en route nationale en très bon état (865 km).

TRANSPORTS

En taxi

Cubataxi – ☎ (22) 65 10 38. Les véhicules de la compagnie sont garés devant les hôtels ou sur le Parque Céspedes (B3 et zoom).

Location de véhicules

Malgré les nombreuses compagnies de location, le parc automobile est restreint : il est vivement conseillé de réserver une voiture le plus tôt possible durant la haute saison.

Transtur – *Au sein de l'hôtel Casa Granda, sur le Parque Céspedes (voir « Hébergement ») - ℰ (22) 68 61 07 - www.transturcarrental. com.* La compagnie nationale (qui supervise à la fois les enseignes Cubacar, Havanautos et Rex) compte aussi de nombreux comptoirs dans les autres hôtels de la ville et à l'aéroport.

Vía – *Au sein de l'agence Cubatur, sur le Parque Céspedes - ℰ (22) 62 46 46 - www.gaviota-grupo.com.*

HÉBERGEMENT

Bon à savoir – La ville est relativement bien pourvue en établissements hôteliers, certains présentant un intéressant rapport qualité-prix. La solution d'hébergement la moins onéreuse reste évidemment les chambres chez l'habitant : le centre-ville abrite de nombreuses *casas particulares*, mais beaucoup sont peu séduisantes, alliant promiscuité et confort modeste. Privilégiez les adresses du quartier Tivolí, où elles sont plus calmes et charmantes. Comptez 5 CUC pour le petit-déjeuner.

Dans le centre-ville

◗ Casas particulares

BUDGET MOYEN

Tania Colonial House – A3 - *Calle J. Castillo Duany (Santa Lucía) n° 101 e/Padre Pico et Callejón Santiago - ℰ (22) 62 44 90 - www. casa-particular-santiago.de -* 🖥 ✕ 🅿 *- 2 ch. 20/25 CUC.* Un grand salon plein de livres et d'objets anciens, un large toit-terrasse ouvrant d'un côté sur la baie, de l'autre sur la ville historique - l'une des meilleures vues du quartier Tivolí -, un accueil charmant et avisé de la part de Tania, et enfin une savoureuse table d'hôte : cette noble demeure coloniale multiplie les atouts, réservez ici en priorité !

Casa Las 3 Ana – A3 - *Calle Lino Boza n° 17 e/Padre Pico et B. Masó - ℰ (22) 62 21 92 - casa3ana. webcindario.com -* 🖥 ✕ *- 6 ch. 25 CUC.* Accueil chaleureux dans cette petite maison bleue, bien située au cœur du quartier Tivolí. La déco est très couleur locale, tels ces fourreaux de fausse fourrure qui ornent les abattants des toilettes ! Des six chambres, préférez les deux situées sur la terrasse de l'étage - un nid très agréable pour le petit-déjeuner. Au-dessus, un petit mirador dévoile un beau panorama sur la baie.

Casa Georgina Martínez Gascón – C3 - *Calle P. Carbó n° 157 e/L. Bérgues y Aguilera - ℰ (22) 62 53 54 - chachi.stgd2013@ yahoo.es -* 🖥 ✕ *- 1 ch. 25 CUC.* Non loin de la Plaza de Marte, cette petite maison coloniale est la propriété d'un charmant couple de retraités. Mobilier ancien, coussins colorés, bibelots en tous genres, etc. : la déco a l'âme cubaine, et l'accueil est des plus aimables. Seul bémol : la chambre donne sur le grand salon et manque un peu d'intimité.

Villa Roma – A3 - *Calle Padre Pico n° 614 e/Princesa et San Fernando - ℰ (22) 62 28 01 - miguelsoysiempremi@hotmail. it -* 🖥 ✕ *- 2 ch. 30 CUC.* Un peu excentrée au sud du quartier Tivolí, cette petite maison moderne, impeccablement tenue, sort du lot : il s'en dégage un sentiment de sécurité et de bien-être, bien que, seul bémol, les chambres donnent sur les pièces à vivre. Les hôtes, un couple cubano-italien, sont discrets et charmants. C'est Giovanni qui tient les fourneaux, où il ne dément pas la réputation de l'Italie : profitez de la table d'hôte !

Casa Leonardo y Rosa – B3 - *Calle Clarín (Padre Quiroga) n° 9* e/Aguilera et Heredia - ℘ (22) 62 35 74 - leoclarin@nauta.cu - 🖃 ✕ - 3 ch. 30 CUC. Situation très centrale, à mi-chemin entre le Parque Dolores et la Plaza de Marte, pour cette maison typique. Malgré une belle façade coloniale, son décor manque un peu de charme, mais par rapport à de nombreuses autres *casas particulares* de la ville, c'est propre, calme et les chambres ouvrent sur le patio, très lumineux.

▶ **Hôtels**

BUDGET MOYEN

Hotel Libertad – C3 - *Plaza de Marte n° 65B* - ℘ (22) 65 15 89 - *www.islazul.cu* - 🖃 ✕ - *17 ch. 25/40 CUC* ☕. Sur la Plaza de Marte, un établissement très fréquenté et assez bruyant - évitez les deux chambres qui donnent sur l'avant. L'ensemble a un peu vécu, mais les prix sont modestes et le cachet colonial est là. À savoir : situé en hauteur, le quartier souffre de problèmes de pression d'eau, particulièrement le matin, avec souvent un très mince filet d'eau à l'heure de la douche, prenez vos précautions.

POUR SE FAIRE PLAISIR

Hotel Rex – C3 - *Avenida Garzón n° 10 e/P. Carbó et Pizarro* - ℘ (22) 68 72 33 - *www.islazul. cu* - 🖃 ✕ - *24 ch. 45/60 CUC* ☕ - wifi. Né en 2014 à deux pas de la Plaza de Marte, cet établissement est moderne, bien conçu et confortable. En revanche, évitez les chambres donnant sur l'avenue, très passante. Sympathique bar sur le toit-terrasse. Mêmes problèmes d'eau qu'à l'Hotel Libertad.

Hotel E San Basilio – B3 et zoom - *Calle B. Masó (San Basilio) n° 403 e/Carnicería y Calvario* - ℘ (22) 65 17 02 - *www.cubanacan. cu* - 🖃 ✕ - *8 ch. 60/80 CUC* ☕.

Tout près de la place principale, en face du Museo del Ron, un adorable petit hôtel d'esprit colonial. On y entre par une double volée de marches, puis l'on découvre un long patio plein de plantes, autour duquel s'organisent les chambres, charmantes et bien décorées. À la fois calme et au cœur de la ville. Restaurant attenant très correct (*dîner uniquement*).

UNE FOLIE

Iberostar Casa Granda – B3 et zoom - *Parque Céspedes (calle Heredia n° 201 e/San Pedro y Hartmann)* - ℘ (22) 65 30 21 - *www.iberostar.com* - 🖃 ✕ - *58 ch. autour de 100 CUC* ☕ - service de change, postes Internet. Sur le Parque Céspedes, l'hôtel le plus central de Santiago occupe un beau bâtiment néoclassique, mais certaines chambres sont un peu défraîchies. Choisissez celles qui sont situées aux étages supérieurs, plus hautes de plafond et avec vue sur la place (mais plus bruyantes). Ne manquez pas le coucher de soleil sur la baie depuis le toit-terrasse.

Autour du Parque de los Estudiantes

Le quartier, siège des institutions et ambassades, est relativement excentré : il convient surtout aux personnes en transit ou soucieuses d'un certain standing.

▶ **Hôtels**

UNE FOLIE

Meliá Santiago de Cuba – D2 - *Ave. de las Américas e/calle 4ta y ave. Manduley* - ℘ (22) 68 70 70 - *www.melia-santiagodecuba.com* - 🖃 ✕ ⛱ - *302 ch. 100/170 CUC* ☕ - location de voitures, bureau de change et de tourisme, services médicaux, Internet. L'hôtel le plus haut (15 étages) et le plus moderne de la ville. Les chambres y ont tout le confort des grandes chaînes internationales. Cet établissement convient donc particulièrement à une clientèle d'affaires. Il possède plusieurs restaurants, trois piscines et un agréable bar panoramique.

Sur la côte est

▶ Hôtels

POUR SE FAIRE PLAISIR

La côte n'abrite que deux hôtels-clubs d'entrée de gamme : **Club Amigo Carisol-Los Corales** – *Carr. Baconao km. 51 - Playa Cazonal - ℰ (22) 35 61 13 - www. hotelescubanacan.com -* 🗎 ✕ *- 310 ch. 60/80 CUC* ▭.

Costa Morena – *Carretera de Baconao, km. 38,5 - ℰ (22) 35 61 26 - www.islazul. cu -* 🗎 ✕ *- 115 ch. 70/90 CUC* ▭. Essentiellement fréquenté par des groupes organisés. Passez par une agence de voyages afin de bénéficier de tarifs négociés.

😊 **Bon à savoir** – Si vous souhaitez dormir sur la côte, vous trouverez plusieurs maisons d'hôte le long de l'avenida Serrano, à Playa Siboney.

À Gran Piedra

▶ Hôtel

BUDGET MOYEN

La Gran Piedra – *Carretera Gran Piedra km 14 - ℰ (22) 68 61 47 - www.islazul.cu - ✕ - 22 ch. 40/50 CUC* ▭. Des petites maisons correctement équipées dominent la mer. L'air est pur et frais, la vue, superbe. Idéal pour marcher (guides).

RESTAURATION

Dans le centre-ville

C'est le point faible de Santiago, où l'on trouve surtout des restaurants d'État de qualité médiocre et souvent vides (bien que peu chers) ainsi que des *paladares* attrape-touristes (vous serez d'ailleurs sans cesse sollicité par des *jineteros* tentant de vous conduire dans les adresses où ils touchent des commissions). Si vous résidez dans une *casa*, profitez de sa table d'hôte !

PREMIER PRIX

1900 – B3 et zoom - *Calle B. Masó (San Basilio) n° 354 e/P. Rosado y Hartmann - ℰ (22) 62 35 07 - 12h-0h - 8/10 CUC.* À deux *cuadras* du Parque Céspedes, l'ancienne demeure de la famille Bacardí accueille le restaurant le plus connu de Santiago. S'il a perdu de son prestige d'antan, il offre un cadre agréable (décor colonial, objets anciens, beau patio, pianiste, etc.) pour un repas traditionnel au prix mesuré. On peut aussi simplement siroter un cocktail sur la terrasse à l'étage.

BUDGET MOYEN

😊 **Roy's Terrace Inn** – A3 - *Calle Santa Rita, 177 e/Corona et Padre - ℰ (22) 62 05 22 - tlj 19h-21h30 - 10/15 CUC.* Un restaurant magique installé sur le toit-terrasse d'une maison, au milieu d'une végétation exubérante. Après avoir choisi votre plat principal (poisson, langouste, porc, poulet…), pas moins de sept assiettes savoureuses vous sont apportées avec le sourire par un staff jeune et efficace ou par la chaleureuse cuisinière elle-même, que vous aurez rencontrés en arrivant. Beau choix de cocktails. Réservation vivement conseillée. Idéal pour un tête-à-tête romantique.

Compay Gallo – B2 - *San German (Máximo Gómez), 503 - ℰ (22) 65 83 95 - 12h-23h - 10/15 CUC.* Un peu à l'écart du centre historique, ce restaurant situé à l'étage s'est

5

taillé une réputation bien méritée. La langouste, impeccablement cuisinée, est accommodée de plusieurs façons et notamment en tartare : un délice ! Les plats, plutôt copieux, sont soigneusement présentés, détail suffisamment rare à Santiago de Cuba pour être précisé.

St. Pauli – C3 - *Calle José A. Saco (Enramada) n° 605 e/Barnada et Plaza de Marte - ℘ (22) 65 22 92 - 12h-23h - 8/15 CUC.* S'il fallait n'en retenir qu'un, ce serait celui-là : un vrai chef officie aux fourneaux, concoctant de savoureuses assiettes centrées sur de bons produits. Une partie du menu change quotidiennement (bœuf au piment, poisson au citron, etc.). Seul bémol : si la déco est sympathique, l'endroit est bruyant et assez peu confortable. Mais le principal est là : on mange bien… en espérant que le chef ne quitte pas les lieux trop vite !

La Terraza – A3 - *Calle Padre Pico e/J. Castillo et B. Masó - ℘ (22) 65 81 07 - 12h-0h - autour de 15 CUC.* Le meilleur *paladar* du quartier Tivolí (n'écoutez pas les nombreux *jineteros* qui traînent autour et tenteront de vous faire aller ailleurs !). Comme le nom l'indique, on mange en *terraza*, sur le toit de la maison noyé sous les plantes vertes. Au menu : une authentique cuisine familiale, généreuse et sans fioritures. Parfait pour un dîner sur le chemin de la Casa de las Tradiciones *(voir « En soirée »)*.

Iberostar Casa Granda – B3 et zoom - *Voir « Hébergement » - midi et soir - autour de 15 CUC.* Ni bonne ni mauvaise surprise dans le grand hôtel du centre-ville. L'idéal est de s'installer en terrasse pour observer l'animation du Parque Céspedes. La carte allie spécialités cubaines et propositions plus internationales.

Autour du Parque de los Estudiantes

BUDGET MOYEN

Salón Tropical – D3, en direction - *Calle F. Marcané n° 310 e/9 y 10 - ℘ (22) 64 11 61 - 12h-0h - 15/20 CUC.* Dans le quartier résidentiel de Santa Bárbara, sur le toit d'une maison particulière. La terrasse regarde les collines à l'horizon (également une petite salle avec de jolis vitraux colorés). La carte, traditionnelle, fait la part belle aux viandes grillées. Une adresse de qualité qui a la cote dans la ville, bien qu'elle soit excentrée.

Zun Zún – D2, en direction - *Angle ave. Manduley et calle 7 - ℘ (22) 64 15 28 - autour de 15 CUC.* Sur une belle avenue arborée du quartier de Vista Alegre, une ancienne demeure bourgeoise abrite ce restaurant plutôt guindé. Au menu, spécialités créoles et plats internationaux. Profitez-en pour vous balader parmi les villas de cet ancien quartier chic.

Au Castillo del Morro

BUDGET MOYEN

El Morro – *Carretera del Morro - ℘ (22) 69 15 76 - 12h-16h30 (bar 10h-17h) - 10/25 CUC.* Juchée sur une falaise juste avant d'arriver à la forteresse du Morro, la terrasse de ce restaurant surplombe la mer des Caraïbes. Le menu créole, qui s'adresse aux groupes organisés après la visite de la forteresse, est copieux et correct. Allez y déjeuner ou prendre un verre dans la journée afin de profiter du panorama sur les falaises, surtout au coucher du soleil.

PETITE PAUSE

Glacier

Coppelia La Arboleda – C2 - *Angle ave. de los Libertadores et*

V. Garzón - ☏ (22) 64 14 35 - tlj sf
lun. 9h-23h45. L'incontournable
institution cubaine – dont
la maison-mère se trouve
dans le quartier du Vedado à
La Havane – occupe un petit
square à proximité de la caserne
de Moncada. Dans un cadre très
années 1970, on déguste de
bonnes glaces payables en CUC
pour les étrangers. Attendez-
vous à faire la queue, l'adresse est
prisée par la jeunesse de la ville.

BOIRE UN VERRE

Bars
**Roof Garden-Hotel Casa
Granda** – B3 et zoom - *Voir
« Hébergement »* - 9h-19h : accès
3 CUC (avec une boisson de 2 CUC) ;
19h-1h : accès 5 CUC (avec boisson
de 4 CUC). Si la terrasse du rez-
de-chaussée, en surplomb du
Parque Céspedes, est agréable, le
toit-terrasse de l'hôtel, dominant
toute la ville et la baie, est
incontournable. Idéal pour siroter
un cocktail en admirant le soleil
couchant sur la Sierra Maestra !
À noter : sur la Plaza de Marte,
le toit de l'**Hotel Libertad**
(voir « Hébergement ») accueille
également un bar panoramique,
de même que le dernier étage de
l'hôtel Meliá Santiago de Cuba,
qui offre le point de vue le plus
haut de la ville.
La Isabelica – B3 - *Parque
Dolores - 11h-22h30.* Ce bar occupe
une maison coloniale sur la place.
Autour de petites tables en bois,
Cubains et touristes se retrouvent
pour boire un café et discuter.
Ambiance très chaleureuse.

ACHATS

Marchés
Un petit *agromercado* de fruits et
légumes se trouve au bout de la
calle Heredia, à l'ouest (C3) ; un

autre, plus grand, au bout de l'ave.
24 de Febrero, à l'ouest (B3).

Rhum et cigares
Boutique du Museo del Ron –
B3 et zoom - *Angle calles B. Masó
et P. Rosado - 10h-22h.* Rhum de
qualité.

Artisanat
Dans la calle Heredia (B3 et zoom),
vous trouverez des objets en
bois ou en papier mâché (beaux
masques de carnaval), comme
chez **Artex** *(voir « En soirée »)*.
El Quitrin – B3 - *San Jerónimo
n° 473, e/Calvario y Carnicería -
10h-18h.* Jolis habits faits main en
coton ou au crochet.

EN SOIRÉE

☺ **Conseil** – Procurez-vous la
publication *Cartelera Cultural*
auprès d'un hôtel ou d'un
marchand de journaux pour
connaître le programme des
spectacles.

Salsa, musique cubaine
À Santiago, où la musique est
reine, il suffit parfois de tendre
l'oreille pour découvrir, à un coin
de rue, un groupe improvisé
plongeant les spectateurs dans
une rumba endiablée. Cependant,
vous ne pouvez quitter la ville
sans tester ses salles mythiques
pour de nombreux Cubains !
Casa de la Trova – B3 et zoom -
*Calle Heredia n° 206 e/Parque
Céspedes et Hartmann - ☏ (22) 65
26 89 - 11h-0h - entrée 1 CUC
en journée, 5 à 7 CUC le soir.* Un
haut lieu de la musique cubaine
traditionnelle, célèbre dans toute
l'île. C'est peu dire que le lieu
est plein d'âme, avec ses murs
dont les boiseries anciennes sont
recouvertes des portraits des
musiciens passés ici. Les concerts
se succèdent toute la journée (11h,
15h, 18h et 22h) ; par beau temps,

5

ils ont lieu dans le patio et, en fin de semaine, ils débordent souvent dans la rue ! Des cours de danse sont également proposés.

Artex – B3 - *Calle Heredia (face au Museo del Carnaval) - ☏ (22) 65 48 14 - 11h-1h.* Une autre institution de la musique cubaine, plus haut dans la même rue. Trois concerts chaque jour (autour de 2 CUC).

Casa de la Cultura – B3 - *Calle Heredia - ☏ (22) 62 78 04 - 9h-22h - entrée libre.* Stratégiquement placé entre la Casa de la Trova et le Parque Cespédes, ce centre culturel accueille de nombreuses manifestations (expositions, lectures, etc.), dont des concerts traditionnels en fin de semaine (à partir de 15h). Vérifiez le programme affiché à l'entrée !

Casa de la Música – B3 et zoom - *Calle M. Corona e/Aguilera y J. A. Saco - ☏ (22) 65 22 27 - 22h-1h (sam. 21h-2h).* Cette élégante Casa de la Música accueille chaque soir, dans sa grande salle, des concerts de salsa auxquels il est difficile de résister pour danser. Un haut lieu des nuits *santiagueras* !

Casa de las Tradiciones – A3 - *Calle J. Rabi e/J. de Diego y C. García - ☏ (22) 65 38 92 - 20h-2h - entrée 2 CUC.* Un peu excentré au sud du quartier Tivolí, l'endroit vaut le déplacement pour la qualité des *soneros* qui s'y produisent (salsa, boléro, etc.). Plus intime que la Casa de la Trova et encore assez authentique, il réunit un public, parfois de touristes mais surtout de Cubains, artistes et intellectuels. Ambiance animée et sans chichis !

Patio de los Dos Abuelos – C3 - *Plaza de Marte (calle F. P. Carbo n° 5) - ☏ (22) 62 32 67 - à partir de 22h - entrée 2 CUC.* Dans un joli patio planté d'orangers, une scène sans âge qui honore chaque soir la musique traditionnelle cubaine. Cet endroit ne manque pas d'âme.

Sala Dolores– B3 - *Calle Aguilera (parque Dolores, en face du café La Isabelica) - ☏ (22) 62 46 23 - selon programmation.* Transformée en salle de concert, l'église Nuestra Señora de las Dolores accueille des musiciens de jazz et de classique qui répètent parfois à l'extérieur. L'acoustique de l'édifice est excellente : Eliades Ochoa, l'un des grands de la musique traditionnelle cubaine, y a d'ailleurs enregistré son dernier disque.

Musique afro-cubaine

Santiago regroupe plusieurs cercles culturels dits « folkloriques », qui s'emploient à faire vivre la tradition de la danse afro-cubaine, et même franco-haïtienne, notamment à l'occasion du carnaval. Le plus réputé est le **Conjunto Folklórico Cutumba,** qui tourne régulièrement dans différents lieux de la ville : renseignez-vous afin d'assister à ses spectacles très enlevés.

Casa del Caribe – (Hors plan) - *Angle des calles 13 et 8 (Vista Alegre) - ☏ (22) 64 36 09 - www. casadelcaribe.cult.cu - lun.-sam. à 19h, dim. à 15h - entrée 5 CUC.* Bien que le lieu soit excentré dans l'est de la ville, ses concerts de rumba, chaque dim. après-midi, font venir tous les amateurs de Santiago. L'adresse propose aussi différentes manifestations consacrées à la musique afro-franco-haïtienne : renseignez-vous, l'initiation est intéressante. Un peu plus haut dans la même rue, jetez aussi un coup d'œil à la **Casa de las Religiones Populares Cubanas.** *Vaudou, santería, crusado,* conga… vous saurez tout sur la religion des Cubains dans un lieu tout simple flanqué d'un petit bar.

Théâtre

Teatro José María de Heredia – D1 - *Angle ave. de las Américas et* *de los Desfiles - ℰ (22) 64 31 90.* Inauguré en 1992, il se dresse sur la Plaza de la Revolución.

Cabaret

L'idéal est d'acheter son billet auprès des bureaux de tourisme *(voir « S'informer »).* Comptez 35 CUC/pers., transport compris.
Cabaret Tropicana – (Hors plan) - *Autopista Nacional km 1,5 - ℰ (22) 68 70 20 - lun. et jeu.-sam. 22h30-2h - 25 CUC.* Toute l'âme caribéenne du cabaret. Accueille de nombreux groupes.
Cabaret San Pedro del Mar – (Hors plan) - *Carretera del Morro km 7,5 - ℰ (22) 69 12 87 - dim.-merc. 20h-1h - entrée 10/12 CUC.* Plus modeste mais moins cher.

ACTIVITÉS

Matchs de béisbol

Estadio Guillermón Moncada – D1 - *Ave. de las Américas (à mi-chemin entre l'hôtel Meliá Santiago de Cuba et la Plaza de la Revolución).* Billets en vente sur place et dans les agences de tourisme.

Excursions

Les agences touristiques de la ville *(voir « S'informer »)* proposent un catalogue étoffé d'excursions aux alentours, en particulier pour la basilique d'El Cobre, Gran Piedra et la Laguna Baconao, ou encore la Sierra Maestra et Bayamo. Des activités de plongée (nombreux sites sur la barrière de corail) et de pêche en mer sont aussi proposées sur la côte.

AGENDA

Carnaval – Enfiévré, il correspond à la fin de la récolte du sucre, moment où les esclaves étaient autorisés à faire la fête. Il se tient chaque année autour du 25 juillet et dure environ une semaine.
Festivals – Les deux grands festivals de musique sont le **Festival Internacional de la Trova**, en mars, et le **Festival Internacional de Coros (musique chorale)**, en novembre, qui rassemblent de grands noms. Début juillet, l'intéressant **Festival del Caribe** présente durant une semaine toutes les expressions artistiques des îles caribéennes *(renseignements à la Casa del Caribe, www.casadelcaribe.cult.cu).* Enfin, mi-octobre, le **festival del Son « Miguel Matamoros »** célèbre la musique cubaine.

La pointe orientale

De Guantánamo à Baracoa

Province de Guantánamo

De toutes les régions de l'île, l'extrémité orientale est celle qui offre la plus étonnante diversité de climats et de paysages. Aux alentours de la ville de Guantánamo, des bananeraies, au bas des collines, succèdent aux pâturages et aux plantations de canne à sucre. La route quitte ensuite ces panoramas familiers pour se glisser au pied des montagnes. Un vent sec et chaud balaie régulièrement leurs pentes arides, brûlées par le soleil, où l'irruption de cactus semble tenir du mirage. Ce tableau s'évanouit à l'approche de la Farola, route reliant le nord au sud de la province par la Sierra del Purial depuis les années 1960. Tout en lacets serrés, elle offre de superbes points de vue sur des sommets parsemés de conifères. Comme en témoignent les nombreux auto-stoppeurs, les moyens de transport demeurent un véritable casse-tête pour les habitants de la région. Vous dépasserez des camions surchargés peinant dans les côtes, des cultivateurs de café à pied, à dos d'âne ou juchés sur des trottinettes de fabrication artisanale qu'ils laissent glisser dans les descentes. Ce cortège singulier dévale alors le versant nord dont la végétation tropicale évoque par endroits l'Asie du Sud-Est. La route s'achève enfin à Baracoa, petite ville du bout de l'île tapie dans une cocoteraie…

😊 NOS ADRESSES PAGE 291
Hébergement, restauration, achats, activités, etc.

🛈 S'INFORMER

Infotur Guantánamo – Calle Calixto García e/Crombet et Giró - ☎ *(21) 35 19 93 - tlj sf dim. 8h30-12h, 13h-17h - www.infotur.cu*

⬅ SE REPÉRER

Carte de région CD3 (p. 236-237) - Circuit de 160 km - 3h de route.

👁 À NE PAS MANQUER

La route côtière de Guantánamo à Cajobabo ; la Farola et le point de vue du mirador de Alto de Cotilla.

Route côtière entre Guantánamo et Baracoa.
S. Muylaert/Michelin

🕐 **ORGANISER SON TEMPS**
Au départ de Santiago de Cuba, prévoyez une journée pour apprécier cet itinéraire jusqu'à Baracoa, avec une pause déjeuner à Guantánamo.

Excursions Carte de région, p. 236-237

👁 **Bon à savoir** – En voiture, sortir de Santiago de Cuba pour gagner Guantánamo (à 85 km *via* l'autopista Nacional) peut relever du casse-tête tant la signalisation est déficiente. Du centre-ville, remontez vers le nord l'avenida de los Libertadores jusqu'à la Plaza de la Revolución ; un grand panneau indique l'autopista Nacional, mais attention, la quatre-voies que vous empruntez alors n'est que l'autoroute de l'aéroport ; il faut sortir au premier échangeur pour emprunter l'autopista vers le nord. De là, la route vers l'est est bien indiquée, mais restez vigilant pour ne pas manquer une bifurcation.

GUANTÁNAMO C3

Comptez 1h.

Son nom est connu dans le monde entier à cause de la base navale américaine, située à l'entrée de sa baie – à plus de 20 km à vol d'oiseau de la ville –, et, de manière plus joyeuse, grâce à la *Guantanamera*, l'air de renommée internationale composé par Joseíto Fernández dans les années 1930. Vous donnerez un visage à la cité lorsque vous flânerez sous les arcades récemment rafraîchies de sa rue principale, martelée par le bruit des sabots des chevaux et des roues de calèches. Avec surprise, on découvre une petite cité plaisante et plutôt prospère (le chef-lieu compte aujourd'hui plus de 229 000 habitants), où rien ne transparaît des crises mondiales auxquelles son nom est associé. Sa fondation tardive au début du 19e s. l'ayant privée de sites d'intérêt historique, elle demeure en marge des circuits touristiques, mais mérite une petite balade. Ses rares monuments sont tous situés à quelques pas de la place José Martí, où converge toute l'animation urbaine.

5

Parque José Martí

Sur ce square central s'élèvent l'**église Santa Catalina**, édifiée dans la seconde moitié du 19e s., ainsi qu'une statue à la gloire du patriote local, le général Pedro A. Pérez. Juste en face de l'église, arrêtez-vous à **La Indiana** pour goûter un *café cubano* en observant les allées et venues des *Guantanameros* sur la charmante place.

Moment de détente à Guantánamo.
A. Leiva/age fotostock

Calle Pedro A. Pérez

La rue qui longe l'ouest de la place est l'artère principale de la ville. Elle est débordante d'activité avec son cortège de vélos et de calèches, ses stands de livres installés sous les arcades et ses quelques boutiques.

En la remontant d'une *cuadra* au nord du Parque José Martí jusqu'à l'intersection du Prado, on aperçoit le dôme du **Palacio Salcines★** surmonté d'une figure féminine soufflant dans une trompette. *La Fama* (« la Renommée ») est devenue le symbole de la ville au même titre que la *Giraldilla* de La Havane. Dans cet étonnant palais des années 1920, le **Centro Provincial de Artes Visuales** organise des expositions-ventes d'œuvres d'art (*℘ [21] 32 25 53 - 8h-12h, 14h-16h - entrée libre*).

Prenez tout de suite à gauche dans la calle Prado (au niveau du Palacio Salcines) et avancez d'une cuadra.

À l'angle des calles Prado et José Martí, le **Museo Provincial** (*℘ [21] 32 58 72 - lun. 14h-18h, mar.-sam. 8h-12h, 14h-18h - 1 CUC*) occupe l'ancienne prison de la ville. Comme dans tous les musées d'histoire de l'île, les objets et documents exposés retracent le passé de la région, des Indiens à la révolution.

Deux cuadras *après le Museo Provincial, continuez la calle Prado et tournez à droite dans la calle Ahogados. Cette longue rue mène directement à la Plaza de la Revolución. Comptez une bonne demi-heure de marche.*

Plaza de la Revolución Mariana Grajales

À 2,5 km au nord du Parque José Martí s'étend un quartier d'habitations, à l'architecture soviétique. À proximité de ces immeubles, une vaste esplanade, couverte de monuments commémoratifs, fut inaugurée en 1985 : la Plaza de la Revolución Mariana Grajales rend hommage aux héros de l'indépendance, et plus particulièrement à la mère d'Antonio Maceo, dont elle porte le nom. Une sculpture en béton est dédiée à celle que les Cubains surnomment la « **mère de la patrie cubaine** ». Parmi ses 17 enfants, on compte deux héros nationaux : Antonio et José Maceo.

Guantánamo, une base américaine en terre cubaine

Isolée sur un rectangle de 117 km² à l'entrée de la baie, la base navale américaine de Guantánamo est une ville yankee en territoire cubain : peuplée de quelques centaines de militaires et leurs familles, mais surtout par les 2 000 soldats de la Joint Task Force, qui tiennent le fort depuis 2002, elle compte des infrastructures militaires, deux aéroports (dont un désaffecté), des lieux de culte, des supermarchés, un cinéma en plein air, des bars et les incontournables Mc Donald's et Starbucks.

UNE PRÉSENCE ANCIENNE

Alors qu'avant la révolution, plus de 1 000 travailleurs cubains se rendaient quotidiennement dans cette zone, aujourd'hui, seulement une petite vingtaine effectue tous les jours l'aller-retour entre « Gitmo Bay » et Cuba. Cette diminution considérable illustre la tension créée par la présence militaire américaine, après cinq décennies de crises diplomatiques. Toutefois, le 17 décembre 2014, le président américain Barack Obama annonçait officiellement l'intention des États-Unis de normaliser leurs relations avec Cuba, Washington reconnaissant l'échec de sa politique à l'égard de La Havane. Malgré le réchauffement des relations entre les deux pays, le chef de la diplomatie américaine, John Kerry, déclarait en juillet 2015, qu'il n'y avait pas de volonté des États-Unis d'altérer le traité de location.

Le drapeau des États-Unis flotte sur cette zone depuis 1903, en vertu de l'**amendement Platt** réservant aux Américains un droit d'ingérence dans la vie politique et militaire cubaine *(voir « Histoire », p. 347)*. Cette base navale leur permettait ainsi de contrôler la route du canal de Panamá et de garder un pied sur l'île. À l'abrogation de ce texte en 1934, la concession à perpétuité fut convertie en un **bail de 99 ans**, décision que Cuba considère comme un vestige de l'interventionnisme américain.

Pour les candidats à l'exil, la base de Guantánamo a représenté un avant-goût du « **rêve américain** ». Lors de la vague de départs massifs en août 1994 à La Havane, ce territoire se transforma en un vaste camp de réfugiés cubains. Puis lorsque l'administration Clinton décida de mettre un terme à sa politique d'accueil systématique de tous les demandeurs d'asile, plus de 20 000 *balseros* refoulés par les garde-côtes américains furent enfermés à Guantánamo dans l'attente d'une solution à la crise. En mai 1995, les deux pays parvinrent finalement à un accord, par lequel les États-Unis acceptaient d'accueillir 15 000 d'entre eux.

LA « GUERRE CONTRE LE TERRORISME »

Depuis les attentats du 11 septembre 2001 et la guerre en Afghanistan, plusieurs centaines de prisonniers sont enfermés dans ce bagne sous très haute sécurité, au nom de l'« **état de guerre contre le terrorisme** » décrété par l'administration Bush. En janvier 2009, au lendemain de son élection, Barack Obama signait un décret prévoyant la fermeture du camp en 2010, en vertu des conventions de Genève sur les prisonniers de guerre. Face à l'opposition du Congrès, le président des États-Unis dut revenir sur sa promesse. Son successeur, Donald Trump, a promis à son tour de fermer Guantánamo, non pour des raisons humanitaires… mais en raison de sa trop faible capacité !

BASE NAVALE AMÉRICAINE C3

Pour quitter Guantánamo, rejoignez le Parque José Martí et suivez la calle Aguilera vers l'est. Traversez la voie ferrée puis le río Guaso. Au rond-point derrière le Servicupet, prenez la carretera Central à droite en direction de Baracoa. Au bout de 25 km, sur la droite, un portail gardé marque l'entrée de la zone militaire cubaine de Boquerón.

La route, ponctuée de panneaux révolutionnaires et d'avertissements militaires, rappelle toutes les tensions qui s'exercent sur le secteur. Vous ne verrez quasiment rien de la base navale : le point le plus proche côté cubain, la base de Boquerón, est évidemment une zone militaire à l'accès strictement réglementé. Seul le **mirador de la Gobernadora**, 1 km sur la gauche après le portail qui barre l'accès à Boquerón, offre un point de vue sur la région : si le panorama sur la baie vaut le coup d'œil, on distingue à peine les infrastructures et le port américains, situés à plus de 15 km à vol d'oiseau sur le cap qui referme la rade à l'est.

Continuez la carretera Central vers l'est.

Circuit conseillé Carte de région, p. 236-237

EN ROUTE POUR BARACOA CD3

Au niveau du secteur militaire, les plaines cultivées cèdent la place à une zone de collines. Malgré une chaussée plutôt en bon état, le parcours vallonné commande une certaine prudence pour éviter d'éventuels nids-de-poule. Des *bohíos* typiques ponctuent le trajet comme, à 13 km de la baie, les habitations de **Yateritas**, émergeant à peine de larges feuilles de bananiers.

★ La route côtière D3

À 5 km de là débute véritablement l'**itinéraire côtier★★** s'insinuant au pied des montagnes. La végétation se raréfie ; commence alors une zone semi-désertique derrière **Tortuguilla**, le premier village de pêcheurs, à 3 km du départ de la route côtière. Derrière ses cabanes coiffées de palmes se déroule un littoral superbe et sauvage : le rivage, formé principalement de dépôts coralliens érodés par les éléments (attention aux coupures aux pieds si vous vous arrêtez), borde des eaux émeraude, malheureusement difficiles d'accès. À 19 km de Tortuguilla, on traverse la rue principale très animée de **San Antonio del Sur**, le village le plus important de la côte. Une douzaine de kilomètres plus loin, peu après **Yacabo Abajo**, apparaît le tronçon le plus surprenant de l'itinéraire. Sur une trentaine de kilomètres, des bouquets de cactus jalonnent irrégulièrement la côte jusqu'au **río Cajobabo**.

À proximité de l'embouchure de ce fleuve se trouve la **Playita de Cajobabo** ; cette plage historique fut le lieu du débarquement de José Martí et Máximo Gómez en 1895. Ne comptez pas y prendre un bain de soleil : le sable gris et le manque d'entretien n'invitent guère à la détente.

La route de montagne D3

☺ **Conseil** – Vérifiez l'état des freins et des pneus de votre véhicule avant d'emprunter la Farola.

Cinq cents mètres derrière le río Cajobabo, la carretera Central monte vers la **Sierra del Purial**, qu'elle franchit pour rejoindre Baracoa, sur la côte nord, où se termine son parcours de plus de 1 290 km à travers l'île. Cette dernière portion de route, construite en 1964, porte également l'étrange nom de **Viaducto de la Farola★★** (« viaduc du Fanal ») : c'est un véritable ouvrage d'art qui a dû être aménagé pour traverser la cordillère. Dans une luxuriante végétation tropicale, la route serpente à flanc de montagne ; débordant sur le vide, elle est régulièrement supportée par des piliers plantés dans la roche. On raconte que l'homme en charge de ce projet ambitieux a dû le mener à terme en échange de son droit à l'exil. On réalisa un travail de titan et d'équilibriste, puisqu'il fallut défricher la forêt, creuser la montagne et poser des plaques de béton sur une quarantaine de kilomètres. Enfin, la carretera Central put relier Baracoa. À partir de **Veguita del Sur**, 18 km après le río Cajobabo, de multiples panneaux mettent en garde les automobilistes prêts à s'aventurer dans les replis de la Sierra del Purial. Si vous êtes au volant d'un véhicule fiable, la Farola ne présente pas plus de dangers que n'importe quelle route de montagne. Au fil des virages se dévoilent de superbes panoramas sur l'océan de verdure de la Sierra. Quelques petits parkings aménagés sur le bas-côté permettent de s'arrêter pour admirer le paysage. Vous y serez certainement sollicités par des vendeurs ambulants – parfois très insistants –, proposant du cacao ou des colliers formés de *polymitas*, ces escargots naturellement très colorés, endémiques de la région (leur vente n'est pas prohibée, bien que l'espèce soit aujourd'hui menacée).

Après 12 km de lacets, le **mirador de Alto de Cotilla**★ domine les sommets qui s'étendent à perte de vue, puis la route redescend sur Baracoa, à 30 km de là. La multiplication des bananiers et cocotiers annonce l'approche de la côte.

😊 NOS ADRESSES À GUANTÁNAMO

INFORMATIONS UTILES

Banque/Change
Bandec – *Calle Calixto García n° 952 (une cuadra au sud de la place principale).*
Cadeca – *Angle calle Calixto García et Prado (une cuadra au nord de la place principale).*

Poste
Correos – *Parque José Martí (calle P. Pérez).*

Internet
Bornes Wifi dans les hôtels Martí et Guantánamo ; cartes Etecsa en vente sur place.

Stations-service
Aux entrées de la ville sur les routes de Santiago de Cuba et de Baracoa.

ARRIVER/PARTIR

En avion
Aeropuerto Mariana Grajales – *À 18 km au sud-est du centre-ville,* par la route de Baracoa - ☎ *(21) 35 59 12 ou 35 51 60.* La **Cubana de Aviación** assure deux liaisons par semaine entre Guantánamo et La Havane, mais les vols peuvent être annulés ou retardés.
Cubana de Aviación – *Calle Calixto García n° 817 e/Aguilera et Prado (tout près du Parque José Martí) -* ☎ *(21) 35 54 53 - www. cubana.cu.*

En bus
Terminal Viazul – *À l'extérieur de la ville, à 5 km du centre de Guantánamo sur la carretera Central en direction de Santiago -* ☎ *(21) 32 37 13 - www.viazul.com.* 2 liaisons/j pour Santiago *(1h45, 6 CUC)* et Baracoa *(3h15, 10 CUC)* et 1 liaison/j. pour La Havane *(env. 16h, 57 CUC).*

TRANSPORTS

En calèche
Moyen de transport local par excellence. Prévoyez de la petite monnaie en pesos nationaux.

5

Location de véhicules

Transtur – *Comptoir à l'Hotel Guantánamo (voir « Hébergement »)* - *℘ (21) 35 55 15 - www.transtur.cu.*

HÉBERGEMENT

 Hôtels

BUDGET MOYEN

Hotel Guantánamo – *Angle Ahogados et 13 Norte (Reparto Caribe)* - *℘ (21) 38 10 15 - www. islazul.cu* - 🍽 ✕ - 124 ch. 40 CUC ☕. À 2 km au nord du centre-ville, à proximité de la Plaza de la Revolución, l'hôtel s'insère dans un quartier à l'architecture des années 1970. Les chambres sont fonctionnelles et sans attrait, réparties autour d'une grande piscine assez animée. Pratique en cas de besoin.

Villa La Lupe – *Carretera del Salvador km 2* - *℘ (21) 38 26 34 - www.islazul.cu* - 🍽 ✕ 🛶 - 50 ch. 40 CUC ☕. En pleine campagne au nord-ouest de la ville, un ensemble de bungalows se cachant entre les arbres au bord d'un ruisseau. Une bonne option pour ceux qui cherchent calme et simplicité.

POUR SE FAIRE PLAISIR

Hotel Martí – *Parque José Martí (angle calles Aguilera et C. García)* - *℘ (21) 32 95 00 - www.islazul.cu* - 🍽 ✕ - 56 ch. 50 CUC ☕. Bon niveau de confort dans cet hôtel, récemment rénové et on ne peut mieux situé sur la place principale de Guantánamo.

RESTAURATION

BUDGET MOYEN

Hotel Martí – *Voir « Hébergement » - midi et soir - autour de 10 CUC*. La meilleure option pour un repas dans la ville. Le cadre de la salle est assez froid, mais les spécialités cubaines (grillades, *arroz moro*, etc.) offrent un bon rapport qualité-prix.

BOIRE UN VERRE

Bar

Derrière les grilles en fer forgé du **Café La Indiana** se découpe la silhouette de l'église du Parque José Martí. Quelques tables en bois disséminées dans une salle agréable, où l'on peut observer une cigarière et déguster diverses sortes de cafés dont le *rocio de gallo* (avec du rhum).

ÉCOUTER DE LA MUSIQUE

Concerts

La place principale abrite également deux centres culturels qui proposent très régulièrement des concerts : la **Casa de la Trova** et la **Casa de la Cultura** ; vérifiez les programmes affichés à l'entrée.

ACTIVITÉS

Excursions

Vous pourrez assister au spectacle franco-haïtien de la **Tumba Francesa** ou visiter le **Zoológico de Piedra**, à 27 km au nord-est, où sculptures animalières et nature se conjuguent à merveille ; se renseigner auprès d'Infotur *(voir « S'informer »)*.

La baie de Baracoa, aux confins de l'Oriente.
alxpin/iStock

Baracoa

★★

Province de Guantánamo - 81 000 hab.

Dévastée le 4 octobre 2016 par l'ouragan Matthew, avec des vents de plus de 250 km qui ont soufflé pendant sept longues heures, Baracoa se relève déjà grâce au courage exceptionnel de ses habitants... Il faut dire qu'ici, à l'extrémité orientale de Cuba, on est habitué au déchaînement des éléments comme en témoigne le peu de vestiges coloniaux conservés. Longtemps, Baracoa dû affronter ses tourments dans l'isolement le plus total. Reliée au reste de l'île uniquement par voie maritime pendant plus de quatre siècles, la cité a fini par se démarquer du reste du pays. Assurément, cette ville au goût d'ailleurs – jouissant de surcroît de bonnes possibilités d'hébergement et d'une sympathique vie nocturne – donne envie de tout oublier et de profiter de quelques jours paisibles. En ces confins de l'Oriente, on ne peut pas partir plus loin !

5

 NOS ADRESSES PAGE 299
Hôtels, restaurants, shopping, activités, etc.

⛫ S'INFORMER

Infotur – Calle Antonio Maceo n° 129A e/Maraví et F. País - ℘ (21) 64 17 81 - tlj sf dim. 8h30-17h - www.infotur.cu. Informations touristiques, plans, postes Internet. Tout sur les excursions proposées dans les environs par les agences **Havanatur** (calle Martí n° 202), **Cubatur** (℘[21] 64 53 06 - angle calles Maceo et P. Cuervo) et **Ecotur** (calle C. Cardoza n° 24).

▶ SE REPÉRER
Carte de région D2 (p. 236-237).

À NE PAS MANQUER
Flânez dans la ville ; faites l'ascension
du Yunque et randonnez dans
le Parque Humboldt ; profitez
de la plage sauvage de Maguana ;
allez jusqu'à la pointe de l'île vers
Yumurí.

ORGANISER SON TEMPS
Restez au moins trois nuits pour
profiter de la localité et des environs.

Se promener Plan de la ville, ci-contre

Comptez 2h avec la visite du musée.

La Farola arrive au sud-est de Baracoa et on découvre une cité typique des
tropiques, noyée dans une végétation et cernée par la mer. À partir de la
baie de Miel, le **Malécon** longe l'Atlantique jusqu'à la Punta, la pointe nord
de la localité, d'où se découvre à l'ouest la **baie de Baracoa★**, dominée par le
Yunque, cette montagne à laquelle Christophe Colomb aurait fait référence
(voir encadré). Les rues de la ville s'étendent dans cette péninsule et vers le sud,
les calle Maceo et Martí forment ses artères principales. Avec ses maisons de
guingois, certaines évoquant des cases créoles – preuve des influences qui ont
marqué cette partie de l'Oriente –, la cité se prête à une balade nonchalante.

Conseil – Évitez la baignade sur le Malecón ou sur la baie de Baracoa, la
mer n'y est pas très propre ; la **meilleure plage** la plus proche est celle de la
baie de Miel, au sud du Malecón *(voir p. 298).*

Parque Central AB1-2

Une petite place vivante du matin au soir : on y admire le sens de la communauté unissant les habitants, qui ne semblent jamais passer une minute seuls.
Le Parque est dominé par la façade austère de la **cathédrale de Nuestra
Señora de la Asunción** *(lun.-vend. 8h-11h, 16h-19h, sam. 8h-11h, 17h-21h, dim.
8h-12h)*, portant quelques stigmates de l'ouragan Matthew. L'intérêt de l'édifice, entièrement reconstruit au début du 19e s., est de renfermer la **Cruz
de la Parra★** *(à gauche en entrant)*. Cette croix du 15e s. serait la seule qui
subsisterait des 29 qu'aurait plantées Christophe Colomb, lors de ses quatre
voyages en Amérique.

Sur le square en face de l'église, le buste vigoureux du cacique **Hatuey**, le chef
rebelle brûlé vif par les Espagnols, rend hommage à la résistance indienne
(voir « Histoire », p. 342), tandis que se dresse sur son flanc gauche, devant la
Casa de la Trova, une statue du **Pelú**, ce vagabond qui aurait jeté un mauvais
sort sur la ville.

LA PREMIÈRE VILLE DE CUBA

Les habitants de Baracoa affirment que **Christophe Colomb** accosta pour
la première fois sur l'île par la baie de Porto Santo, au nord de la ville. La
montagne au sommet plat, décrite dans ses carnets de voyage, corres-
pondrait à la forme du Yunque, bien que certains historiens penchent
plutôt pour la Silla de Gibara, au nord d'Holguín. La fondation de la ville
fait l'objet de moins de controverses. Établie en août 1511, Baracoa est la
première *villa* de l'île, comme le proclame fièrement sa devise : « Je suis
la plus petite mais je serai toujours la première dans le temps. » Lorsque
Santiago devient la capitale officielle du pays en 1514, Baracoa perd de
son importance. Ce port aura à subir les attaques des pirates, mais sa
contribution aux événements de l'histoire cubaine demeure relativement
modeste, l'un des épisodes notables étant le débarquement d'Antonio
Maceo, en 1895 à Duaba, à l'ouest de la ville.

En longeant la calle Antonio Maceo vers le nord, vous verrez la **Casa-Museo del Cacao**, à 50 m du Parque Central, renommée pour son épais chocolat chaud, que l'on apprécie particulièrement les jours de pluie *(voir « Petite pause »)*.

★ **Museo Municipal del Fuerte Matachín** B2
Angle Malecón et calle Martí - ℘ (21) 64 21 22 - 9h-16h30- 1 CUC.

Trois forts furent aménagés au 19ᵉ s. pour protéger la ville : au nord, le **Fuerte de la Punta**, abritant aujourd'hui un restaurant ; sur les hauteurs à l'ouest, le **Fuerte de Seboruco**, siège de l'Hotel El Castillo *(voir « Restauration » et*

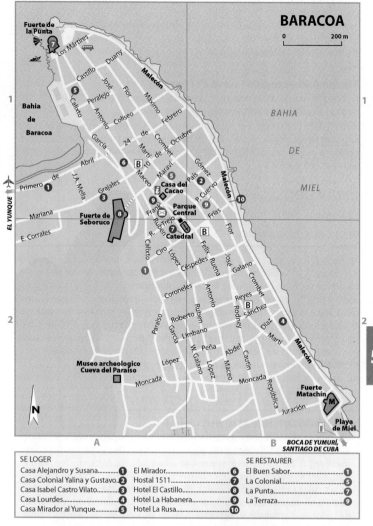

SE LOGER		
Casa Alejandro y Susana	❶	
Casa Colonial Yalina y Gustavo	❷	
Casa Isabel Castro Vilato	❸	
Casa Lourdes	❹	
Casa Mirador al Yunque	❺	
El Mirador	❻	
Hostal 1511	❼	
Hotel El Castillo	❽	
Hotel La Habanera	❾	
Hotel La Rusa	❿	

SE RESTAURER	
El Buen Sabor	❶
La Colonial	❺
La Punta	❼
La Terraza	❾

« Hébergement ») ; et, complétant le dispositif au sud, le **Fuerte Matachín**, qui accueille le Musée municipal.

L'exposition passe en revue les richesses naturelles de la région dont le Yunque, classé Monument national, et le río Toa, déclaré Réserve de la biosphère. Les alentours de Baracoa abriteraient **la faune et flore** la plus variée de Cuba. Sur les 130 variétés de bois, 98 sont exposées sous forme d'échantillons.

Les visiteurs pourront également avoir un aperçu du mode de vie des **Indiens taïnos**, dont quelques rares descendants vivent encore dans cette zone. Au 18e s., une centaine de familles françaises venant d'Haïti s'installèrent dans la région, apportant la technique du café et améliorant celle du sucre. Dans la salle consacrée à l'établissement de ces « dynasties », vous remarquerez les armes de la ville où figurent la couronne de Castille, un chien, le Yunque, un cocotier et la baie de Porto Santo.

La dernière section du musée est consacrée aux **célébrités locales**. On y trouve l'unique portrait du « Pelú », ainsi que des souvenirs de « Mima la Rusa », fille d'un général tsariste installée à Baracoa en 1929. L'hôtel qu'elle ouvrit en 1953 sur le Malecón existe toujours *(voir « Hébergement »)*.

Museo Archeologico Cueva del Paraíso A2

Au bout de la calle Moncada - lun.-vend. 8h-17h, sam. 8h-12h - 3 CUC.

Bon à savoir – Attention, la montée est assez rude.

Installé dans une grotte, cet agréable musée présente les découvertes archéologiques faites à Baracoa, liées à la culture des Indiens taïnos, guanahatabeyes et siboneyes : terres cuites, gravures, ossements. Un complément intéressant à la visite du Fuerte Matachín.

Excursions Carte de région, p. 236-237

Conseil – Prenez des vêtements de pluie, car la région est humide.

VERS L'OUEST DE BARACOA D2

Sortez au nord-ouest de la ville par la calle Primero de Abril en direction de l'aéroport. À la sortie de la ville, suivez la direction de Moa.

La région de Baracoa, réputée l'une des plus humides de Cuba, a beaucoup souffert de l'ouragan Matthew. Sa végétation luxuriante a été par endroit dévastée à près de 70 %. Les chemins forestiers et les portions de route non asphaltées ou détruites par l'ouragan peuvent se révéler impraticables avec un véhicule de tourisme, tout particulièrement pendant la saison des pluies. Renseignez-vous sur l'état des routes avant de débuter une excursion.

Bon à savoir – Les agences de Baracoa proposent de nombreuses excursions (transports compris) dans la région : informez-vous sur le programme auprès d'Infotur *(voir « S'informer »)*.

UN POISSON VENU DE NULLE PART

Chaque année, les habitants de Baracoa attendent impatiemment la pleine lune du mois d'août. Sept jours plus tard, des poches gélatineuses commencent enfin à faire leur apparition à l'embouchure du río Toa. Peu à peu, elles se désintègrent pour laisser s'échapper des centaines de *tetís*, minuscules poissons translucides, qui tentent alors de remonter le courant. Pendant toute la durée du phénomène, jusqu'au mois de décembre, des pêcheurs amateurs et professionnels se postent sur les rives du fleuve pour capturer ces poissons.

★ El Yunque (L'Enclume) D2

Du lever au coucher du soleil - randonnée obligatoire avec un guide de la Maison du parc (à l'entrée de l'aire protégée) - ☎ (21) 64 36 65 - durée 5h (départ vers 9h30) - 15 CUC/pers. - prévoyez eau et nourriture.

À 2 km de la sortie de la ville, un chemin part de la route principale derrière le panneau Finca Duaba. Au bout de 400 m, le tronçon de gauche mène au pied d'El Yunque, la montagne au sommet plat qui domine Baracoa. L'ouragan ayant détruit une bonne partie de la végétation, l'ascension peut se révéler difficile en l'absence de zones ombragées. Les marcheurs se consoleront avec une délicieuse **baignade** dans les eaux pures d'un torrent.

Finca Duaba D2

Le chemin à droite conduit à la Finca Duaba, une **ferme** reconstituée pour les touristes. Cette étape, généralement inscrite comme pause déjeuner au programme des voyages organisés, tient plus de l'exposition-vente de souvenirs. Cependant, la visite du domaine en compagnie du guide donne des informations intéressantes sur les arbres de la région et sur l'extraction du cacao. *Reprenez la route côtière en direction de Moa. À 1,5 km, la route traverse le río Duaba puis, 3,5 km plus loin, le río Toa.*

Une petite barque permet la traversée du río *(1 CUC)*, où les habitants aiment venir pique-niquer le dimanche et se baigner. Au-delà de ce large fleuve, la chaussée n'est plus asphaltée sur une dizaine de kilomètres.

★ Playa Maguana D2

À 22 km de Baracoa se cache la Playa Maguana, une jolie plage de sable blond, la plus belle de la région. Un petit restaurant vous permettra d'y passer une agréable journée, et le charmant hôtel Villa Maguana *(voir « Hébergement »)* situé à proximité est un endroit idéal pour se reposer un jour ou deux.

★★ Parque Humboldt D2

Entrée sur la Bahia de Taco - randonnées obligatoires avec un guide - circuits de 3 à 8h, se renseigner auprès de l'Infotur de Baracoa sur sa réouverture - 10 CUC - prévoir eau et nourriture.

☺ **Conseil** – Prenez votre maillot : il est possible de se baigner dans les cascades.

En continuant vers Moa, à environ 30 km de Baracoa, vous arriverez au Parque Humboldt. Véritable paradis des randonneurs, ce site naturel classé au Patrimoine mondial de l'Unesco a beaucoup souffert de l'ouragan Matthew, en 2016. Il abritait des milliers d'orchidées et autres fleurs stupéfiantes.

La route continue en direction de l'ouest vers **Moa**, à environ 67 km de Baracoa. Cette ville minière, qui se consacre surtout à l'extraction du nickel, ne présente aucun intérêt touristique. Il faut s'armer de patience si l'on veut rejoindre Holguín (180 km supplémentaires), en s'informant au préalable si la route est praticable.

VERS L'EST DE BARACOA D2-3

Sortez au sud-est de la ville vers la Farola, prolongement de la calle José Martí.
Le littoral à l'est de Baracoa mérite une excursion pour ses panoramas. La route côtière s'insinue entre le bleu profond de l'océan et le vert brillant des collines, plantées de cocotiers et de palmiers. Seules quelques cabanes peintes apportent des taches de couleur. À l'approche de l'extrémité de l'île, le paysage prend des allures de bout du monde, mais le sourire des écoliers dans leur uniforme vous ramène à Cuba.

5

Playa de Miel D2

La couleur grise des plages de ce littoral n'empêche pas les gens de la région de peupler, l'été et le dimanche, la Playa de Miel à la sortie de la ville ; d'autres ont adopté comme lieu de baignade l'embouchure du **río Miel★**, un peu plus loin à l'est. Pour vous baigner, si vous vous rendez à Yumurí, préférez les plages plus sauvages qui suivent, vers Bariguá, ou le río lui-même.

À 2 km du río Miel, prenez la route de gauche en direction de la Punta de Maisí. Continuez pendant 7 km jusqu'à Jamal, puis suivez la route de gauche. À 6 km, l'itinéraire rejoint la côte au niveau de Barrancadero.

Boca de Yumurí D2

À 29 km de Baracoa, la route côtière conduit à la Boca de Yumurí, un petit village de pêcheurs qui s'étire sur la rive du **río Yumurí** *(laissez votre voiture au niveau du pont ou joignez-vous à un groupe organisé depuis Baracoa).* Tableau hors du temps que celui des enfants jouant dans l'eau, au pied des rocailles couvertes de plantes exotiques… Les habitants vous escorteront jusqu'au fleuve. De là, un passeur vous emmène en barque *(2 CUC)* sur des bancs de sable au cœur du fleuve. Les pieds secs ou dans l'eau, vous pourrez remonter son lit entre de superbes canyons étroits, pendant 5 km au moins, et attendre de trouver de belles et profondes piscines naturelles pour vous baigner.

Après le pont de Yumurí, la route continue dans de bonnes conditions jusqu'à Sabana, puis se transforme en piste pour atteindre la **Punta de Maisí** (D3) et la **Punta de Quemado**, l'extrémité orientale de l'île située à une vingtaine de kilomètres à vol d'oiseau. Un vrai Finistère !

LE TIBARACÓN

La région de Baracoa connaît un phénomène naturel unique à Cuba : le *tibaracón*. Des bancs de sable obstruent l'embouchure de certains fleuves, contraints de détourner leur cours normal pour se jeter plus loin dans la mer. Lorsque la rivière est en crue, ces plates-formes naturelles, dures comme de la pierre, cèdent sous la pression de l'eau pour se reformer en quelques heures jusqu'à la crue suivante.

La région de Baracoa, dominée par El Yunque.
Tupungato/Shutterstock.com

😊 NOS ADRESSES À BARACOA

INFORMATIONS UTILES

Voir le plan de la ville, p. 295.

Banque/Change
Les distributeurs n'acceptent que les Visa ; retraits ou change aux guichets pour les autres cartes.
Banco Popular de Ahorro – *Calle J. Martí n° 166 e/C. Frías et Céspedes.*
Bandec – *Calle Maceo n° 99 e/10 de Octubre et 24 de Febrero.*
Cadeca – *Calle J. Martí n° 241 e/R. Reyes et L. Sanchez.*

Poste
Correos – *Calle Maceo n° 136 (sur le Parque Central).*

Internet
La ville est bien connectée, avec des bornes Wifi Etecsa dans tous les hôtels, ainsi que sur le Parque Central, depuis la cafétéria El Parque *(angle calles Maceo et R. Trejo)* ; cartes en vente sur place. Également des postes informatiques au sein d'Infotur *(voir « S'informer »))*.
Etecsa – *Parque Central (angle calles Maceo et R. Trejo).*

Santé
Clinique internationale – *Calle J. Martí n° 237 - ☎ (21) 64 10 37/38 - 24h/24.*

Station-service
Servicupet – *À l'entrée sud de la ville direction Santiago de Cuba.*

ARRIVER/PARTIR

En avion
Le meilleur moyen pour rejoindre ou quitter Baracoa en évitant de traverser toute l'île en bus ou en voiture. La vue sur le site depuis l'avion est grandiose *(pour réserver depuis La Havane, voir p. 404.)*
Aeropuerto Gustavo Rizo – *À 4 km du centre-ville, sur la rive nord-ouest de la baie de Baracoa - ☎ (21) 64 53 75/6.* La **Cubana de Aviación** assure deux liaisons par semaine entre Guantánamo et La Havane, mais les vols peuvent être annulés ou retardés. Réservez le billet le plus tôt possible.
Cubana de Aviación – *Calle J. Martí n° 181 e/C. Frías y Céspedes - ☎ (21) 42 21 71 - www. cubana.cu.*

En bus
Terminal Viazul – *Au bout de la calle J. Martí (à proximité du fort de la Punta) - ☎ (21) 64 15 50 - www. viazul.com.* La compagnie effectue chaque jour un AR Baracoa-Santiago de Cuba *(env. 5h, 15 CUC)* via Guantánamo, et un AR par jour avec La Havane *(env. 19h, 66 CUC).*

5

Réservez votre billet au moins la veille.

🚌 **Bon à savoir** – Pas de bus en direction d'Holguín, la route est en mauvais état ; transferts possibles en minibus avec les agences de tourisme de Baracoa *(se renseigner auprès d'Infotur, voir « S'informer »).*

TRANSPORTS

En taxi
Cubataxi – ℘ *(21) 64 37 37.* Vous trouverez également des taxis et des cyclo-pousse devant les hôtels. Si vous logez dans une *casa particular*, vos hôtes sauront vous conseiller un taxi privé à moindre coût *(comptez par exemple 5 CUC pour l'aéroport).*

Location de véhicules
Transtur – *Calle Martí n° 202 e/Céspedes et C. Galano -* ℘ *(21) 64 52 25 - www.transtur.cu.*
Via – *Dans la cafétéria El Parque, sur le Parque Central (angle calles Maceo et R. Trejo) -* ℘ *(21) 64 16 71 - www.gaviota-grupo.com.* Propose aussi des deux-roues à la location.

HÉBERGEMENT

Dans le centre
▶ **Casas particulares**
PREMIER PRIX
Casa Mirador al Yunque – A1 - *Calle Calixto Garcia n° 29 e/C. Duany et Peralejo -* ℘ *(21) 64 28 71 -* 🖥 ✕ - *1 ch. 20 CUC.* Idéal pour se poser quelques jours, un véritable petit appartement à l'étage d'une maison (entrée indépendante) jouissant d'une situation d'exception face à la baie et au Yunque ! C'est simple mais bien tenu, et la vue est magique…
🏠 **Casa Isabel Castro Vilato** – A1 - *Calle M. Grajales n° 35 -* ℘ *(21) 64 22 67 - jrosellocastro@*

gmail.com- 🖥 ✕ 🅿 - *3 ch. 25 CUC.* Située à l'arrière de la ville - à moins de 5mn à pied du centre -, cette grande maison a l'avantage de posséder un immense jardin, qui permet de profiter de la nature très généreuse de Baracoa. Les chambres sont fort confortables (préférez celle sur l'arrière, plus calme) et Isabel dispense un accueil plein d'humanité. Voilà un endroit douillet où vous profiterez également d'un généreux dîner et d'un divin chocolat chaud au petit-déjeuner !

Casa Colonial Yalina y Gustavo – B1 - *Calle Flor Crombet n° 125 e/F. País -* ℘ *(21) 64 58 09 -* 🖥 ✕ 🅿 - *4 ch. 25 CUC.* Une belle maison coloniale tout orange, au cœur de la localité. Passé le perron et le salon ancien, on monte à l'étage où l'on découvre, surprise, un ensemble très moderne : les chambres se répartissent sur deux niveaux relativement spacieux, d'où l'on aperçoit la cathédrale et la mer. Tout est impeccable, sobre et, même s'il y a moins de charme qu'ailleurs, le niveau de confort est très appréciable.

El Mirador – A1 - *Calle Maceo n° 86 altos e/10 de Octubre et 24 de Febrero -* ℘ *(21) 64 35 92 -* 🖥 ✕ - *2 ch. 25 CUC.* Attention les yeux ! À l'étage de cette maison coloniale, vous pénétrez dans l'univers coquet d'Iliana. Les chambres colorées débordent de satin et de dentelle… Elles ouvrent sur le salon, bordé par un grand balcon digne d'un mirador sur la ville. Le tout tenu avec soin et sympathie.

Casa Lourdes – B2 - *Ave. Malecón n° 72 e/G. Blanco et A. Diaz -* ℘ *(21) 64 19 23 - jmcorrea@ nauta.cu -* 🖥 ✕ - *2 ch. 25 CUC.* Sur le front de mer, une maison modeste, mais les amoureux de l'océan se réfugieront dans la chambre sur l'avant, qui a des allures de cabine de bateau face aux flots (évitez la chambre sur l'arrière, encore plus sombre et étroite, et sans vue). Confort sommaire mais propre.

Casa Alejandro y Susana – A1 - *Calle Primero de Abril n° 55* - ☎ *(21) 64 10 91* - 📺 ✕ 🅿 - *2 ch. 30 CUC*. Un peu à l'écart du centre-ville, la maison jouit d'un joli petit jardin exotique où l'on prend son petit-déjeuner parmi les chants des coqs et les grognements des porcs des voisins… C'est la campagne à la ville ! Les chambres sont lumineuses et impeccables, et l'accueil plein d'amabilité.

▶ Hôtels

Tous les hôtels de Baracoa dépendent du groupe Gaviota (*www.gaviotahotels.com*), également spécialisé dans l'organisation d'excursions (renseignements aux réceptions). Où que vous logiez, vous pouvez profiter librement du parking et de la piscine de l'Hotel El Castillo.

BUDGET MOYEN

Hotel La Rusa – B1 - *Angle calles M. Gómez n° 161 et C. Frías* - ☎ *(21) 64 30 11* - 📺 ✕ - *12 ch. 50 CUC*. Sur le Malecón, un bâtiment jaune construit dans les années 1950 par la fille d'un général tsariste, « Mimi la Rusa », qui se lia d'amitié avec Fidel Castro et Che Guevara, comme le montrent les photos ornant la réception (une section du musée municipal est aussi consacrée à cette figure locale). « La Russe » a légué à sa mort l'hôtel au régime, et il faut dire qu'il a depuis bénéficié de bien peu de travaux. Nuit spartiate en perspective, mais prenez-le comme votre contribution à la cause révolutionnaire, surtout si vous choisissez la chambre 302, où dormit le Che lui-même !

POUR SE FAIRE PLAISIR

Hostal 1511 – A2 - *Calle Ciro Frías e/A. Maceo et R. López* - ☎ *(21) 64 57 00* - 📺 ✕ - *15 ch. 60 CUC*. Même esprit traditionnel dans cette demeure qui jouxte la cathédrale. Le dernier-né des hôtels de la ville.

Hotel La Habanera – A1 - *Angle Calle Maceo n° 134 et F. País* - ☎ *(21) 64 52 73* - 📺 ✕ - *10 ch. 60 CUC*. Une belle bâtisse des années 1930 située à deux pas du Parque Central. Les chambres sur la rue, un peu bruyantes, sont les plus agréables quand elles jouissent d'un balcon. Les lieux ont leur petit cachet colonial.

Hotel El Castillo – A1 - *Calle C. García (Loma del Paraíso), dans le Fuerte de Seboruco* - ☎ *(21) 64 51 65* - 📺 ✕ 🅿 🏊 - *62 ch. 70 CUC. - Wifi, infirmerie*. Juché sur les hauteurs, l'ancien fort de Seboruco surplombe tout Baracoa et ses environs, de la mer au Yunque. La vue, depuis la terrasse avec piscine, est superbe. Les chambres, classiques, sont bien tenues et confortables. Bon rapport qualité-prix et ambiance agréable. Chacun peut profiter de la sympathique piscine et du parking.

Aux environs

▶ Hôtels

POUR SE FAIRE PLAISIR

Hotel Porto Santo – A1 (en direction) - *Carretera al Aeropuerto* - ☎ *(21) 64 51 06* - 📺 ✕ 🏊 🅿 - *83 ch. 65 CUC*. De l'autre côté de la baie, dans un charmant jardin léché par les vagues, plusieurs rangées de bâtiments abritent de grandes chambres avec terrasse ou jardinet. Les plus agréables sont situées de plain-pied face à la mer. Malgré la proximité de l'aéroport, l'hôtel est très calme.

5

À proximité

UNE FOLIE

Hotel Villa Maguana – *Carretera Baracoa-Moa, à 22 km de Baracoa, difficile d'accès en période de pluie -* 📞 *(21) 64 12 04 -* 🖥️ ✖️ 🅿️ *- 16 ch. 100 CUC.* Loin de tout, un petit coin de paradis ! Quatre chambres d'un calme absolu se trouvent dans une petite maison de plain-pied nichée au bord d'une crique ; dans le jardin, trois maisons de quatre chambres. Déco raffinée, belles boiseries et confort total… Dans ce cadre idyllique, vous serez accueilli avec chaleur. Une longue plage de sable fin borde l'établissement.

RESTAURATION

😊 **Bon à savoir** – Baracoa se distingue du reste de l'île par sa gastronomie : moins monotone et plus relevée qu'ailleurs, elle fait la part belle aux saveurs de légumes, de coco et de cacao.

À Baracoa

PREMIER PRIX

Hotel El Castillo – A1 - *Voir « Hébergement » - 9h-23h - moins de 10 CUC.* Deux options pour se restaurer dans cet hôtel juché dans une ancienne citadelle de la ville : le snack en journée, au bord de la piscine ménageant une vue superbe sur le Yunque, et le restaurant le soir. Outre un choix de grignotages et de plats traditionnels, la spécialité maison est l'*ajiaco*, une soupe de légumes avec viande et lardons *(2,20 CUC)* assez typique de la cuisine locale.

La Punta – A1 - *Ave. de los Mártires, dans le Fuerte de la Punta (au bout du Malecón) -* 📞 *(21) 64 14 80 - 10h-22h - autour de 10 CUC.* À l'abri des murailles du fort de la Punta, l'établissement propose une cuisine créole originale, où la sauce chocolat est à l'honneur

même en salé. Tous les samedis, c'est cuisine italienne : pizzas et autres spaghetti al pesto rencontrent un vif succès ! Au pied de la forteresse, jetez un coup d'œil aux gros rochers couverts de végétation d'où les enfants aiment plonger dans la baie.

BUDGET MOYEN

La Colonial – A1 - *Calle J. Martí n° 123 e/Maraví et F. País -* 📞 *(21) 64 53 91 - midi et soir - 10/15 CUC.* Bien nommée, cette maison traditionnelle fait remonter le temps : colonnade en bois sur l'avant (avec quelques tables en guise de terrasse), meubles anciens, carreaux de ciment au sol… Un cadre agréable pour déguster une cuisine créole généreuse (poisson, grillades). Belle ambiance le soir venu.

La Terraza – B1 - *Calle Flor Crombet n° 143 altos e/C. Frías et Pelayo -* 📞 *(21) 64 31 28 - 11h-23h - 10/15 CUC.* Une sympathique « terrasse » ouverte au vent marin, en haut d'une maison située entre centre-ville et front de mer. Déco hétéroclite, où le bois domine, et spécialités locales : soupe de légumes coco, poulpe sauce coco, dessert chocolat-coco. Un exotisme qui fait plaisir.

El Buen Sabor – A2 - *Calle Calixto García n° 134 altos e/C. Frías et Céspedes -* 📞 *(21) 64 14 00 - www.elbuensabor.co - 11h-23h - 15/20 CUC.* Au pied de la colline du Castillo, un grand toit-terrasse offrant une vue panoramique sur les toits de tôles de la ville. Au menu : des recettes traditionnelles revisitées à la sauce locale (langouste coco), le tout sans chichis.

Aux environs de Baracoa

BUDGET MOYEN

Finca Duaba – A1 (en direction) - *Carretera Mabujabo km 2 -* 📞 *(21) 64 52 24 - 10h-16h -*

10/15 CUC. À 6 km de Baracoa, le restaurant du complexe touristique de la Finca Duaba jouit d'une bonne réputation. Il accueille essentiellement des groupes organisés sous son immense paillote, mais les voyageurs individuels peuvent s'y arrêter pour déguster par exemple le bœuf campagnard aux légumes, fruits et chocolat chaud.

PETITE PAUSE

Salon de thé
Casa-Museo del Cacao – *Calle Maceo e/Maraví et F. País -* ☎ *(21) 64 21 25 - 8h-23h.* À deux pas du Parque Central, un lieu sympathique consacré au chocolat : outre une petite exposition (entrée libre), un grand patio agréable pour boire un chocolat chaud (une spécialité de Baracoa) ou… un cocktail au cacao. Concerts certains soirs. Propose aussi des excursions dans des plantations alentour.

ACHATS

Vous trouverez de nombreux stands d'artisanat, en particulier calle Maraví (une *cuadra* au nord du Parque Central) : sculptures en bois, bijoux en coquillages, etc.

EN SOIRÉE

Jolie animation chaque soir autour du Parque Central : une balade suffit pour trouver un lieu à son goût.

Musique cubaine, salsa
Casa de la Trova – *Angle calles J. Martí n° 149B et C. Frías (à côté de la cathédrale) -* ☎ *(21) 64 17 47 -* *9h-2h - concerts vers 21h- 1 CUC.* Un must que cette petite salle au charme rétro, où les spectateurs dansent souvent jusque dans la rue. Deux concerts par jour (17h-19h et 21h-0h) : airs traditionnels, salsa et rumba sont à l'honneur.
Casa de la Cultura – *Calle Maceo n° 124 e/Maraví et F. País -* ☎ *(21) 64 23 64 - entrée libre.* Avec ses portes grandes ouvertes sur la rue, ce centre culturel mérite une visite : expositions, théâtre, cours de salsa, etc., et concerts traditionnels tous les soirs à 21h (avec un faible pour la musique afro-cubaine).

Discothèques
Deux lieux pour danser sur le Parque Central en fin de semaine, ambiance jeune : **Discoteca Paraíso** *(à côté du bar-restaurant 485)* **et La Terraza** *(à côté de la Casa de la Cultura, voir ci-dessus).* **El Ranchón** – *Calle C. Frías - 21h-3h - 1 CUC.* Sur les hauteurs de la ville, une sympathique piste de danse en plein air, entre ambiance champêtre et musique *house.* Beaucoup de monde en fin de semaine.

ACTIVITÉS

Excursions
Les **randonnées** proposées dans la belle nature de la région sont nombreuses, en particulier sur le Yunque et dans le parc Humboldt. *(voir « Excursions » p. 296 et « S'informer » p. 293).*

AGENDA

Carnaval de Baracoa – *Mi-avr.*

5

Les cayos 6

Cayo Largo del Sur.
Alamy/hemis.fr

L'île de la Jeunesse

Isla de la Juventud

★

Municipio Especial Isla de la Juventud (province à statut spécial) -
2 200 km² - 84 600 hab. - Archipel de los Canarreos

Séparée de la province de La Havane par le golfe de Batabanó, la deuxième île de Cuba est frangée au nord-est par les « cayos » de l'archipel de los Canarreos. Le tourisme est loin d'y être très développé. Malgré de grandes ressemblances avec certaines régions de l'île principale, cette province présente des particularismes intimement liés à son histoire mouvementée, en marge de celle de Cuba. Les Indiens ont laissé quelques empreintes de leur passage et les pirates ont abandonné légendes et trésors dans ce lieu qui leur servit de base pendant de nombreuses décennies. Tour à tour bagne de Cuba puis laboratoire expérimental de la révolution, l'ancienne île des Pins a tout pour plaire aux amateurs d'histoire cubaine. Son emplacement privilégié dans la mer des Caraïbes séduira également les passionnés de plongée sousmarine et de pêche.

😊 NOS ADRESSES PAGE 314
Hôtels, restaurants, shopping, activités, etc.

🛈 S'INFORMER

isladelajuventud-cuba.com
Ecotur - *Calle 24, e/47, Nueva Gerona -*
📞 46 32 71 01 - www.ecoturcuba.tur.
cu - lun.-vend. 9h-17h, sam. 9h-12h.
Cette agence d'État organise
des excursions dans la partie
méridionale de l'île avec voiture et
guide.

▶ SE REPÉRER
Carte de l'île (p. 310).

😊 À NE PAS MANQUER
Le vin de pamplemousse à la Casa
de los Vinos ; les plages désertes du
littoral méridional ; la plongée au
large de la côte des Pirates.

🕐 ORGANISER SON TEMPS
Assurez-vous une marge de temps
importante pour les cas éventuels de
retard ou d'annulation de vols ou de
bateaux. Ne prévoyez pas de revenir
le jour ni même la veille d'un vol de
retour transatlantique.

L'île de la Jeunesse, aux eaux turquoise.
H. Leue/Look/age fotostock

Se promener Carte de l'île, p. 310

La partie septentrionale de l'île est occupée par quelques collines dont la plus haute, la Cañada, s'élève à 303 m. Dans cette région de pâturages, de plantations d'agrumes et surtout de pinèdes, qui lui avaient donné son ancien nom d'Isla de los Pinos (« île des Pins »), on se consacre à l'extraction du marbre et du tungstène. Au sud de la *ciénaga* (marécage) de Lanier, où abondent les crocodiles, s'étendent des plaines calcaires bordées de mangroves et de plages. Cette réserve protégée vit principalement de la pêche à la langouste et aux éponges, pratiquée le long de la côte méridionale. Ce littoral est en partie ourlé par une barrière de corail qui remonte jusqu'à la baie des Cochons, mais les récifs les plus importants se trouvent à l'ouest, dans la baie de la Siguanea. À cet endroit, les fonds marins regorgent d'une faune et d'une flore variées qui en font l'un des meilleurs sites de plongée de Cuba.

Bon à savoir – N'oubliez pas votre passeport, obligatoire pour entrer dans l'île.

Nueva Gerona B2

Comptez 2h.

Avec seulement 46 000 habitants, Nueva Gerona, chef-lieu de la province, s'apparente davantage à un faubourg de ville provinciale. Malgré le manque d'activités, les rares touristes qui décident d'y séjourner se laissent peu à peu séduire par son atmosphère de bourgade rurale, à la fois isolée et cosmopolite. Coincée entre deux petites chaînes de collines, celle que l'on pourrait surnommer la « ville de la Jeunesse » est un microcosme insolite, où l'on peut encore rencontrer de nombreux étudiants étrangers.

Le **Parque Central** marque le cœur de Nueva Gerona, où passent et repassent de nombreux jeunes juchés sur leur vélo. Au bout de quelques jours dans la ville, vous aurez toutes les chances de croiser des visages familiers aux abords de ce square.

Au nord du Parque Central, l'**église Nuestra Señora de los Dolores** semble avoir des

SE REPÉRER À NUEVA GERONA

Le tracé régulier de Nueva Gerona ressemble à celui de nombreuses villes cubaines. Les artères qui descendent de la mer vers l'intérieur des terres portent les numéros impairs. Elles croisent à angle droit les rues paires qui courent d'est en ouest, de la Sierra de Casas à la Sierra de Caballos. Toute l'animation de la ville est concentrée autour du Parque Central et de la portion de la calle 39 comprise entre les calles 28 et 20.

6

Une île aux multiples vocations

Des peintures rupestres, découvertes au début du siècle dans des grottes du sud-est de l'île, témoignent de la présence d'Indiens siboneyes, qui vivaient de la chasse et de la pêche, dans la région. Mais lorsque Christophe Colomb aborde les côtes de l'île en 1494, les aborigènes l'ont quittée depuis déjà deux siècles. Jusqu'en 1830, les autorités espagnoles ne donnent aucune suite à la découverte de ce territoire. L'île devient donc rapidement un repaire de pirates, attirés par cette terre vierge, idéalement située sur la route de navires chargés de marchandises précieuses. Leurs deux siècles de présence ont enrichi la toponymie de l'île et alimenté ses nombreuses légendes. Robert Louis Stevenson se serait d'ailleurs inspiré d'une carte de l'île des Pins pour situer l'action de son roman *L'Île au trésor*.

L'ÎLE DES FORÇATS

À partir de 1830, date de fondation de Nueva Gerona, la première ville de l'île prend rapidement la sinistre fonction de bagne de Cuba. Les opposants au régime colonial espagnol y sont régulièrement déportés, comme José Martí, « l'apôtre de l'indépendance », en 1870. Avec le traité de Paris (10 décembre 1898), mettant un terme à la guerre d'indépendance, Cuba sera occupée par les États-Unis près de quatre ans. À l'issue de cette période, l'amendement Platt, inscrit dans la Constitution cubaine jusqu'en 1934, reconnaît seulement l'indépendance de l'île principale et non de l'intégralité de l'archipel. L'île des Pins (actuelle île de la Jeunesse) est donc placée sous domination américaine jusqu'en 1925, date à laquelle elle est officiellement rattachée à Cuba.

Entre 1926 et 1931, l'île reprend sa vocation de bagne avec la construction d'un pénitencier modèle, ordonnée par le président Machado, selon les nouvelles normes nord-américaines de sécurité et d'hygiène. Cette prison accueillera de nombreux opposants au régime, et notamment les assaillants de l'attaque manquée de la caserne de Moncada à Santiago, le 26 juillet 1953 *(voir p. 348)*.

L'ÎLE DES JEUNES

Au début de la révolution, en 1959, l'île des Pins accuse un net retard économique par rapport à l'île principale. Fidel Castro décide de sortir cette région dépeuplée de son sous-développement grâce à l'enrôlement de brigades de volontaires de 15 à 35 ans. Par milliers, des Cubains et des étrangers se lancent dans cette aventure communautaire au nom de la solidarité internationale. De nouvelles plantations transforment le paysage agricole, des « écoles secondaires à la campagne » sont implantées, des hôpitaux et des dispensaires sont construits. L'État devait fournir gratuitement les services essentiels jusqu'à ce que l'île, autogérée, se suffise à elle-même. Bien que cette expérience poussée de communisme ait pris fin, des jeunes gens issus de pays en voie de développement, notamment d'Afrique, viennent encore de nos jours y poursuivre des études. Laboratoire expérimental d'une société idéale fondée sur la morale et la démonétarisation, cette province sera baptisée « île de la Jeunesse » en 1978. Elle est soumise à un statut spécial, puisqu'elle est directement administrée par le gouvernement central.

dimensions réduites par rapport à cette place démesurément grande. L'édifice actuel, de style colonial, remplaça en 1929 une église du 19e s. détruite par un cyclone.

À l'opposé sur la place, l'ancien hôtel de ville abrite le **Museo Municipal** (℘ [46] 32 37 91 - mar.-jeu. 9h-18h, vend.-sam. 9h-22h, dim. 9h-13h - 1 CUC), qui retrace brièvement l'histoire de l'île.

La **calle 39**, qui longe l'église sur la gauche, est animée en permanence. Sous ses arcades, où s'installent les cireurs de chaussures et les vendeurs ambulants de pâtisseries, les habitants viennent faire leurs courses ou simplement bavarder à l'ombre. En fin de journée, mêlez-vous aux étudiants de la ville aux terrasses des restaurants.

Tournez à gauche dans la calle 24 et remontez cette rue sur 200 m.

Dans la calle 24, e/43 y 45, la **Casa Natal Jesús Montané Oropesa** (℘ [46] 32 45 82 - mar.-vend. 9h-17h, sam. 9h-16h, dim. 9h-12h - gratuit) fut le berceau de la lutte contre les États-Unis. Le musée évoque le révolutionnaire qui participa à l'attaque de la Moncada, en 1953, et qui épaula Fidel Castro dans la Serra Maestra.

Revenez sur le Parque Central. Longez l'église de gauche à droite et continuez la calle 28 vers l'est sur trois cuadras jusqu'au río Las Casas.

Au bord du fleuve, un mémorial complète la visite du musée de la Lutte clandestine ainsi que celle du Presidio Modelo *(voir ci-après)*. **El Pinero**, bateau conservé sur la berge du río Las Casas, ramena sur l'île principale Fidel Castro et ses compagnons à leur libération le 15 mai 1955.

Retournez sur vos pas, dépassez le Parque Central d'une cuadra et tournez à gauche dans la calle 41. Descendez cette rue sur 1 km.

À l'angle des calles 41 et 52 se trouve le **Museo de Historia Natural** (℘ [46] 32 31 43 - mar.-sam. 8h-17h, dim. 9h-13h - 1 CUC). Outre sa collection d'animaux empaillés et de minéraux, il présente des reproductions de peintures rupestres des grottes de Punta del Este, dans le sud de l'île, et un planétarium permettant de découvrir le ciel des Caraïbes.

À L'EST DE NUEVA GERONA

Les deux sites touristiques accessibles par la route à l'est de Nueva Gerona sont les plus réputés de l'île. Vous ne pourrez manquer la prison, désormais associée à l'histoire révolutionnaire, ni la plage de sable noir, qui fait la fierté des habitants de la région.

Prenez la calle 32 vers l'est en direction de la Playa Bibijagua.

★ **Presidio Modelo** (La Prison modèle) B2

℘ (46) 32 51 12 - mar.-sam. 8h30-16h30, dim. 9h-13h -3 CUC.

À 4 km à l'est de la ville, la route de Reparto Chacón mène au monument le plus illustre de l'île, l'un des premiers pénitenciers de haute sécurité d'Amérique latine. Construite entre 1926 et 1931 sous la présidence de Machado, cette prison doit surtout sa réputation aux révolutionnaires qui y séjournèrent dans les années 1950.

6

Posés sur une pelouse, telles d'immenses ruches silencieuses, les cinq bâtiments circulaires donnent à ce lieu une atmosphère irréelle. Celui du centre était réservé à l'administration, tandis que les quatre autres renfermaient les cellules pouvant accueillir jusqu'à 5 000 prisonniers. Une partie du pénitencier a été transformée en entrepôts *(officiellement fermés au public)*. Demandez aux gardiens de vous indiquer les peintures – la reproduction d'un planisphère et une représentation de Santa Bárbara – réalisées par les prisonniers sur les murs de leur cellule.

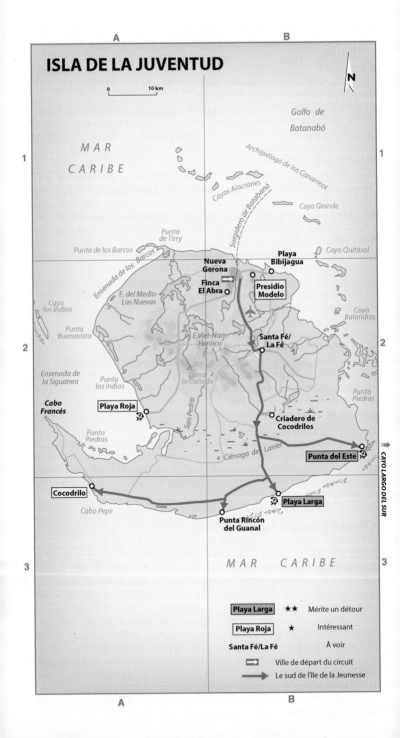

ISLA DE LA JUVENTUD

0   10 km

Golfo de Batanabó

MAR CARIBE

Archipiélago de los Canarreos

Cayos Alacranes

Cayo Grande

Surgidero de Batabanó

Punta de Tirry

Punta de los Barcos

Cayo Quitasol

Nueva Gerona

Playa Bibijagua

Finca El Abra

Presidio Modelo

Ensenada de los Barcos

Cayo los Indios

E. del Medio-Las Nuevas

Santa Fé/La Fé

Cayo Balandras

Punta Buenavista

E. Viet-Nam Heróico

Ensenada de la Siguanea

303 Loma la Cañada

Punta los Indios

Punta Piedras

Cabo Francés

Playa Roja

San Pedro

Criadero de Cocodrilos

CAYO LARGO DEL SUR

Punta Piedras

Ciénaga del Lanier

Punta del Este

Cocodrilo

Cabo Pepe

Playa Larga

Punta Rincón del Guanal

MAR CARIBE

Playa Larga   ★★ Mérite un détour

Playa Roja   ★   Intéressant

Santa Fé/La Fé   À voir

⇨ Ville de départ du circuit

→ Le sud de l'île de la Jeunesse

L'HISTOIRE M'ACQUITTERA

Lors du procès des attaquants de la caserne de Moncada, en septembre 1953, Fidel Castro est autorisé, en sa qualité d'avocat, à assurer sa propre défense. Dans la longue plaidoirie qu'il prononce le 16 octobre 1953, il explique les raisons de l'échec de l'assaut et expose surtout son programme révolutionnaire. Son intervention se termine par la célèbre phrase : « Condamnez-moi, peu importe. L'histoire m'acquittera. » Ce manuscrit, légèrement remanié en prison et envoyé par fragments à ses proches, est publié dès 1954, mais ce n'est qu'en 1958 qu'il devient réellement le manifeste de la révolution.

Le pavillon administratif a été transformé en **musée** *(mêmes horaires)*. Des documents et des photographies retracent l'histoire de la prison depuis sa construction d'après les plans du pénitencier américain de Jolliet (Illinois). Un hommage est rendu aux nombreux prisonniers politiques, ainsi qu'aux Japonais, Allemands et Italiens incarcérés durant la Seconde Guerre mondiale. La seconde partie du musée est consacrée à la **lutte révolutionnaire**. Dans l'infirmerie, les plaques au-dessus de chaque lit portent les noms des différents *moncadistes* (révolutionnaires ainsi surnommés en référence à la caserne militaire de Moncada dont ils essayèrent de s'emparer) qui y séjournèrent, en particulier Fidel et Raúl Castro. Condamné à 15 ans de prison, Fidel Castro y fut enfermé le 17 octobre 1953. Pendant ses 19 mois d'incarcération, le « matricule 3859 » y remania son célèbre texte *L'histoire m'acquittera*. Il fut libéré avec une vingtaine de ses compagnons le 15 mai 1955.

À 4 km du Presidio Modelo, en continuant cette même route vers l'est, on accède à **Playa Bibijagua** (B2), du nom de la fourmi qui s'attaque aux plantations de tabac. Si vous êtes à Nueva Gerona, vous pouvez vous rendre par curiosité sur cette plage de sable noir, mais celles du sud et de l'ouest de l'île sont infiniment plus attirantes.

AU SUD-OUEST DE NUEVA GERONA B2

Descendez la calle 41 vers le sud en direction de La Demajagua. À 3 km, sur la droite, un panneau indique la Finca El Abra.

Au cœur d'un agréable domaine au pied de la Sierra de Las Casas, un chemin conduit jusqu'à la **Finca El Abra** *(mar.-sam. 9h-16h, dim. 9h-12h -1 CUC)*. José Martí fut assigné à résidence dans cette demeure pendant deux mois, à la fin de l'année 1870, avant d'être déporté en Espagne pour ses idées indépendantistes. Cette maison a été transformée en musée en hommage à l'« apôtre de l'indépendance », mais la plupart des objets exposés appartenaient aux Sardá, sa famille d'accueil. L'immense *ceiba*, devant la maison, fut planté par la suite en souvenir de son départ de l'île de la Jeunesse.

Circuit conseillé Carte de l'île, ci-contre

★ LE SUD DE L'ÎLE DE LA JEUNESSE

Comptez une journée d'excursion.

Conseil – *Emportez des provisions et faites le plein d'essence à Nueva Gerona.* Ceux qui rêvent de passer la journée sur une île déserte n'auront qu'à traverser l'île de la Jeunesse jusqu'au littoral méridional. Vous pourrez vous détendre sur de superbes plages, dans une zone encore vierge d'infrastructures touristiques,

6

et partiellement méconnue, malgré la faible distance qui la sépare de Nueva Gerona.

Descendez la calle 32 vers l'est. Derrière le río Las Casas, tournez à droite en direction de La Fé. L'autoroute se trouve à 2 km sur la droite. Au km 14, prenez à gauche au niveau d'un bloc d'immeubles des années 1970. Continuez pendant 2 km jusqu'à La Fé. Plusieurs établissements dans l'ouest de la ville permettent de s'y restaurer.

La Fé B2

Deuxième ville du *municipio* en importance avec ses 10 000 habitants, cette ancienne station thermale est une grosse bourgade rurale sans grand intérêt. Elle projette cependant de retrouver sa fonction première en rénovant ses piscines à l'eau curative et en construisant un hôtel médical.

Au sud du centre-ville, on peut faire une halte dans un parc près de la **Fuente de la Cotorra** (« source du Perroquet »). De ces oiseaux autrefois en grand nombre sur l'île – d'où le nom d'« Isla de las Cotorras » également attribué à l'île –, il ne semble rester que deux spécimens en cage à proximité de la maison du gardien.

Sortez au sud de La Fé en direction de Cayo Piedra et, à 12 km, prenez le chemin de gauche derrière le pont. Continuez pendant 7 km jusqu'à la ferme d'élevage de crocodiles.

Le **Criadero de Cocodrilos** *(7h-17h - 3 CUC)* est à voir si vous n'avez pas encore eu l'occasion de visiter l'une de ces fermes sur l'île principale. Les visiteurs accompagnés d'un guide font le tour des enclos où sont répartis les crocodiles rhombifer en fonction de leur âge et de leur taille. Ne vous aventurez pas seuls dans cette zone, car certains pensionnaires peuvent échapper à la vigilance des gardiens et se promener en liberté.

Reprenez la route principale à gauche vers le sud. À 4,5 km de l'embranchement qui mène à la ferme d'élevage de crocodiles, le poste-frontière de Cayo Piedra marque l'entrée de la réserve naturelle.

★ Réserve naturelle du littoral méridional AB2-3

8h-17h - 3 CUC.

Bon à savoir – Seuls les touristes étrangers à bord d'une voiture de location ou d'un *turistaxi*, munis d'une autorisation préalable émanant d'**Ecotur** *(voir p. 306)*, sont autorisés à pénétrer dans la réserve. Les services d'un guide sont obligatoires *(5 CUC)*.

À gauche derrière le poste de garde, 24 km de piste rocailleuse truffée de nids-de-poule conduisent à **Punta del Este**★★ (B2). Cette zone sauvage se termine par une magnifique **plage**★★ de sable blanc. Ce lieu paradisiaque encore désert ne devrait plus l'être pour longtemps, si l'essor du tourisme se confirme dans les années à venir. En retrait de la plage, vous ne manquerez pas de visiter la **Cueva**★ *(1 CUC)*, une grotte surnommée la « chapelle Sixtine » des Caraïbes. Œuvres des Indiens siboneyes, ses peintures rupestres furent découvertes au cours d'un naufrage en 1910, puis étudiées en 1925 par Fernando Ortíz, le célèbre anthropologue cubain. Les pictogrammes de la grotte principale forment des cercles concentriques rouges et noirs, vraisemblablement utilisés comme calendrier lunaire.

Faites demi-tour jusqu'au poste-frontière et prenez le chemin qui se situe dans le prolongement de la route principale venant de La Fé.

Cette route, bien meilleure que la précédente, conduit tout droit à **Playa Larga**★★ (B3) (« Longue Plage ») à 12,5 km de l'entrée du parc. Cette superbe plage de 15 km de long est aussi sauvage que celle de Punta del Este.

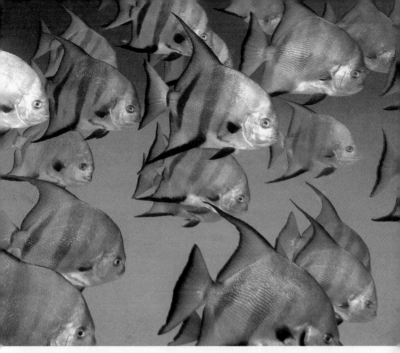

Les fonds marins de l'île de la Jeunesse regorgent de poissons tropicaux.
A. Carrera/age fotostock

De Playa Larga, rejoignez la route principale située à 4 km et tournez à gauche.
À 12,5 km de l'embranchement pour Playa Larga, un chemin à gauche mène à la **Punta Rincón del Guanal** (B3), l'extrémité ouest de Playa Larga.
La route principale continue tout droit jusqu'au village de Cocodrilo.
À 31,5 km de l'embranchement menant à Punta del Guanal, le village de **Cocodrilo★** (A3) marque la fin de ce circuit. Au-delà du village, un poste de garde barre le chemin qui conduit au Cabo Francés, uniquement accessible en bateau depuis l'hôtel El Colony. Des pêcheurs des îles Caïmans – entre la Jamaïque et Cuba – s'implantèrent au 19ᵉ s. dans ce village qui doit son nom à leur île natale, plutôt qu'aux crocodiles de la région. Les descendants de ces *Caïmaneros*, dont certains parlent encore anglais, sont toujours installés ici, sur une côte magnifique découpée de criques.

Excursion Carte de l'île, p. 310

★ PLONGÉE AU SUD-OUEST DE L'ÎLE DE LA JEUNESSE

Comptez une journée d'excursion en mer.
Les fonds marins à l'extrémité sud-ouest de l'île regorgent de coraux multicolores, d'éponges géantes, de gorgones et de poissons tropicaux. Les amateurs de plongée sous-marine s'arrêtent rarement à Nueva Gerona et préfèrent rejoindre directement l'hôtel El Colony, situé à 41 km du chef-lieu.
À Nueva Gerona, descendez la calle 41 vers le sud en direction de La Demajagua. À l'embranchement en direction de cette localité, à 15 km du chef-lieu, restez sur la route de gauche et suivez les panneaux de l'hôtel El Colony (attention aux nids-de-poule).
L'**hôtel El Colony**, inauguré en 1958, fut le seul établissement touristique de toute l'île de la Jeunesse pendant de nombreuses années. Situé sur **Playa Roja★** (A2), une petite plage privée, bordée de cocotiers au fond de l'anse de la Siguanea, ce lieu de villégiature pour milliardaires américains fut réquisitionné

au lendemain de la révolution. Le seul hôtel de cette zone accueille un centre de plongée *(buceo)* et détient pour l'instant le monopole des croisières de l'endroit.

À une heure de navigation de l'hôtel El Colony, celle que l'on surnomme la « **côte des Pirates★★** » compte 56 sites de plongée disséminés entre le **Cabo Francés** (A2) et la **Punta de Pedernales**. On y trouve notamment une *pared de coral negro* (mur de corail noir) constituée de corail mort.

 ## NOS ADRESSES SUR L'ÎLE DE LA JEUNESSE

INFORMATIONS UTILES

Banque/Change
On peut changer des devises à la **Cadeca**, à l'angle des calles 39 et 20, et à la **Banco de Crédito y Comercio**, à l'angle des calles 39 et 18. Bureau de change également à l'hôtel El Colony *(voir « Hébergement », ci-contre)*.

Poste
Pour expédier votre courrier, attendez d'être de retour sur l'île principale. Service d'appels internationaux dans les hôtels.

Téléphone/Internet
Etecsa – *Calle 41, e/28 y 30.*

Station-service Servicupet
Sur le Parque Central, à l'angle des calles 30 et 39 - 24h/24.

ARRIVER/PARTIR

Bon à savoir – Il est souvent difficile d'obtenir un billet d'avion pour l'île, et encore plus de trouver une place dans le bateau de Batabanó. Réservez vos places longtemps à l'avance auprès de Cubana de Aviacion ou d'une agence de voyages.

En avion
Aeropuerto Rafael Cabrera – *À 5 km au sud de Nueva Gerona sur la route de La Fé -* 𝄢 *(46) 32 23 00.* La **Cubana de Aviación** *(au bout de la calle 24 -* 𝄢 *[46] 32 42 59)* relie La Havane à l'île de la Jeunesse une fois par jour à bord d'un bimoteur (45mn de vol, à partir de 100 CUC AR).

Comptez 5 CUC pour un trajet en taxi entre l'aéroport et le centre-ville, et 30/35 CUC pour l'hôtel El Colony.
Cubana de Aviación – *Calle 39 n° 1415, e/16 y 18, Nueva Gerona -* 𝄢 *(46) 32 42 59.*

En bateau
Plusieurs traversées quotidiennes sont assurées entre Surgidero de Batabanó (sud de la province de La Havane) et Nueva Gerona, à proximité du centre-ville. Vente des places (bateau avec transfert en bus La Havane-Batabanó) à la gare routière de La Havane. Possibilité de se procurer des billets directement à l'embarcadère de Surgidero de Batabanó et à celui de Nueva Gerona pour le retour, mais pour plus de sécurité, mieux vaut prendre l'aller-retour à La Havane. Chaque bateau dispose de quelques sièges prioritaires pour les étrangers, mais il est impératif de réserver environ 2 jours à l'avance à l'aller comme au retour. Comptez 8h et 50 CUC environ pour l'aller simple.

TRANSPORTS

En taxi
Cubataxi – 𝄢 *(46) 32 22 22.*

Location de véhicules
Havanautos – 𝄢 *(46) 32 44 32.* Dispose d'un comptoir dans le centre de Nueva Gerona, angle calles 32 et 39, et à l'hôtel El Colony *(voir « Hébergement », ci-dessous),*

tout comme l'agence **Transtur** – $\mathscr{C}$ *(46) 32 66 66.* Le parc automobile étant très restreint, mieux vaut réserver un véhicule assez tôt.
Cubacar – $\mathscr{C}$ *(46) 32 44 32.* Dispose d'un comptoir dans le centre de Nueva Gerona, angle calles 32 et 39. *Loue des voitures à partir de 70 CUC/j (assurance comprise).*

HÉBERGEMENT

Voir la carte p. 310 pour les hôtels et les campings.

À Nueva Gerona

Ceux qui souhaitent loger dans le centre opteront pour une chambre d'hôte. On vous en proposera dès votre arrivée sur l'île.

Casa particular

PREMIER PRIX

Gerardo y Anita Abreu – *Calle 20 n° 3518, e/35 y 37 - $\mathscr{C}$ (46) 32 65 60 -* ▤ *- 2 ch. 20/30 CUC.* Vous disposerez d'une chambre sur la terrasse, avec une cuisine indépendante. Une autre chambre est à louer au rdc.

Aux environs de Nueva Gerona
Hôtels

PREMIER PRIX

Campismo Arenas Negras – B2 - *Playa Bibijagua - $\mathscr{C}$ (46) 32 56 47 - www.gran-caribe.cu/es/hotel/23 -* ✕ *- 27 cabanons 10/30 CUC.* Au bord de l'eau et au milieu d'arbres, ces maisons équipées offrent le confort minimum pour profiter de la plage à 9 km à l'est de la ville.
Villa Isla de la Juventud – B2 - *Autopista Nueva Gerona-La Fé km 1,5 - $\mathscr{C}$ (46) 32 32 90 -* ▤ ✕ 🏊 🅿 *- 20 ch. 20/25 CUC.* Cet établissement, calme, à 3 km de la ville, offre une ambiance familiale. Les bungalows encadrent une piscine où ont lieu des activités

en soirée (discothèque en fin de semaine). Chambres simples mais confortables avec terrasse.
Rancho el Tesoro – B2 - *Autopista km 14 - $\mathscr{C}$ (46) 32 30 35 - www.gran-caribe.cu/es/destination/6 -* ▤ ✕ 🅿 *- 35 ch. 20/25 CUC.* Cet établissement à l'architecture néo-andalouse est plus calme que le précédent. Accès libre à la piscine de la Villa Isla de la Juventud.

À Playa Roja
Hôtel

POUR SE FAIRE PLAISIR

El Colony – A2 - *Carretera de Sigüanea km 42 - $\mathscr{C}$ (46) 39 81 81 - www.hotelelcolony.com -* ▤ ✕ 🏊 🅲🅲 🅿 *- 77 ch. 46 CUC (ch. standard)/110 CUC (bungalow en 1/2 pens.).* Isolé dans le sud-ouest de l'île, cet hôtel de bord de mer accueille les amateurs de plongée du monde entier. Édifié à la fin des années 1950, le bâtiment laisse transparaître quelques signes de vieillissement. Les chambres ont été aménagées dans des bungalows sur la plage, avec tout le confort moderne. Possibilité de multiples activités sportives.

RESTAURATION

Bon à savoir – Vous pouvez accepter sans regret les offres des particuliers, les restaurants d'État étant le point faible de Nueva Gerona. Vous aurez peut-être l'occasion de déguster chez eux de la langouste, l'une des spécialités de l'île.

À Nueva Gerona

PREMIER PRIX

El Cochinito – *Angle calles 39 et 24 - $\mathscr{C}$ (46) 32 28 09 - 12h-22h - autour de 10 CUC.* Dans une grande salle rustique, vous goûterez de la cuisine créole à base de porc, ce qui n'a rien de très original à Cuba. Le

6

portique devant le bâtiment est agréable pour prendre un verre. La belle terrasse supérieure fait discothèque à 21h.

PETITE PAUSE

Glacier

Comme la plupart des villes de province, Nueva Gerona possède également un glacier **Coppelia** – *Calle 37, e/30 y 32 - mar.-sam. 12h-22h.*

BOIRE UN VERRE

Bar

Dans une maison en forme de bateau, la **Casa de los Vinos** est le bar le plus charmant de Nueva Gerona, à quelques mètres de la rue principale (angle calles 41 et 20). Dégustation de vins d'orange et de pamplemousse (la spécialité de la région). Tlj sf lun. 14h-23h.

ACHATS

Artisanat

Sur la portion commerçante de la calle 39, e/24 y 26, vous rencontrerez quelques modestes boutiques d'artisanat local

EN SOIRÉE

Concerts

Casa de la Cultura – *À l'angle des calles 37 et 24.* Programme des concerts de temps à autre.

Spectacles

Le cabaret **El Patio** *(calle 24, e/39 y 37)* présente des shows avant de faire discothèque.

ACTIVITÉS

Excursions

Pour visiter la côte méridionale, il faut un guide et un laissez-passer. Vous pouvez organiser l'excursion avec l'hôtel **El Colony** *(voir « Hébergement », p. 315)*, qui se charge de toutes les démarches, ou par vos propres moyens, en louant une voiture avec **Havanautos** *(voir « Transports », p. 315)*. La location de la Jeep inclut l'essence, le guide et le laissez-passer (env. 80 CUC). Il est possible de louer la voiture à Nueva Gerona ou à l'hôtel Colony. **Ecotur** – *Calle 24, e/47 - ℘ (46) 32 71 01 - www.ecoturcuba.tur.cu -tlj sf dim. 8h-17h (sam. 12h).* Spécialiste de trekking et visites des plus beaux sites.

Plongée

La plongée sous-marine est reine sur l'île. Plus d'une cinquantaine de sites jalonnent la côte sud-ouest. Équipement et cours de plongée sont proposés par l'hôtel **El Colony** *(voir « Hébergement », p. 315)*. Les bateaux quittent le club de plongée tous les matins à 9h (env. 40 CUC la plongée + 15 CUC pour l'équipement). Retour à 17h.

Cayo Largo del Sur

★★

Province de l'île de la Jeunesse - 35 km² - Archipel de los Canarreos

Cayo Largo del Sur ferme la marche du chapelet d'îlots situé à l'est de l'île de la Jeunesse. Le dernier des « cayos » de l'archipel de los Canarreos est cependant parmi les premiers pour la beauté de ses plages. Celles-ci s'enchaînent de façon ininterrompue sur les 25 km de son littoral méridional. Les eaux turquoise de la mer des Caraïbes, ourlées d'un sable si blanc et si fin qu'on le compare à du talc, composent ce cadre idyllique qui bénéficie de l'un des meilleurs ensoleillements de Cuba. Vous pourrez musarder à votre guise sur cette langue de terre étroite et étirée, comme son nom l'indique – largo signifie « long » en espagnol. Dans les mangroves qui bordent le nord de l'îlot, vous surprendrez des iguanes, des lézards ou des « jutías » (mammifères propres à Cuba) et de multiples espèces d'oiseaux : flamants, pélicans ou « zunzuncitos » (colibris). Cayo Largo est l'image paradisiaque de carte postale et dépliant touristique par excellence. Dans cette station balnéaire exclusivement réservée aux étrangers, tout serait parfait si l'on ne se sentait pas aussi loin de Cuba.

🙂 NOS ADRESSES PAGE 318
Hôtels, restaurants, shopping, activités, etc.

◗ S'INFORMER
www.cayolargo.net

◗ SE REPÉRER
Carte 1er rabat de couverture.

🕐 ORGANISER SON TEMPS
Des excursions d'une journée sont organisées au départ de La Havane et de Varadero pour env. 150 CUC.

Se promener Carte 1er rabat de couverture

😊 **Conseils** – Prévoyez une lotion antimoustiques. Méfiez-vous des courants dangereux et des fortes vagues quand les drapeaux rouges flottent sur la plage.

★★ Les plages

Le deux-roues constitue un excellent moyen de locomotion pour parcourir Cayo Largo et découvrir ses plages *(renseignez-vous auprès des hôtels)*.

Playa Sirena est blottie à l'extrémité ouest de l'îlot, à l'abri du vent. Avec l'aéroport à proximité, cette plage reçoit surtout les groupes venus pour la journée. Au sud-est de Playa Sirena s'étend **Playa Paraíso**, elle aussi plutôt bien protégée du vent et surtout classée parmi les plus belles plages du monde. Bien équipée, elle comprend des paillotes pour se protéger du soleil, un restaurant, des douches et des toilettes. La plupart des activités nautiques (kayak, catamaran) comprises dans le « *todo incluido* » des hôtels sont déployées ici. Vers l'est se succèdent **Playa Lindamar** puis **Playa Blanca**, la plus longue plage de Cayo Largo, où sont concentrés les complexes hôteliers.

À quelques kilomètres de Playa Blanca, les nombreux cocotiers ont donné leur nom à **Playa Los Cocos**. Ses eaux peu profondes riches en corail s'explorent aisément en snorkeling.

À l'extrémité est de Cayo Largo, de nombreuses tortues de mer viennent pondre en hiver à **Playa Tortugas**, la dernière plage de l'îlot.

6

😊 NOS ADRESSES À CAYO LARGO DEL SUR

INFORMATIONS UTILES

Banque/Change
Tous les hôtels pratiquent le change. Sinon, on trouve une banque à la marina, dans la petite localité de Combinado, à 6 km du premier complexe hôtelier.

Santé
Clínica Internacional – *À la marina* - 📞 *(45) 24 82 38.*
Pharmacie à côté de la clinique.

ARRIVER/PARTIR

En avion
Ce petit îlot possède un **aéroport international** (📞 *(45) 34 81 41 - cayolargo.airportcuba.net*) qui accueille quelques vols directs en provenance du Canada et d'Italie. Vols directs depuis La Havane *(env. 150 CUC AR).*

En bateau
Marina Cayo Largo del Sur – *À la pointe nord-ouest de l'îlot.* Dispose de 50 places et de services d'eau potable, d'électricité et de combustible.

TRANSPORTS

Location de véhicules
Les transferts de et vers l'aéroport sont compris dans les packages. Une navette gratuite circule entre les hôtels et les plages de Paraiso et Sirena (que l'on peut également rejoindre à pied). Les hôtels louent des voitures et des deux-roues.
Cubatur, 📞 *(45) 24 82 58*, **est** présente dans l'hôtel Sol Pelicano *(voir ci-après, « Hébergement »).*

HÉBERGEMENT, RESTAURATION

😊 **Bon à savoir** – Les hôtels pratiquent la formule du « *tout inclus* ». Les tarifs les plus intéressants sont déclinés sur Internet par les grands voyagistes. Comptez de 100 à 200 CUC par jour et par personne. Les hôtels se trouvent tous à proximité les uns des autres, entre Playa Lindamar et Playa Blanca. Les voyagistes canadiens, espagnols et italiens détiennent une quasi-exclusivité sur les établissements.

ACTIVITÉS

Excursions
Les hôtels organisent des excursions à la demi-journée avec arrêts sur l'îlot des iguanes et la barrière de corail (masque et tuba fournis). Comptez 40 CUC. Les journées complètes (environ 70 CUC) comprennent plongée, déjeuner et halte sur un îlot vierge.

Activités sportives
Promenades à cheval sur la plage, planche à voile, pêche, voile et plongée sous-marine sont proposées par les différents établissements de Cayo Largo. **Club de plongée** – *À la marina* - 📞 *(45) 24 82 14.* Deux plongées par jour organisées notamment sur la barrière de corail (8h et 10h). 40 CUC la plongée et 10 CUC l'équipement.

Observation des tortues
Criadero de tortugas – *À la marina - 9h-18h.* On collecte ici des œufs de tortues sur les plages et après éclosion, les bébés sont gardés un moment dans des bassins avant de partir à la mer sur une plage sécurisée.

COMPRENDRE CUBA

Une écolière à Camagüey.
Bruno & Tuul Morandi/hemis.fr

Cuba aujourd'hui

Une nouvelle ère de difficultés s'ouvre à Cuba. Le pays ne peut plus compter sur son plus proche allié, le Venezuela, dont l'effondrement économique a tari sa principale source d'approvisionnement en pétrole à bon marché et en devises. L'arrivée au pouvoir de Donald Trump aux États-Unis ajouté au virage à droite de la plupart des pays d'Amérique latine (Brésil, Mexique, Chili, Argentine, Équateur) ont renforcé l'isolement de l'île socialiste soumise à l'embargo américain. Coupée de la modernité (Internet y est encore à l'âge de pierre), peinant à financer ses importations et à réformer sa bureaucratie, Cuba s'enfonce dans une crise proche de celle qu'elle a connue au début des années 1990, lors de la chute de l'URSS, avec son cortège de pénuries et de rationnements. Pour éviter le naufrage, le régime cubain s'est engagé en douceur sur la voie des réformes libérales et diversifie ses partenaires commerciaux. L'élection, en 2018, d'un nouveau président, Miguel Díaz-Canel, semble tourner la page de l'ère castriste. Cuba s'ouvre à la propriété privée et au marché, les Cubains sont libres de s'établir à leur compte et de lancer de petites entreprises familiales. Pas question, pour autant, de laisser prospérer un capitalisme qui viendrait jeter aux oubliettes, 60 ans après, les dogmes et les acquis de la Révolution.

Une île à la réalité complexe

Pour le visiteur plus sensible au soleil et à la salsa qu'aux questions politiques et sociales, la crise que traverse Cuba pourrait passer presque inaperçue. Logé en tout-inclus dans des enclaves balnéaires coupées du reste du pays – conçues par l'État cubain pour mieux capter la manne des devises étrangères –, ce touriste a peu de raison de s'alarmer du sort de la population. D'autant qu'un rapide bilan de la Révolution cubaine, 60 ans après, lui donnerait en partie raison. Le pays est le champion du monde de l'éducation, grâce à des taux d'alphabétisation et de scolarisation proches de 100 %. C'est aussi une référence mondiale en matière de santé, avec un nombre de médecins par habitant supérieur à celui de nombreux pays occidentaux, dont la France. L'État-providence y fournit non seulement l'éducation, la santé, le sport et la culture gratuitement, mais aussi le logement et les produits de première nécessité à des prix réduits. La vie y est nettement plus douce que dans de nombreux pays d'Amérique latine, les inégalités moins violentes et la sécurité mieux assurée. La criminalité et la délinquance sont contenues, la malnutrition et la misère inconnues, le chômage minime et l'égalité hommes-femmes en progrès. Au palmarès de l'indice de développement humain des Nations unies, Cuba se classe au 73e rang (sur 189) en 2017, devant le Mexique, le Brésil, le Chili, la Chine. Le taux de mortalité infantile y est plus faible qu'en Suisse ou au Canada, l'espérance de vie plus élevée qu'aux États-Unis.

Plaza de la Revolución, La Havane.
YangYin/iStock

REBELLE, FIER ET INDÉPENDANT

« *Patría o Muerte* » (la Patrie ou la Mort) est la devise enseignée aujourd'hui encore aux écoliers cubains. Une certaine revanche d'indépendance et de dignité pour cette petite nation qui, jadis, n'échappa à la domination espagnole que pour tomber sous la coupe des États-Unis. Dans les années 1950, sous la présidence du dictateur Batista, l'île viciée par la prostitution, le jeu et la mafia, était surnommée le « bordel de l'Amérique ». Depuis l'arrivée au pouvoir de Fidel Castro, l'unité du peuple et la glorification du sentiment nationaliste et révolutionnaire composent le refrain favori des discours étatiques. Le gouvernement cubain ne cesse de brandir la menace de l'impérialiste états-unien – contre lequel l'île se targue d'être le premier rempart à l'échelle du monde latino-américain, tel un village gaulois résistant à l'envahisseur – et de dénoncer comme un véritable blocus militaire l'embargo dont le pays est victime depuis 1962. Mais est-ce au patriotisme des Cubains, ou à leur impossibilité à s'émanciper de la répression qu'ils subissent, qu'il faut attribuer la stabilité de ce pays depuis 60 ans ? Est-ce un attachement sincère ou le culte du chef sans cesse martelé par la propagande qui explique l'hommage massif rendu par les Cubains à Fidel Castro après sa mort, en décembre 2016, quand il a été inhumé aux côtés des Pères de l'indépendance, José Martí et Manuel de Céspedes ? Admirable dans sa résistance à l'impérialisme yankee pour les uns, Cuba est dépeinte sous les traits d'une dictature brutale par les autres, un stalinisme tropical qui emprisonne ses opposants politiques, réprime toute manifestation et n'accorde aucune autonomie ni réelle liberté à ses citoyens.

DERRIÈRE LA CARTE POSTALE

Complexe et singulière, trompeuse parfois, la réalité cubaine est difficile à appréhender pour un étranger. Derrière la carte postale de belles Cadillac des années 1950, de calèches, de palais coloniaux décatis, de vieux bars où planent les fantômes de stars américaines d'avant-guerre, se dessine un quotidien nettement moins glamour, avec son lot de restrictions, coupures de courant et files d'attente interminables. La plupart des denrées sont importées et les **pénuries alimentaires** sont de plus en plus alarmantes. Sur le plan sanitaire, le bilan n'est guère plus reluisant. Hôpitaux et pharmacies souffrent du manque de médicaments et de matériel médical, et la corruption sévit dès qu'il s'agit de se faire soigner correctement. Sans parler des médecins envoyés en mission forcée à l'étranger, à qui l'État cubain prélève 80 % de leur salaire.

DÉBROUILLE ET FUITE DES CERVEAUX

Depuis le milieu des années 1990, l'arrivée massive de touristes dans l'île a bouleversé les hiérarchies sociales et fait surgir de **profondes inégalités**. Le fossé n'a cessé de se creuser entre les Cubains qui touchent leur salaire en peso cubano (CUP) et ceux qui, grâce au tourisme, ont accès aux pesos convertibles (CUC, l'autre monnaie officielle, alignée à parité sur le dollar américain). Beaucoup d'avocats, enseignants, médecins, architectes ou ingénieurs ont donc préféré quitter leur profession, rémunérée en pesos cubains, pour ouvrir des restaurants et des chambres d'hôtes, pédaler sur un bici-taxi ou promener les touristes à bord de leur véhicule. Des activités qui leur procurent un bien meilleur revenu et aussi ces fameux pesos convertibles, sésame indispensable pour acheter les biens de consommation importés, disposer d'une connexion internet ou voyager à l'étranger. Oubliés des réformes, les fonctionnaires et retraités qui n'ont pas accès au marché des devises ou ne peuvent pas compter sur des proches aux États-Unis pour leur envoyer de l'argent, se retrouvent marginalisés, contraints de faire leurs courses dans les magasins d'État aux rayons désespérément vides. Et les licenciements massifs depuis 2010 dans le secteur public, notamment dans les zones rurales, ont plongé dans la difficulté des familles entières d'ouvriers et de paysans. Pour améliorer leur quotidien, ou simplement assurer leur survie, beaucoup de Cubains se livrent donc à une lutte quotidienne, la **lucha**, devenue un sport national. Elle consiste à slalomer entre les interdits étatiques, les complications technologiques, l'embargo américain, les pénuries et la vétusté des transports. Bien souvent, inventer de nouvelles combines et trafics oblige à des entorses à la légalité ou à la morale socialiste, comme recourir au marché noir, détourner des biens appartenant à l'État, arnaquer les touristes pour obtenir des devises ou dissimuler ses activités à ses voisins et aux autorités.

VERS LA FIN DU CASTRISME ?

L'assouplissement des règles bureaucratiques et la libéralisation partielle de l'économie, s'ils n'ont pas amélioré le sort du plus grand nombre, n'en sont encore qu'à leurs débuts. Le premier train des réformes date en effet de l'accession au pouvoir de **Raúl Castro**, le frère cadet de Fidel, en 2006. Depuis 2011, l'accession à la **propriété privée** a apporté un vent d'air frais dans la vie des Cubains, qui peuvent désormais acheter et vendre une maison ou une voiture. L'initiative individuelle a été favorisée par la possibilité donnée aux particuliers de travailler à leur propre compte. Les petites entreprises privées prolifèrent dans l'artisanat, le commerce, la restauration, la réparation automobile, l'hôtellerie à domicile. Le rapprochement avec les États-Unis de **Barack Obama** entre 2009 et 2017, laissant espérer la fin de l'ostracisme envers Cuba, a impulsé une ouverture salutaire. L'afflux de touristes et de capitaux étrangers, la levée des permis de sortie du territoire ont permis aux Cubains d'améliorer leur niveau de vie et d'échanger davantage avec le monde. Depuis décembre 2018, les Cubains qui possèdent un téléphone portable peuvent se connecter à l'Internet mobile en 3G. L'arrivée, en avril 2018, d'une nouvelle figure à la présidence de Cuba, **Miguel Díaz-Canel**, un civil né après la Révolution de 1959, marque un changement significatif de génération. L'inscription de l'économie de marché et de la propriété privée dans le marbre de la **nouvelle Constitution**, adoptée par référendum début 2019, semble aussi présager la fin du régime castriste.

DE ROUGE À VERT KAKI

Jusqu'à l'arrivée du nouveau président, le processus de réformes s'était heurté aux réticences des conservateurs du Parti, qui redoutaient toute modification du socialisme cubain. Mais la vieille garde du PC – dont Raúl Castro reste le premier secrétaire – cède peu à peu la place à des généraux en treillis kaki, plus pragmatiques, plus ouverts au capitalisme. Déjà très engagée dans le secteur du tourisme (groupe Gaviota), l'armée cubaine va jouer un rôle majeur dans la période à venir. Bénéficiant d'une bonne image au sein de la population, les forces armées cubaines (appelées Forces armées révolutionnaires, FAR) forment des unités bien organisées et compétentes, qui gèrent avec efficacité de nombreux domaines de l'économie. Aux yeux des militaires et des nouveaux membres du bureau politique du PC, Cuba doit s'ouvrir aux investisseurs étrangers et évoluer vers un **modèle mixte à la chinoise**, où le capitalisme tourne mais où l'État socialiste régule et encadre strictement l'économie de marché et surtout garde le contrôle de la vie politique. Dans ce contexte d'ouverture, la censure s'est un peu relâchée, les mœurs ont évolué, par exemple sur la question des homosexuels. Les Cubains peuvent changer de sexe depuis 2008, et l'autorisation du mariage gay devrait être bientôt soumise à référendum. Mais cela reste anecdotique en comparaison de l'absence de démocratie et de libertés politiques, la surveillance s'exerçant à tous les échelons, dès le plus bas niveau comme celui du quartier, avec les comités de défense de la révolution (CDR) *(voir p. 334)*.

Économie

Croissance en berne, accumulation de dettes impayées, pénuries de produits de base (savon, ciment, papier, aliments)… Cuba s'enfonce aujourd'hui dans une crise économique qui évoque celle de la « période spéciale », au moment de la chute de l'URSS. La production industrielle, minière et sucrière est tombée au niveau d'il y a trente ans, les rendements agricoles déclinent, les investissements sont notoirement insuffisants. Faute de disposer d'un matelas de devises suffisant pour importer la nourriture et les biens dont le pays a besoin, le gouvernement est obligé de procéder à des rationnements. Comment expliquer une telle crise ? Le régime cubain impute la responsabilité des difficultés actuelles aux nouvelles sanctions américaines de l'administration Trump, qui a considérablement durci l'embargo contre Cuba. L'autre raison majeure vient de l'effondrement économique de l'allié vénézuélien. Depuis le début des années 2000, Caracas fournit à Cuba du pétrole à des tarifs préférentiels, que l'île raffine et réexporte en partie pour engranger des devises. En échange, La Havane lui envoie des milliers de médecins, entraîneurs sportifs et conseillers militaires. Or, depuis 2014, les livraisons de pétrole vénézuélien à Cuba ont baissé de 40 %. De quoi mettre à genoux une économie cubaine déjà mal en point, car affectée par de nombreuses carences structurelles.

LE SUCRE EN DÉCONFITURE

L'économie cubaine a hérité de l'époque coloniale une étroite spécialisation dans les plantations de **canne à sucre**, de café et de tabac. Après la révolution, Cuba a poursuivi sa spécialisation dans la monoculture du sucre au profit de son allié soviétique. Sa production sucrière était achetée au prix fort par les camarades de Moscou, ce qui lui permettait de financer en retour les importations de biens manufacturés et d'énergie nécessaires à sa survie.
Le sucre fut alors hissé au rang de priorité nationale. Les autorités fixèrent un objectif record pour 1970 : une *Gran Zafra* (Grande Récolte) de 10 millions de tonnes. Fidel Castro montra l'exemple, se faisant photographier *machete* à la main dans une cannaie. Le pays atteignit cette année-là le meilleur résultat de son histoire (8,5 millions), au détriment de tous les autres secteurs de l'économie. Mais la chute du grand frère soviétique a précipité le déclin de la filière, qui s'est accéléré avec le plongeon des tarifs. En vingt ans, le pays a été contraint de fermer les deux tiers de ses sucreries. Jadis premier exportateur mondial de sucre, Cuba produit aujourd'hui à peine 1,4 million de tonnes, ce qui couvre tout juste les besoins de l'île et représente moins de 10 % de ses exportations. La récolte 2017-2018 a en outre été dévastée par le passage de l'ouragan Irma puis une longue période de pluie, si bien que l'île a même été obligée d'importer du sucre de betterave français.

UNE AGRICULTURE PEU PRODUCTIVE

Cuba s'est aussi privée de mettre en place les bases d'une agriculture permettant d'accéder à l'autarcie alimentaire et de développer une offre compétitive de produits exportables. Son système collectiviste est si peu efficace que l'île communiste est obligée

---

FIDEL CASTRO, LA FIN D'UN MYTHE ?

Symbole de la révolution cubaine, **Fidel Castro** a occupé, à partir de 1959, le devant de la scène sans partage. En 2006, victime de problèmes de santé, il a délégué ses pouvoirs à son frère cadet Raúl Castro, qui l'a officiellement remplacé en février 2008, pour devenir le nouvel homme fort du pays. Disparu en 2016 à l'âge de 90 ans, Fidel reste auréolé du prestige d'un grand libérateur. Son décès a été vécu comme un choc par les vieilles générations. Neuf jours de deuil national furent alors décrétés. Ses cendres ont fait l'objet d'une procession à travers l'île pour aller rejoindre celles de José Martí, autre grande figure de l'indépendance cubaine, au cimetière Santa Ifigenia de Santiago de Cuba, ville symbole de la révolution.

Récolte du tabac, dans la province de Pinar del Río.

d'importer chaque année plus d'1,5 milliard de dollars de produits agricoles (près de 80 % de sa consommation) dont 2,1 millions de tonnes de céréales. Depuis 2008, des efforts ont été accomplis pour améliorer la productivité, notamment en donnant plus d'autonomie aux coopératives et en distribuant en usufruit des lopins de terre aux agriculteurs, dans la limite de 13 ha par famille. Mais le résultat est loin d'être suffisant, les paysans étant contraints de vendre l'essentiel de leur récolte à l'État, à un prix bien inférieur à celui du marché, ce qui ne les encourage pas beaucoup à produire. Les rendements souffrent en outre d'un manque d'investissement en matériel agricole moderne, en semences, engrais et pesticides.

DES CIGARES FAMEUX

Cuba est réputée pour son **tabac**, servant à fabriquer des cigares de grande qualité. Les cultures du triangle de la **Vuelta Abajo**, dans la région de Pinar del Río *(voir p. 116)*, sont les plus réputées de l'île. Les *vegueros* (planteurs propriétaires d'une plantation) possèdent en moyenne 6 à 7 ha de plantation, la superficie maximale autorisée étant plafonnée à 5 *caballerías* (environ 67 ha). Plus des deux tiers

de la production sont entre leurs mains, mais l'industrie du cigare appartient à la Cubatabaco, un monopole d'État. Le tabac n'est pas non plus épargné par la pénurie d'engrais et d'énergie. Le pays essaie de « remonter la pente ». Chaque année, les exportations de cigares rapportent environ 440 millions d'euros à Habanos SA, une entreprise mixte fondée en 1994 entre Cubatabaco et Altadis (groupe Imperial Tobacco, hispano-français).

Parmi les autres produits agricoles cultivés sur l'île figurent la patate douce, le café, le riz et les agrumes. Malgré des efforts fournis dans le domaine de l'élevage, la viande de bœuf reste une denrée rare et la production laitière insuffisante. Le secteur de la **pêche** fournit des produits à l'exportation comme la bonite, les crevettes et les langoustes.

Pour ses importations alimentaires, Cuba se fournit pour l'essentiel auprès du Brésil et de l'Argentine. L'île importe aussi de la volaille, du maïs et du soja des États-Unis.

LES RESSOURCES MINIÈRES

Parmi les minerais présents dans le pays et principalement exportés vers la Chine, le **cobalt** et surtout le **nickel** occupent

LA LANGOUSTE, REINE DE L'ÎLE

Star incontournable des fourneaux, la langouse cubaine figure aussi bien au menu des *casas particulares* (maisons d'hôtes) qu'à celui des tables de prestige, tel le restaurant du Manzana Kempinski, hôtel cinq-étoiles de la Havane, où le chef l'accomode au beurre de goyave sur une purée de *malanga* (taro) rôti. Pour l'île tropicale, ce savoureux crustacé sert en priorité à la pêche aux dollars. Sur les 2000 tonnes de langoustes pêchées en 2018, environ 90 % sont exportées par la société publique Caribex, principalement vers la Chine, le Japon et le Canada. Le reste alimente le circuit officiel du tourisme, restaurants d'État et hôtels. La langouste servie dans les paladars et maisons d'hôtes des particuliers est quant à elle achetée « *por la izquierda* », c'est-à-dire au marché noir. La langouste est pêchée en majorité au sud-ouest de l'île, entre juin et janvier. Hormis dans les hôtels dotés d'un vivarium, elle est toujours congelée pour être conservée.

une place essentielle. Les mines de nickel se trouvent au nord de la région d'Holguín, où fonctionnent les usines de Moa et de Nicaro. Cuba se place parmi les premiers producteurs mondiaux. D'autres ressources sont encore partiellement exploitées tels le manganèse, le chrome ou le fer. Le pays possède quelques nappes de **pétrole**, dans le nord de la région de Matanzas, qui ont fourni un peu moins de deux millions de tonnes en 2006. Des compagnies étrangères, notamment chinoises, ont entrepris des travaux de prospection off-shore dans cette région. Des gisements ont également été localisés dans la partie cubaine du golfe du Mexique en 2008, mais les premiers résultats des sondages ne semblent pas aussi encourageants qu'attendus.

Pour ses importations pétrolières, depuis que la source vénézuélienne s'est tarie, La Havane a diversifié ses sources d'approvisionnement en se tournant vers la Russie et surtout vers l'Algérie.

UNE RESTRUCTURATION MASSIVE

Pour éviter la faillite de son économie socialiste, étatique et centralisée, le régime a entrepris d'évoluer à petits pas vers un capitalisme qui ne dit pas son nom. Au début des années 1990 déjà, l'État a été contraint d'assouplir son monopole. Des entreprises étrangères ont été invitées à nouer des **partenariats** avec les entreprises nationales pour investir dans les télécommunications, les mines, le tabac et le tourisme. Des capitaux canadiens, mexicains, européens, brésiliens et chinois sont venus apporter un peu d'oxygène, mais les restrictions imposées par les autorités et les incertitudes financières ont découragé les investisseurs. De 403 entreprises mixtes en 2002,

leur nombre tombe à 218 en 2009. Aujourd'hui, l'État cubain souhaite capter de nouveaux investisseurs étrangers, en particulier dans le tourisme. En 2017, l'île n'a attiré que 2 milliards de dollars d'investissements, loin des 5 milliards nécessaires pour relancer la croissance.

En parallèle avec la libéralisation de l'économie, il a fallu aussi mettre fin aux subventions accordées aux entreprises publiques, licencier des centaines de milliers de fonctionnaires et fermer de multiples usines non rentables et improductives. Le dégraissage de la **fonction publique** à Cuba a été massif : au début des années 2010, le pays comptait 4,8 millions de fonctionnaires et employés, soit 80 % de la population active. Mais dans tous les les lieux publics et les commerces d'État, le suremploi reste encore manifeste : huissiers et gardiens en tout genre, vendeuses désœuvrées, etc. Le régime continue à distribuer des emplois et les revenus qui vont avec. Une façon d'assurer un semblant de plein-emploi et d'éviter une trop forte grogne sociale.

BOOM DES PETITES ENTREPRISES

Pour compenser la réduction massive du nombre de fonctionnaires, le gouvernement cubain a délivré dès la fin 2010 250 000 autorisations de créer des petits commerces et a ouvert certains métiers au secteur privé. La loi des **cuentapropistas** (travailleurs à leur propre compte) a élargi le secteur à 178 professions, principalement les petits boulots précaires du commerce, du transport, de l'alimentation et de l'artisanat. Des métiers qui existaient déjà depuis des années, mais illégalement, sur le marché noir. Dans le centre de la Vieille

Havane, le changement saute aux yeux. Petits étals de réparateurs de téléphones mobiles, de cordonniers ou d'horlogers, de vendeurs de fruits et de légumes ou de casseroles, boutiques de manucure et cafétérias poussent comme des champignons. Et pour la première fois depuis la révolution, les Cubains peuvent devenir patrons en embauchant d'autres travailleurs indépendants sans liens de parenté avec eux – ce que certains *paladares* (restaurants chez l'habitant) font officieusement depuis des années. Nombre de Cubains se lancent donc aujourd'hui dans de multiples chantiers, agrandissant leur propriété en vue de créer de véritables petits hôtels privés ou des restaurants à la mode occidentale, où ils espèrent attirer les touristes en nombre.

Le système demeure cependant hasardeux : les centaines de milliers de nouveaux *cuentapropistas* paient directement à l'État la licence de leur petite entreprise, et celle-ci doit être acquittée quelle que soit la hauteur de leurs revenus. Si le système rend vain tout travail au noir, il accule ceux qui manquent de clients pour rentabiliser leur licence : aussi les touristes subissent-ils de plus en plus de propositions de chambres ou de tables très insistantes, notamment avec la mise en place d'un système de rabatteurs très pesant. Enfin, cette privatisation partielle se limite aux petits métiers et ne profite pas aux professions les plus qualifiées (avocats, médecins, ingénieurs, etc.), qui n'ont toujours pas le droit de se mettre à leur compte. L'État n'octroie en fait que des

DES OUVRIÈRES DONT CUBA FAIT SON MIEL

Partout sur la planète, scientifiques et défenseurs de l'environnement tirent la sonnette d'alarme sur la diminution du nombre d'abeilles, victimes de l'agriculture intensive et des pesticides. Mais pas à Cuba, où les abeilles, en pleine forme, voltigent au grand air au milieu d'oiseaux, de libellules et de papillons. L'effondrement de l'Union soviétique, dans les années 1990, a privé l'île en forme de crocodile de son grand fournisseur en matériel agricole, pesticides et herbicides. Privée de produits phytosanitaires par l'embargo américain, l'agriculture cubaine est devenue bio malgré elle. Cette pureté de l'environnement, ajoutée à un climat chaud et humide qui fait éclore des fleurs toute l'année, permet aux abeilles de butiner à foison. Grâce à ses ouvrières très productives, Cuba exporte plus de 7 500 tonnes par an d'un miel bio très convoité en Europe.

Les paysans utilisent toujours la charrue tirée par des bœufs pour labourer les champs.
Julieanne Birch/istock

miettes au secteur privé, de peur de le voir développer une rapide concentration des propriétés et des richesses. Toujours soupçonnés de vouloir frauder le fisc, les *cuentapropistas* n'ont pas le droit d'importer des marchandises, ils doivent s'approvisionner auprès des magasins d'État et sont soumis au bon vouloir d'un régime qui peut décider, du jour au lendemain, de suspendre leur licence d'exploitation. Aujourd'hui le secteur privé plafonne à 13 % de la population active (soit 600 000 personnes) et 12 % du PIB.

LA LIBRETA À L'AGONIE

La mutation économique s'accompagne de la réduction des acquis sociaux. Symbole de l'égalitarisme, la *libreta*, le **carnet de rationnement**, a été mise en place en 1962 pour pallier les effets du blocus des États-Unis et la faiblesse des salaires. Il attribue à chaque Cubain un minimum d'aliments (riz, sucre, sel, huile, œufs…) à prix subventionnés. Depuis janvier 2011, le savon, le dentifrice et les détergents ne figurent plus sur la maigre liste des produits disponibles dans les magasins d'État. Désormais, il faut les acheter au prix fort, au même titre que les produits importés vendus dans les magasins où l'on paye en pesos convertibles. Même s'il se révèle

largement insuffisant pour assurer la subsistance mensuelle d'une famille, la possible disparition du *libreta* inquiète les Cubains, qui comptent encore beaucoup sur ce carnet pour compenser la faiblesse du salaire moyen, aux alentours de 20 euros par mois.

PRIORITÉ NATIONALE : LE TOURISME

Les chiffres sont éloquents : 340 000 touristes en 1990, 4,7 millions en 2018. Grâce au dégel des relations entre Washington et La Havane, le nombre d'États-Uniens a augmenté de 80 % entre 2015 et 2016, formant le troisième contingent de visiteurs derrière les Canadiens et les Cubains installés à l'étranger. Avant de chuter de nouveau drastiquement avec l'arrivée de Donald Trump au pouvoir en 2017, qui a fermé la porte aux voyages de ses compatriotes vers Cuba. Britanniques, Allemands, Français, Italiens et Espagnols forment le reste du peloton. Le tourisme, qui est l'une des principales sources de devises avec l'exportation de services professionnels et techniques et les taxes sur les transferts de fonds des Cubains à l'étranger, ne cesse de gagner en importance. Il affiche une croissance moyenne annuelle de 6 % sur ces dernières années. Pour

2019, Cuba espère atteindre le chiffre de 5,1 millions de visiteurs soit une progression de plus de 7 % par rapport à 2018. Le secteur emploie plus de 500 000 personnes et contribue à 10 % du PIB.

On comprend que le tourisme soit devenu la priorité nationale : des hôtels modernes financés par des entreprises étrangères sortent de terre, des édifices coloniaux sont réhabilités dans toute l'île, de nouveaux *pedraplenes* (routes-digues) relient les *cayos* à l'île principale et les aéroports internationaux s'agrandissent. Malgré une forte tradition de **circuits organisés**, Cuba se prête aisément au voyage individuel. Cette formule a permis aux particuliers, qui proposent des chambres ou des tables d'hôte, de profiter de l'afflux de devises.

La carte du luxe

L'arrivée d'hôtels de grand luxe, aussi bien à la Havane qu'au bord des plages des cayos, représente un vrai virage sur l'île. Depuis plus de 20 ans, Cuba avait concentré ses objectifs sur le tourisme de soleil et de plage autour de grands resorts balnéaires à prix accessibles, qui représente aujourd'hui 73 % des 70 000 chambres proposées. Mais les touristes qui réservent de tels séjours dépensent peu, de même que les passagers des croisières, dont le nombre a explosé ces dernières années. Pour augmenter les recettes en devises, le gouvernement mise désormais sur des voyageurs à haut pouvoir d'achat, qui ne rechigneront pas à la dépense lors de leur séjour.

Un nouveau paysage social

Les contacts entre les étrangers et la population se sont inévitablement multipliés dans un climat gênant d'« apartheid touristique ». Les Cubains n'ont pas accès à certaines plages (les *cayos*, notamment, leur sont interdits) ni à la plupart des hôtels internationaux, d'autres établissements étant officiellement réservés au tourisme national. Quant à « leur » monnaie, elle ne leur permet pas d'acheter grand-chose d'autre qu'une nourriture de piètre qualité.

La crise économique a également vu l'émergence du **jineterismo**. Au départ, le terme *jinetero* (littéralement « écuyer ») désignait les jeunes gens qui, aux abords des lieux touristiques, tentent systématiquement de vous soutirer quelques euros en échange de tous les services possibles et imaginables. Abordant les hommes, celles que l'on appelle pudiquement les *jineteras* troquent leurs charmes contre quelques euros, des vêtements, une soirée au restaurant ou la perspective d'un mariage avec un passeport à la clé. Le terme a évolué et désigne aujourd'hui uniquement les personnes faisant commerce de leurs charmes. Les *jineteros* se sont rebaptisés *luchadores* (littéralement les « lutteurs »). Vous serez chaque jour confronté à ces jeunes gens, débordant parfois d'imagination pour vous mener dans un *paladar* ou une maison d'hôte où ils toucheront une commission.

CUBA, PRESTATAIRE DE SERVICES

La première source de devises de Cuba est l'exportation de services professionnels et techniques. Il s'agit pour l'essentiel de l'aide médicale fournie à de nombreux autres pays d'Amérique latine et d'Afrique, qui rapporte trois fois plus que le secteur touristique. Le partenariat que Cuba a conclu avec le Venezuela s'inscrit dans cette stratégie. Ainsi, médecins et infirmiers cubains (ils ont été jusqu'à 30 000) sont à pied d'œuvre dans les zones défavorisées du Venezuela. En échange, Caracas livre à Cuba du pétrole brut à un tarif préférentiel. Avant la crise vénézuélienne, ce troc correspondait à l'aide financière qu'apportait naguère l'URSS à La Havane. Mais la crise actuelle que traverse le Venezuela a mis à mal le deal conclu avec Cuba, entraînant une chute du taux de croissance et du PIB de l'île. Pour compenser la baisse de livraison du pétrole vénézuélien, Cuba s'est d'abord tournée vers la Russie. En vain, Moscou considérant La Havane trop peu solvable. Le salut vient en partie de l'Algérie et surtout aujourd'hui de la Chine, devenue un partenaire commercial de premier plan, qui investit aussi bien dans les mines que les transports, l'énergie et les télécommunications du pays. Depuis 2015, Cuba s'ouvre également à de nouveaux partenaires commerciaux avec lesquels elle contracte des accords économiques : Panama, le Canada, le Portugal, la France.

Administration et politique

Les grandes lignes qui régissent la vie administrative et politique de l'île remontent à 1976, date à laquelle Fidel Castro a remplacé Osvaldo Dorticós à la présidence de Cuba.

Le découpage administratif de l'île, institué en 1976, a été modifié en 2011. Cuba est désormais divisée en **15 provinces** : Pinar del Río, Artemisa, Mayabeque, Ciudad de La Habana, Matanzas, Villa Clara, Cienfuegos, Sancti Spíritus, Ciego de Ávila, Camagüey, Las Tunas, Holguín, Granma, Santiago de Cuba et Guantánamo. Ces provinces sont elles-mêmes subdivisées en **municipios** (municipalités) qui sont au nombre de 167, plus le *municipio especial* de la Isla de la Juventud, municipalité administrée directement par le gouvernement

central. Ailleurs, la gestion locale est assurée par des assemblées provinciales et municipales.

UN PARTI UNIQUE ET DOMINANT

La **Constitution** cubaine, de modèle socialiste, a été approuvée par un référendum national en 1976. Une nouvelle Constitution a été adoptée début 2019, qui la modifie sur quelques points, remplaçant notamment l'usage du mot communisme par socialisme. L'organe suprême de l'État est l'**Assemblée nationale** du pouvoir populaire (ANPP), qui légifère et nomme le gouvernement. En 1992, une modification de la Constitution a supprimé notamment les restrictions religieuses à l'adhésion au Parti communiste et institué l'élection de l'Assemblée au suffrage universel direct. Les candidats, inscrits sur des listes uniques, sont toutefois exclusivement désignés par des organisations de masse contrôlées par le Parti. La Constitution de 2019 affirme en effet le caractère « irrévocable » du socialisme. Un seul parti, le **Parti communiste cubain (PCC)**, dicte la ligne politique à suivre. Il est « la force dirigeante supérieure de la société et de l'État, qui organise et oriente les efforts communs vers les hautes fins de la construction du socialisme ». Dirigé par un bureau politique et flanqué d'un comité central, le PCC a pour **premier secrétaire Raúl Castro** depuis 2011 (il était auparavant dirigé par Fidel Castro).

À la base se trouvent les **organisations de masse**. Elles désignent les délégués des assemblées municipales, en charge de la gestion des activités économiques et sociales au niveau local, qui élisent ensuite les assemblées provinciales. Parmi ces organisations : la CTC (Centrale des Travailleurs Cubains), la FMC (Fédération des Femmes Cubaines), l'UJC (prononcer « Ou-Jota-Cé », Union des Jeunesses Communistes), l'Anap (Association Nationale des Petits Agriculteurs) et les **CDR** (Comités de Défense de la Révolution). Ces derniers sont des **comités de quartier**, mis en place en 1960 pour mobiliser la population face à d'éventuelles agressions contre Cuba. Ils regrouperaient environ 7 millions de membres. Chaque bloc résidentiel, chaque usine, chaque village est ainsi placé sous la vigilance d'un CDR : toute présence d'un étranger doit être signalée, de même tout candidat à l'exil doit être dénoncé.

Le **Conseil d'État**, organe collégial, peut prendre des décrets-lois. Ses 31 membres sont désignés par l'Assemblée nationale. Le pouvoir exécutif appartient au **Conseil des ministres**, dont les membres sont aussi élus par l'Assemblée nationale.

L'actuel **chef de l'État** cubain est Miguel Díaz-Canel, qui a pris la succession de Raul Castro en 2018. Il préside le Conseil d'État et le Conseil des ministres, doté désormais d'un **Premier ministre** pour faire contrepoids à son pouvoir. Il est aussi le commandant en chef des **Forces armées révolutionnaires**, l'armée cubaine, le plus solide pilier du régime.

LIBERTÉS CONTRÔLÉES

Le référendum pour l'adoption de la nouvelle Constition, en février 2019, s'est déroulé dans un climat assez particulier : la campagne en faveur du non a été interdite, et ses partisans arrêtés pour avoir défendu un avis contraire au régime. L'article 349, comme dans la précédente Constitution de 1976, réduit les espaces et les libertés d'expression. Les intellectuels et les opposants politiques qui manifestent continuent de se retrouver en prison. Les travailleurs n'ont pour interlocuteur qu'un seul syndicat légal, la Confédération des travailleurs cubains, et les médias restent contrôlés par le régime dont ils diffusent la propagande.

Population

Comment décrire la palette infinie de visages et d'yeux, de couleurs de peau ou de cheveux, véritable résumé de l'histoire du pays ? La « cubanité » ne résiderait-elle pas tout simplement dans des attitudes, des gestes, des croyances – peut-être le fameux « esprit métis » si cher à Nicolás Guillén ?

DES DONNÉES INCERTAINES

On évalue le nombre de Cubains à 11,2 millions, ce qui correspond à une densité de 102 hab./km^2, soit un chiffre sensiblement équivalent à celui de la France. Malgré l'effort des autorités pour valoriser les zones rurales et encourager le développement des villes de province, plus des trois quarts des Cubains habitent encore en **ville**, et près d'un sur cinq à La Havane. On évalue à plus d'un million le nombre d'exilés à Miami (Floride), la deuxième ville cubaine du monde derrière La Havane.

Cuba présente à l'heure actuelle les caractéristiques démographiques d'un pays développé, contrairement à d'autres îles des Antilles et à certains pays d'Amérique latine : une mortalité infantile très basse (4 ‰ en 2018, soit mieux que certains pays d'Europe occidentale), une **espérance de vie élevée** (79,1 ans, mieux qu'aux États-Unis) et un taux de fécondité faible (1,71 enfant par femme). Le tiers des Cubains a entre 14 et 27 ans, mais la population vieillit (11 % des habitants ont plus de 65 ans) et devrait à terme passer sous la barre des 10 millions.

Les statistiques sur les origines des Cubains sont quelque peu déroutantes. L'on recense approximativement 66 % de Blancs, 12 % de Noirs et 22 % de métis, mais le chiffre officieux de 50 % de Blancs semble plus réaliste.

UNE SOCIÉTÉ MÉTISSÉE

De prime abord, seul un Cubain est à même de maîtriser le vocabulaire, extrêmement riche, pour désigner les multiples **nuances** du métissage, du plus sombre au plus clair : *prieto* (ou *azul*), *negro, mulatón, mulato, trigueño, rubio*. Les sobriquets, si fréquents dans la culture cubaine, font souvent référence à l'origine de la personne, sans connotation péjorative : par exemple, un Cubain aux traits légèrement asiatiques sera d'emblée surnommé *Chino* (Chinois).

On ne manquera pas de vous le rappeler, le **racisme** n'a plus droit de cité à Cuba. D'ailleurs, l'une des premières mesures de la révolution fut d'abolir toute discrimination raciale. La ségrégation entre Blancs et gens de couleur, institutionnalisée par la société coloniale, s'était transformée en ségrégation sociale à l'abolition de l'esclavage. À la veille de 1959, la population noire se trouvait toujours au bas de l'échelle, victime de profondes inégalités. Malgré des progrès incontestables dans ce domaine – libre accès pour tous à l'éducation ou aux soins –, 60 ans de révolution n'ont pas suffi à effacer cinq siècles de préjugés tenaces. Aussi, les **Blancs** continuent-ils d'occuper la majorité des postes à responsabilité, et il suffit de se promener dans les rizières de la région de Bayamo ou dans les quartiers populaires pour constater que la proportion de Noirs y est plus élevée.

LE CARACTÈRE DES CUBAINS

Un guide national à l'attention des étrangers décrit ainsi le peuple cubain : « Léger et chaleureux comme la brise marine, noble comme ses palmiers royaux, doux comme sa canne à sucre et robuste comme ses montagnes et ses plaines. » À vous de juger si les comparaisons telluriques vous conviennent !

Il est fort probable que vous reveniez conquis par les Cubains. Dotés d'un sens aigu de l'**hospitalité**, ils vous accueillent rapidement à bras ouverts chez eux. Malgré les difficultés d'approvisionnement, le rhum coule à flots, des portions pantagruéliques sont servies, signes d'énormes sacrifices de la part de vos hôtes. Il peut d'ailleurs arriver qu'ils ne vous accompagnent pas à table, préférant se priver pour faire honneur à leurs invités. L'afflux croissant de touristes et la crise économique ont parfois perverti ce sens de l'hospitalité, que des « roublards » utilisent pour masquer des offres intéressées.

Les Cubains font souvent preuve d'une grande gaieté : le sourire est de mise, le rire sonore de rigueur. Cette bonne humeur est communicative, surtout si vous avez la chance de comprendre les innombrables *chistes* (blagues) qui émaillent leurs discours. Leur **sens de l'humour** et de l'**autodérision** est un exutoire extraordinaire, aucun sujet n'étant épargné, ni la politique ni la pénurie.

Cette même gaieté accompagne des soirées qui s'étirent souvent jusqu'à une heure avancée de la nuit. Que ce soit dans une discothèque, sur une terrasse ou dans la rue, dès les premières notes de musique, les Cubains s'abandonnent au démon de la danse, avec cette extraordinaire vitalité mâtinée de **sensualité** qui surprend plus d'un Européen. Le contraste est saisissant avec la **nonchalance** qui enveloppe l'île dans la journée. Pleine de charme lorsque vous êtes vous-même écrasé par la chaleur, cette nonchalance peut parfois avoir raison de votre calme dans certaines circonstances – les douaniers par exemple ont la fâcheuse manie de se livrer à une lente inspection de votre passeport alors que l'avion se trouve déjà sur la piste de décollage.

Aux yeux des étrangers, la population fait preuve d'une **patience** hors pair, voire de résignation face aux lenteurs de l'administration, aux queues interminables devant les magasins, à la pénurie générale des transports, comme aux retards homériques des trains ou des avions. La « débrouille » et l'**ingéniosité** permettent de contourner certaines de ces tracasseries quotidiennes.

Société

Avec les problèmes de logement, la pénurie de transports en commun, le rationnement et les difficultés d'approvisionnement pour les produits de première nécessité (nourriture, vêtements, médicaments, savon), la journée du Cubain se partage en grande partie entre les files d'attente devant les magasins, les heures de trajet, en bus, en stop et les déplacements à pied. Le système D est roi.

TROIS GÉNÉRATIONS SOUS LE MÊME TOIT

Les Cubains sont très proches de leur famille, sentimentalement et géographiquement. Dans un même logement, il est habituel de voir cohabiter grands-parents, parents et enfants ; cette situation est cependant souvent imposée par la crise du logement.

L'organisation du quotidien met en lumière le machisme persistant dans la société cubaine, la quasi-totalité des tâches ménagères incombant d'ordinaire aux **femmes**. Lorsque les deux parents travaillent, la garde des enfants est souvent confiée à l'*abuela* (grand-mère). Au cours de la « période spéciale », la vie des maîtresses de maison a tenu du parcours du combattant. Elles devaient effectuer des distances considérables à pied ou en stop pour faire leurs achats au marché noir ou sur les marchés paysans, patienter dans des queues interminables, parfois en vain, pour obtenir les produits rationnés de la *libreta*, apprendre à composer des menus avec un minimum de victuailles ou déployer des trésors d'ingéniosité pour économiser jusqu'à la dernière goutte de détergent. L'énergie qu'elles déploient au quotidien force souvent le respect.

TÉLÉVISION ET DOMINOS

La pénurie des transports conjuguée à une diminution du pouvoir d'achat a entraîné une baisse de la fréquentation des lieux publics. On reste plus volontiers chez soi, en famille ou entre voisins, calé sur son fauteuil à bascule à regarder la **télévision**. Véritable fenêtre sur le monde extérieur, le petit écran connaît une popularité sans bornes. Le poste est toujours allumé, avec ou sans le son, et les rues sont un peu plus calmes à l'heure de la *telenovela* (feuilleton). Les hommes s'installent parfois autour de la table du salon ou sur le pas de la porte pour de longues parties de **dominos**, le jeu national. Le vieux pick-up réussit de temps à autre à faire des miracles ; une soirée improvisée commence alors, qui dure jusqu'à l'aube.

L'éducation, l'une des priorités de la révolution.
APproductions/iStock

Les enfants habitent chez leurs parents jusqu'au **mariage**. Confrontés au problème épineux de la pénurie de logements, les jeunes époux sont souvent contraints de s'installer chez l'une des deux familles. La promiscuité et le manque d'intimité ne sont sans doute pas étrangers à l'augmentation du taux de **divorce**, notamment en milieu urbain.

L'ÉDUCATION

Lorsque l'on mentionne la révolution cubaine, on cite systématiquement à son actif les domaines de l'éducation et de la santé.

Une priorité de la révolution

Dès 1959, les écoles passent aux mains de l'État, qui assure à tous un libre accès à l'éducation, en instaurant le principe de la gratuité de la scolarité.

L'une des premières grandes croisades du gouvernement fut la **campagne d'alphabétisation** de 1961. Au cours de cette « année de l'Éducation », des milliers d'enseignants et d'étudiants furent envoyés dans les zones les plus reculées de l'île pour apprendre à lire et à écrire à la population, dont 30 % étaient analphabètes. En décembre 1961, une immense manifestation sillonna les rues de La Havane pour fêter le succès de cette campagne. Jusqu'en 1970, le système scolaire et universitaire a été réorganisé avec pour but principal d'ancrer l'éducation dans la réalité socio-économique du pays. En 1968, pour sortir les zones rurales du sous-développement, on créa les **Esbec** (écoles secondaires de base à la campagne). Dans ces internats, les élèves se consacrent aux études et aux travaux agricoles d'une exploitation de 500 ha en moyenne, pour subvenir aux besoins de l'établissement.

Le système éducatif aujourd'hui

Avec un taux d'alphabétisation de 96 %, Cuba se trouve à la tête des pays en voie de développement. L'école est obligatoire jusqu'au 9e degré (équivalent de la quatrième). Chaque coin de rue semble pris d'assaut par des ribambelles d'enfants en **uniforme** rouge bordeaux pour le primaire et jaune moutarde en secondaire. Jupette à bretelles pour les filles, pantalon ou short pour les garçons, chemisette blanche et foulard constituent la tenue imposée. Mais ce secteur a lui aussi pâti de la « période spéciale ». Les fournitures scolaires font parfois défaut : manque de manuels, de cahiers, de stylos et signes de démotivation chez les **enseignants** (un instituteur est payé en moyenne 20 dollars mensuels). De plus en plus de jeunes, à la fin du *pre-universitario* (l'équivalent du lycée), boudent l'université. Les formations classiques n'assurent plus un travail, et la perspective du **chômage** inquiète. Beaucoup d'étudiants et même d'enseignants sont tentés de se rapprocher du tourisme, dans l'espoir de toucher des revenus beaucoup plus conséquents.

LE SPORT

Les Cubains se sont réveillés sportifs au lendemain de la révolution. Source de fierté nationale, le sport est devenu un sujet de prédilection qui alimente bon nombre de conversations. On ne cesse de commenter les exploits des athlètes dont les multiples distinctions, lors des compétitions internationales, ont placé Cuba en tête des pays du tiers-monde et de l'Amérique latine.

Une nation médaillée

Cette activité, longtemps négligée, acquiert dès l'accession au pouvoir de Fidel Castro une place de choix au sein du système éducatif. L'**Inder** (Institut national des sports, de l'éducation physique et des loisirs) est créé en 1961. Dès le primaire, des équipements sont mis à la disposition des écoliers. Dans un pays où le sport a été « déprofessionnalisé » – on ne trouve que des équipes amateurs –, les compétitions scolaires permettent aux meilleurs éléments de se distinguer et de continuer à un niveau plus approfondi dans le secondaire, pour rejoindre ensuite les **Espa** (Écoles Supérieures de Perfectionnement Athlétique).

Les résultats de cette politique sont fulgurants. Les **boxeurs** et **lutteurs** cubains ne cessent de se distinguer en décrochant régulièrement des médailles d'or ou d'argent dans ces disciplines.

Toutefois, le **base-ball** (*béisbol* ou *pelota*) reste le sport national. Il suffit de vous arrêter dans un square ou un jardin public pour assister à des parties endiablées. Armés d'une batte ou d'un gant trop grand pour eux, les enfants répètent inlassablement les gestes de leurs champions favoris. Les Cubains excellent dans cette discipline et ravissent régulièrement la première place aux États-Unis dans les rencontres internationales.

Le pays enchaîne également les performances dans d'autres disciplines, comme en témoigne sa deuxième position aux **Jeux panaméricains** organisés sur l'île en 1991, son cinquième rang aux **Jeux olympiques de Barcelone** (1992), sa huitième place à **Atlanta** (1996) ou sa onzième place par le nombre de médailles à **Athènes** (2004). Résultats contrastés lors des olympiades de Pékin (2008), où l'île s'est classée à la 28e place, avant de remonter au 16e rang à Londres en 2012, et de perdre 2 places à Rio en 2016 (18e rang). Il n'en reste pas moins que des athlètes tels Javier Sotomayor, au saut en hauteur, ou Ana Fidelia Quirot, à la course, ont acquis une renommée internationale. Nombre de sportifs cubains ont profité d'un voyage à l'étranger pour déserter leur pays – footballeurs, et même joueurs de base-ball ou boxeurs de renom, « autant de trahisons » que le pouvoir a du mal à garder secret.

Le sport, un domaine politisé ?

On aurait tort d'imaginer que ces résultats ne s'expliquent que par la volonté du régime de populariser son image. Contrairement à ce qui pouvait se passer pour certains pays du bloc communiste, les athlètes cubains ne sont pas « élevés » en vase clos. Tous les sportifs cubains se révèlent, puis sont sélectionnés dans le système scolaire avant de suivre une solide formation à l'Institut national des sports.

Certes, le sport ne change pas grand-chose aux difficultés de la vie quotidienne, mais il permet une cohésion nationale, dont le régime sait parfaitement tirer parti pour imposer ses décisions. Ces dernières années cependant, la situation s'est quelque peu améliorée.

Habitat

À Cuba, on vit volontiers dehors. Certains quartiers offrent un riche univers sonore : rires d'enfants, disputes, raclement des roues de trottinettes artisanales, bruit sec des fiches de dominos sur une table en plein air, bribes de conversation jaillissant d'un balcon voisin.

DANS LES VILLES

Avec une population de plus de 2 millions d'habitants, La Havane illustre parfaitement le problème généralisé de la surpopulation des villes. Dans les **quartiers populaires**, les familles nombreuses s'entassent dans les anciennes demeures coloniales. Ces maisons agencées autour d'un patio, seul puits de lumière de l'habitation, sont appelées des *solares*. Ce terme, qui a acquis une connotation péjorative, désigne maintenant un habitat communautaire « squatté » par plusieurs familles. À chaque nouveau venu, les pièces sont subdivisées en hauteur, avec l'installation de **barbacoas** (mezzanines), ou en largeur, réduisant l'espace et augmentant la promiscuité.

Les rythmes de percussions qui s'élèvent parfois dans la Vieille Havane sont le signe d'un *guaguancó (voir « Musique et danse », p. 364)* improvisé dans la cour d'un des nombreux *solares* du quartier.

Au lendemain de la révolution, certaines demeures des **quartiers résidentiels** ont été investies par de nouveaux occupants – les anciens propriétaires ayant quitté le pays. Ceux qui sont restés continuent parfois d'habiter ces immenses villas, divisées entre plusieurs générations d'une même famille. Ces anciens hôtels particuliers abritent, pour certains, d'immenses salles au décor suranné : parterre de marbre, vaisselle ancienne, mobilier d'époque, véritable photographie d'un intérieur bourgeois du début du 20e s. D'autres appartements affichent une décoration d'un kitsch déroutant, résultat d'une lente accumulation d'objets hétéroclites au fil des ans : fauteuil à bascule,

LES HÔTELS DE PASSADES

En choisissant de camper la première scène de *Fraise et Chocolat* dans un petit hôtel sordide, Tomás Gutiérrez Alea adresse un clin d'œil aux Cubains. Ces *posadas* (littéralement « abris »), détenues par l'État, font office de remède à la crise du logement. Entre les draps jaunis de ces « auberges pour amoureux » se retrouvent aussi bien les amours légitimes en quête d'intimité que les nombreuses liaisons clandestines.

chaise en plastique, guéridon en bois orné d'un napperon en dentelle, coussin brodé, dessus-de-lit aux couleurs vives. Les étagères croulent sous les bibelots, les cadres, les poupées, les échantillons de parfums et les bouquets de fleurs en plastique.

Dès les années 1960, le gouvernement a tenté de remédier au grave problème du logement en construisant des **zones d'habitation** à la périphérie des villes, à l'emplacement d'anciens bidonvilles. Pour pallier le manque de main-d'œuvre, des volontaires se sont enrôlés dans des « micro-brigades » pour effectuer des travaux de construction, sous la direction d'un architecte d'État. Ils bénéficiaient ainsi d'une priorité au logement dans ces nouveaux édifices. L'expérience la plus réussie dans ce domaine est la zone d'Alamar à l'est de La Havane, où s'élèvent des ensembles de béton à la physionomie plutôt austère. Depuis la « période spéciale », le secteur de la construction d'habitations se trouve au point mort, faute de matériaux.

Quels que soient les régions et les quartiers, les habitants connaissent de fréquentes coupures d'eau, de gaz et de courant (apagones). Outre les coupures dues à la vétusté des installations, plusieurs arrêts hebdomadaires interviennent par secteur, dans un souci d'économie. On s'organise alors entre amis pour profiter de la lumière d'un quartier épargné.

DANS LES CAMPAGNES

La situation est encore plus critique en dehors des villes. L'un des acquis révolutionnaires est pourtant d'avoir sorti les zones rurales de leur sous-développement : constructions d'écoles et d'hôpitaux dans les campagnes, projets d'assainissement de certaines régions comme la péninsule de Zapata, constructions de 400 **communautés rurales** comme celle de Las Terrazas dans la Sierra del Rosario *(voir p. 102)*. Ces bâtiments offrent des conditions d'hygiène plus acceptables que certains **bohíos** (cabanes), mais les campagnes restent encore largement parsemées de ces cabanes isolées, masures en bois coiffées d'un toit de palme ou de tôle disposant d'un confort plus que rudimentaire, à la limite de l'insalubrité – sol en terre battue, absence d'électricité et d'eau courante dans les zones reculées.

Les **villages** sont généralement composés de maisons en bois aux couleurs pastel délavées par le soleil. Le long de la rue principale, ces dernières présentent un alignement de portiques sous lesquels les habitants prennent le frais en fin de journée. Le village de Viñales, dans la province de Pinar del Río, en offre un exemple pittoresque *(voir p. 108)*.

Statue de Christophe Colomb sur une plage de Guardalavaca.
S. Boisse/Photononstop

Histoire

La colonisation espagnole

Le 28 octobre 1492, **Christophe Colomb** aborde les côtes de Cuba par la baie de Bariay, à l'est de Gibara (le lieu exact fait encore l'objet de controverses). L'amiral de la mer Océane, porteur d'un message destiné à l'empereur de Chine de la part des Rois Catholiques, est convaincu d'avoir atteint Cipangu au Japon par la nouvelle route des Indes. Il baptise le territoire « Juana » en l'honneur de l'infante d'Espagne. Ce n'est qu'en 1508 que l'explorateur Sebastián de Ocampo conclura que Cuba est bien une île.

UNE CONQUÊTE DESTRUCTRICE

Sur ordre de la Couronne espagnole, **Diego Velázquez de Cuéllar** débarque à Cuba en 1511, accompagné d'une armée de 300 hommes, avec pour mission de coloniser ce nouveau territoire. Les foyers épars de résistance indienne, dont la révolte menée par le cacique (chef indien) **Hatuey** *(voir encadré page suivante)*, sont rapidement éliminés. Face à une conquête brutale faite de pillages et de massacres, la population indigène ne peut que s'incliner. Quatre ans plus tard, les conquistadors ont déjà fondé sept *villas* (localités) près des mines d'or et sur le littoral.

Les colons organisent une société fondée sur l'esclavage des Indiens – un système dénoncé par **Bartolomé de Las Casas**. L'extermination massive, les traitements inhumains ainsi que les maladies nouvelles venues d'Europe, comme la variole, conduiront en quelques décennies à la quasi-disparition des autochtones et à leur remplacement par des esclaves africains. Très rapidement, les filons aurifères, qui avaient attiré la convoitise des conquistadors, s'épuisent eux aussi. D'autres terres, plus prometteuses, suscitent alors un intérêt croissant : c'est le début des expéditions vers la Floride ou le Mexique, comme celles d'Hernán Cortés à partir de 1519.

LE « PARVIS DU NOUVEAU MONDE »

Dès la fin du 16e s., Cuba se repeuple et commence à jouir d'une réputation de plate-forme commerciale. Située entre l'Ancien et le Nouveau Monde, elle sert d'escale aux navires chargés de marchandises qui effectuent la liaison entre l'Espagne et ses colonies.

De nouvelles richesses

L'introduction du « roseau sucré », aux premiers temps de la conquête de l'île, donne naissance à une **industrie sucrière** qui ne cessera de se moderniser au fil des siècles. Vers la fin du 16e s., on construit les premiers *trapiches*, petits moulins actionnés par des animaux ou des hommes. En l'absence de main-d'œuvre indienne, les colons ont recours à un nombre croissant d'esclaves africains. La **traite négrière** ne cessera qu'à la fin du 19e s., époque à laquelle les Noirs auront dépassé en nombre les Blancs. En marge de cette industrie, Cuba se consacre à la culture du tabac *(voir p. 380)* ainsi qu'à l'élevage.

Cependant, les échanges sont soumis au monopole commercial de l'Espagne, la métropole imposant des taxes et des conditions commerciales de plus en plus drastiques pour les *criollos* (Espagnols nés à Cuba que l'on oppose aux *peninsulares* nés en Espagne). Plusieurs révoltes de *vegueros* (planteurs de tabac) éclatent au début du 18e s. contre le monopole du tabac imposé en 1717. Ce climat de méfiance vis-à-vis de la métropole coïncide avec la concurrence à laquelle se livrent les différentes puissances européennes à la recherche de nouveaux marchés. **Pirates** et corsaires à la solde des puissances ennemies de l'Espagne font de nombreuses incursions sur l'île jusqu'à la fin du 18e s. Victimes de pillages incessants, les habitants prennent aussi l'habitude de se livrer à des activités de contrebande avec les écumeurs des mers, contournant ainsi le lourd monopole commercial de la Couronne espagnole.

L'économie cubaine prospère

L'occupation de La Havane par les **Anglais** *(voir p. 342)*, à partir d'août 1762, marque un tournant décisif dans l'économie cubaine. Au cours de ces dix mois, la capitale découvre la liberté du commerce et s'oriente vers de nouveaux marchés, notamment les colonies américaines. Elle conservera son ouverture au commerce international même

---

HATUEY, LE PREMIER HÉROS NATIONAL

Vous n'avez pu manquer l'Indien au profil volontaire dont l'effigie orne les bouteilles de bière de la marque Hatuey. Ce cacique (chef indien) en provenance de Saint-Domingue prit la tête de la révolte indienne contre les conquistadors espagnols dès leur arrivée sur l'île. Après plusieurs mois de siège dans la région de Baracoa, il fut repoussé dans les montagnes, puis capturé. On raconte qu'avant d'être immolé, Hatuey refusa d'être baptisé par les Espagnols, de crainte de retrouver les chrétiens dans l'au-delà. En périssant sur le bûcher en 1512, ce symbole de la résistance indienne devint le premier héros national de la lutte pour l'indépendance de Cuba.

après le retrait de l'Angleterre. Au lendemain de leur indépendance, les États-Unis multiplient leurs échanges avec Cuba, pour devenir en un siècle le marché principal de certains de ses produits. Enfin, la révolte des esclaves, menée par Toussaint Louverture en Haïti en 1791, constitue une aubaine pour l'économie cubaine. La ruine des plantations françaises sur l'île voisine génère une flambée des prix de la production sucrière cubaine. Pour répondre à la demande internationale, le pays doit moderniser son infrastructure : des *ingenios* (moulins à sucre) modernes sont construits, et la première ligne de chemin de fer est inaugurée en 1837.

Les guerres d'indépendance

Dès la fin du 18e s., un important mouvement d'émancipation embrase tout le continent américain. En 1825, seuls Puerto Rico et Cuba demeurent sous la férule espagnole.

UNE INSATISFACTION GÉNÉRALISÉE

Au début du 19e s., un fort mécontentement règne au sein de l'ensemble de la société cubaine. Quelques révoltes de *cimarrones* (esclaves fugitifs), réfugiés dans des *palenques* (camps fortifiés), sont étouffées. Il faudra attendre l'issue de la première guerre d'indépendance pour que l'esclavage soit définitivement aboli, en 1886.
La main-d'œuvre durement touchée par la mécanisation de certains secteurs, dont celui du tabac, organise un mouvement ouvrier entre 1850 et 1860.
Les conflits d'intérêts entre l'Espagne et les propriétaires créoles s'accentuent. Face aux

mouvements indépendantistes qui s'organisent à partir de 1820, l'Espagne choisit la voie de la répression en augmentant le nombre de soldats sur place. Cette période agitée crée également des dissensions parmi les riches créoles : les **loyalistes**, favorables à la domination espagnole, s'opposent aux **annexionnistes**, désireux de se réfugier dans le giron nord-américain dont les intérêts dans l'île vont croissant. L'existence de partisans du rattachement de Cuba aux États-Unis conduit, en 1850, à l'invasion de Cárdenas par la troupe de Narciso López *(voir p. 150)*. Après l'abolition de l'esclavage aux États-Unis en 1865, l'annexionnisme perd beaucoup de ses partisans. Ceux-ci se tournent vers le mouvement réformiste prônant une résolution pacifique et graduelle de leurs difficultés. L'Espagne reste sourde à leur appel et commet l'irréparable en intensifiant une fois de plus la pression fiscale en 1867.

TRENTE ANS DE LUTTE

Lorsque le 10 octobre 1868 **Carlos Manuel de Céspedes** actionne la cloche de son domaine de La Demajagua *(voir p. 257)*, l'heure de la lutte armée a enfin sonné. Ce propriétaire terrien, qui vient de libérer les esclaves de son *ingenio* (moulin à sucre), prend la tête d'une petite armée pour délivrer son pays du joug colonial. Cet épisode marque le début de la **guerre des Dix Ans**. L'année suivante, l'assemblée de la République en Armes abolit l'esclavage et nomme Céspedes président. Armés de *machetes*, les **mambises** (terme utilisé par les indépendantistes eux-mêmes, signifiant « rebelles » en congolais) progressent dans l'île ; des soulèvements ont lieu dans les provinces du Centre, particulièrement à Camagüey, où le jeune patriote **Ignacio Agramonte** mène une lutte active.

Des ancêtres issus de quatre continents

Depuis le début de la colonisation, les vagues successives d'immigration ont abouti à un lent métissage de la population.

Les Indiens

À l'arrivée de Christophe Colomb, l'île était occupée par environ 100 000 Indiens appartenant à des groupes distincts. Contrairement aux indigènes issus de la famille des Caraïbes (ou Karibs) qui peuplaient d'autres îles des Antilles, les Indiens de Cuba étaient principalement des **Arawaks**.

Les **Guanahatabeyes** s'installèrent les premiers à Cuba aux environs de 2000 av. J.-C. Ce peuple primitif vivait de la cueillette et de la chasse, et confectionnait des outils avec des coquillages. On a retrouvé leurs traces à l'intérieur de cavernes dans la région de Pinar del Río.

Puis une deuxième vague de peuplement vit arriver les **Siboneyes**, peuple de chasseurs et de pêcheurs. Ils fabriquaient aussi des ustensiles sommaires avec des coquillages, mais utilisaient également la pierre et le bois. Ils occupaient essentiellement le centre et le sud du pays. Il subsiste quelques vestiges de leurs peintures rupestres, les plus remarquables décorant les parois de la grotte de Punta del Este, sur l'île de la Jeunesse *(voir p. 312)*. Les Siboneyes furent partiellement réduits en esclavage à l'arrivée d'une troisième tribu plus évoluée.

Les **Taïnos**, peuple sédentaire cultivateur de *yuca* (manioc), de maïs et de tabac, débarquèrent à Cuba 200 ans avant la conquête espagnole. Ils construisirent des villages composés de *bohíos* (huttes) regroupés autour du *caney*, le bungalow de forme circulaire habité par le cacique (chef indien) *(voir « La péninsule de Zapata », p. 157)*. Ils pratiquaient la poterie et le tissage. Ce sont eux qui ont le plus marqué la culture cubaine, notamment dans le domaine linguistique. La population indienne a pratiquement disparu à l'issue de la conquête espagnole. Il ne reste que quelques descendants de Taïnos réfugiés dans les montagnes de la région de Baracoa.

Les Européens

L'essentiel de la colonisation est d'origine **espagnole**, mais l'on trouve également des groupes minoritaires d'Italiens, de Portugais et d'Allemands. Les régions pauvres sont les plus représentées : Galice (terre des ancêtres de Fidel Castro), Asturies, Extrémadure et îles Canaries. On opposera par la suite les *peninsulares*, nés en Espagne, aux *criollos*, descendants d'Espagnols nés à Cuba. À la fin du 18e s., des **Français** chassés d'Haïti par la révolte des esclaves se sont installés dans la région orientale de l'île. Un siècle plus tard, on assiste à une nouvelle vague d'immigration composée de Français, d'Italiens, d'Allemands et de Britanniques venus faire fortune à Cuba.

Résultat de la coopération économique et culturelle entre les pays du bloc socialiste et Cuba au cours de ces dernières décennies, des Cubains sont restés

La Havane, Barrio Chino.
S. Muylaert/Michelin

en **Europe de l'Est** tandis que des Polonais, des Tchèques et des Russes se sont installés définitivement à Cuba.

Les Africains

Du début du 16e s. à l'abolition de l'esclavage (1886), un million d'Africains auraient été amenés sur l'île pour travailler dans les plantations. Au milieu du 19e s., les Noirs forment plus de la moitié de la population de l'île – un recensement de 1841 fait état de 418 291 Blancs et de 589 333 Noirs, esclaves et libres confondus. D'origines ethniques variées, on peut cependant distinguer des groupes majoritaires : les *Congos* (bantous), les *Carabalís* (Calabar), les *Ararás* (Dahomey) et surtout les **Yorubas** (ou *Lucumis*), dont l'influence se ressent fortement dans la culture cubaine, plus particulièrement dans le domaine religieux. Entre 1913 et 1927, face à un besoin croissant de main-d'œuvre dans les plantations, on a fait venir 250 000 Noirs de Jamaïque et d'Haïti.

Les Chinois

La présence asiatique à Cuba est surtout visible dans le Barrio Chino (quartier chinois) de La Havane *(voir p. 59)*. Le premier bateau de travailleurs **en provenance de Canton** arrive sur l'île en 1847. Environ 120 000 Chinois auraient immigré à Cuba au cours de la seconde moitié du 19e s. Au titre de la coopération, de nombreux ouvriers chinois sont venus pour travailler à Cuba, notamment dans le secteur pétrolier. Aujourd'hui, les Chinois constitueraient à peine 0,1 % de la population.

Paralysés par des dissensions internes, les indépendantistes ne réussissent pas à mener une action unitaire qui aurait pu compenser l'insuffisance de leurs armes. Ils déplorent également la perte de plusieurs de leurs chefs militaires, dont celle de Carlos Manuel de Céspedes en 1874.

Le 10 février 1878, la signature du **pacte de Zanjón** entre le général espagnol Martínez Campos et les *mambises* marque la fin de la guerre des Dix Ans. Plusieurs généraux dont **Antonio Maceo** s'élèvent contre cette paix « au rabais » qui n'accorde ni émancipation aux esclaves ni indépendance à l'île. Malgré l'appel à la reprise des combats, connu sous le nom de « **Protesta de Baraguá** » (15 mars 1878), le traité de paix sera signé et la plupart des généraux contestataires prendront le chemin de l'exil. C'est donc à l'extérieur de l'île que le mouvement indépendantiste va se réorganiser. L'acteur principal de la lutte pour l'indépendance est le héros national **José Martí** *(voir encadré)*, qui crée en 1892 le Parti révolutionnaire cubain. Il est parvenu à tisser un véritable réseau à travers tout le continent latino-américain, en préparation du soulèvement armé de Cuba. Cette seconde guerre éclate en février 1895. Deux mois plus tard, **Antonio Maceo**, Máximo Gómez et José Martí débarquent à Cuba pour envahir l'île d'est en ouest à la tête des troupes de libération. José Martí tombe au combat le 19 mai, peu de temps après le débarquement, mais les rebelles continuent leur avancée en direction des provinces occidentales. Le 22 mars 1896, Maceo se trouve déjà à Mantua, dans la région de Pinar del Río. Pour contrer l'avancée des *mambises*, la métropole nomme comme capitaine-général de l'île **Valeriano Weyler**. Dès octobre 1896, celui-ci organise un système de *reconcentración* (camps de concentration) afin de parquer les paysans, privant ainsi les rebelles de leur soutien. Les rebelles quant à eux pratiquent la tactique de la terre brûlée, ravageant les exploitations aux mains des riches colons. Le gouvernement espagnol rappelle le général Weyler et opte pour une ligne plus modérée. Les événements vont alors s'enchaîner jusqu'à faire sortir ce conflit du strict cadre hispano-cubain.

L'intervention américaine

Face aux propositions d'autonomie, les *mambises* refusent de transiger, et la capitale connaît une succession de troubles au début de l'année 1898. Les États-Unis décident alors d'envoyer un cuirassé dans la baie de La Havane afin de protéger leurs intérêts (à la fin du 19e s., les investissements américains à Cuba étaient considérables, particulièrement dans le tabac, les mines et le sucre). Lorsque le 15 février 1898 le cuirassé **Maine** de la base navale américaine explose, ils disposent enfin d'un excellent prétexte pour entrer dans cette guerre. Les versions sur l'origine de cette explosion divergent : accident, acte criminel perpétré par les Espagnols ou par les Américains eux-mêmes ? Sous le choc, l'opinion publique américaine réclame réparation. Dès le 25 avril suivant, les États-Unis déclarent la guerre à l'Espagne. En moins de trois mois, l'armée coloniale capitule à Santiago. Le traité de Paris signé le 10 décembre 1898 par les États-Unis et l'Espagne accorde **l'indépendance à Cuba**… aussitôt placée sous occupation militaire nord-américaine.

L'hégémonie américaine

Cuba est immédiatement dotée d'un **gouvernement militaire**

américain renforcé par la présence de troupes d'occupation.

DES GOUVERNEMENTS FANTOCHES

Lorsque l'Assemblée constituante se réunit en 1901, les Américains conditionnent leur retrait du pays à l'insertion dans la Constitution cubaine de l'**amendement Platt**. Ce texte, élaboré par le sénateur américain du même nom, réserve aux États-Unis le droit d'intervenir à tout moment dans les affaires de l'île. Cuba est obligée de se plier aux exigences américaines pour enfin accéder à une indépendance formelle le 20 mai 1902, date de l'élection du premier président conservateur Tomás Estrada Palma, soutenu par les Américains. L'économie est également aux mains des États-Unis, qui détiennent la quasi-totalité du capital et bénéficient d'un traité de réciprocité commerciale. Accusé de fraudes électorales, Tomás Estrada Palma fait appel aux États-Unis en vertu de l'amendement Platt pour reconduire un second mandat. Un nouveau gouvernement militaire s'installe à Cuba de 1906 à 1909 pour remettre de l'ordre dans les affaires internes de l'île. Les décennies qui suivent voient une succession de présidents fantoches et corrompus.

DE RÉVOLTES EN COUPS D'ÉTAT

Des mouvements ouvriers s'organisent alors contre la corruption et la paupérisation grandissante du peuple cubain accentuée par la baisse du prix du sucre sur le marché américain. En 1925, le **Parti communiste cubain** est fondé par Julio Antonio Mella, un leader étudiant. La même année, le président **Gerardo Machado** se retrouve à la tête du pays pour faire face à de nombreuses **grèves** dans les secteurs sucrier et ferroviaire, mouvements qui culminent en intensité au moment de la crise économique de 1929. Face au mécontentement général, Machado riposte par une répression féroce. Une grève générale en 1933 conduit finalement le dictateur à démissionner et à s'enfuir du pays. Le 4 septembre de la même année, un groupe d'étudiants et de militaires va rapidement renverser le successeur de Machado, Ramón Grau San Martín. Parmi eux, le sergent **Fulgencio Batista**, qui occupe le poste de chef des armées, va en réalité exercer le pouvoir à sa guise jusqu'en 1940, année de son élection. Fait notable, l'amendement Platt est aboli en 1934. Les deux présidents qui succèdent à Batista à partir de 1944 sont loin de rompre avec le climat de corruption qui règne dans la

L'APÔTRE DE L'INDÉPENDANCE

Des rues portent son nom, chaque hameau lui a au moins érigé une statue, ses pensées et sa poésie sont connues de tous les Cubains. Qui n'a pas fredonné « Yo soy un hombre sincero de donde crece la palma… », l'adaptation de ses *Versos Sencillos* (1891) sur l'air de la Guantanamera ? **José Martí** (1853-1895), penseur, poète, journaliste, révolutionnaire et héros national, aura pourtant passé la majeure partie de sa vie à l'étranger. À 16 ans, il est déporté sur l'île des Pins (actuelle île de la Jeunesse) en raison de ses activités indépendantistes, puis il est envoyé en exil en Espagne. Après un séjour en Amérique latine, il s'installe aux États-Unis où la découverte des « entrailles du monstre » lui fera redouter autant l'impérialisme américain que la colonisation espagnole. Il n'a pas le temps de voir sa prophétie se réaliser, puisqu'il meurt au combat le 19 mai 1895.

vie politique de l'île. Quelques mois avant la tenue d'une nouvelle élection présidentielle, le 10 mars 1952, Batista s'empare du pouvoir par un **coup d'État**. Jusqu'en 1959, cette dictature soutenue par les États-Unis sera le symbole de la corruption, de la mafia, de la défense exclusive des intérêts étrangers et d'une répression sanglante vis-à-vis des opposants au régime.

La révolution

Le coup d'État de Batista est suivi d'une succession d'actions destinées à renverser la dictature. Un mouvement plus profond prend corps, visant à jeter les bases d'une nouvelle société.

LA CHUTE DE BATISTA

La première pierre de l'édifice révolutionnaire est posée par un groupe de jeunes dirigé par **Fidel Castro Ruz** – présent sur la scène politique depuis 1948 – qui décide de s'emparer de l'arsenal de la caserne militaire **Moncada** à Santiago. Le 26 juillet 1953, alors que le carnaval bat son plein, une centaine d'assaillants tente de conquérir la place forte, mais l'attaque se solde par un échec. Batista lance aussitôt une série de représailles sanglantes contre les assaillants, dont la moitié est torturée et assassinée.

Un manifeste politique

Cet assaut manqué est surtout passé à la postérité à l'issue du procès des survivants : dans sa plaidoirie restée célèbre, *L'histoire m'acquittera*, Fidel Castro fait plus qu'assurer sa propre défense puisqu'il expose ses revendications et son programme politique. Ce texte deviendra en quelque sorte le manifeste de la révolution. Fidel Castro est condamné, avec ses compagnons, à 15 ans de travaux forcés sur l'île des Pins (actuelle île de la Jeunesse). Le 15 mai 1955, sous la pression populaire, Batista amnistie les assaillants de Moncada. Dès leur sortie de prison, les rebelles réorganisent leur mouvement. La direction du **M-26** (Mouvement du 26-Juillet), ainsi nommé en souvenir de l'attaque de Moncada, est confiée à **Frank País** à Santiago. Fidel Castro, quant à lui, gagne le Mexique pour rassembler des fonds et préparer son futur débarquement à Cuba. Dès le début de son séjour, en juillet 1955, il rencontre un jeune médecin argentin, **Ernesto « Che » Guevara**, qui décide de se joindre à l'expédition.

Les prémices de la révolution

Le 2 décembre 1956, 82 hommes épuisés par une traversée d'une semaine à bord du **Granma** accostent – ou, comme dira le Che, « font naufrage » – à Playa Las Coloradas. Le mauvais temps a retardé leur arrivée, censée coïncider avec plusieurs soulèvements de diversion organisés par le M-26 dans la province orientale. L'alerte est rapidement donnée. Trois jours plus tard, les troupes de Batista encerclent les rebelles à Alegría del Pío. Seule une poignée d'hommes parvient à s'échapper – Che Guevara est blessé – pour trouver refuge dans la **Sierra Maestra**. Les **barbudos** (barbus), s'étant attiré peu à peu les bonnes grâces des paysans, entament une véritable guerre des nerfs avec Batista. Ils publient un journal, le *Cubano libre* ; Fidel Castro accorde en février 1957 un entretien à Herbert Matthews, un journaliste du *New York Times* ; et Radio Rebelde commence à émettre un an plus tard.

Une progression décisive

Le 5 mai 1958, Batista décide de lancer l'assaut final pour éliminer une bonne fois pour toutes ce

« foyer d'agitateurs ». Mais son armée de 12 000 hommes est tenue en échec par les quelque 300 *barbudos*, qui connaissent la Sierra Maestra dans ses moindres recoins. La déroute de l'armée batistienne renverse les rapports de force. Le moment est venu de descendre de la montagne pour passer à l'action. Che Guevara et Camilo Cienfuegos prennent la tête de deux colonnes et entament leur progression vers La Havane. Le 28 décembre, Che Guevara et ses hommes sont aux portes de Santa Clara. Après trois jours de siège, la ville tombe aux mains des rebelles le 31 décembre 1958. Batista prend la fuite pour la République dominicaine dans la nuit. Dès le 2 janvier 1959, les *barbudos* défilent dans La Havane. Fidel Castro les rejoint le 8 après avoir traversé l'île en vainqueur d'est en ouest. Le soir, il prononce la première de ses interventions télévisées, qui rythmeront désormais la vie des Cubains.

LE TRIOMPHE DE LA RÉVOLUTION

En 1959, le niveau de vie de la population est extrêmement bas, le taux de chômage élevé, et les Américains détiennent un monopole commercial dans les principaux secteurs de l'île.

Dès les premiers jours de 1959, les révolutionnaires s'attellent à transformer le paysage social, économique et politique du pays.

Le temps des réformes

La présidence de la République provisoire est assurée par Manuel Urrutia, tandis que Fidel Castro devient Premier ministre. Une série de réformes immédiates vise à l'augmentation des salaires, la baisse des prix des services publics et des loyers, la nationalisation du téléphone, le développement de l'instruction, l'amélioration du système de santé publique. De nombreuses sanctions sont prises contre les responsables en poste sous Batista. Le nouveau gouvernement récupère les « biens mal acquis » durant cette période et se livre à une série de procès, d'arrestations et d'exécutions ainsi qu'à une sérieuse épuration de l'armée, de la police et de l'administration.

La première **loi de réforme agraire** est promulguée le 17 mai 1959. La taille des exploitations étant désormais limitée à 400 ha, on assiste à l'expropriation de grandes entreprises américaines au profit de plus de 100 000 paysans cubains. En juillet, le président Urrutia, destitué pour ne pas avoir défendu correctement les mesures

---

L'ICÔNE DE LA RÉVOLUTION

Séduisant guérillero coiffé d'un béret étoilé, cheveux longs et barbe en broussaille perdus dans les volutes de fumée de son cigare, cadavre aux allures christiques : autant de photographies célèbres du **Che** qui perpétuent l'image romantique de la révolution cubaine. La plus connue est celle prise en 1960 par le photographe cubain Korda, mort en France fin mai 2001. **Ernesto Guevara**, jeune médecin de nationalité argentine, devient un mythe en s'engageant aux côtés de Fidel Castro pour libérer Cuba. Nommé ministre de l'Industrie en 1961, il développe sa théorie de « l'homme nouveau » qui, mû par des stimulants moraux et non matériels, doit s'affranchir de toute forme d'aliénation. Internationaliste convaincu, le Che prend finalement congé du peuple cubain pour porter son idéal révolutionnaire vers d'autres fronts. Pris dans une embuscade en Bolivie, il est exécuté le 9 octobre 1967, à l'âge de 39 ans.

révolutionnaires, est remplacé par **Osvaldo Dorticós**, qui restera à la présidence de Cuba jusqu'en 1976.

La crise cubano-américaine

Cuba connaît rapidement des difficultés économiques dues à la fuite des capitaux, au départ de nombreux techniciens à l'étranger et à la baisse du cours du sucre. Durant l'année 1960, La Havane et Washington se livrent à une surenchère de mesures exacerbant les tensions entre les deux pays. En janvier 1960, les États-Unis réduisent leur importation de sucre. Le mois suivant, non seulement l'**URSS** s'engage à acquérir un quota de sucre équivalent, mais, le 8 mai 1960, elle renoue aussi des relations diplomatiques avec Cuba. Les États-Unis voient plutôt d'un mauvais œil le rapprochement entre les deux nations. Aussi, lorsque le pétrole brut soviétique arrive à Cuba, les raffineries américaines refusent-elles de le traiter. Le gouvernement cubain **nationalise** aussitôt ces entreprises (Texaco, Standard Oil et l'anglo-hollandaise Shell) par mesure de rétorsion. Washington annonce une nouvelle réduction de ses importations de sucre de 700 000 tonnes. La réponse cubaine ne se fait pas attendre : les propriétaires dans le domaine sucrier sont expropriés, sans contrepartie financière, puis les banques sont nationalisées.

Lorsque les États-Unis décident d'un **embargo** sur certains produits nord-américains à destination de Cuba, en octobre 1960, les conséquences pour l'île sont désastreuses. La majorité des échanges s'effectuant avec les États-Unis, Cuba est contrainte de se tourner vers de nouveaux partenaires économiques comme l'URSS, la Chine et la RDA. Les dernières entreprises américaines sont nationalisées le 24 octobre. Le 19 décembre, les États-Unis cessent toute importation de sucre cubain et, le 3 janvier 1961, Washington rompt toute relation diplomatique avec La Havane. Dans le contexte de la guerre froide, cette série de tensions allait tout naturellement conduire Cuba à se ranger aux côtés de l'URSS.

UNE ESCALADE IRRÉVERSIBLE

En marge de ces conflits diplomatiques, de nombreux complots se trament pour renverser Fidel Castro. Le 15 avril 1961, trois aéroports cubains sont bombardés par les Américains. Le lendemain, au cours des funérailles des victimes de l'attaque, Fidel Castro annonce publiquement le caractère socialiste de la révolution. Le 17 avril, une troupe d'exilés cubains soutenus par la CIA débarque dans la **baie des Cochons**. Cette tentative d'invasion se solde rapidement par un échec puisque, trois jours plus tard, plus de 1 000 mercenaires sont faits prisonniers. Le « géant

---

DES DISCOURS FLEUVES

Grand orateur, **Fidel Castro** assomme ou captive – selon son auditoire –, avec ses discours fleuves. Le plus long eut lieu en 1968 lors de la réunion du Comité central : 12 heures et 20 minutes ! L'affaire était grave. Il s'agissait de purger le Parti de quelques éléments inféodés à Moscou. Le plus court ne dura que 20 minutes, en clôture du VIe Sommet des pays non alignés, qui eut lieu à La Havane en 1979. Pour l'ouverture, le Líder avait tenu la salle en haleine pendant 2 heures et demie.

Fidel Castro et Che Guevara (portrait du Che d'après la photo d'Alberto Díaz Gutiérrez, dit Korda).
P. Escudero/hemis.fr

imperialiste », qui vient de subir son premier revers, met en place en février 1962 un **blocus** *(bloqueo)* total de l'île – toujours en vigueur – interdisant toute relation économique avec Cuba.

Le conflit le plus retentissant qui oppose les États-Unis à l'île caraïbe va durer 13 jours au cours du mois d'octobre 1962. Pendant ce que l'on appellera la **crise des missiles**, qui a failli faire basculer la planète dans une troisième guerre mondiale, le monde entier garde les yeux rivés sur ce petit territoire. Le 14 octobre 1962, des avions espions américains U2 découvrent des rampes de missiles nucléaires soviétiques installées dans l'ouest de Cuba, en face de la Floride. Les États-Unis organisent immédiatement un blocus naval de Cuba et exigent le démantèlement des rampes. Kennedy et Khrouchtchev parviennent à un accord le 28 octobre, sans consultation préalable du gouvernement cubain : les fusées sont retirées en échange de la promesse américaine de ne pas envahir l'île.

L'OUVERTURE SUR L'ÉTRANGER

Vers le milieu des années 1960, Cuba se tourne vers les pays d'**Amérique latine** (Venezuela, Colombie, Guatemala, Bolivie) pour apporter son soutien aux guérillas révolutionnaires. Puis les années 1970 sont ponctuées de petites victoires sur l'isolement dans lequel les États-Unis ont voulu maintenir le pays, en l'excluant en janvier 1962 de l'OEA (Organisation des États américains). Fidel Castro se rend au Pérou, en Équateur et au Chili. Tour à tour, plusieurs pays d'Amérique latine (Barbade, Guyana, Jamaïque, Trinité-et-Tobago, Panamá, Venezuela, Colombie) rétablissent leurs relations diplomatiques avec l'île. C'est également l'époque de l'engagement cubain dans les révolutions du **continent africain**. Cuba envoie 20 000 hommes en **Angola**, à la demande d'Agostinho Neto, leader du MPLA (Mouvement Pour la Libération de l'Angola), pour contrer des rebelles soutenus par les États-Unis et l'Afrique du

Sud. Fin 1988, l'accord de New York prévoit le retrait des troupes cubaines et les 50 000 Cubains stationnés en Angola rentrent en 1989, en contrepartie de l'indépendance de la Namibie. Des soldats sont aussi envoyés en 1978 en **Éthiopie** pour aider le chef d'État Mengistu Haïlé-Mariam à réprimer une rébellion nationaliste. En hommage à sa présence sur tous ces fronts, Cuba se voit confier la présidence du **VIᵉ Sommet des pays non alignés** qui se tient l'année suivante dans l'île.

À la recherche d'une nouvelle voie

Alors qu'à partir de 1980 plus aucun pays étranger n'intervient dans les affaires internes de Cuba, la perspective d'une crise économique sans précédent assombrit l'avenir de l'île.

DES SIGNES D'ESSOUFFLEMENT

Au cours de l'été 1979, 100 000 exilés sont autorisés à rendre visite à leur famille à Cuba. Le choc est rude pour les deux communautés, particulièrement pour les insulaires, qui font incontestablement figure de parent pauvre. L'année suivante, un nombre grandissant de candidats à l'exil cherchent refuge dans les ambassades étrangères de La Havane. Le 22 avril, des embarcations de Cubains exilés à Miami accostent dans le port de **Mariel** pour venir chercher leurs compatriotes. Fidel décide alors de laisser partir ceux qui le désirent. Après quelques hésitations, le président américain Jimmy Carter déclare accueillir tous les réfugiés. En quatre mois, plus de 125 000 *marielitos* rejoindront la Floride à bord d'embarcations de fortune.

Une crise tous azimuts

Cette même année se révèle désastreuse dans de multiples domaines : les cannaies et les plantations de tabac sont victimes de maladies ; le cheptel porcin est touché par la peste ; une épidémie de fièvre tropicale – rapportée par les soldats d'Angola – s'abat sur 300 000 personnes. Sur le plan international, les nouvelles ne sont pas meilleures puisque les Américains viennent d'élire Ronald Reagan, farouche opposant au régime cubain. Ses deux mandats seront placés sous le signe de l'hostilité à l'encontre de Castro. En 1982, il autorise la station de propagande anticastriste **Radio Martí** à émettre depuis la Floride vers Cuba.

La répression castriste

La décennie qui suit est marquée, en politique intérieure, par le lancement, en 1986, de la campagne de **rectification des erreurs**, destinée à lutter contre les maux engendrés par la bureaucratisation et le centralisme étatique. Le 13 juillet 1989, la nation est sous le choc : le général Arnaldo Ochoa Sánchez, héros de la guerre d'Angola, est exécuté avec trois autres officiers à l'issue d'un procès expéditif pour corruption et trafic de drogue avec les États-Unis. L'**affaire Ochoa** déclenche une période de purges et d'arrestations, ainsi que d'importantes restructurations au niveau politique.

LA « PÉRIODE SPÉCIALE EN TEMPS DE PAIX »

Sur fond de scandale politique, la dislocation du bloc socialiste ne pouvait qu'ébranler un peu plus le pouvoir cubain, privé de son soutien idéologique et économique. De novembre 1989 (chute du mur de Berlin) à la disparition de l'URSS fin 1991, les livraisons soviétiques souffrent de retards qui affectent durement le quotidien de l'île. En septembre 1990 débute la « période spéciale en temps de paix », qui plonge Cuba dans une véritable **économie de survie** : investissements stoppés ou ralentis selon les secteurs, fermetures d'usines, instauration de coupures de courant *(apagones)* et suppression de nombreux transports en commun pour réaliser des économies d'énergie. Les queues s'allongent devant les magasins d'État qui ne sont pratiquement plus approvisionnés. Les ménagères trouvent de plus en plus rarement les produits de base de la *libreta*, carnet de rationnement que doit présenter chaque famille, depuis 1962, pour faire ses achats. C'est le règne de la débrouille, la population invente des solutions de substitution, le **marché noir** bat son plein.

Une timide libéralisation

Entre le blocus économique imposé par les Américains et la fin de l'association privilégiée avec les anciennes nations du bloc soviétique, Cuba doit se tourner vers d'autres pays et monter rapidement des joint-ventures avec des capitaux étrangers, notamment dans le secteur du tourisme, des mines et du pétrole. Au pire moment de la « période spéciale » (1993-1994), le gouvernement s'engage dans une voie plus libérale, aboutissant à une sorte d'économie de marché sous puissant contrôle étatique. En théorie, l'État socialiste est toujours censé couvrir les besoins de la population, mais le régime encourage alors les initiatives économiques individuelles, officielles ou informelles. Ainsi, en août 1993, la possession de **dollars** n'étant plus considérée comme un délit, les Cubains détenteurs de devises sont autorisés à s'approvisionner dans les *diplotiendas* (magasins en devises). Une loi du 8 septembre 1993 ouvre 117 activités aux *cuentapropistas* (entrepreneurs individuels) : plus de 200 000 Cubains s'établissent ainsi à leur propre compte. En 1994, le gouvernement autorise la création d'*agromercados*, marchés privés où les paysans peuvent écouler leur production à un prix supérieur aux magasins d'État.

Malgré cette timide libéralisation, au mois d'août 1994, le gouvernement doit faire face à un nouveau mouvement d'exode massif. Durant la **crise des balseros** (les *balsas* sont des radeaux de fortune), 35 000 Cubains tenteront de rejoindre les côtes de Floride. Vingt mille d'entre eux, refoulés par les gardes-côtes, resteront enfermés jusqu'au mois de mai 1995 sur la base de Guantánamo, dans l'attente d'un accord entre Washington et La Havane.

LA POLITIQUE AMÉRICAINE : DE FAUX ESPOIRS POUR LES CUBAINS

L'aile dure des anticastristes choisit alors de porter le coup fatal. La **loi Helms-Burton** durcit considérablement l'embargo, puisque toute société entretenant des relations commerciales avec Cuba est interdite de séjour sur le territoire américain ; de plus, les personnes dont les biens ont été confisqués par la révolution peuvent intenter une action judiciaire en restitution ou en dommages-intérêts contre les entreprises étrangères qui utilisent ou exploitent ces biens à Cuba. Malgré l'opposition de l'ONU, le Congrès américain adopte cette loi en mars 1996. Elle ne sera toutefois que partiellement appliquée. En juillet 2000, Bill Clinton annonce un assouplissement des sanctions : désormais, la vente de nourriture et de médicaments est autorisée à

Les slogans révolutionnaires sont omniprésents sur l'île.
J. Fernández/age fotostock

destination de Cuba. Dans le même temps, les contacts entre banquiers et diplomates américains et cubains se multiplient sensiblement. L'année suivante, les États-Unis exportent des vivres sur l'île pour la première fois depuis plus de 40 ans, afin d'aider la population à faire face aux dégâts causés par l'**ouragan Michelle**.

En mai 2002, l'ancien président démocrate **Jimmy Carter** effectue une visite historique à Cuba, la première d'un haut dignitaire américain sur l'île depuis 1959. Carter souhaite favoriser un rapprochement entre les États-Unis et Cuba ainsi que la défense des droits de l'homme dans l'île.

Dès 2001, cependant, l'élection de **George W. Bush** va ébranler cette fragile évolution. Le président Bush annonce un durcissement de sa politique envers Cuba. En 2004, interdiction est faite aux ressortissants américains de se rendre sur l'île, tandis que de nouvelles restrictions limitent les envois d'argent des exilés cubains à 100 $ par mois, et les voyages familiaux dans l'île à un séjour de 14 jours tous les trois ans.

L'ALLIÉ VÉNÉZUÉLIEN À LA RESCOUSSE

L'aube des années 2000 apporte à Fidel Castro de nouveaux soutiens en Amérique latine, qui lui permettent de desserrer l'étau américain. Il trouve en particulier un précieux allié et bienfaiteur en **Hugo Chávez**, le président du Venezuela, nouvelle bête noire des Américains. Au fil des ans, leur collaboration s'accentue, et le Venezuela remplit le vide économique laissé par la disparition du bloc soviétique. Unis contre l'« impérialisme yankee », les deux pays concluent un accord inédit en 2003 : Caracas fournit à La Havane du pétrole à bas coût, en échange de l'envoi de milliers de médecins cubains. L'arrivée au pouvoir de gouvernements de gauche en Bolivie, en Argentine, en Équateur, et au Brésil offre également l'occasion de nouer de nouvelles alliances. D'autres États comme la Chine, la Russie ou encore l'Iran se sont rapprochés de Cuba. L'île bénéficie notamment d'importants **investissements chinois**.

LA REPRISE EN MAIN

Sur le plan intérieur, la libéralisation amorcée en 1993 donne des ailes à tous ceux qui souhaitent une transition démocratique. Parmi eux, les militants du « **Projet Varela** », une campagne qui, en mai 2002, recueille plus de 11 000 signatures pour réclamer des changements démocratiques par la voie constitutionnelle. Au printemps 2003, peu après les élections législatives, une vague de répression s'abat sur le pays : 75 opposants politiques, la plupart ayant participé à la collecte des signatures pour le Projet Varela, sont arrêtés et condamnés à de lourdes peines pour « conspiration avec les États-Unis ». En avril, trois jeunes qui avaient détourné un ferry sont fusillés pour terrorisme. La reprise en main s'accompagne aussi d'un **recentrage économique**. En 2004, un certain nombre d'entreprises étrangères sont invitées à quitter Cuba, tandis que la circulation libre du dollar est interdite. Le système dit de **double monnaie** est préféré : le peso national sera utilisé par les Cubains, et le peso cubain convertible sera réservé aux transactions avec les étrangers. Institué en 1995, le CUC devient l'autre monnaie officielle.

D'UN CASTRO À L'AUTRE, LE TEMPS DES RÉFORMES

En 2006, malade, Fidel Castro délègue par interim ses fonctions de secrétaire du Parti communiste et chef des armées à son frère cadet **Raúl Castro**, numéro deux du régime, considéré comme son successeur. En 2008, Fidel annonce son retrait définitif. Dès lors Raúl Castro, qui lui succède à la présidence de la République, a les mains libres pour lancer une série de **réformes économiques**, rendues indispensables par l'état catastrophique de l'économie cubaine. « Soit on réforme, soit on tombe dans le précipice », avertit ce politicien pragmatique en décembre 2010, devant la vieille garde du comité central du Parti. Minée par la bureaucratie, la corruption, les négligences, le marché noir, asphyxiée par l'embargo américain, l'île est alors au bord de la banqueroute. Les autorités lancent un programme de 291 points de réforme, soumis en avril 2011 à l'approbation d'un congrès du Parti communiste. Abolition de l'égalitarisme salarial, suppression de 500 000 postes de fonctionnaires, accès à la propriété, autorisation de la vente des voitures, ouverture au secteur privé de 178 professions (principalement les petits métiers du commerce, du transport, de l'alimentation et de

L'AFFAIRE ELIÁN GONZÁLEZ

L'incident du petit Elián González en novembre 1999 a rapproché, pour la première fois, Fidel Castro et un président des États-Unis contre la communauté anticastriste de Miami. Retrouvé près des côtes de la Floride, Elián est recueilli par son grand-oncle. Celui-ci refuse de le rendre à son père, toujours à Cuba, et demande l'asile politique pour l'enfant. Médiatisé à outrance, avec l'intervention des forces fédérales, cet incident a choqué bon nombre de Cubains. Elián, âgé de 6 ans, retournera finalement au bout de sept mois auprès de son père. Une statue de José Martí portant un enfant dans les bras a été érigée à La Havane. Le héros national pointe un doigt accusateur vers le bâtiment de la Représentation des États-Unis…

l'artisanat), plus large autonomie accordée aux entreprises d'État, fin des subventions, ouverture aux capitaux étrangers, distribution aux agriculteurs privés de terres d'État en friche, alignement du peso convertible sur le dollar… Les réformes signent la fin de l'ancien modèle communiste cubain.

LE RAPPROCHEMENT AMÉRICAIN

Dans le même temps, Cuba parvient à rompre son isolement sur la scène internationale. En 2008, l'Union européenne reprend sa coopération avec La Havane. En 2009, Raúl Castro signe un partenariat stratégique avec la Russie, obtient un assouplissement de l'embargo américain et Cuba réintègre l'Organisation des États américains. La présidence de **Barack Obama**, de 2009 à 2017, va permettre un rapprochement progressif des deux pays, favorisé dans un premier temps par la médiation discrète de l'église catholique. Après des décennies de tensions héritées de le Guerre froide, ce rapprochement a quelque chose d'historique, que résume la formule de Barack Obama « *Todos somos americanos* » (« Nous sommes tous américains »). Les **relations diplomatiques** entre les deux pays sont restaurées en 2014, et une première rencontre a lieu entre le président américain et son homologue cubain le 10 avril 2015 à Panama, au cours du Sommet des Amériques. Washington accepte le principe d'une levée progressive de l'embargo et la mise en place d'une coopération économique, en contrepartie de quoi La Havane s'engage à faire des progrès sur le plan des droits de l'homme et à s'ouvrir à l'économie de marché. Le régime cubain, qui avait déjà fait un geste en 2010 en relâchant une cinquantaine de détenus politiques, accepte de libérer une

cinquantaine d'autres opposants en 2015 et accorde davantage de libertés à ses citoyens, notamment la liberté de voyager à l'étranger, avec la suppression, en 2013, du permis de sortie. La normalisation des relations américano-cubaines se traduit par la visite, en mars 2016, du président Obama sur l'île. Celui-ci, à la demande de Cuba, met fin au régime spécial d'immigration pour les Cubains, la fameuse loi « pieds secs, pieds mouillés », considérée par La Havane comme une incitation à l'exil de ses ressortissants. Votée en 1966, cette loi obligeait les autorités américaines à accepter les immigrants qui touchaient terre, et à renvoyer à Cuba ceux qui étaient alpagués en mer. Désormais, tous les Cubains sont expulsés, même ceux qui parviennent à toucher le sol américain.

Le 25 novembre 2016 intervient la **mort de Fidel Castro**. Ses funérailles sont l'occasion, pour des milliers de Cubains, de rendre un dernier hommage à leur bien aimé *Líder Máximo*. Mais sa disparition, ajoutée au dégel des relations avec les États-Unis, à l'ouverture sur l'étranger, à l'essor du tourisme et de la petite entreprise privée, aux avancées en matière de libertés, font naître de gros espoirs dans la population, qui se prend à rêver de la fin de la dictature castriste et d'un décollage économique qui permettrait à chacun d'améliorer ses conditions de vie.

CUBA DANS LA TOURMENTE

L'arrivée au pouvoir de **Donald Trump** aux États-Unis, début 2017, va vite doucher cet optimisme. Trump dénonce le régime « brutal » de Castro et annonce une révision de la politique de rapprochement. Les sanctions sont durcies : les touristes américains ne sont plus autorisés à se rendre sur l'île castriste, sauf exceptions, les transferts de fonds des exilés vers Cuba sont restreints, des entreprises cubaines appartenant à l'armée sont interdites de commerce. Le virage à droite de nombreux pays d'Amérique latine (Mexique, Chili, Équateur, Argentine, Brésil, Colombie, Paraguay) contribue aussi à renforcer l'isolement de l'île. Le président brésilien Jair Bolsonaro décide ainsi d'expulser, en 2018, les 8300 médecins cubains envoyés en 2013 dans le cadre d'un programme de coopération, privant Cuba d'une précieuse source de devises. Mais c'est avant tout la **baisse de l'aide du Venezuela** qui l'affecte le plus terriblement. L'effondrement de la compagnie pétrolière vénézuélienne PDVSA entraîne une réduction de près de deux tiers des livraisons de carburant subventionné aux Cubains. Au cours des 20 années écoulées, La Havane avait utilisé le pétrole vénézuélien pour produire de l'énergie et gagner des devises. Des devises dont l'île caraïbéenne a impérativement besoin, car elle importe près de 80 % de la nourriture consommée par la population.

LA NOUVELLE PRÉSIDENCE

En avril 2018, l'Assemblée nationale cubaine élit **Miguel Díaz-Canel** – seul candidat – à la présidence du Conseil d'État. Né après la Révolution (1960), ingénieur électronique de formation, ce jeune chef d'État plutôt discret, mais qui tweete et se déplace sur le terrain auprès de la population, incarne un certain renouveau, plus symbolique qu'historique. Issu du sérail politique, il est le protégé de Raúl Castro, lequel reste le premier secrétaire du Parti communiste, tandis que la famille Castro et ses alliés – généraux de l'armée et apparatchiks du Politburo – continuent de contrôler l'essentiel de l'appareil économique et

institutionnel. Chargé de poursuivre « l'actualisation » du modèle cubain, c'est-à-dire de mettre en œuvre les réformes nécessaires à la survie du régime sans dénaturer la spécificité du socialisme cubain, Miguel Díaz-Canel doit se livrer à un périlleux exercice d'équilibriste. Élaborée par le Parlement, une **nouvelle Constitution** est ainsi votée par la population (87 % de oui) lors d'un référendum en février 2019. D'un côté, entérinant la nouvelle réalité économique de l'île depuis 2010, le texte reconnaît la propriété privée, l'économie de marché et la nécessité des investissements étrangers. De l'autre, il barre le chemin à une démocratisation politique en réaffirmant le rôle unique du Parti communiste et le caractère « irrévocable » du socialisme. Parallèlement, l'État promulgue de nouvelles lois qui limitent et encadrent plus fermement l'activité du secteur privé, afin de lutter contre la fraude fiscale des *cuentapropistas* et ne pas laisser trop s'enrichir les entrepreneurs qui réussissent. Début 2019, la crise vénézuélienne s'aggrave. Pour punir Cuba du soutien qu'il apporte à son allié Nicolas Maduro, les États-Unis réactivent un volet de la loi Helms-Burton resté inappliqué depuis 1996. Permettant aux exilés cubains spoliés de leurs biens après la Révolution de poursuivre en justice les sociétés étrangères qui investissent ou font commerce avec l'île, il touche toutes les compagnies européennes qui s'implantent dans le tourisme. La mesure fait planer une nouvelle menace sur l'économie cubaine, déjà à bout de souffle. Manque de devises et faiblesse de la production nationale se traduisent par des pénuries de produits alimentaires. Les files d'attente s'allongent pour acheter farine, huile, riz, poulet, savon ou beurre, dont le manque oblige à rationner leur vente. Même l'emblématique quotidien *Granma* doit réduire sa pagination, faute de papier. Plombée par une dette extérieure colossale, Cuba semble sur le point de replonger dans une crise comparable à celle qu'elle a connue après la chute de l'Union soviétique, dans les années 1990.

Chronologie

- **1492** – Débarquement de Christophe Colomb à Cuba.
- **1511** – Fondation de Baracoa, la première *villa* de l'île.
- **1519** – Fondation de La Havane à son emplacement définitif.
- **1607** – Santiago perd son titre de capitale au profit de La Havane.
- **1762** – Prise de La Havane par les Anglais.
- **1868** – Début de la guerre des Dix Ans.
- **1878** – Fin de la guerre d'indépendance.
- **1886** – Abolition de l'esclavage.
- **1895** – Début de la seconde guerre d'indépendance ; retour d'exil de José Martí et d'Antonio Maceo.
- **1898** – Explosion du cuirassé *Maine* en rade de La Havane (15 février). Traité de Paris (10 décembre).
- **1902** – Proclamation de la république de Cuba.
- **1925** – Fondation du Parti communiste cubain.
- **1952** – Coup d'État de Batista.
- **1953** – Assaut de la caserne Moncada à Santiago par un groupe mené par Fidel Castro.
- **1956** – Débarquement du *Granma* dans la province orientale. Début des combats dans la Sierra Maestra avec Che Guevara.
- **1959** – Triomphe de la révolution avec l'entrée des *barbudos* à La Havane le 2 janvier.
- **1961** – Rupture des relations diplomatiques avec Washington.

Échec du débarquement dans la baie des Cochons.
- **1962** – Blocus économique de l'île. Crise des missiles.
- **1972** – Cuba membre du Comecon (marché commun des pays de l'Est).
- **1975** – Envoi de troupes cubaines en Angola.
- **1976** – Adoption de la Constitution de la république de Cuba.
- **1980** – 130 000 Cubains s'enfuient depuis le port de Mariel. Ouverture des marchés libres paysans.
- **1986** – Suppression des marchés libres paysans.
- **1989** – Affaire Ochoa (exécution).
- **1990** – Début de la « période spéciale en temps de paix ».
- **1992** – Arrêt total de l'aide soviétique. Aux États-Unis, loi Torricelli renforçant l'embargo.
- **1993** – Dépénalisation de la détention de dollars. Autorisation de 117 activités artisanales et professions indépendantes.
- **1994** – Crise des *balseros*. Réouverture des marchés libres paysans.
- **1995** – Loi autorisant les investissements étrangers.
- **1996** – Adoption de la loi Helms-Burton par le Congrès américain.
- **1998** – Visite du pape Jean-Paul II.
- **1999** – Début de la coopération avec le Venezuela. Cuba obtient des livraisons de pétrole en échange de la fourniture de médecins.
- **2000** – Assouplissement du blocus américain par Clinton.
- **2001** – Ouragan Michelle : les États-Unis exportent des vivres à Cuba.
- **2002** – Visite historique de Jimmy Carter dans l'île. Projet Varela.
- **2003** – Coup d'arrêt aux réformes de libéralisation.
- **2004** – Renforcement de l'embargo américain. En réaction, le dollar est retiré de la circulation dans l'île.

● **2006** – Signature de traités commerciaux avec le Venezuela et la Bolivie. Fidel Castro tombe malade, Raúl Castro prend sa place.

● **2008** – Des ouragans ravagent l'île. Raúl Castro, officiellement investi, lance un programme de réformes économiques.

● **2010** – Le prisonnier politique Orlando Zapata Tamayo meurt d'une grève de la faim, suivi par un autre opposant, Wilmar Villar, en 2012.

● **2011** – Le VIᵉ congrès du Parti communiste de Cuba, le premier depuis 1997, ratifie les réformes économiques du gouvernement. Raúl Castro est élu premier secrétaire du Parti communiste, succédant à son frère Fidel.
Les Cubains obtiennent le droit de vendre et d'acheter une maison ou une automobile.

● **2013** – L'entrée en vigueur de la réforme migratoire autorise les Cubains à voyager à l'étranger.

● **2014** – Le 17 décembre, Washington et La Havane annoncent conjointement un rapprochement historique.

● **2015** – Première rencontre bilatérale entre les présidents Barack Obama et Raúl Castro. Ils posent les bases d'une levée de l'embargo économique.

Réouverture de l'ambassade américaine à La Havane et de celle de Cuba à Washington.

● **2016** – Viste du président Barack Obama à Cuba. Mort de Fidel Castro, dont les cendres sont transferées au cimetière de Santiago de Cuba.

● **2017** – Suite à la crise que traverse le Venezuela, et au renforcement de l'embargo américain, Cuba connaît une nouvelle ère de pénurie. L'ouragan Irma ravage l'île (10 morts).

● **2018** – Miguel Díaz-Canel remplace Raul Castro, dont il était le dauphin désigné, à la présidence de la République. Le nombre de visiteurs sur l'île atteint le chiffre record de 4,7 millions. Un crash aérien sur l'aéroport de la Havane fait 112 victimes.

● **2019** – Adoption d'une nouvelle Constitution par référendum, qui reconnaît la propriété privée et l'économie de marché, tout en réaffirmant le caractère socialiste du régime et le rôle dirigeant du parti communiste.
Les États-Unis durcissent les sanctions contre Cuba. Les sociétés étrangères qui investissent ou font du commerce avec l'île pourront être poursuivies en justice. Les pénuries s'aggravent sur l'île.

Religions

Cuba est un pays laïc qui reconnaît la liberté de culte. Cependant, les diverses religions présentes sur l'île ont longtemps été reléguées au second plan par la révolution. Depuis quelques années, on assiste à des tentatives de réconciliation entre l'État et l'Église catholique. À ce titre, le IVe Congrès du Parti communiste, en 1991, autorise à nouveau la pratique d'un culte par ses membres. En cette période de difficultés économiques, le gouvernement semble admettre que la religion puisse apporter un certain réconfort à la population.

Le catholicisme

Après quatre siècles de colonisation espagnole, le **catholicisme** est naturellement la religion dominante à Cuba. En 1959, à la veille de la révolution, 80 % des habitants de l'île se définissent comme catholiques, mais seuls 10 % vont régulièrement à l'église. Dès l'arrivée de Fidel Castro au pouvoir, l'Église ne voit pas d'un œil favorable la reprise des relations diplomatiques avec l'URSS, le communisme étant incompatible avec l'Église. Certains membres du clergé s'engagent dans des activités contre-révolutionnaires, et des prises de position contre la politique du nouveau gouvernement conduisent à des vagues d'arrestations, des fermetures d'églises, des expulsions du pays, ainsi que des départs volontaires. Les biens du clergé sont nationalisés et 80 % des prêtres quittent le pays. Bien que les relations entre l'Église et l'État ne soient jamais officiellement interrompues, les pratiquants ne peuvent être membres du Parti communiste et se voient automatiquement écartés de certaines fonctions. État officiellement athée,

Cuba persécute également les pratiquants de la *santería*.

Dans les années 1990, avec la crise économique et la remise en cause des idéaux politiques, beaucoup d'habitants cherchent un soutien moral et social auprès de l'Église et de ses œuvres de charité. Le regain de vitalité du catholicisme oblige les autorités à faire preuve de plus de souplesse. Les signes de détente se multiplient. En 1992, Fidel Castro renonce officiellement à l'athéisme d'État et autorise la venue de prêtres étrangers. En 1996, il est reçu par le **pape Jean-Paul II** au Vatican. La **visite du Saint-Père** sur l'île, en janvier 1998, est un événement majeur de l'histoire de l'île au cours de ces dernières années. Plus de 100 000 fidèles prennent part à la messe célébrée par le pape Jean-Paul II – le plus grand rassemblement religieux de l'histoire cubaine. Dans la foulée, les fêtes de Noël, qui avait été abolies en 1969, sont rétablies, et les sapins et père Noël refont leur apparition dans les vitrines des magasins.

Aujourd'hui, l'Église catholique a retrouvé sa liberté d'expression et commence à reprendre sa place dans la sphère publique et même politique, jouant un rôle

Cérémonie de *santería*.
P. Deloche/Godong/Photononstop

non négligeable dans le dialogue instauré avec les États-Unis.

Plus surprenant, le gouvernement veut maintenant davantage de prêtres cubains, jugeant qu'il y a trop de prêtres étrangers sur l'île. Un nouveau séminaire a été ouvert fin 2010, inauguré par Raúl Castro en personne.

En marge de la religion catholique, Cuba compte environ 500 000 **protestants**, issus de la présence nord-américaine au début du siècle, ainsi qu'une petite **communauté juive**.

La *santería*

Dans le salon d'un vieil homme, le portrait de la Virgen de Regla surmonte un autel chargé de cierges, de poupées, de fleurs, de statuettes de saints, d'images pieuses. Au pied d'un *ceiba*, une mère de famille dépose des offrandes pour attirer sur sa maison les bonnes grâces des esprits. Au milieu d'une foule bigarrée se détache une silhouette toute de blanc vêtue dont le costume

immaculé, symbole de pureté, est égayé par des rangées de colliers de perles de couleur. Leur point commun : la *santería*.

LES ORIGINES

Proche du vaudou haïtien ou du *candomblé* brésilien, la *santería* (culte des divinités) – terme générique pour désigner l'ensemble des cultes afro-cubains – fait généralement référence à la **Regla de Ocha**, la religion **yoruba** (sud-ouest du Nigeria).

Dès leur arrivée à Cuba, les esclaves africains sont aussitôt christianisés par les Espagnols. Ils parviennent cependant à préserver leurs rites, en dissimulant leurs divinités africaines derrière les saints catholiques. Grâce à un jeu subtil de correspondances entre les deux religions, la *santería* naît de l'union du culte des dieux africains et du catholicisme. La frontière entre les deux religions est parfois ténue : dans un même lieu de culte, les fidèles adressent indifféremment leurs prières aux saints catholiques ou aux divinités africaines correspondantes.

Discrète pendant les premières années de la révolution, la *santería* revient en force à la fin des années 1980. Les autorités ne peuvent que reconnaître l'importance d'une religion qui touche désormais toutes les couches de la société. Le roi des Yorubas a été reçu officiellement par Fidel Castro à La Havane en juin 1987.

Depuis la crise économique que traverse Cuba, la *santería* connaît un engouement sans pareil. Proche du quotidien, elle apporte des solutions aux multiples problèmes rencontrés en ces temps troublés : retrouver un travail, faire revenir l'être aimé, recouvrer la santé, se débarrasser des mauvais esprits, tenir la police éloignée, etc.

Ce domaine n'est pas épargné par la fièvre du dollar, comme en témoignent les cérémonies organisées pour les touristes, afin de renflouer les caisses de l'État en devises par l'intermédiaire des *diplobabalaos* (néologisme signifiant littéralement « prêtres pour diplomates »).

LE PANTHÉON YORUBA

Sur les 400 **orishas** (divinités) yorubas, les Cubains en honorent une vingtaine. Il existe des équivalences entre chaque dieu africain et un ou plusieurs saints catholiques. À chaque *orisha* sont associés des couleurs, des traits de caractère, des attributs déterminés par la mythologie yoruba.

Les participants aux cérémonies commencent toujours par invoquer **Eleguá** (saint Antoine de Padoue), le maître des chemins de la vie, désigné par le dieu suprême Olofi pour être son intermédiaire. Ses couleurs sont le rouge et le noir. L'une des divinités les plus importantes de la mythologie yoruba est **Ochún** (Vierge de la charité du cuivre), patronne de Cuba. Déesse de la sensualité, de la maternité, des eaux douces et de l'or, elle est symbolisée par la couleur jaune. Elle est l'épouse d'**Orula** (saint François d'Assise), devin de son état, exerçant son pouvoir grâce à l'*ékuele* (collier magique). La déesse de la sensualité ne se contente pas de son vieux mari, et l'on compte parmi ses nombreux amants le terrible **Changó** (sainte Barbe ou Santa Barbara en espagnol). Dieu du tonnerre, des éclairs, de la guerre et des tambours, il est souvent représenté en rouge et blanc, portant un sceptre terminé par une hache à deux têtes. Son frère, **Oggún** (saint Pierre), dieu des métaux, de la force et de la virilité, fait également partie des divinités guerrières yorubas.

Yemayá (Vierge noire de Regla), patronne de La Havane, fait l'objet d'un culte important chez les Cubains. Elle constitue en quelque sorte l'homologue d'Ochún. Vêtue de bleu, la déesse des eaux salées est à l'origine de la création du monde. Citons également l'*orisha* de plus haut rang en la personne d'**Obbatalá** (Notre-Dame des Grâces). Vêtue d'un manteau blanc, cette divinité symbolise la paix, l'intelligence, l'harmonie et l'équilibre. Tête pensante de la religion, c'est elle qui fait régner l'ordre entre tous les *orishas*.

BABALAOS ET SANTEROS

Environ 10 000 **babalaos** (la plus haute autorité religieuse), assistés de *babalorishas* (hommes) et d'*iyalorishas* (femmes), officient à Cuba. Médecins de l'âme et du corps, ils utilisent l'art divinatoire et la magie pour apporter une solution aux personnes qui les consultent. Initié aux secrets d'Orula, le *babalao* peut interpréter les oracles grâce à des *cauris* (coquillages), des *obbis* (noix de coco) ou un *ékuele* (collier), qu'il lance sur un *tablero de Ifá* (plateau en bois ou natte).

Ce même système divinatoire permet également au *babalao* d'attribuer un patron à certains fidèles qui deviendront alors **santeros** (initiés) à l'issue d'un rite initiatique. Pour devenir *santero*, une personne doit au préalable posséder des dispositions spirituelles pour vivre en accord avec les valeurs fondamentales de la *santería* – reposant sur la communion entre l'homme et la nature, le culte des divinités et des ancêtres – puis être « parrainée ». Hommes et femmes peuvent être *santero*, alors que la fonction de *babalao* est exclusivement masculine.

Une fois que le *babalao* a désigné l'*orisha* du futur initié, ce dernier doit alors, pour se purifier, se **vêtir de blanc** de la tête aux pieds pendant un an – tenue obligatoire avec des aménagements possibles pour les professions qui nécessitent le port d'un uniforme !

LES CÉRÉMONIES

À l'issue de cette période est organisée la **cérémonie initiatique**, au cours de laquelle l'*orisha* va « entrer dans la tête » de l'initié. Des offrandes – fruits, légumes, herbes – sont dédiées aux divinités ; des poules, des colombes blanches ou des chèvres sont sacrifiées. Porté par le rythme des tambours et des chants rituels en yoruba, le futur initié entre peu à peu en transe, signe que l'*orisha* prend possession de son corps. Les danses et les costumes correspondent chacun à une divinité appelée. Chaque année, le *santero* organise une cérémonie en l'honneur de son *orisha* à la date **anniversaire** de son initiation.

LE CALENDRIER

Certaines dates du calendrier chrétien revêtent une importance particulière pour les adeptes de la *santería*. Le **8 septembre** (jour de la Nativité de Notre-Dame) connaît d'immenses rassemblements en deux endroits de l'île. Ceux qui se trouvent à La Havane pourront assister à la procession en hommage à **Yemayá** dans le quartier de Regla *(voir p. 69)*. Le même jour, dans l'Est, des Cubains affluent de toute part pour se rendre au pèlerinage de la basilique de la Caridad del Cobre en l'honneur d'**Ochún** *(voir p. 274)*. Le **17 décembre**, un nombre croissant de fidèles effectuent un véritable chemin de croix – sur les genoux, boulets aux pieds – pour rejoindre l'église San Lázaro à El Rincón, un village au sud-ouest de l'aéroport de La Havane, pour honorer **Babalú-Ayé** (saint Lazare), le dieu des maladies.

AUTRES CULTES

Il existe d'autres cultes afro-cubains comme la **regla de Palo Monte**, religion animiste importée par les tribus bantoues (sud de l'Angola), ou le *ñañiguismo* pratiqué par la **société secrète Abakuá**, originaire de la région de Calabar (actuels Nigeria et Cameroun). Cette confrérie, dont les membres sont exclusivement des hommes, fut d'abord une société d'entraide entre esclaves, puis s'est ouverte aux Blancs au milieu du 19e s. Elle était essentiellement concentrée dans les ports de La Havane, Matanzas et Cárdenas. À l'issue de son rite initiatique, le *ñañigo*, qui est tenu à un code d'honneur très strict, se doit d'aider moralement et économiquement ses *ekobios* (frères), de pratiquer le culte des ancêtres et d'honorer Ekue, la voix du dieu suprême Abasí.

Musique et danse

La musique et la danse, les deux piliers de la culture cubaine ! Que vous déambuliez dans les rues de l'île ou que vous assistiez à un concert, les rythmes envoûtants et les déhanchements sensuels ne peuvent vous laisser de marbre. Un Européen a toutes les chances de s'égarer dans les dédales de formations, de rythmes, de chants et de danses qui peuplent Cuba. Peu importe, l'univers magique de la musique afro-cubaine palpite de cette sensualité et de cette vitalité qui font perdre la raison.

La naissance d'une musique « créole »

Il faut attendre le milieu du 19e s. pour que des rythmes originaux soient créés sur l'île. Alejo Carpentier, dans son ouvrage *La Musique à Cuba*, attribue le manque d'énergie créatrice des colonisateurs espagnols, que ce soit dans le domaine architectural ou musical, à « la faible résistance spirituelle et physique de la population autochtone ».

Si la musique aborigène ne semble avoir eu aucune influence, en revanche l'**apport africain** occupe une place capitale. D'une part, les esclaves adaptèrent rapidement aux instruments espagnols les chants et les danses fortement ancrés dans leur culture. D'autre part, l'intégration de la musique africaine fut facilitée par des raisons socio-économiques. Pendant longtemps, le pays a souffert d'une pénurie chronique de musiciens professionnels blancs, la bourgeoisie créole préférant se consacrer à des professions plus « nobles ». Les artistes noirs purent ainsi incorporer les rythmes africains de leurs cérémonies rituelles, en conférant un plus grand sens de la percussion, aux instruments européens, ou en détournant leurs outils quotidiens à des fins musicales.

Mélodie européenne et rythmes africains

Plusieurs cultures ont fusionné dans un creuset où les musiques espagnoles et françaises se sont considérablement enrichies des polyrythmes, des syncopes et des contretemps africains.

LES DANSES DE SALON FRANÇAISES

La **contredanse** (*contradanza*), danse de salon apportée par les Français à Saint-Domingue puis à Cuba à la fin du 18e s., donne naissance à un important courant musical sur l'île. Les figures exécutées, par lesquelles les danseurs se rapprochent et s'éloignent en une sorte de combat amoureux, font un tel écho aux thèmes africains qu'elles suscitent un engouement immédiat. La contredanse devient très rapidement le premier genre musical de l'île, duquel naîtront, entre autres, la *danza*, la *habanera* et surtout le *danzón*.

On date de 1877 la naissance du **danzón** à Matanzas. Cette

LES PERCUSSIONS

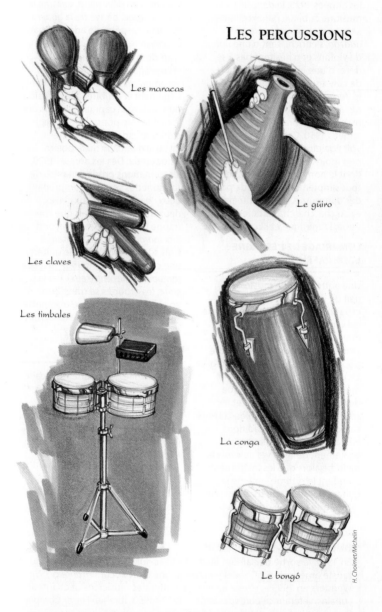

Les maracas

Le güiro

Les claves

Les timbales

La conga

Le bongó

H.Choimet/Michelin

forme dérivée de contredanse s'exécute désormais en couple sur un rythme binaire. Jusque dans les années 1920, le *danzón* est la musique cubaine par excellence. Les *charangas*, orchestres de *danzón*, s'enrichissent d'une flûte, de violons et n'hésitent pas à se doter d'une importante section de cuivres. Dans les années 1940, le *danzón* évolue vers le **mambo**, qui acquiert ses lettres de noblesse grâce à Pérez Prado à partir des années 1950. Cette même décennie voit également la naissance du non moins célèbre **cha-cha-cha**, dont le nom singulier évoquerait tout simplement le bruit de pas des danseurs. La vague du mambo et du cha-cha-cha va déferler sur Cuba, l'Amérique et l'Europe.

LE MARIAGE DE L'ESPAGNE ET DE L'AFRIQUE

Une autre branche musicale naît de la fusion des cultures espagnole et africaine. La musique cubaine contemporaine – ainsi que la salsa – est fondée sur le **son** (prononcez « sonne »), genre populaire issu de l'Oriente (la région Est) à la fin du 19e s. Cette forme musicale combine la métrique des chansons espagnoles et les schémas d'alternance solos-chœurs caractéristiques des traditions africaines. Sa particularité est également de réserver aux voix la mélodie alors que les instruments scandent le rythme – même la guitare possède une fonction plus rythmique que mélodique. À partir

des années 1920, le *son* s'enracine très rapidement dans les quartiers noirs de La Havane. Plusieurs variantes en découlent, comme le *son montuno*, dérivé de la *guajira* (romance espagnole adoptée par les paysans blancs).

Issus de la province orientale, les *trovadores* (troubadours) accompagnés de leur guitare vont largement contribuer à la diffusion du *son* dans la capitale. Ils joueront le même rôle pour d'autres genres d'origine espagnole comme la joyeuse *guaracha* ou le boléro langoureux. Dès les années 1920, les formations prédominantes de *son* sont des *sextetos* comprenant deux chanteurs (un aux *claves*, deux morceaux de bois que l'on frappe l'un sur l'autre, le second aux *maracas*), un *tres* (guitare à trois cordes doubles), une guitare, une contrebasse et un *bongó (deux tambours reliés entre eux)*. Par la suite, les groupes se transforment en *septetos*, dotés d'une trompette supplémentaire, puis ne cesseront de s'étoffer.

LA RUMBA

Une parcelle de continent africain. Un mot qui évoque déjà, par ses sonorités, les *congas (tambours simples)* aux rythmes étourdissants. Alejo Carpentier associe la rumba à une atmosphère qu'il décrit ainsi : « Qu'une mulâtresse se mette à remuer la croupe à deux pas d'un danseur, et tous les présents rythment les mouvements de leurs mains, sur une caisse, sur une porte,

BUENA VISTA SOCIAL CLUB

En 1997, la sortie de l'album *Buena Vista Social Club*, produit par le guitariste américain Ry Cooder – accompagné d'un documentaire de Wim Wenders en 1999 –, révèle au monde entier des musiciens et chanteurs cubains, vétérans célèbres des années 1930 à 1950 : Ibrahim Ferrer, Compay Segundo, Rubén González, Eliades Ochoa… Le succès, immense (7 millions d'albums vendus), relancera l'intérêt international pour la musique traditionnelle cubaine.

sur le mur… » Inspirée d'une danse de la fertilité d'origine bantoue, d'où ce mouvement pelvien *(vacunao)* caractéristique, la rumba naît dans les quartiers populaires de La Havane et de Matanzas à la fin du 19e s. On en recense plusieurs variantes : le **yambú** est la forme la plus lente (elle évoque des danseurs âgés), contrairement à la **columbia**, véritable performance acrobatique exécutée par des hommes ; enfin, le **guaguancó** abonde de *vacunaos* suggestifs qui confèrent à la chorégraphie tout son caractère érotique.

Une innovation perpétuelle

Les compositeurs ne cessent d'enrichir la musique afro-cubaine, combinant sans relâche de nouveaux rythmes. Divers genres musicaux ont ainsi fait leur apparition à Cuba au cours de ces dernières décennies.

Dans les années 1970, Silvio Rodríguez et Pablo Milanés sont les principaux chefs de file de la **nueva trova** (nouvelle chanson des troubadours), mouvement de *canción protesta* (chanson engagée) accompagnée à la guitare.

D'autres musiciens s'engagent dans le **latin jazz**, qui associe, comme son nom l'indique, le jazz et des rythmes latins. Jesús « Chucho » Valdés forme en 1973 le groupe Irakere, qui devient le modèle cubain de cette fusion du jazz, du rock et de la musique traditionnelle cubaine.

Toujours au début des années 1970, Los Van Van, le célèbre groupe dirigé par Juan Formell (1942-2014), se présente sur scène avec une guitare électrique, un synthétiseur et une batterie, autant d'entorses à la tradition ! Ils inventent le **songo**, décrit par Isabelle Leymarie dans son ouvrage *Cuban Fire* comme une « sorte de *danzón* mâtiné de pop

music », un style qui influencera les générations suivantes.

Venue de Jamaïque dans les années 1990, la vague de **reggaeton** envahit littéralement la scène musicale des plus jeunes. Rebaptisé **cubaton**, ce style musical mixe les rythmes techno et dance au reggae, à la salsa et surtout au rap dont il reprend les codes vestimentaires et les gestes. Sans salsa, ce cocktail détonant est appelé « templete ».

Et la salsa ?

La « salsa cubaine » tient de la célèbre Arlésienne : tout le monde en parle mais on ne l'entend jamais. Et pour cause, elle n'existe pas. Le terme de *salsa* (« sauce ») serait apparu pour la première fois dans les années 1920, dans la chanson du Cubain Ignacio Piñeiro *Échale salsita* (Mets-y un peu de sauce). Par la suite, cette appellation, qui ne devrait désigner que le genre musical créé par les Portoricains de **New York** à la fin des années 1960, servira de raccourci pour englober une foule de styles musicaux latino-américains. Fortement inspiré du *son* cubain, ce genre musical trouve tout de même son origine dans les rythmes de l'île, d'où la confusion. La diffusion de la salsa est essentiellement assurée par la maison de disques Fania, qui domine le marché américain. De temps à autre, ce label réunit les artistes de la Fania All Stars le temps d'un concert mythique. Sur ces enregistrements d'anthologie se côtoient les célébrissimes Celia Cruz, Rubén Blades, Willie Colón, Ray Barretto, Héctor Lavoe, Johnny Pacheco, etc.

Dans les années 1990 apparaît sur l'île un nouveau genre musical, la **timba**, qui associe l'orchestre traditionnel de *charanga* (basse, *congas*, *claves*, piano, violons, flûte) à des instruments modernes tels

que batterie, synthétiseur, cuivres et guitare électrique. Les textes, souvent provocateurs et ironiques, se chantent sur des refrains rappés ou sur fond de beat techno. C'est une musique à la confluence du funk, du rock, de la soul, du hip-hop. Quelques groupes et artistes représentatifs : NG La Banda, La Charanga Habanera, Manolín, Paulito FG, Bamboleo, Adalberto Álvarez, Klimax.

Les instruments de la musique cubaine

« C'est bien vrai que la musique cubaine est primitive, mais elle a un charme superbe, une violente surprise toujours emmagasinée en réserve et quelque chose d'indéfini, de poétique qui vole haut avec les *maracas*, la guitare et les cris du mâle en *falsetto* ou – parfois – en âpre *vibrato*, comme font les chanteurs de blues, recours harmonique qui vaut aussi bien pour Cuba et le Brésil que pour le Sud parce que c'est une tradition africaine, tandis que les tambours *bongó* et *conga* l'amarrent au sol et les *claves* [...], ces "bâtons musicaux" sont comme cet horizon, toujours stables. » Guillermo Cabrera Infante *(Trois tristes tigres)*. L'univers afro-cubain est dominé par les **percussions**. La **conga** *(tumbadora)*, tambour généralement installé entre les jambes, fournit le rythme de base. Le **bongó**, constitué de deux petits tambours accolés de taille différente, se place quant à lui sur les genoux. Les **timbales** consistent en deux caisses claires fixées sur un pied surmonté de *cowbells (cloches)*. N'oublions pas les **claves**, ces « bâtons musicaux », véritable pierre angulaire de l'édifice musical cubain. L'un de ces morceaux de bois dur vient frapper l'autre, tenu au creux de la main,

avec ce son presque métallique si caractéristique de la musique cubaine. Cet instrument est la base rythmique du *son* et de la salsa. Ajoutons également le **güiro**, une calebasse striée râclée avec une baguette, et les **maracas** remplies de graines. Dans les cérémonies de *santería (voir p. 361)*, on utilise trois **tambours batá**, portant chacun un nom, du plus petit au plus grand ; l'*okónkolo*, l'*itótele* et enfin l'*iyá*, considéré comme la « mère des tambours ».

Parmi les innombrables instruments que l'on peut trouver dans les formations cubaines – trompette, saxophone, piano, batterie, contrebasse, violon, flûte traversière, etc. –, citons le **tres**, étonnante guitare à trois cordes doubles originaire de l'est de l'île ou encore la **corneta china**, petite trompette importée par les émigrants chinois, très présente dans les musiques du carnaval de Santiago.

La danse

En marge de la danse populaire, le pays possède également une troupe de **danse classique** de notoriété mondiale. Presque centenaire, **Alicia Alonso** continue de diriger le **Ballet Nacional de Cuba**. La cécité dont elle souffre depuis ses 20 ans ne l'a pas empêchée de mener de front sa carrière de danseuse étoile et de chorégraphe. Vous pouvez assister aux répétitions dans les salles du Gran Teatro de La Habana *(voir p. 54)*, sur le Parque Central. Le ballet de Camagüey est la deuxième meilleure troupe de danse classique à Cuba.

Il existe également des ensembles folkloriques qui se consacrent aux **danses afro-cubaines**, dont le célèbre **Conjunto Folklórico Nacional** basé à La Havane *(voir p. 93)*.

Arts et culture

En termes de rayonnement littéraire et artistique, la place occupée par Cuba sur la scène internationale n'est pas celle d'une petite île des Caraïbes, mais bien celle d'une grande nation, faisant jeu égal avec des géants comme le Brésil ou le Mexique. De José Martí, père de la nation, à Nicolás Guillén, compagnon de la révolution, les poètes cubains ont accompagné de leurs vers le destin de l'île et contribué à forger l'identité nationale. Héritiers de traditions venues d'Espagne et d'Afrique, les artistes ont su inventer un art de synthèse, caribéen et profondément original.

Architecture

La **ville coloniale** est organisée selon un plan en damier. Au cœur de ce quadrillage se loge habituellement le *parque central*, vaste place carrée agrémentée d'un square. De nos jours encore, l'activité citadine ne cesse de converger vers ce lieu, fréquemment encadré d'anciens bâtiments officiels et de magnifiques palais des 18e et 19e s. Rongé par le temps et le défaut d'entretien, ce patrimoine architectural est en péril. Heureusement, depuis quelques années, les capitaux étrangers permettent de mener à bien des programmes de restauration d'édifices coloniaux. Sous l'égide de l'Unesco, une partie de la Vieille Havane et le centre de Trinidad ont ainsi fait peau neuve.

L'INFLUENCE ESPAGNOLE

L'architecture indigène est quasi inexistante à l'arrivée des Espagnols. Les premières constructions coloniales sont donc fort semblables à celles de la métropole à la même époque. Si les forteresses se démarquent peu des constructions militaires européennes, en revanche les édifices à usage d'habitation et les églises vont rapidement se doter d'éléments spécifiquement cubains, commandés par les conditions climatiques différentes et les transformations socio-économiques.

La **demeure coloniale** s'articule entièrement autour du **patio**. Cette cour, encadrée de galeries menant aux différentes pièces, a deux fonctions essentielles : elle permet de faire entrer le soleil – d'où le nom de *solar* donné à ce type de maison – et assure la circulation de l'air dans tout le bâtiment. On accède généralement au patio par le *zaguán* (vestibule). L'une des spécificités cubaines est la présence d'un *traspatio*, seconde cour plus modeste située dans le prolongement de la principale. C'est notamment dans cet espace, utilisé pour les tâches domestiques, que l'on étend le linge. Il arrive que la salle à manger s'intercale entre les deux patios ; on désigne alors cette disposition sous le nom d'*obra cruzada* (œuvre croisée).

Seul le premier étage est occupé par la famille tandis que le

rez-de-chaussée est réservé au commerce. La maison qui abrite le restaurant Casa de la Parra *(voir « La Havane », p. 81)*, à l'angle des calles Brasil et Bernaza, offre un exemple intéressant de maison du 17e s. Les premières constructions coloniales pouvaient comporter au premier étage un *cuarto mirador* (pièce mirador). Cette pièce d'angle – sorte de tourelle – était parfois munie d'un balcon en bois couvert d'un auvent en tuiles, évoquant la toiture de la maison. L'architecture coloniale se distingue surtout par les **techos de alfarjes** (plafonds en bois) de style mudéjar (art d'influence musulmane pratiqué par les chrétiens pendant la reconquête de l'Espagne, entre les 11e et 15e s.). Fréquemment peints en vert ou bleu vif, ces plafonds sont composés d'une succession de poutres et parfois agrémentés de *tirantes* (poutres transversales) finement décorés de motifs géométriques. On peut voir ces plafonds aussi bien dans les maisons coloniales (El Palatino à Cienfuegos, *voir p. 168*), que dans les édifices religieux (le couvent de Santa Clara dans la Vieille Havane, *voir p. 47*). Certaines de ces structures confèrent à la pièce un volume extraordinaire, selon le type de toiture – en pointe, en carène de bateau ou en forme de coupole. Au 18e s., les maisons se dotent d'un

entresol réservé aux domestiques tandis qu'à l'étage, les salles spacieuses sont plus hautes de plafond. L'architecture cubaine connaît son apogée durant la seconde moitié du 18e s., phase du **baroque cubain**. Il suffit de citer comme exemple le Palacio de los Capitanes Generales *(voir p. 37)* et la cathédrale de La Havane *(voir p. 40)*, édifiés durant cette période. Le palais présente des lignes sobres, proches du classicisme, avec de riches **éléments décoratifs** sur les portes, les arches et les fenêtres. Si la cathédrale comporte les éléments baroques usuels – volutes, frontons et niches –, elle affirme son particularisme par la concavité de sa façade et la sinuosité de sa corniche intermédiaire.

Le 19e s. est placé sous le signe du **néoclassicisme**. Ce style, qui puise son inspiration dans le retour aux formes de l'Antiquité classique, est illustré par le Templete à La Havane *(voir p. 39)*. Le toit incliné de style mudéjar des maisons est abandonné au profit des *azoteas* (terrasses). On emploie du fer forgé pour les balcons et des *rejas* (grilles) aux fenêtres. Celles-ci se parent également de **mediopuntos**, éléments en bois ou en verre coloré destinés à tamiser la lumière, qu'Alejo Carpentier décrivait comme « les interprètes

Bouquiniste sur la Plaza de Armas à La Havane.
S. Muylaert/Michelin

entre le soleil et l'homme ».
Certains bâtiments acquièrent à
cette époque une taille imposante,
comme la Manzana de Gómez – à
usage commercial – qui occupe
tout un pâté de maisons, sur le
Parque Central à La Havane *(voir
p. 53)*.

Au crépuscule de la période
coloniale, les récents quartiers
bourgeois (comme le Vedado
à La Havane, *voir p. 60*) voient
l'émergence d'un nouveau type de
constructions. Ceinturée d'un jardin,
la maison dispose, sur chaque
façade, d'ouvertures qui facilitent
le passage des courants d'air et de
la lumière. L'indépendance cubaine
sonne ainsi le glas du fameux patio
colonial.

DE L'ART NOUVEAU
AU MODERNISME

Au début du 20ᵉ s., l'éclectisme
domine : styles néogothique,
baroque et mauresque mêlent leurs
effets, à l'image de l'ancien Palacio
Presidencial (actuel Museo de la
Revolución) de La Havane.
L'Art nouveau triomphe dans les
années 1910-1920 : le **Palacio
Velasco**, à La Havane, en est le
meilleur exemple. La capitale
cubaine conserve aussi plusieurs
témoins de l'Art déco, tel l'**Edificio
Bacardí** (1929) de la vieille ville.
L'architecture moderne apparaît
à La Havane dans les années

1950, avec notamment l'**Edificio
Focsa**. Œuvre de l'architecte
Aquiles Capablanca, le bâtiment
du ministère de l'Intérieur, sur la
Plaza de la Revolución, le stade
sportif José Martí du Vedado ou
encore l'église San Antonio de
Padua à Miramar sont typiques de
ce style qui cherchait à adapter
les préceptes modernistes de Le
Corbusier, Walter Gropius et Mies
van der Rohe au climat tropical
de l'île.

Littérature

Comme dans de nombreux pays
d'Amérique latine, la littérature
cubaine a mis du temps avant
de se forger une identité propre.

UN PORTRAIT
DE LA SOCIÉTÉ COLONIALE

*Espejo de Paciencia (Miroir de
patience, 1608)* de **Silvestre
de Balboa** est la première
œuvre cubaine répertoriée *(voir
« Bayamo », p. 253)*. Ce poème
dépeint la société coloniale dans
son environnement créole, avec
quelques références à la flore et
à la faune vernaculaires. Il faut
cependant attendre le 19ᵉ s. pour
assister à l'éclosion véritable d'une
littérature nationale.
*Cecilia Valdés ou La Colline de
l'ange*, le premier roman notoire,
est publié en 1882. Dans cette

fresque historique classée comme roman de mœurs, **Cirilo Villaverde** (1812-1894) dénonce l'esclavage, mais brosse également un portrait de la société coloniale à travers une galerie de personnages minutieusement observés.

Bien que l'auteur de *Cecilia Valdés* jouisse d'une grande renommée, la fin du 19ᵉ s. est incontestablement dominée par une autre figure littéraire : **José Martí** (1853-1895), « l'apôtre de l'indépendance » et l'écrivain latino-américain le plus significatif de l'époque. Penseur, poète, journaliste et révolutionnaire, il connaît l'exil à 16 ans et passe presque toute sa vie à l'étranger. C'est aux États-Unis qu'il compose l'essentiel de son œuvre et qu'il lutte activement pour l'indépendance de Cuba *(voir « Histoire », p. 347)*. De tous les genres littéraires auxquels il s'est essayé – romans, pamphlets, essais, articles de journaux, pièces de théâtre –, il se distingue plus particulièrement par ses recueils de poèmes, dont *Ismaelillo*, *Vers libres* (publié à titre posthume) et *Vers simples*. Une écriture simple, lyrique et spontanée, au service d'un immense talent poétique, fait de lui le précurseur du modernisme latino-américain.

LA QUÊTE DES ORIGINES

Vers la fin des années 1920, la zone caraïbe est traversée par le courant « négriste » qui conduit de nombreux artistes à puiser dans les racines africaines de la région. L'« art nègre » gagne également l'Europe à la même époque. Les recherches du célèbre anthropologue **Fernando Ortiz** (1881-1969) permettent de mieux appréhender cette culture africaine, objet d'un véritable engouement. Ses écrits dans les domaines de l'ethnologie, de l'anthropologie et de l'histoire continuent de faire autorité. Les mêmes thèmes afro-cubains

hantent également l'œuvre de **Lydia Cabrera** (1900-1991). Dans son premier livre, *Les Contes nègres de Cuba*, elle adapte des contes inspirés du folklore africain et *El Monte (La Forêt)*, son étude ethnologique, parue en 1954, demeure une référence dans le domaine de la culture afro-cubaine.

Le « négrisme » inspire aussi les premières œuvres de **Nicolás Guillén** (1902-1989). Ses recueils *Motivos de son (Motifs de son)* et *Sóngoro cosongo* résonnent de mélodies autour du thème central du métissage. Ses poèmes rythmés comme des morceaux de *son (voir « Musique et danse », p. 364)* utilisent une langue extrêmement colorée pour revendiquer la culture afro-cubaine, ainsi que la place du Noir dans la société. De retour d'exil, à la chute de Batista, Nicolás Guillén devient l'une des figures littéraires prépondérantes de l'île. Il est nommé président de l'Uneac (Union Nationale des Écrivains et des Artistes Cubains), organisme chargé de coordonner l'activité créatrice et d'assurer la promotion des artistes cubains. Considéré comme « poète national », Guillén va désormais s'attacher à défendre la révolution jusqu'à la fin de sa vie.

La culture afro-cubaine se trouve également au centre de *Ecue-Yamba-O*, le premier roman d'**Alejo Carpentier** (1904-1980). À l'instar d'un Wifredo Lam en peinture *(voir p. 376)*, Alejo Carpentier puise aux sources africaines pour affirmer une identité nationale et caraïbe. Cet écrivain, l'un des plus célèbres de Cuba, influencé par les surréalistes, qu'il a longuement côtoyés en France, développe une théorie originale du « réel merveilleux », très présent dans la culture latino-américaine. Le romancier décrit ce courant comme « la résolution future de deux états en apparence contradictoires, que sont le rêve et la réalité, en une sorte de réalité

La maison d'Ernest Hemingway, à San Francisco de Paula.
J. Arnold Images/hemis.fr

absolue, de surréalité ». Au fil de ses ouvrages, dont *Le Siècle des Lumières*, la rencontre insolite de mondes opposés (l'Ancien et le Nouveau) illumine la réalité de manière inhabituelle. Le « réel merveilleux » a séduit d'autres auteurs tels le Colombien Gabriel García Márquez et, bien au-delà du strict cadre latino-américain, l'écrivain Salman Rushdie.

Plus récemment, **Miguel Barnet** (1940), romancier et ethnographe, s'est attaché à valoriser l'apport de la culture noire dans l'identité cubaine. Son ouvrage *Esclave à Cuba, biographie d'un « cimarrón »* du colonialisme à l'indépendance (1967) relate les souvenirs d'un vieil homme de 104 ans, Esteban Montejo, qui a connu l'esclavage dans les plantations de canne à sucre.

Une place particulière doit être allouée à **José Lezama Lima** (1910-1976), l'un des monstres sacrés de la littérature cubaine, directeur jusqu'au milieu des années 1950 de la revue littéraire *Orígenes*. Son chef-d'œuvre publié en 1966, *Paradiso*, foisonne de métaphores dans un style parfois hermétique qualifié de « baroque » par l'écrivain lui-même. Véritable plongeon au cœur du métissage et de l'homosexualité, ce roman connaît cependant un tirage restreint à sa parution – 4 000 exemplaires – à cause de son caractère « pornographique ».

Malgré leurs profondes divergences, notamment littéraires, réunissons ici Lezama Lima et un autre grand écrivain, **Virgilio Piñera** (1912-1979). Ce dernier, collaborateur de cette même revue *Orígenes* qu'il quittera pour fonder *Ciclón*, se distingue surtout dans le genre théâtral, les contes et la poésie. Ses *Nouveaux contes froids*, modèle de littérature du fantastique et de l'absurde, feront de nombreux disciples à Cuba. Piñera est victime du même ostracisme que Lezama Lima, puisque ses œuvres sont interdites de publication à partir de 1970. Persécutés pour leur homosexualité et leur non-conformisme littéraire et politique, les deux écrivains seront condamnés à un véritable exil intérieur jusqu'à leur mort.

L'ART AU SERVICE DE LA RÉVOLUTION

Le discours *Paroles aux intellectuels*, prononcé par Fidel Castro en juin 1961, après l'interdiction du court-métrage *PM (voir « Cinéma », p. 375)*, jette les bases de la nouvelle politique culturelle : « Dans la révolution, tout ; hors de la révolution, rien. » Certains intellectuels choisissent déjà de s'exiler, mais il faut attendre 1971 pour qu'une onde de choc parcoure la société cubaine. Lorsqu'en 1968, le recueil de poèmes *Hors-jeu* d'**Heberto Padilla** (1932-2000) est primé, l'Uneac accompagne la publication de l'ouvrage d'une dénonciation de son contenu idéologique. Le poète, arrêté en 1971, se livre à une rétractation publique, en échange de sa libération. L'affaire Padilla ébranlera de nombreux intellectuels du monde entier et condamnera au silence ceux de l'intérieur suspectés de « diversionnisme idéologique ». Dix ans plus tard, beaucoup profiteront de l'exode de Mariel *(voir « Histoire », p. 352)* pour quitter le pays.

LA LITTÉRATURE DE L'EXIL

Cuba demeure bien entendu le thème central des auteurs exilés, chacun exprimant l'éloignement de son île natale et sa souffrance personnelle avec son propre génie. De son refuge londonien, **Guillermo Cabrera Infante** (1929-2005) nous entraîne dans La Havane des années 1950 dans *Trois tristes tigres* (1967), au rythme des calembours, des allitérations et des jeux de mots.

Reinaldo Arenas (1943-1990) s'est donné la mort à New York, après avoir achevé sa bouleversante autobiographie *Avant la nuit*. Il raconte dans cet ouvrage mêlant l'érotisme, le burlesque, l'autodérision et le lyrisme les incessantes persécutions dont il fut victime à Cuba.

Autre destin tragique : celui de **Guillermo Rosales** (1946-1993) qui, après avoir fui son île, passera sa vie d'exilé à Miami enfermé dans un asile pour marginaux avant de se suicider. Une descente aux enfers qu'il relate dans son roman bouleversant *Mon ange*.

Une inspiration érotique, mordante et poétique envahit les écrits de **Zoé Valdés** (née en 1959). Dans *La Douleur du dollar*, l'un de ses premiers romans, le sordide et le merveilleux fusionnent, les anachronismes et les associations de lieux créent une ambiance irréelle et pourtant terriblement ancrée dans le réel havanais.

Les références aux grands écrivains cubains ponctuent *Les Paroles perdues* de **Jesús Díaz** (1941-2002). Sur fond de « période spéciale », ce roman dresse un portrait comique et amer de quatre jeunes fondateurs d'une revue littéraire cherchant à s'affranchir de l'influence des maîtres de la littérature cubaine.

LA GÉNÉRATION DE LA « PÉRIODE SPÉCIALE »

Déception, désillusion, nostalgie forment le dénominateur commun de la vision développée par les écrivains vivant à Cuba aujourd'hui, qui ont traversé les vicissitudes matérielles et spirituelles du pays depuis la crise des années 1990. Beaucoup de leurs ouvrages ont été publiés à l'étranger, faute de moyens ou pour des raisons de censure à Cuba. Parmi eux, **Leonardo Padura** (1955) est l'auteur le plus célèbre. Ni dissident ni complaisant, il cherche à donner une vision sociale proche de ce que sentent ses compatriotes. Retenons aussi **Ena Lucía Portela** (1972), dont l'excellent roman *Cent bouteilles sur un mur* a pour toile de fond une maison du quartier du Vedado, transformée en cour des miracles.

D'autres hésitent entre regard critique et dissidence, entre tentation de l'exil et volonté de rester à Cuba. C'est le cas en particulier de Pedro Juan Gutiérrez (1950), de Lorenzo Lunar (1958), de Wendy Guerra (1970), ou encore d'Orlando Luís Pardo Lazo (1971), figure importante de la scène culturelle alternative de La Havane.
Voir aussi la bibliographie, p. 434.

Cinéma

Le Français Gabriel Veyre introduit le premier cinématographe à Cuba le 24 janvier 1897, en pleine guerre d'indépendance. À partir de cette date, le septième art va évoluer parallèlement à l'histoire du pays.

LES DÉBUTS D'UN NOUVEAU CINÉMA CUBAIN

La révolution transforme radicalement le cinéma cubain. Dès mars 1959, le gouvernement crée l'**Icaic** (Institut Cubain de l'Art et de l'Industrie Cinématographique). Placé sous la direction d'Alfredo Guevara (aucun lien de parenté avec le Che), cet institut promeut un mouvement cinématographique nouveau. Le cinéma devient un formidable outil d'instruction. Ainsi, en 1961, année de la campagne d'alphabétisation dans le pays, est introduit le **cinemóvil** (cinéma ambulant) dans les campagnes. Ces unités cinématographiques, transportées en camion, en bateau ou à dos de mulets, permettent d'atteindre les populations des zones les plus reculées de l'île. Pour la jeune révolution, le cinéma constitue un moyen efficace de diffuser des idées politiques, véhiculant un fort sentiment d'identité nationale, surtout depuis la détérioration des relations cubano-américaines. À ce titre, en mai 1961, on interdit *PM*, court-métrage tourné par Sabá Cabrera Infante et Orlando Jiménez Leal sur la vie nocturne dans les bars des quartiers populaires de La Havane, selon les procédés du *free cinema*. Le message du film est jugé contraire à l'esprit de mobilisation révolutionnaire, dont chacun doit faire preuve en ces temps troublés – un mois après la tentative d'invasion de la baie des Cochons *(voir « Histoire », p. 350).*

LA PRÉÉMINENCE DU DOCUMENTAIRE

Entre les influences du néoréalisme italien, de la nouvelle vague française, du cinéma indépendant américain et des classiques soviétiques, le cinéma cubain parvient à affirmer son originalité. Il se distingue par la grande qualité de ses documentaires, avec pour chef de file **Santiago Álvarez** (1919-1998). Quelques fictions ont également reçu les honneurs de la critique internationale comme *Lucía* de Humberto Solás en 1968. Jusque dans les années 1980, la moyenne de la production annuelle était d'environ trois fictions contre 35 documentaires. Cependant, la crise économique a également gagné l'industrie cinématographique, le manque de matériel ayant mis un frein à la production de films.

LE CINÉMA CUBAIN SUR LA SCÈNE INTERNATIONALE

Et pourtant, en « pleine période spéciale », le cinéma cubain revient sur le devant de la scène internationale grâce aux deux derniers films de **Tomás Gutiérrez Alea** (1928-1996). Ce réalisateur fut l'un des fondateurs de l'Icaic. Parmi sa filmographie importante, mentionnons *La Muerte de un burócrata (La Mort d'un bureaucrate)* en 1968, *Memorias del subdesarollo*

(Mémoires du sous-développement) en 1971 et *La Ultima Cena (La Dernière Cène)* en 1988. Ses deux derniers films, coréalisés avec Juan Carlos Tabío, ont rencontré un immense succès national et international. *Fresa y Chocolate (Fraise et Chocolat)*, sorti en 1994, dépeint l'amitié entre un artiste homosexuel et un jeune militant communiste. Deux ans plus tard, Tomás Gutiérrez Alea signe avec *Guantanamera* son dernier film, dans lequel un cortège funéraire parcourt l'île de Guantánamo à La Havane ; allégorie sur la destinée de Cuba, ou prémonition du réalisateur quant à sa propre disparition ?
Depuis 1979, La Havane accueille chaque année au mois de décembre le **Festival international du nouveau cinéma latino-américain**.

CUBA VU PAR L'ÉTRANGER

Plusieurs films sur Cuba réalisés par des cinéastes étrangers ont rencontré un franc succès. Parmi eux, le célèbre *Buena Vista Social Club* (1999) de **Wim Wenders**. Autre ambiance, autre regard, *Avant la nuit* (2001) du réalisateur américain Julian Schnabel est une adaptation à l'écran de la vie de l'écrivain Reinaldo Arenas *(voir « La littérature de l'exil », p. 374)*. Plus légère, la comédie sentimentale *Habana Blues* (2006), de l'Espagnol Benito Zambrano, dresse une chronique de la vie à Cuba. Citons également le beau film d'animation *Chico et Rita* (2011), de Fernando Trueba et Javier Mariscal, inspiré de la vie du pianiste cubain Bebo Valdés dans les années 1950. Quant à la figure du Che, elle ne lasse pas d'inspirer : Steven Soderbergh évoque notamment dans *Che, 1ʳᵉ partie : L'Argentin* (2008) l'assaut final des révolutionnaires castristes à Cuba.
🎞 *Voir aussi la filmographie, p. 436.*

Peinture

La peinture cubaine est peu connue. Wifredo Lam est l'un des rares artistes de notoriété internationale. L'art pictural de l'île témoigne de l'histoire du pays, de la colonisation espagnole à la révolution, et de sa construction identitaire, à la recherche de la « cubanité ».

LA PEINTURE DE PAYSAGE

Christophe Colomb aurait dit en posant pied sur l'île de Cuba que celle-ci était la plus belle terre jamais vue par un homme. Végétation exubérante, ciel et mer d'azur, relief extraordinaire allaient faire de la peinture de paysage une **tradition nationale**, portée par l'influence coloniale.

Les précurseurs

Parmi les premiers à s'illustrer, les trois frères **Chartrand**, notamment Esteban (1840-1884) qui s'inspire des environs de Matanzas, en particulier la vallée du Yumurí. D'un voyage en France, il rapporte quelques influences romantiques. **Valentín Sanz Carta** (1850-1898), plus réaliste, est celui qui rend le mieux la lumière et les couleurs de l'île en s'intéressant aux régions rurales et côtières.

Le Cambio de Siglo

Le mouvement du Cambio de Siglo, ou « **Tournant de siècle** », s'étend de 1894 jusqu'à 1927, année où l'exposition d'Art nouveau introduit l'art moderne à Cuba. **Armando García Menocal** (1863-1942) en est le pionnier. Son obsession : rendre la lumière et la splendeur des tropiques. Outre les paysages, il peint aussi quelques scènes historiques. Leopoldo Romañach (1862-1951) tient compagnie à Armando Menocal, mais lui seul se passionne pour la mer. Élève des deux précédents, **Domingo Ramos** (1897-1956) passe quelques

Maison de José Fuster, près de La Havane.
ferrantraite/iStock

années de jeunesse en Espagne, où il s'essaie à l'impressionnisme, au symbolisme et au réalisme. De retour à Cuba, il crée son propre style et s'impose comme le peintre de la campagne cubaine en maîtrisant d'une manière incomparable les coloris (*Flamboyant, Paysage de Viñales*). Par la suite, les œuvres associées au Cambio de Siglo seront jugées ringardes. Il faudra attendre la fin des années 1970 pour que renaisse une tradition du paysage.

L'ART MODERNE

Les initiateurs de l'art moderne, qui dédaignent les paysagistes, ont presque tous fait un détour par l'Europe avant de retourner au pays. Ainsi **Víctor Manuel** (1897-1969), peintre de l'avant-garde qui, après un séjour en Europe, notamment auprès des peintres de Montparnasse, retourne à Cuba en 1929, année où il peint sa fameuse *Gitana tropical* (exposée au musée des Beaux-Arts de La Havane), à la facture très marquée par Gauguin.

L'art moderne se partage entre trois courants principaux : le créolisme, l'afro-cubanisme et la peinture à caractère social.

Le **créolisme** prend sa source dans des sujets tirés de la vie paysanne. Carlos Enríquez (1900-1957) s'inspire de ce qu'il appelle la « romance paysanne » pour explorer la mystique des héros populaires ou la sensualité de la nature. Une critique sociale virulente n'étant pas absente de ses œuvres *(Paysans heureux)*, il reste difficile de le cantonner à ce seul courant. De son côté, Arístides Fernández (1904-1934), loin de tout folklore, évoque le Cuba des pauvres *(Le Moulin à sucre)*.

L'**afro-cubanisme** redécouvre le patrimoine de la culture noire cubaine. Eduardo Abela (1889-1965) peint sa série de personnages de carnaval, de danseurs de rumba et de musiciens *(Triomphe de la rumba)* avant de se consacrer au dessin humoristique. Ses caricatures politiques contribueront à la chute de Machado tout en renouvelant le langage esthétique.

La **peinture à caractère social** a pour principal représentant Marcelo Pogolotti (1902-1988). Ce dernier livre dans une série intitulée *Notre temps* les principales contradictions de son époque, liées au conflit entre la classe ouvrière et le capitalisme (*Paysage cubain, Ouvriers et paysans, L'Intellectuel*). Alberto Peña (1897-1938) prend la défense du travailleur noir *(Sans travail)*.

Le début des années 1940 sonne le glas de ces courants. L'heure est à une relecture de la **tradition classique** qui participera à la modernité cubaine. Mario Carreño (1913-1999), influencé par la Renaissance italienne, peint dans un style allégorique *La Naissance des nations* et *La Découverte des Antilles*. Jorge Arche (1905-1956), qui s'intéresse à cette époque aux primitifs italiens et flamands, peint *Repos*.

La recherche d'une expression authentique de la cubanité passe aussi par le retour aux **racines hispaniques**. Le paysage urbain de La Havane est redécouvert. Cundo Bermúdez (1914-2008), partagé entre classicisme et art populaire, connaît un succès avec *Le Balcon*, une ode à la capitale et à ses habitants, ou encore avec *La Boutique du coiffeur* ou *Le Billard*. **Amelia Peláez** (1896-1968) se penche sur l'architecture coloniale et les intérieurs.

À l'opposé de cette quête des origines hispaniques, **Wifredo Lam** (1902-1982) revient à Cuba en 1941 après un séjour à Paris pendant lequel il a découvert l'art africain aux côtés de Picasso.

L'IDENTITÉ RETROUVÉE

Les années 1950, plombées par la guerre froide, sont celles de l'**abstraction**, à Cuba comme ailleurs. Deux groupes d'artistes jouent un rôle de premier plan : Los Once et Los Diez Pintores.

Mais l'événement colossal que représente la **révolution** finit par avoir raison du mouvement abstrait. Les artistes réagissent. Jubilation et rébellion. Parmi eux, Servando Cabrera Moreno (1923-1981) rappelle quelques exploits (*Milices paysannes, Bombardement du 15 avril*). Antonia Eiriz (1929-1995) se montre critique envers la dictature (*Une tribune pour la paix démocratique*), tandis qu'Umberto Peña (1937), adepte du sarcasme, assemble couleurs vives, éléments grotesques et onomatopées dans des bulles, façon BD. Commence aussi l'époque de l'**affiche**, élément de propagande par excellence.

Art contemporain

En 2007, le Grand Palais à Paris exposa des **frigos cubains**. Quelle drôle d'idée ! Titre de l'exposition : « Monstres dévoreurs d'énergie ». Sur l'île, la révolution énergétique battait son plein, il fallait économiser. Pour les frigos des années 1940 et 1950 *made in USA*, bâtis comme des buildings et grands consommateurs d'électricité, l'heure de la retraite avait sonné. Une cinquantaine d'artistes cubains s'emparèrent alors de quelques spécimens pour les transformer en œuvres d'art. Parmi eux, citons **Kcho** (1970), dont le frigo était hérissé de rames, conformément à son univers marin, et créé à partir d'éléments ramassés sur les rivages. **José Fuster** (1946) avait posé quelques mosaïques sur le sien. Quant au frigo le plus célèbre de Cuba pour avoir tenu le rôle de Rocco dans *Fraise et Chocolat*, il est devenu un cercueil bleuté sous les mains de l'acteur Jorge Perugorría qui jouait dans le film le rôle de Diego.

Jeff (José Emilio Fuentes Fonseca, 1974) crée, quant à lui, des jouets grandeur nature, mélangeant peinture et sculpture avec l'ambition de parler de choses sérieuses sans perdre de vue son âme d'enfant. Lors de la 10ᵉ biennale de La Havane (2009), l'artiste a exposé un troupeau d'éléphants confectionnés selon une méthode toute personnelle. Chaque animal formé de plaques de métal soudées était ensuite gonflé d'air. Grand succès.

Thomas Sanchez (1948) est réputé pour ses peintures de paysages tropicaux, si détaillées qu'elles ressemblent à des photographies. Ses œuvres figurent en bonne place dans les collections du musée des Beaux-Arts de La Havane.

Wilfredo Prieto (1978) est un peintre… qui ne peint pas. Admirateur de Duchamp, il manie le concept. Les quelque 6 000 livres de sa *Biblioteca blanca* (Bibliothèque blanche) sont tous vierges. Et les 30 mâts d'*Apolítico*, son œuvre la plus connue, sont ornés de drapeaux nationaux dont les couleurs ont été ôtées. Il s'est aussi fait remarquer en empilant au centre d'une salle d'exposition de la graisse à essieux, une savonnette et une épluchure de banane pourrie.

Duvier del Dago Fernandez (1976) crée des œuvres tridimensionnelles à partir de ses dessins. À l'intérieur de réseaux de fils de nylon semi-transparents tendus à l'horizontale, apparaissent une voiture ou un crâne, eux-mêmes faits du même matériau. Le public regrette que ses installations soient éphémères.

Los Carpinteros est un trio devenu duo (Marco Castillo, Dagoberto Rodríguez), qui mêle architecture, design et sculpture pour interroger avec humour notre environnement socio-urbain. Ici, deux conteneurs à déchets peints en blanc portent les inscriptions « sel » et « poivre »; là, une pièce d'habitation figure, suite à une déflagration, un espace éclaté. Éclats de chaises, de tables, de fenêtres restent en suspension

dans l'air. Leurs œuvres, comme celles de Kcho, sont présentes dans les institutions et les musées les plus importants du monde.

Parmi les grands artistes vivants, **Manuel Mendive** (1944) jouit d'une grande notoriété. Tenant de l'afro-cubanisme, il développe dans sa peinture un univers onirique inspiré de la *santería*, de la spiritualité et des légendes africaines. Un monde fantastique plein de poésie, de créatures hybrides, de bougies et de couleurs.

Très coté sur le marché de l'art, le peintre et sculpteur **Roberto Fabelo**, né en 1951 à Camagüey, est membre de la « génération de l'espoir certain » qui émerge dans les années 1980 au moment de la création de la première Biennale de la Havane. Une ironie acide et un fantastique absurde imprègnent ses aquarelles et sculptures, comme dans sa série de femmes à bec ou ailes d'oiseaux, coiffées de pots en étain ou de conques, dont le style évoque les gravures de Goya et le baroque espagnol. Ses assemblages ont servi à illustrer des romans de Gabriel García Márquez, et il est l'auteur de la statue en bronze, une femme nue armée d'une fourchette et chevauchant un poulet, qui trône sur la Plaza Vieja de la Havane.

Né en 1971 à La Havane où il vit et travaille, **Damián Aquiles** (www.damianaquilesstudio.com) réalise des sculptures et toiles à l'aide de pièces métalliques et boîtes de peinture de rebut, oxydées et maculées, qu'il aplanit et combine en compositions de carrés colorés à la façon de Piet Mondrian. Parmi les autres stars actuelles, on citera également Yoan Capote, Juan Roberto Diago, Alexandre Arrechea, Diana Fonseca ou Tania Bruguera, qui bénéficient des faveurs des collectionneurs de New-York et de Miami.

Le tabac

La découverte de Cuba par les marins de Christophe Colomb à la fin du 15ᵉ s. va de pair avec celle de l'« herbe sacrée ». Le tabac fut tour à tour utilisé dans des cérémonies religieuses, puis pour ses vertus médicinales et enfin comme simple coutume sociale. « Les caciques (ou chefs de tribus) utilisaient un tube en forme d'Y, insérant les deux extrémités de la fourche dans leurs narines et le tube lui-même dans l'herbe enflammée. Ceux qui ne pouvaient se procurer la bonne sorte de bois aspiraient leur fumée par un roseau creux ; c'est celui-ci que les Indiens appellent tobago, et non la plante ou ses effets, ainsi que certains l'ont supposé. » (« Historia general y natural de las Indias » de Gonzalo Fernández de Oviedo, 1526). Jean Nicot l'introduisit comme plante médicinale en France en 1559 et, en quelques années, la poudre à priser se répandit en Europe du Nord et de l'Est.

La culture du tabac

De mai à septembre, les parcelles de terre brun-rouge sont laissées au repos, puis préparées par le *veguero* (planteurs propriétaires d'une plantation de tabac) un mois avant le repiquage des plants.

SAVOIR ACHETER UN HAVANE

Lorsque vous achetez un cigare, vérifiez la qualité de la **cape**. Évitez les grosses nervures, choisissez au contraire une cape grasse et huileuse. La couleur même importe peu. Il est vrai qu'une cape obscure *(oscuro)* est souvent signe d'un cigare plus fort. L'idéal, pour un débutant, est de commencer par une cape claire *(claro)* ou colorée claire *(colorado-claro)*. Toute la spécificité d'un cigare vient de la **tripe**, qui est constituée de trois feuilles : *ligero*, qui fournit tout l'arôme, *volado*, qui permet la combustion, *seco*, qui ajoute de la force. C'est le mélange de ces trois feuilles qui donne toute la saveur d'un cigare. Chaque grande marque a sa propre touche. Autre élément important : le **module**. La taille et le diamètre d'un cigare sont directement liés au plaisir, au temps que vous vous accorderez pour le savourer. Il est évident qu'un petit Corona de 12 cm ne se fume pas comme un Montecristo A, de 24 cm de long et de 1,9 cm de diamètre ! Le choix se fait en fonction des moments de la journée. Par exemple, un Corona de **Romeo y Julieta** est idéal après le déjeuner, car il est léger et boisé. Un Churchill ou Prince of Wales de la même marque se fumera plutôt le soir. Un petit Corona de **Partagas** est un cigare de matinée, après le café. Mais le Corona de **Juan López** ou le Small Club de **Ramon Allones** sont des cigares de journée. Le Royal Corona de **Bolívar** pourra accompagner un repas léger, car c'est un cigare terreux et typique de Cuba. Le Choix suprême de **Rey del Mundo** ou l'Épicure n° 2 de **Monterrey** sont eux aussi des cigares d'initiation, très aromatiques.

La confection des cigares est un travail minutieux et exigeant.
Kjekol/iStock

Après un contrôle très strict en pépinière pendant un mois et demi, des pousses d'une vingtaine de centimètres de hauteur sont mises en pleine terre. Leur aspect commence à changer au bout d'un mois et les *vegas* (champs de tabac) virent alors au vert brillant, signe de maturation des feuilles. Les plants destinés à former l'enveloppe extérieure des cigares sont en général recouverts d'une mousseline blanche. Ce voile qui peut s'étendre sur plusieurs hectares protège des taches de soleil et de rosée. Pendant leur croissance, les pieds de tabac (40 000 par hectare) sont régulièrement inspectés pour lutter contre les maladies et les animaux nuisibles. La *vega* fait ainsi l'objet de soins incessants jusqu'à la récolte.

Entre **février et fin mars**, chaque plant de tabac atteint déjà une hauteur de 1,80 m et arbore de huit à douze larges feuilles, de quoi fabriquer une demi-douzaine de cigares. En période de récolte, les *vegas* offrent un véritable spectacle.

Le vert foncé des plantations de tabac alterne avec les teintes plus claires des collines avoisinantes. Quelques palmiers royaux s'élancent aux côtés de cèdres dont l'excellent bois servira à la confection des coffrets à cigares. Les allées ombragées entre les plantations connaissent une activité débordante de mars à mai. Les feuilles sont délicatement cueillies et regroupées en bottes. Pour le séchage, elles sont suspendues aux poutres des maisons de tabac (*casas de tabaco*) qui se dressent au milieu des plantations. Au bout de plusieurs semaines, les feuilles sont enterrées pendant deux mois dans des trous recouverts de palmes, pour continuer le processus de fermentation déjà entamé. À la fin de cette phase, on peut procéder à la sélection (*escogeda*) des feuilles, classées selon leur qualité et leur couleur. On les enveloppe ensuite dans des feuilles de palmier, et les « balles » sont acheminées dans des entrepôts où elles seront à nouveau humidifiées pour un autre cycle de fermentation.

La confection d'un cigare

Les cigares de luxe sont confectionnés entièrement à la main depuis la révolution de 1959. Les candidats sont soigneusement sélectionnés et soumis à plusieurs épreuves techniques, dont trois années d'apprentissage, avant de devenir des *torcedores* (poseur de cape, littéralement « celui qui tord ») dignes de ce nom. Ne vous attendez pas à voir des Cubaines rouler les cigares sur leurs cuisses, comme dans la manufacture sévillane décrite, en 1845, par Prosper Mérimée dans *Carmen*. L'ouvrier roule délicatement le mélange de feuilles qui constitue la **tripe**, partie intérieure du cigare. Il l'enveloppe avec dextérité dans une feuille faisant office de **sous-cape** de façon à obtenir la **poupée**. Il sélectionne ensuite une feuille très fine destinée à servir de **cape**, l'enveloppe extérieure. Après ablation de la nervure centrale, la demi-feuille ainsi obtenue est posée à plat sur l'établi et découpée en une large bande au moyen de la *chaveta* (lame recourbée). Le *torcedor* forme le cigare en enroulant en hélice la cape autour de la poupée. Enfin, il colle une calotte circulaire confectionnée avec un bout de feuille à la tête du cigare et taille le pied (extrémité qui est allumée) à la bonne longueur. Après vérification, on forme des « demi-roues » en attachant les cigares par cinquante avec un ruban de soie.

Une richesse

Depuis le 6 février 2005, un décret du ministère du Commerce intérieur cubain interdit de fumer « dans les locaux publics climatisés ou fermés : bureaux, salles de réunion, théâtres, cinémas, salles de vidéo, ainsi qu'aux chauffeurs et passagers d'autobus, taxis, trains, et dans toutes les installations sportives, pour les athlètes et pour les travailleurs ». Il limite aussi le droit de fumer dans les lieux ouverts, où « seront différenciées des zones et des tables pour les fumeurs, le personnel de service ayant pour devoir d'informer les clients avant qu'ils ne s'assoient ». La vente de tabac est également interdite aux mineurs de moins de 16 ans ainsi qu'aux abords des écoles. Ces mesures, précise le décret, doivent encourager le « respect du non-fumeur », mesures louables mais contradictoires dans un pays où un adulte sur deux fume et où le tabac, considéré comme le meilleur du monde, est une véritable fierté nationale.

Certes, Fidel Castro a lui-même donné l'exemple, voici plus de 25 ans. Après avoir longtemps posé sur les photos officielles avec un de ces Cohibas Lanceros spécialement confectionnés pour lui, il écrasa son dernier *puro* en 1986. Mais il n'a pas été suivi, et l'interdiction de fumer dans les cinémas, déjà ancienne, n'a pratiquement jamais été respectée. Du reste, Fidel Castro, qui ne manquait pas d'humour, commentait l'interdiction en prononçant une de ces petites phrases définitives dont il avait le secret : « Le meilleur usage à faire d'un paquet de cigarettes est de l'offrir à son ennemi. » Est-ce à dire que l'exportation de cigares, qui rapporte en moyenne 440 millions d'euros chaque année à Habanos SA, société mixte contrôlée pour moitié par l'État cubain, serait désormais un acte patriotique destiné à saper le moral de l'ennemi impérialiste ? Certaines projections escomptent qu'en cas de levée de l'embargo, plus de 250 millions de dollars de cigares pourraient être exportés vers les États-Unis !

Nature et paysages

Cuba, la « perle des Antilles », constitue le plus grand archipel des Caraïbes (110 922 km², soit environ 1/5 de la France). Voisine d'Haïti (77 km) et de la Jamaïque (140 km), l'île s'avance aux portes du golfe du Mexique, à mi-chemin entre la Floride (180 km) et le Mexique (210 km). Cette situation privilégiée dans les Antilles continue de peser sur le destin de ce pays que les conquistadors surnommèrent, à juste titre, la « clé du Golfe » tandis que le poète Nicolás Guillén la compare à un « largo lagarto verde » (un long lézard vert), en raison de sa forme étroite et allongée. Il faut en effet parcourir 1 250 km pour relier ses extrémités orientale et occidentale, alors que seuls 190 km séparent ses côtes nord et sud dans sa partie la plus large, et 31 km dans sa région la plus étroite.

Des plaines entre mer et montagne

Cuba est essentiellement occupée par des plaines – 2/3 de la superficie totale –, mais d'importants massifs montagneux s'élèvent à l'extrémité occidentale, au centre et à la pointe orientale du pays. Les trois chaînes de *sierras* et la plaine de Camagüey forment les quatre régions naturelles de l'île.

LA FORMATION GÉOLOGIQUE DE L'ÎLE

Les plus anciennes formations géologiques de Cuba dateraient du début du Jurassique (ère secondaire). On fait remonter à cette période les roches métamorphiques, à l'aspect feuilleté, constituant le socle du pays, qui s'étaient empilées dans une fosse géosynclinale sous-marine. Un pli de relief (géanticlinal) émergea ensuite, séparant cette fosse en deux : la partie nord se remplit de sédiments calcaires et le sud, de sédiments d'origine volcanique. L'île continua d'être soumise à d'incessants mouvements tectoniques suivis de phases d'érosion jusqu'au Pliocène (de -5 à -2,5 millions d'années). La région connut à cette époque un violent soulèvement de terrain comme dans le reste de l'Amérique latine. De la phase

> **« SUR LA MER DES ANTILLES**
> (Que l'on appelle aussi Caraïbe)
> Battue par de fortes vagues
> Et ciselée de tendre écume,
> Sous le soleil qui la poursuit
> Et le vent qui la repousse,
> Chantant des larmes plein les yeux,
> Cuba navigue sur la carte :
> Un long lézard vert,
> Aux yeux d'eau et de pierre. »
> **Nicolás Guillén**
> (*Un long lézard vert*)

de pénéplanation – avant-dernier stade de l'érosion qui forme une surface onduleuse – qui s'ensuivit, il ne subsisterait que le **Yunque** (enclume) dans la région de Baracoa et les *cuchillas* au sommet de certaines montagnes des régions de Baracoa, Matanzas et Pinar del Río.

L'île aurait acquis sa physionomie définitive au Quaternaire, il y a environ un million d'années. Dans les régions calcaires, l'action des rivières souterraines a donné naissance aux **mogotes**, ces remarquables formations karstiques que l'on trouve dans la Sierra de los Órganos, située dans la région de Pinar del Río.

LA RÉGION OCCIDENTALE

Voir carte p. 98-99.

L'extrémité ouest de Cuba est occupée par la **péninsule de Guanahacabibes**, une zone marécageuse quasiment inhabitée. Cette étroite langue de terre, qui s'avance dans le détroit du Yucatán, abrite une magnifique réserve essaimée de lagunes et de grottes. À l'est de cette zone, la **cordillère de Guaniguanico**, à cheval sur les provinces de Pinar del Río et de La Havane, est formée par deux chaînes de montagnes aux reliefs assez différents. La **Sierra de los Órganos** présente un paysage de collines arrondies, séparées par des plaines fertiles. Des buttes karstiques, connues sous le nom de *mogotes*, ponctuent la splendide **vallée de Viñales**. Les alentours abritent de nombreuses cavernes traversées, pour certaines, par des rivières souterraines.

Au-delà de San Diego de los Baños, on pénètre dans la **Sierra del Rosario**. Ici, plus de collines arrondies, mais des montagnes qui suivent un tracé parallèle. Le point culminant, le Pan de Guajaibón (699 m), s'élève au nord-est du parc naturel de la Güira.

La côte septentrionale est bordée de *cayos* formant l'**archipel de los Colorados**, où des plages encore sauvages alternent avec quelques mangroves.

Le sud de la cordillère est occupé par une vaste plaine traversée par des cours d'eau chargés d'alluvions. Cette région productrice de riz est surtout célèbre pour son triangle de la **Vuelta Abajo**, au sud-ouest de Pinar del Río, qui regroupe sur ses terres les meilleures plantations de tabac de l'île, d'où proviennent les fameux havanes.

La plaine s'étire jusqu'à la **péninsule de Zapata**, une zone de marécages en forme de chaussure au sud de la province de Matanzas. Avec son sol de tourbe, la région fut pendant longtemps habitée par des charbonniers. Depuis la révolution, des travaux d'assainissement

Cayo Granma depuis le Castillo del Morro.
Flavio Vallenari/iStock

ont permis d'y introduire des plantations d'agrumes.

LE CENTRE DE CUBA

Voir carte p. 154-155.
Cette région couvre les *provinces* de Cienfuegos, Villa Clara, Sancti Spíritus et Ciego de Ávila.
À l'est de la péninsule de Zapata s'élève le massif montagneux de Guamuhaya, plus connu sous le nom de **Sierra del Escambray**. Cette chaîne de montagnes de 80 km de long est dominée par le Pico San Juan (1 140 m). Dans ses vallées s'étendent des champs de tabac et de canne à sucre tandis que sur ses pentes, d'origine essentiellement calcaire, on cultive surtout du café. Cette zone abrite les lacs de barrage *(embalses)* de Zaza et d'Hanabanilla, deux excellents sites de pêche à la truite. Au nord, la région est parsemée de basses collines, puis de plaines qui rejoignent l'océan. À quelques milles de la côte, de très nombreux *cayos* forment l'**archipel de Sabana**.

LA RÉGION DE CAMAGÜEY

La zone qui comprend les *provinces* de Camagüey, de Las Tunas et d'Holguín est la plus plate du pays. Cette immense plaine, à la végétation de type savane, compte très peu de cours d'eau. Les terres arides qui s'étendent à perte de vue sont essentiellement consacrées à l'élevage bovin, notamment dans ce que l'on nomme le « Triangle laitier » de Camagüey. Les collines de la Sierra de Cubitas au nord du chef-lieu dépassent rarement 300 m de hauteur. La terre argileuse aux alentours sert à la fabrication des *tinajones*, les jarres à eau, symboles de Camagüey.
Le littoral septentrional est ceinturé par les îlots de l'archipel de Camagüey et la deuxième **barrière de corail** du monde en longueur (400 km), après celle de l'Australie.

L'EXTRÉMITÉ ORIENTALE

Voir carte p. 236-237.
Les provinces de Granma, de Santiago de Cuba et de Guantánamo se succèdent dans l'est du pays. Cette région est essentiellement montagneuse, à l'exception du bassin de Guantánamo et de la plaine au nord de Bayamo, où coule le río Cauto, le plus long fleuve cubain (343 km). Sur 250 km, le long du littoral méridional, se déploie la **Sierra Maestra** dominée par le **Pico Turquino** (1 974 m), le plus haut sommet de l'île. Le versant sud de la montagne effectue un plongeon vertigineux dans la mer des Caraïbes puisqu'il est quasiment prolongé par la fosse sous-marine

d'Oriente, à plus de 7 000 m sous le niveau de la mer.

D'autres massifs montagneux occupent le nord de la région avec la **Sierra del Cristal**, puis le massif Sagua-Baracoa dont fait partie la **Sierra del Purial**. Cette montagne offre des paysages extrêmement variés entre son versant sud, zone aride où poussent des cactus, et son versant nord planté de cocoteraies, fréquemment arrosé par les pluies tropicales aux alentours de Baracoa. L'extrémité orientale de l'île se termine par de hautes falaises poreuses à la **Punta de Maisí**.

Le climat

Cuba est dotée d'un climat subtropical, chaud et humide, avec une faible amplitude thermique sur l'année – moyenne de 22 °C en hiver et de 27 °C en été. En raison de l'étroitesse de l'île, les écarts de température entre le littoral et l'intérieur du pays sont faibles, mais le relief crée par endroits des **microclimats** : des hivers plus doux et des étés plus chauds dans l'Oriente, des pluies abondantes dans la région de Baracoa, des nuits plus fraîches en montagne.

On distingue généralement une **saison sèche** en hiver (de novembre à avril) et une **saison humide** en été (de mai à octobre) au cours de laquelle les orages sont plus fréquents mais généralement de courte durée, avec des risques de cyclones en septembre et en octobre. En janvier et en février, les mois les moins chauds et les plus secs de l'année – précisons que le thermomètre ne descend qu'exceptionnellement en dessous de 20 °C –, les Cubains guettent avec inquiétude et commentent amplement les fameux *frentes fríos* (fronts froids). Très sensibles au « froid hivernal », ils s'étonnent qu'à cette saison les touristes puissent plonger sans hésitation dans une

mer à 24 °C, contre 28 °C en été. Puis, lorsqu'arrivent juillet et août, les mois de canicule, toute l'île ne se consacre plus qu'à une seule activité : la baignade.

Faune et flore

La main de l'homme s'est abattue pendant plusieurs siècles sur les forêts qui recouvraient la quasi-totalité du territoire cubain. La chasse et la déforestation massive ont eu raison de nombreuses espèces animales et végétales qui constituaient la richesse naturelle du pays. Il a fallu attendre 1990 pour que les pouvoirs publics engagent une politique écologique efficace. En marge de son adhésion à la Convention sur le commerce international des espèces de faune et de flore sauvages menacées d'extinction (Cites), Cuba s'est également dotée d'un arsenal de lois visant à une protection renforcée de l'environnement.

DES ANIMAUX EN VOIE DE PROTECTION

Contrairement aux pays voisins d'Amérique du Sud, Cuba ne compte pratiquement aucune espèce animale dangereuse pour l'homme. Le caractère insulaire du pays, tout en limitant la présence de gros mammifères, a considérablement favorisé le taux d'endémisme. Parmi la faune très diverse présente sur l'île – 19 600 espèces animales –, on estime à environ 600 les espèces de vertébrés, dont près du tiers propre à Cuba.

Une faune terrestre inégalement représentée

Le territoire ne compte pas de gros mammifères carnivores ou herbivores, à l'exception de spécimens importés d'autres continents, comme les zèbres et les antilopes de Cayo Saetía qui vous transporteront pour quelques heures en Afrique. Les espèces endémiques se réfugient plutôt dans les zones reculées du pays, dans la montagne ou les *cayos*. C'est notamment le cas des différentes variétés de **jutías**, de petits rongeurs voisins de l'agouti qui furent pendant trop longtemps la proie des chasseurs.

Comparés au petit nombre de mammifères, les reptiles sont largement représentés – avec une nette prépondérance des sauriens. On pense en premier lieu aux crocodiles, dont fait partie le **crocodile rhombifer**, une espèce endémique qui pullulait dans les marécages de la péninsule de Zapata et de l'île de la Jeunesse. L'implantation de fermes d'élevage dans ces deux régions a permis de sauver l'espèce en voie d'extinction. Parmi la centaine de sauriens présents sur l'île, on trouve bon nombre de lézards et d'iguanes. Les serpents, bien que non venimeux, peuvent atteindre une taille impressionnante : le plus grand à Cuba est le *majá de Santa María*, un python de 4 m de long. Moins imposante, la *ranita*, la plus petite grenouille du monde, mesure 1 cm. Pour chaque vertébré terrestre, on dénombre environ vingt invertébrés terrestres, généralement des insectes. Oubliez les moustiques et admirez la multitude de papillons et de gastéropodes qui envahissent la campagne cubaine. Vous ne pourrez manquer au cours de votre voyage les **polymitas**, ces escargots colorés que l'on trouve essentiellement dans l'Est.

Le royaume des ornithologues

Cuba est réputée pour son extraordinaire avifaune. Sur les 354 espèces recensées, 232 vivent en permanence sur le territoire cubain et 25 sont endémiques. Le pays constitue aussi un excellent refuge pour les oiseaux migrateurs en hiver (de novembre à avril). Parmi les espèces propres à Cuba, on retiendra le **tocororo**, l'oiseau national, dont le plumage bleu, blanc et rouge rappelle les couleurs du drapeau cubain, ainsi que la **fermina**, un passereau au chant extrêmement mélodieux. L'île abrite également le **zunzuncito** (colibri ou oiseau-mouche), le plus petit oiseau du monde (6 cm). Grâce à la vitesse impressionnante de ses battements d'ailes, il peut s'immobiliser au-dessus des fleurs pour en extraire le nectar avec son long bec. À peine plus grande que le *zunzuncito*, la *cartacuba* ressemble, quant à elle, à une petite peluche multicolore.

D'importantes opérations ont été menées pour sauver des espèces menacées. Les perroquets *(cotorras)* qui peuplaient l'île de la Jeunesse ont failli disparaître du territoire. Ils bénéficient maintenant d'une protection au même titre que les grues *(grullas)*.

Cuba est également célèbre pour ses colonies de flamants roses installées au nord de Camagüey et dans la péninsule de Zapata. Sur le bord des routes, vous apercevrez fréquemment des pique-bœufs, fins échassiers blancs perchés sur le bétail.

Une faune aquatique abondante

La faune sous-marine cubaine est d'une richesse exceptionnelle : 900 espèces de poissons, 4 000 sortes de mollusques. Espadons, marlins et barracudas font le délice des amateurs de pêche au gros. Les requins se font rares près des côtes, mais certains se seraient approchés de Santiago de Cuba. Gorgones, éponges, crustacés, dont la célèbre langouste, et mollusques complètent cet extraordinaire tableau marin.

Au rang des espèces menacées, mentionnons, dans la famille des tortues, le *caret (carey)* et le *tinglado*, souvent présenté dans les musées d'histoire naturelle régionaux. Près des embouchures des fleuves rôde parfois un **manatí** (lamantin), mammifère marin au corps pisciforme qui ne serait pas totalement étranger à la légende des sirènes.

Les lacs, quant à eux, abritent un petit nombre d'espèces, comme le *manjuarí*, étonnant animal préhistorique à mi-chemin entre le reptile et le poisson.

LA FLORE LA PLUS VARIÉE DES ANTILLES

Cuba compte 6 700 espèces de plantes, dont plus de la moitié est propre au pays. Ce taux d'endémisme très élevé a été favorisé bien sûr par l'insularité, mais aussi par la diversité des sols, au relief varié, et par la présence de microclimats.

Cinq siècles de destruction

Bartolomé de Las Casas, prêtre dominicain du 16ᵉ s., commentait : « On peut parcourir l'île, sur ses 300 lieues de long, entièrement sous les arbres. » À l'époque, 95 % du territoire était recouvert de forêts, en 1959, elles ne représentaient plus que 14 % de la surface de l'île. Les principaux facteurs de cette déforestation massive sont liés à l'urbanisation, à l'augmentation des surfaces cultivées et à l'abattage inconsidéré

de nombreux bois précieux. Grâce aux campagnes de préservation de la flore et à la mise en œuvre de programmes de reboisement, le taux d'occupation forestière est désormais remonté à 20 %.

Une palette infinie de verts

On peut distinguer schématiquement une répartition des espèces végétales par zones. Le **littoral** et les *cayos* sont parfois bordés de mangroves dont le sol boueux constitue le terrain de prédilection du **palétuvier**. Grâce aux racines aériennes qui pendent de ses branches, cet arbre peut directement s'ancrer dans les marécages ou la mer. Le long des plages, on rencontre fréquemment des haies de **cocotiers** et parfois la silhouette tortueuse des **uvas caletas** (raisiniers bord-de-mer), aux fruits comestibles. Le climat aride du littoral oriental a favorisé par endroits la croissance de nombreux **cactus** – l'île en compte une centaine d'espèces.

Les **plaines** sont généralement occupées par des zones d'élevage ou de cultures : cannaies, rizières, bananeraies, plantations d'agrumes (péninsule de Zapata et île de la Jeunesse) et champs de tabac. La flore sauvage la plus variée peuple plutôt les forêts en **montagne**. En hiver, vous repérerez rapidement le **flamboyant**, cet arbre des Antilles dont les fleurs rouge vif égaient le paysage. Près des rivières, en été, éclot une fleur blanche délicate comme

L'ARBRE PRODIGUE

Le palmier constitue une ressource inépuisable pour le paysan cubain. Les fibres du tronc sont séchées pour monter les murs et les cloisons de son habitat. La *yagua*, écorce imputrescible et insectifuge que l'on trouve au sommet du tronc, sert à en recouvrir les murs. Enfin, les grandes palmes viennent coiffer le toit du *bohío* (cabane). Mais cet arbre généreux est aussi synonyme de nourriture pour les cochons, de mobilier rustique, de cordes, de paniers et d'étuis à cigares, sans oublier le chapeau traditionnel du *guajiro* (paysan).

Palmiers dans la vallée de Viñales.
CaptureLight/iStock

un papillon : c'est la **mariposa**
(littéralement « papillon »), la
fleur nationale, symbole de
l'indépendance pendant les guerres
de libération du 19ᵉ s.
Dans les zones de moyenne
altitude, il subsiste des essences de
bois précieux qui ont contribué à
la renommée du mobilier cubain,
tels le cèdre, l'acajou ou l'ébène.
Leur présence a considérablement
diminué, et les programmes de
reboisement les ont généralement
remplacés par des eucalyptus.
Le **jagüey** est un spécimen qui a
peu de chance de passer inaperçu.
Cet arbre corpulent aux immenses
racines aériennes qui risque de
ravir la vedette au **ceiba** (kapokier
ou fromager), est aisément
reconnaissable à son tronc imposant
et à sa ramure presque horizontale.
Aux deux extrémités du territoire,
mentionnons aussi la présence du
pin, très prisé pour son bois et sa
résine. Il a donné son nom à l'île
des Pins (actuelle île de la Jeunesse)
et à Pinar del Río (littéralement
la « pinède du Fleuve »). Environ
10 % du territoire sont couverts de
pinèdes, où poussent des espèces
endémiques tel le *Pinus maestrensis*
de la Sierra Maestra ou le *Pinus*

cubensis de la région de Mayarí. En
altitude, les pluies ont favorisé la
présence de nombreuses variétés
de **fougères arborescentes** et
d'**orchidées** – plus de 250 variétés
endémiques sur l'île – que vous
pourrez admirer dans l'Orquideario
de Soroa *(voir p. 102)*.

La palme nationale

Que serait Cuba sans le **palmier
royal** ? Hissé au rang d'emblème
national, il figure sur les armes
du pays comme symbole de la
noblesse et de la détermination
du peuple cubain. Son tronc gris
et élancé, surmonté d'un plumet
de feuilles, est omniprésent dans
la campagne et les villes. Avec ses
70 millions de palmiers, Cuba est
le pays qui en réunit le plus grand
nombre au kilomètre carré.
Aux côtés de l'arbre national, on
a recensé plus d'une centaine
d'espèces différentes à Cuba, dont
70 sont endémiques. Dans la région
de Pinar del Río poussent des
spécimens intéressants de palmier-
liège *(palma corcho)*, un fossile
vivant datant de l'ère secondaire,
et de palmier ventru *(palma
barrigona)*, dont le tronc présente
une enflure caractéristique.

ORGANISER
SON VOYAGE

Entrée du paladar La Guarida, La Havane.
elmvilla/iStock

Types de séjour

SÉJOUR CULTUREL	
Les plus belles villes coloniales	Le top 3 : La Vieille Havane (p. 37), Cienfuegos (p. 164) et Trinidad (p. 178). Les amateurs ne manqueront pas non plus Matanzas (p. 132), San Juan de los Remedios (p. 205), Sancti Spíritus (p. 213) et Camagüey (p. 224).
Les lieux de mémoire de la révolution cubaine	Plaza de la Revolución (p. 63) et Museo de la Revolución (p. 57) à La Havane, baie des Cochons (p. 158), Santa Clara et le tombeau du Che (p. 199), Sierra Maestra (p. 252) et les souvenirs de la guérilla, Santiago de Cuba entre Cuartel Moncada et Plaza de la Revolución (p. 270-273).
Les souvenirs de la colonisation espagnole et de l'esclavage	Cathédrale (p. 40), Palacio de los Capitanes Generales (p. 37) et forteresses de La Havane (p. 58), Angerona (p. 101), Valle de los Ingenios (p. 186), mémorial Christophe Colomb près de Gibara (p. 248), Museo Histórico La Demajagua (p. 257), croix de Colomb à Baracoa (p. 294).
La culture du tabac	Fábrica Partagás à La Havane (p. 59), plantations de tabac et fabriques de cigares dans la vallée de Viñales (p. 106) et le triangle de la Vuelta Abajo (p. 116).
Beaux-arts, arts décoratifs	Museo de Bellas Artes de La Havane (p. 55), musées d'art colonial (Casa de los Sánchez, Palacio Cantero, Palacio Brunet, etc.) de Trinidad (p. 178), Museo de Arte Colonial de Sancti Spíritus (p. 214), Museo Provincial Ignacio Agramonte de Camagüey (p. 228).
SÉJOUR BALNÉAIRE	
Îlots et plages désertes	Cayo Jutías et Cayo Levisa (p. 124), Caleta Buena dans la baie des Cochons (p. 161), Cayos Las Brujas et Santa María (p. 208), Cayos Coco et Guillermo (p. 219-220), Playa Maguana (p. 297), l'île de la Jeunesse (p. 306).
Grandes stations	Varadero (p. 138), Guardalavaca (p. 241).
Les meilleurs sites de plongée	María la Gorda (p. 122), la baie des Cochons (p. 160), l'île de la Jeunesse (p. 306).
SÉJOUR NATURE	
Les plus beaux sites naturels	Vallée de Viñales (p. 106), Sierra del Escambray (p. 187), Sierra Maestra (p. 254), Parque Nacional Baconao (p. 274), Sierra del Purial (p. 291), El Yunque, Parque Humboldt (p. 297).
L'observation de la faune	La Sierra del Rosario, réserve de la biosphère et paradis des oiseaux (p. 102), la péninsule de Guanahacabibes (p. 121), la péninsule de Zapata et ses crocodiles (p. 157).
Jardins tropicaux	L'Orquideario de Soroa (p. 102), le jardin botanique de Cienfuegos (p. 170), la nature exubérante de Baracoa (p. 293).
SÉJOUR FESTIF	
Salsa et musique traditionnelle	À ne pas manquer : la Casa de la Música à Trinidad (p. 195) et la Casa de la Trova à Santiago de Cuba (p. 283). Belle animation nocturne également à Viñales (p. 115), Cienfuegos (p. 164) et Baracoa (p. 293).

Aller à Cuba

Nom officiel : República de Cuba
Capitale : La Havane
Superficie : 110 922 km²
Population : 11,4 millions d'hab.
Monnaie : le *peso cubano*
(CUP) pour les Cubains, le
peso convertible (CUC) pour
les étrangers et pour acheter
les produits d'importation.
1 CUC = env. 25 CUP
Langue officielle : espagnol
Décalage horaire : - 6h par rapport
à la France.

En avion

Conseil – Si vous comptez
assister à des manifestations
culturelles importantes comme
le carnaval de Santiago autour
du 25 juillet, réservez votre billet
d'avion et un hôtel sur place le plus
tôt possible.
Pour les formalités obligatoires
pour entrer dans le pays, voir p. 398.

LIGNES RÉGULIÈRES

Un vol direct Paris-La Havane
dure environ 10h30 à l'aller et 9h à
9h30 au retour. Le prix du billet AR
varie considérablement selon la
saison et la date de l'achat : entre
515 et 1 500 €. Les tour-opérateurs
proposent des tarifs avantageux.
En basse saison, les promotions
peuvent combiner le billet d'avion et
l'hébergement au prix d'un vol sec.
Cubana de Aviación – 41 bd
du Montparnasse, 75006 Paris -
01 53 63 23 23 - www.cubana.
cu. Les vols de la Cubana au départ

de la France sont assurés par Air
Caraïbes (voir ci-après).
Air Caraïbes – 0 820 835 835
(0,12 €/mn) - www.aircaraibes.
com. et **Corsair -** 39 17 *(0,35 €/
mn)*- www.corsair.fr. Les deux
compagnies proposent en code-
share 2 vols/sem. pour La Havane
depuis Paris (Orly-Sud), avec parfois
une escale à Santiago de Cuba. La
fréquence devrait bientôt passer à
4 vols/sem.
Air France – 36 54 *(0,34 €/mn)* -
www.airfrance.fr. Un vol quotidien
pour La Havane au départ de Paris
(Roissy-CDG).
XL Airways – 0 892 692 123
(0,35 €/mn) - www.xl.com. Un vol
hebdomadaire direct au départ de
Paris (Roissy) pour Varadero.
Les autres compagnies (Air Europa,
Iberia, Aeroflot, Lufthansa, Swiss, Air
Canada) opèrent des vols avec escale.

CENTRALES DE RÉSERVATION ET COMPARATEURS SUR INTERNET

On obtient les meilleurs prix
en passant par les centrales de
réservation en ligne qui proposent
des occasions de dernière minute,
des vols bradés ou des formules
avion + hôtel. Les comparateurs de
vol sont aussi très utiles pour faire
jouer la concurrence.
Bourse des vols – www.bourse-
des-vols.com.
Easy Voyage – www.easyvoyage.
com
Ebookers – www.ebookers.fr.
Edreams – www.edreams.fr
Expedia – www.expedia.fr
Go Voyages – www.govoyages.com
Kayak – www.kayak.fr.
Liligo – www.liligo.fr
Opodo – www.opodo.fr.
SkyScanner – www.skyscanner.fr

Voyager Moins Cher – www.voyagermoinscher.com

🐌 **Bon à savoir** – Compte tenu de frais cachés de dossier ou liés à l'utilisation d'une carte bancaire, il est parfois préférable de réserver directement auprès de la compagnie aérienne. Soyez vigilant.

AÉROPORT

Les vols en provenance de l'Europe et/ou du Canada atterrissent pour la plupart à l'**aéroport José Martí** de La Havane, mais vous pouvez aussi arriver dans des aéroports de province, desservant notamment les stations balnéaires, dont Varadero et Holguín (Guardalavaca). À l'arrivée, vous trouverez de quoi louer un véhicule et des moyens de transports pour rejoindre le centre.

Avec un voyagiste

La plupart des voyagistes organisent des circuits. À quelques rares exceptions près, tous ont recours pour leurs prestations sur place, en particulier les locations de voiture, aux agences d'Etat cubaines (Cubanacan, Rex, Via Gaviota, Havantur, Cubatur, Ecotur…). Effectuez une étude comparative des prix en fonction de vos dates de séjour. Les prix varient considérablement selon la formule et l'époque.

SPÉCIALISTES DE L'AMÉRIQUE LATINE ET DE CUBA

Altiplano – www.altiplano-voyage.com.

Cuba authentique – www.authentique-cuba.com.

Cuba Autrement – www.cubaautrement.com.

Cuba chez l'habitant – www.cubachezlhabitant.com

Cuba en liberté – www.cuba-en-liberte.com.

Cuba Travel Network – www.cubatravel.network.com

Havanatour – www.havanatour.fr. Filiale de l'agence d'Etat Havanatur.

Je pars à Cuba – www.jeparsacuba.com.

La Maison des Amériques latines – www.maisondesameriqueslatines.com.

Puraventura – www.puraventura.fr

Mojito Spirit – www.mojitospirit.com

Novela Cuba – www.novelacuba.com.

(R) Évolution Voyages – www.revolutionvoyages.com.

Roots Travel – www.rootstravel.com.

Sol Latino – www.sol-latino.travel.

Un Monde Cuba – www.unmondecuba.com.

GÉNÉRALISTES

Cercle des Vacances – www.cercledesvacances.com

Comptoir des voyages – www.comptoir.fr.

Evaneos – www.evaneos.com.

Jet Tours – www.jettours.com.

Kuoni – www.kuoni.fr.

Monde authentique – www.monde-authentique.com

Thomas Cook – www.thomascook.fr

Tui – www.tui.fr.

Voyageurs du monde – www.voyageursdumonde.fr.

VOYAGES CULTURELS

Arts et Vie – www.artsetvie.com.

Clio – www.clio.fr.

VOYAGES AVENTURE

Amplitudes Voyages – www.amplitudes.com. Séjours à la carte.

Atalante – www.atalante.fr.

Huwans Club Aventure – www.huwans-clubaventure.fr.

Terres d'aventure – www.terdav.com.

Terres lointaines – www.terres-lointaines.com.

UCPA – www.ucpa-vacances.com.

PRENEZ LE TEMPS DE
(RE) DÉCOUVRIR LE MONDE

© codonnell / iStock

© shapecharge / iStock

© kupicpo / iStock

skin / iStock

RETROUVEZ LA CARTE DE VOTRE PROCHAINE DESTINATION
CHEZ VOTRE LIBRAIRE !

Avant de partir

Météo

SAISONS

Le climat cubain est de type subtropical modéré. Il se caractérise par deux saisons :
– De mai à octobre, c'est la **saison des pluies**. Mais rien à voir avec les moussons asiatiques, elle n'empêche pas de profiter de son séjour sous un soleil radieux, notamment sur les plages. Il fait chaud durant cette période, 32 °C en moyenne, avec souvent des pluies fortes, mais de courte durée, en fin de journée, qui viennent rafraîchir l'atmosphère. La mer est alors la plus chaude, avec une eau aux environs de 30 °C.
– De novembre à avril, c'est la **saison sèche**. Il pleut moins, et il fait plus frais. Les températures minimales se situent autour de 18 °C en journée, et les maximales entre 26 et 29 °C. L'eau est en moyenne à 24 °C, et les plages peuvent être plus venteuses. Il peut parfois faire frais en soirée.
En matière de fréquentation touristique (et donc aussi de prix), on distingue une **haute saison**, de décembre à avril et en juillet-août, et une **basse saison**, en mai-juin et de septembre à novembre.
Partir à Cuba est donc possible toute l'année, en privilégiant peut-être la période de **janvier à mai**, la plus agréable au niveau climatique.

CYCLONES

Sachez que Cuba, comme tous les pays de la zone caraïbe, est sujette aux cyclones entre les mois de mai et de novembre, les mois les plus exposés étant septembre et octobre.

CE QU'IL FAUT EMPORTER

Maillot de bain et tenues légères exigés ! Prévoyez surtout des vêtements qui sèchent rapidement, car le taux d'humidité dans l'air est élevé : 77 % pendant la saison sèche et 82 % pendant la saison humide. Pensez à emporter un parapluie ou un imper, indispensables en été et dans certaines régions, comme celle de Baracoa. Un pull, fortement conseillé pour les séjours en montagne, vous sera également très utile dans les trains de nuit, les cars et certains établissements touristiques, où la climatisation fonctionne en permanence. Pour les randonnées pédestres, munissez-vous de bonnes chaussures de marche, en toile imperméabilisée. Pour les sorties nocturnes, les Cubains font preuve d'une grande coquetterie. Ils sauront apprécier le soin porté à votre tenue vestimentaire si vous êtes invité chez eux ou si vous sortez dans un établissement de luxe. Pour un homme, une chemise à manches longues sur un pantalon de toile fera parfaitement l'affaire.

MOYENNES DES TEMPÉRATURES MAXIMALES ET MINIMALES À CUBA												
	Janv.	Fév.	Mars	Avr.	Mai	Juin	Juil.	Août	Sept.	Oct.	Nov.	Déc.
Max.	27	28	29	30	31	31	32	33	32	32	30	28
Min.	17	16	18	20	21	22	23	23	22	21	20	18

Adresses utiles

OFFICES DE TOURISME

Office du tourisme de Cuba –
2 passage Du Guesclin, 75015
Paris - ✆ 01 45 38 90 10 - www.
autenticacuba.com - lun.-vend. 10h-
12h, 14h-17h.
**Bureau du tourisme de Cuba au
Canada** – 300, Léo-Pariseau, bureau
2121, H2X 4B3, Montréal - ✆ (514)
844 73 07 - www.gocuba.ca.

REPRÉSENTATIONS
DIPLOMATIQUES

France – Ambassade et consulat
de Cuba - 16 r. de Presles, 75015
Paris - ✆ 01 45 67 98 81 - www.
cubadiplomatica.cu - lun.-vend.
9h-12h.
Belgique – Ambassade de
Cuba - Av. Brugmann 80, 1190
Forest - ✆ (02) 343 00 20 - www.
cubadiplomatica.cu/belgica - lun.-
vend. 9h30-12h30.
Suisse – Ambassade de Cuba -
Gesellschaftsstrasse 8, 3012
Berne - ✆ (41) 31 302 21 11 - www.
cubadiplomatica.cu/suiza - lun.,
mar., jeu., vend. 9h-12h.
Canada – Ambassade et consulat
de Cuba - 4542-4546 bd Décarie,
Montréal, Québec H3X 2H5 -
✆ (514) 843 88 97 (lun.-mar. et jeu.-
vend. 9h-12h) ; 388 Main St., Ottawa,
Ontario K1S 1E3 - ✆ (613) 563
01 41 (mar.-vend. 9h-13h) ; www.
cubadiplomatica.cu/canada.
⚑ Voir aussi « Sur place de A à Z »,
p. 410.

SITES INTERNET

Sites d'informations
pratiques
www.jeparsacuba.com (en
français) – Blog avec informations
pratiques, bons plans et coups de
cœur.
www.cubasi.com (en anglais) –
Toute l'actualité « officielle » de l'île.

www.cubanet.org (en espagnol) –
Site basé à Miami ; l'actualité
cubaine vue par des journalistes
indépendants.
www.14ymedio.com (en
espagnol) – Journal d'information
indépendant publié sur l'île.
www.havanatimes.org (en
anglais) – Magazine d'information
indépendant publié au Nicaragua
mais rédigé par des Cubains.
www.cubania.com (en français) –
Site de reportages patrimoine,
culture et société.

Sites officiels
www.autenticacuba.com (en
français) – Le site du ministère du
Tourisme (à voir et à faire, conseils,
guide pratique…).
www.cnpc.cult.cu (en espagnol) –
Le site officiel recensant l'intégralité
du patrimoine cubain.
www.cuba.cu (en espagnol) –
Portail sur Cuba avec de nombreux
liens utiles.
www.cubagob.cu (en espagnol) –
Le site du gouvernement de la
République de Cuba.
www.cubatravel.cu (en français) –
Portail officiel du tourisme cubain
(présentation générale du pays et
informations pratiques).
www.infotur.cu (en espagnol) – Le
site du réseau d'offices de tourisme
de l'île.

Sites culturels
www.cubarte.cult.cu (en
français) – Le portail très complet
de la culture cubaine.
www.cubalatina.com (en
français) – Un site dédié à toutes
les facettes de la culture cubaine
(histoire, belles américaines,
cigares, musique, etc.).
www.ecured.cu (en espagnol) -
Une mine d'informations : tout
sur les musées et les monuments
cubains, ainsi que sur l'histoire.
☝ **Bon à savoir** – Très pratique,
l'application **Maps.me**, à
télécharger sur son mobile avant de

partir, permet de se géolocaliser et de trouver des adresses sur place sans connexion wifi. Vous pouvez aussi utiliser l'application **OsmAnd**, qui fonctionne également en mode hors-ligne.

Formalités

😊 **Bon à savoir** – Les informations ci-dessous sont fournies à titre indicatif. Il est conseillé aux visiteurs de s'assurer dans leur pays, auprès de la représentation diplomatique cubaine, des conditions en vigueur au moment de leur voyage.

PIÈCES D'IDENTITÉ, VISA

Vous devez obligatoirement être muni d'un **passeport** en cours de validité et d'une **carte de tourisme** (*tarjeta del turista*), sésame indispensable pour entrer à Cuba, qui doit être remise aux autorités cubaines à la sortie du territoire. Les enfants et les bébés doivent également en avoir une. Ce document est délivré par le **consulat de Cuba** (*voir « Adresses utiles », p. 397*), mais on peut aussi s'adresser aux voyagistes (*voir p. 394*). La carte de tourisme est délivrée immédiatement sur présentation du passeport (ou de la photocopie des quatre premières pages) et du billet (ou une attestation de la compagnie aérienne ou de l'agence de voyages indiquant les dates aller et retour de votre voyage), moyennant env. 22 € si vous allez au consulat et env. 5 € de plus chez les tour-opérateurs. La plupart des agences de voyages proposent à leurs clients de se charger de cette formalité à leur place. Vous pouvez aussi la commander par Internet.

La validité de la carte ne peut excéder **30 jours**, mais peut faire l'objet d'une prolongation sur place, pour un mois maximum, auprès des bureaux de l'*Inmigracíon* de La Havane, Santiago et la plupart des grandes villes. Pour les séjours professionnels, un visa doit impérativement être demandé au consulat au moins 3 semaines avant le départ (environ 105 €). Il est valable 30 jours sur place et non renouvelable.

😊 **Bon à savoir** – Touriste ou professionnel, ne dépassez pas la durée maximale du séjour de 30 jours, ne serait-ce que d'une journée, sous risque d'incarcération par les services de l'immigration.

ASSURANCE MÉDICALE OBLIGATOIRE

Depuis le 1er mai 2010, les voyageurs se rendant à Cuba doivent pouvoir présenter une attestation d'**assurance couvrant les frais médicaux sur place et l'assistance rapatriement**. Ce document est téléchargeable sur le site Internet des cartes de crédit Visa ou Mastercard, dont l'assurance vous couvre si vous avez payé votre voyage avec une carte. Nous vous recommandons fortement de vérifier que vous l'avez souscrite. Les voyageurs qui ne seront pas en mesure de produire une attestation devront prendre cette assurance à leur arrivée à Cuba auprès d'une agence cubaine.

AUTRES ASSURANCES

Les agences de voyages et les tour-opérateurs proposent généralement une assurance avec le billet d'avion. Si ce n'est pas le cas, souscrivez vous-même un contrat classique couvrant l'annulation du voyage, les frais de maladie sur place et le rapatriement sanitaire. Cette couverture est le plus souvent comprise dans les assurances associées aux cartes bancaires. En cas de problème, **Asistur**, présent à La Havane (*voir p. 72*), Varadero (*voir p. 143*) et Santiago de Cuba (*voir p. 278*), peut

Vue sur la vallée de Los Ingenios, depuis la tour de guet.
Aurora/hemis.fr

vous aider sur place à résoudre vos problèmes médicaux, juridiques, financiers (admission hospitalière, rapatriement, perte de bagages ou de papiers, etc.) et assurer la liaison avec votre compagnie d'assurances.

Asistur – *Prado no 208 e/Colón et Trocadero (Habana Vieja)* - ☏ *(7) 866 44 99 - www.asistur. cu.* Numéros d'urgence 24h/24 : ☏ *(7) 866 85 27/83 39 ou 89 20.*

Europ Assistance – ☏ 01 41 85 93 65 - www.europ-assistance.fr.

Allianz Global Assistance – ☏ 01 42 99 82 82 - www.mondial-assistance.fr.

☾ Voir aussi « Voiture », p. 430.

DOUANES

Importation

Vous pouvez apporter vos effets personnels ainsi que votre matériel photographique, dans la limite de poids autorisée par votre compagnie aérienne. Si vous avez des cadeaux dans vos bagages, leur valeur ne doit pas excéder 50 CUC (45 €) et vous ne pouvez transporter plus de 10 kg de médicaments. L'importation de boissons alcoolisées est limitée à 3 litres et, en ce qui concerne le tabac, ne sont autorisés que 200 cigarettes ou 50 cigares (mais la question se posera rarement dans ce sens). L'importation d'armes à feu, de matières explosives et de drogue est bien entendu prohibée. Il en est de même pour toute denrée alimentaire n'ayant pas fait l'objet d'un conditionnement (fruits frais par exemple).

Exportation

Vous reviendrez certainement de Cuba avec du rhum et des cigares dans les bagages, mais en nombre limité : 3 bouteilles d'alcool et 50 cigares pour la douane cubaine. La douane française n'autorise quant à elle qu'une seule bouteille de rhum par personne. Afin de lutter contre la contrefaçon de cigares et le marché noir, les douaniers peuvent vous demander la facture d'achat (*comprobante*) à la sortie du territoire.

Certaines espèces animales et végétales sont protégées dans le monde entier (tortues, corail, etc.). Si l'on vous trouve en possession

😋 Calculez votre budget quotidien

🕐 Voir aussi le tableau des « Services ou articles » ci-contre et « Nos catégories de prix », p. 403.

Afin de vous aider à préparer votre voyage, nous vous proposons quatre catégories de budget journalier. Le prix de la journée a été calculé **par personne, sur la base d'un séjour pour deux.**

Pour un **minibudget**, comptez au minimum **50 CUC/j** (45 €) en dormant chez l'habitant, en déjeunant dans des snacks, en dînant dans votre maison d'hôte et en prenant le bus pour vous déplacer.

Pour un **petit budget**, comptez au minimum **70/80 CUC/j** (63/72 €) pour un séjour dans des *casas particulares* plus confortables, des repas dans des *paladares*, des restaurants bon marché ou des maisons d'hôte, et des déplacements en bus. Si vous louez une voiture, calculez au minimum 80 CUC/j (72 €) supplémentaires (à diviser par le nombre de passagers), sans l'essence.

Pour un **budget moyen**, prévoyez **160 CUC/j** (145 €) en logeant dans une *casa particular*, en prenant vos repas dans de petits restaurants et en louant une voiture.

Pour un séjour **haut de gamme**, comptez au moins **250 CUC/j** (225 €) pour descendre dans les grands hôtels, dîner dans les restaurants chic de La Havane ou de Varadero, et vous déplacer en voiture de location.

Attention : en raison du contexte économique et politique du pays, les prix et leurs équivalents en euros sont susceptibles de changer à tout moment. Cuba n'est pas une destination bon marché pour un touriste individuel qui passe par le circuit officiel des hôtels d'État. Votre voyage deviendra plus abordable en empruntant le circuit « privé », c'est-à-dire chez l'habitant. En passant par un tour-opérateur, vous obtiendrez des tarifs plus avantageux pour les nuits d'hôtels et la location de voiture.

de ces espèces, vous encourrez une amende et leur confiscation.

😋 **Bon à savoir** – Si vous achetez une bouteille de rhum à l'aéroport, mettez-la dans votre bagage en soute ou achetez-la au duty-free après les contrôles de sécurité, où le passage des liquides est interdit. Attention, si votre vol comporte une escale, la bouteille dans votre sac cabine vous sera confisquée à l'embarquement suivant.

VACCINATION

Aucune vaccination n'est exigée pour entrer à Cuba, mais vous pouvez en profiter pour mettre à jour vos vaccins contre le tétanos, la typhoïde en cas de séjour prolongé, l'hépatite A et la fièvre jaune.

🕐 Voir aussi « Santé », p. 418.

PERMIS DE CONDUIRE

Seul un permis de conduire national est requis pour louer une voiture.

VOYAGER AVEC UN ANIMAL DOMESTIQUE

Pas de quarantaine pour les animaux domestiques. Il suffit de présenter un carnet de santé à jour et de retirer une attestation auprès du consulat de Cuba de votre pays. Cependant, une fois sur place, voyager avec son animal peut engendrer des complications, car peu d'hôtels seront enclins à le recevoir, et le climat peut s'avérer pénible pour lui.

Argent

CHÈQUES DE VOYAGE

Si vous comptez emporter des chèques de voyage, commandez-les en **euros**. Les chèques American Express et tout chèque émis par une banque américaine n'étant pas acceptés à Cuba, choisissez des **Thomas Cook** ou des **Visa**. Vous pourrez les changer dans les grands hôtels internationaux ou au guichet du Banco Financiero Internacional moyennant une commission qui varie entre 3 et 5 %. Vous rencontrerez des difficultés pour changer vos chèques de voyage en dehors des grands centres touristiques ; prévoyez donc suffisamment d'espèces en fonction de votre itinéraire.

CARTES DE CRÉDIT

Seules les cartes de crédit **Visa International**, **Eurocard**, **Mastercard**, **Access** et **Banamex** sont acceptées, à condition qu'elles ne soient pas délivrées par une banque américaine. La **carte American Express est refusée** sur tout le territoire. Il est possible de retirer de l'argent avec une

SERVICES OU ARTICLES	PRIX MOYEN EN PESOS CONVERTIBLES (1 CUC = 0,90 €)
Une chambre double dans une *casa particular* (minibudget et petit budget)	25-35
Une chambre double dans un hôtel simple (budget moyen)	50-70
Une chambre double dans un hôtel de charme (budget moyen)	120
Un repas dans une cafétéria ou un snack (minibudget)	5
Un repas chez l'habitant	10-15
Un repas dans un bon restaurant (« Une folie »)	25-30
Une location de voiture pour une semaine (catégorie A)	500/600
Un litre d'essence super	1,20
Un trajet en bus Viazul de La Havane à Trinidad	25
Un billet d'avion La Havane-Santiago de Cuba	140
Trajet aéroport de La Havane/centre-ville en taxi	30
Location d'un scooter une journée	35
Une journée de parking surveillé	2
Une entrée dans un musée	1-8
Un guide pour une demi-journée (par personne)	10
Une bouteille d'eau minérale	1,50/2
Un mojito	3,50/5
Une bière	1,50/3

carte Visa dans les distributeurs automatiques, désormais présents dans toutes les villes, même s'ils sont en petit nombre. Les cartes Mastercard, par contre, ne sont pas toujours acceptées par les distributeurs, leurs titulaires doivent alors passer au guichet des banques et bureaux de change pour effectuer un retrait. Une carte de crédit est indispensable pour louer une voiture (caution), et peut être utilisée dans les grandes stations-services, les agences de voyage, les grands hôtels et complexes touristiques des stations balnéaires. En revanche, les restaurants, les *casas particulares* (maisons d'hôtes) et les achats dans les boutiques se paient en espèces. Les distributeurs automatiques et terminaux de paiement étant sujets à de fréquentes pannes, et la communication avec le centre d'autorisation pouvant être interrompue à tout moment, il est fortement conseillé de se munir d'une réserve de sécurité d'argent liquide en euros.

Bon à savoir – Avertissez votre banque de votre départ et de vos dates de voyage, afin que votre carte ne soit pas bloquée pour suspicion de fraude, ce qui arrive de plus en plus souvent. Pensez aussi à faire relever votre plafond de retrait hebdomadaire, qui peut s'avérer insuffisant. Sachez enfin que vos retraits ou paiements par carte seront doublement taxés : 3 % côté cubain, plus les frais appliqués par votre banque, variable d'un établissement bancaire à l'autre.
Voir aussi « Argent », p. 411.

Téléphoner à Cuba

Pour appeler de France à Cuba, faites le **00 + 53** + indicatif de la région + numéro du correspondant.
Pour appeler depuis Cuba, voir p. 424.

Se loger

Retrouvez notre sélection d'hébergements dans « Nos adresses à » de la partie « Découvrir Cuba ».

NOTRE SÉLECTION

Les adresses sélectionnées dans ce guide ont été classées par catégories de prix *(voir tableau p. ci-contre)* sur la base d'une **chambre double** en haute saison avec petit-déjeuner dans les hôtels et sans petit-déjeuner dans les *casas particulares* (comptez le plus souvent 5 CUC/pers.).

LES DIFFÉRENTS TYPES D'HÉBERGEMENT

Bon à savoir – Le tourisme ne cesse de se développer à Cuba et les infrastructures d'hébergement se multiplient à bonne cadence. Aux hôtels à l'architecture austère qui accueillaient les Américains avant la révolution, ou les touristes des pays de l'Est par la suite, se sont ajoutés de grands hôtels modernes de classe internationale, de vastes clubs de vacances dans les stations balnéaires et, plus récemment, des établissements dans des édifices coloniaux rénovés avec goût. Grâce à l'ouverture à la petite entreprise privée, les maisons d'hôtes (*casas particulares*) se sont également multipliées. Dans les villes touristiques, loger chez l'habitant offre souvent le meilleur rapport qualité-prix pour les voyageurs indépendants. Mais que ce soit dans les hôtels ou les maisons d'hôtes, vous devez régler vos nuitées et repas en pesos convertibles (CUC).

Hôtels

Depuis les années 2000, quantité d'anciens hôtels cubains ont été rénovés. Dans le centre historique de La Havane notamment, de nombreux palais coloniaux ont été

NOS CATÉGORIES DE PRIX		
	Hébergement	**Restauration**
Premier prix	moins de 25 CUC (23 €)	moins de 10 CUC (9 €)
Budget moyen	de 25 à 40 CUC (23-36 €)	de 10 à 20 CUC (9-18 €)
Pour se faire plaisir	de 40 à 70 CUC (36-64 €)	de 20 à 30 CUC (18-27 €)
Une folie	plus de 70 CUC (64 €)	plus de 30 CUC (27 €)

transformés en de charmants petits hôtels de luxe. Mais leurs tarifs ont explosé, alors que l'entretien au quotidien et le service hôtelier sont rarement à la hauteur des attentes. Sans parler des hôtels des années 70 qui attendent toujours d'être remis à neuf. Si bien que de façon générale, le rapport qualité-prix des hôtels d'État laisse à désirer. Gérés par plusieurs chaînes nationales (Cubanacan, Gran Caribe, Gaviota, Habaguanex), qui emploient un personnel mal payé et peu motivé, ils sont hélas souvent mal entretenus. La plupart des villes comptent au moins un **hôtel moyen de gamme** destiné au tourisme national et international dont le prix varie entre 40 et 80 CUC. Ces établissements appartiennent généralement aux chaînes cubaines Horizontes et Islazul. Reconnaissables à leur architecture de béton datant des années 1960 ou 1970, ils ont des chambres fonctionnelles généralement dotées de l'air conditionné, d'une télévision, d'un frigo-bar et d'une douche individuelle. Il n'est pas rare que les sanitaires présentent les problèmes d'usage liés au vieillissement : fuites, difficultés pour obtenir de l'eau chaude.

Dans la fourchette de prix supérieure (entre 70 et 150 CUC), vous trouverez des **hôtels confortables**. Cette catégorie compte une palette très diversifiée d'établissements allant de l'hôtel bas de gamme des grandes stations balnéaires à des établissements à l'architecture plus recherchée. La clientèle étant exclusivement internationale, le personnel parle souvent une langue étrangère, plutôt l'anglais. Les chambres ont toutes une salle de bains individuelle, l'air conditionné et la télévision.

Pour plus de 150 CUC, vous logerez dans un **hôtel** (en principe) **de standing international**. Les chambres sont correctes, mais d'un confort souvent relatif et pas toujours exemptes de vétusté, notamment dans les salles de bains. Il arrive aussi qu'elles ne disposent pas de fenêtres. En ville, ces établissements accueillent les hommes d'affaires et leur offrent sur place toute une gamme de services de télécopie, secrétariat, location de salles de réunion. En passant par un tour-opérateur, vous pouvez loger dans cette catégorie d'hôtels pour un prix plus abordable.

Dans les stations balnéaires, vous logerez dans de grands complexes internationaux, qui s'apparentent à de véritables villages de vacances, avec des activités sportives et des animations organisées sur place du matin au soir. Le prix inclut presque toujours les repas, proposés sous forme de buffet de piètre qualité. En clair, il ne faut pas s'attendre à du voyage haut de gamme à Cuba, hormis dans quelques maisons coloniales très spécifiques, dans les nouveaux cinq-étoiles de la Havane et dans les complexes balnéaires de grand luxe gérés par des chaînes étrangères à Varadero et sur les cayos Coco et Santa María.

⊛ **Bon à savoir** – En raison des problèmes que rencontre le pays, vous n'êtes cependant pas à l'abri de certains dysfonctionnements : ainsi les coupures d'eau ou d'électricité sont-elles fréquentes. Dans tous les cas, la culture du silence est très relative à Cuba : même les hôtels les plus luxueux peuvent se révéler très bruyants. ⏾ Voir « Réserver », p. 404.

Chez l'habitant (casas particulares)

Une chambre chez l'habitant est la formule la moins onéreuse et la plus sympathique pour se loger à Cuba. C'est aussi un moyen pour rencontrer des Cubains, surtout si vous possédez quelques rudiments d'espagnol. La majorité de ces chambres d'hôtes proposent d'excellentes prestations. L'accueil est en général chaleureux et souriant. Beaucoup de maisons possèdent un beau salon avec des sols en céramique et du mobilier ancien, un agréable patio égayé de plantes vertes ou une terrasse avec vue. Les chambres sont d'ordinaire confortables, avec la climatisation, une télévision et une salle de bains privée, souvent aussi un frigo-bar et un coffre. Outre un copieux petit-déjeuner, les logeurs proposent un dîner la plupart du temps savoureux et à un prix attrayant. En revanche, la décoration des lieux affiche couramment un petit côté vieillot et kitsch. L'isolation phonique est parfois déficiente, en règle générale mieux vaut éviter les chambres donnant sur la rue. Les *casas* fournissent serviettes et savon, mais pas de shampoing ni de gel douche, sauf exception. Toutes les maisons d'hôtes légales affichent un **sigle bleu et blanc**, évoquant une double ancre, sur leur porte. Le sigle rouge et blanc (très rare) signifie que la chambre est payable en monnaie nationale, donc exclusivement réservée aux Cubains. Pour éviter les mauvaises surprises, il est préférable de visiter les lieux avant d'accepter la chambre. À Trinidad, pour 30/35 CUC en moyenne la chambre double, vous pouvez loger dans une magnifique demeure coloniale à deux pas de la Plaza Mayor ou vous retrouver dans une arrière-cour à l'extérieur du centre-ville. À La Havane, comptez plutôt entre 35 et 45 CUC. D'une manière générale, le prix d'une chambre double (sans petit-déjeuner) varie entre 25 et 35 CUC (généralement entre 25 et 35 CUC) selon le confort, le quartier et la durée du séjour. Le petit-déjeuner est en plus (3 à 6 CUC/pers., selon qu'il comporte fromage, œufs, fruits frais, etc.).

⊛ **Bon à savoir** – Votre **carte de tourisme** *(voir p. 398)* et votre **passeport** vous seront demandés par les propriétaires afin de pouvoir vous louer une chambre.

Clubs de vacances

La formule club de vacances *(todo incluido)* tend à se développer dans les grandes stations balnéaires de l'île et les *cayos* touristiques. Passez par un tour-opérateur pour effectuer votre réservation.

Camping

Ne vous encombrez pas d'une tente, le **camping sauvage est interdit**, et les terrains de *campismo* sont en fait des parcs avec des cabanons en dur. Ces établissements, théoriquement destinés aux Cubains, sont bon marché mais offrent un confort très sommaire. Certains sont à l'abandon.

RÉSERVER

⊛ **Conseil** – Attention aux faux sites de réservation en ligne qui sont un véritable fléau, tant pour les hôtels que pour les réservations de voiture *(voir p. 430)*. Par exemple, le site www.havanatur.com est une arnaque, copie des sites officiels wwwhavanatur.cu et www.havanatour.fr en français. Ne réservez que sur des sites officiels, connus et recommandés, et évitez de payer à l'avance. Sachez aussi que le surbooking est pratiqué partout, dans les hôtels, les chambres chez l'habitant et chez les loueurs de voiture.

Réserver un hôtel
Pendant la **haute saison** (déc.-avr. et juil.-août), il est impératif de réserver vos hôtels. Vous pouvez le faire par téléphone ou mail en anglais, mais l'usage de l'espagnol minimisera les risques de déconvenues. Le plus simple (et le plus sûr) est de passer par un tour-opérateur *(voir p. 394)*, qui se chargera d'effectuer les réservations pour vous.

En **basse saison**, mieux vaut réserver vos nuitées si vous voulez loger dans des hôtels agréables.

Réserver une chambre chez l'habitant
Pour réserver votre chambre chez l'habitant, sachez que de plus en plus de *casas particulares* ont un site Web ou une adresse électronique. Le fonctionnement d'Internet étant parfois aléatoire à Cuba, n'espérez pas forcément une réponse rapide et préférez le téléphone.

Dans l'ensemble, il n'est pas vraiment nécessaire de réserver à l'avance chez l'habitant. L'offre est tellement vaste que vous trouverez toujours des chambres libres sur place. Hormis pour les plus belles casas coloniales et pour celles qui sont très demandées, où la réservation s'impose.

🔖 **Bon à savoir** – Une réservation chez l'habitant reste toujours sujette à caution : il n'est pas rare que la chambre que vous croyiez réservée soit louée à votre arrivée. C'est aussi de bonne guerre, car nombre de touristes font faux

bond à leurs hôtes. Le plus sage est donc d'arriver tôt dans la journée afin de prendre possession des lieux ou d'entrer en contact avec le propriétaire la veille ou l'avant-veille (par mail ou par téléphone) afin de lui rappeler votre arrivée prochaine. Si la chambre n'est plus disponible, on saura tòujours vous trouver une solution de rechange chez un voisin.

Ci-dessous quelques organismes spécialisés. Ils prennent bien sûr une petite commission sur les ventes :

Cuba Linda – ✆ 05 53 08 96 66 - www.cuba-linda.com. Chambres payables directement aux propriétaires. Efficace et bien organisé.

Cuba chez l'habitant – ✆ 01 43 20 13 56 - cubachezlhabitant.com. Réserve vos chambres à l'avance. Propose aussi des séjours, des circuits, des cours de percussion et de salsa.

www.casaparticular.com (en espagnol) – Site incontournable avec descriptifs et coordonnées des propriétaires. Possibilité de réserver et de régler à l'avance les nuitées d'hôtels.

www.novelacuba.com (en français) – Outre les locations de voitures, l'agence propose une sélection d'adresses de qualité.

www.jeparsacuba.com (en français) – Sélection d'adresses de charme, pour les voyageurs qui réservent une voiture sur le site.

www.bandbcuba.fr (en français) – plate-forme de réservation basée en Espagne, choix divers de *casas*.

🔖 **Bon à savoir** – De nombreuses *casas particulares* fonctionnent avec des plates-formes de location comme **Airbnb** (www.airbnb.fr) ou **Homestay** (www.homestay.com), voire même Booking.com. Le paiement étant effectué à la réservation, aucun risque de trouver la chambre louée à l'arrivée.

Se restaurer

Voir aussi « Restauration », p. 418.

NOTRE SÉLECTION

Les gammes de prix indiquées dans ce guide sont calculées sur la base d'un **repas complet sans les boissons** pour une personne. Les restaurants sélectionnés sont classés par fourchettes de prix équivalant à quatre types de prix (*voir tableau p. 403*).

OÙ SE RESTAURER

Bon à savoir – Depuis la fin de 2018, Cuba souffre de pénuries alimentaires, et l'État a décrété le rationnement des aliments de base et produits de première nécessité. La viande, le riz, les haricots, les œufs, la farine, l'huile, le poulet ou encore les saucisses manquent souvent dans les magasins. Ne vous étonnez pas si l'on vous annonce que certains plats affichés au menu ne sont pas disponibles.

Dans les casas particulares

Excellente option : manger dans la *casa particular* où vous logez. Les repas sont souvent gargantuesques et soignés, et le cadre sympathique, le tout pour un prix raisonnable (10-15 CUC en moyenne). C'est le meilleur rapport qualité-prix que vous trouverez à Cuba.

Dans les hôtels

Pratiquement tous les hôtels disposent d'un restaurant, mais la qualité de la cuisine est loin d'être exceptionnelle et les prix souvent excessifs. Les grands hôtels offrent généralement des menus de cuisine internationale ou sous forme de buffet à volonté, en particulier dans les clubs des stations balnéaires. Comptez en général 15-25 CUC par repas. Certains hôtels luxueux ont des restaurants de cuisine internationale de qualité, mais l'addition est souvent assez élevée (plus de 35 CUC/pers.).

Dans les restaurants d'État

L'offre de restauration s'est longtemps réduite à ces restaurants gérés par l'État (avec un personnel de fonctionnaires) et spécialement créés pour les étrangers dans les grandes zones touristiques. Ils proposent essentiellement une cuisine créole traditionnelle, associée parfois à des spécialités régionales. Passés de mode dans les grandes villes, souvent vides (surtout depuis la multiplication des *paladares*), ces établissements sont, sauf exception, de qualité très moyenne, mais l'addition demeure mesurée (de 5 à 15 CUC/pers.). Il existe par ailleurs des restaurants *a priori* réservés aux Cubains, proposant une petite carte en monnaie nationale (nous l'indiquons le cas échéant dans notre sélection), où vous pourrez payer en CUC. Le marché de la restauration se consolidant peu à peu, tous ces différents types d'établissement tendent à converger, avec une amélioration graduelle, bien qu'encore relative, de la qualité.

Dans les paladares

Empruntant leur nom à un restaurant d'une fameuse série de télévision brésilienne de la fin des années 1980, les *paladares* (littéralement « le palais, le goût ») ont fleuri après la libéralisation du secteur en 1993 et, plus encore récemment, avec la fin de la limite de 12 couverts maximum par maison. Ces restaurants « privés » sont un vrai phénomène, parfois surprenant, les familles n'ayant pas d'autre option que de les créer chez elles, souvent dans leur propre salle à manger, sur un coin de toile cirée, voire dans une chambre à coucher ! Si certains *paladares* ont l'allure de véritables restaurants, avec un décor soigné et un service de qualité, quelque détail vient toujours vous rappeler leur statut original, le plus souvent leurs

GUIDE VERT MICHELIN
WEEK&GO

LE MEILLEUR DE LA DESTINATION

Découvrez nos sites étoilés,
parcourez la ville avec le plan détachable
et testez nos meilleures adresses!

toilettes qui ne sont autres que la salle de bains familiale.

La multiplication des *paladares* est en passe de remodeler entièrement l'offre de restauration à travers l'île, de la bonne petite table proposant une cuisine ménagère typiquement cubaine pour moins de 10 CUC, au *paladar* branché (notamment à La Havane) proposant une cuisine volontiers inventive (comptez 20/30 CUC), en passant par un nombre grandissant de petits restaurants italiens (10/15 CUC). Ils permettent de varier un peu du traditionnel menu cubain, à base de grillades et de riz *(voir ci-dessous)*, qui était hier encore hégémonique.

Dans la rue

Vous ne trouverez pas grand-chose dans la rue pour vous restaurer. Les seuls aliments que l'on trouve dans toutes les localités se résument souvent à du *pan con lechón*, une viande de porc plutôt grasse coincée entre deux tranches de pain, ou des fruits et des légumes au marché. Des particuliers proposent également des pizzas sans grand intérêt sur le pas de leur porte. Soyez également vigilant quant aux conditions d'hygiène.

GASTRONOMIE

Des plats créoles

Combinaison de plats espagnols et africains riches en graisses et féculents, généralement dépourvue de saveurs épicées, la cuisine cubaine manque de variété et ne vous laissera malheureusement pas un souvenir impérissable. De plus, vous obtiendrez souvent la réponse « Se acabó » (« Il n'y en a plus »), en raison des difficultés d'approvisionnement en dehors des grands centres touristiques.

La majorité des établissements traditionnels propose un menu créole à base de **porc** (*puerco* ou *cerdo*) ou de **poulet** (*pollo*) – grillé ou frit – accompagné de **riz** ou de haricots noirs (*congrí* ou *moros y cristianos*), de **bananes plantains**, de **manioc** (*yuca*), agrémenté d'une **salade** de tomates, de concombres, de choux ou d'avocats selon la saison et de chips de **boniato** (sorte de patate douce).

Le riz (*arroz*), omniprésent, est servi nature, *congrí* (avec des haricots rouges), ou *moros y cristianos* (littéralement « maures et chrétiens », avec des haricots noirs). Les bananes se mangent en purée (*fufú de plátano*), frites (*plátanos fritos*), en beignets (*tostones*) ou très fines, façon chips (*mariquitas*).

Un fruit accompagné de fromage frais ou râpé et le *flan* (une crème aux œufs caramélisée) figurent parmi les **desserts** classiques. Si vous n'êtes pas tenté, dégustez une excellente glace Coppelia et achevez le repas par un bon *café cubano* (serré et sucré).

Les fruits frais sont privilégiés au petit-déjeuner. Les amateurs de mangues se régaleront à partir de mai ; sinon, pendant l'hiver, bananes, ananas, mandarines et pamplemousses (surtout dans la région de Viñales) sont au menu.

Les amateurs de **poissons** risquent d'être déçus, car la pêche reste peu développée. Les établissements d'État ont été longtemps les seuls habilités à en servir (le reste étant destiné à l'exportation), de même que la viande de bœuf (*res*). Néanmoins, nombre de *paladares* et de maisons d'hôte parviennent aujourd'hui à s'approvisionner et le poisson, les crevettes et la **langouste** de Cuba vous seront régulièrement proposés. Les Cubains préparent fréquemment cette dernière avec une sauce tomate très salée (*langosta enchilada*), mais vous pouvez la commander simplement grillée. Certaines provinces semblent plus versées dans l'art culinaire que d'autres. Avec La Havane,

Vendeur ambulant de fruits et légumes, à Santiago de Cuba.
mbbirdy/iStock

Baracoa fait ainsi figure d'étape gastronomique par rapport au reste de l'île, relevant les plats traditionnels de saveurs de cacao et de coco. C'est aussi là que vous dégusterez le meilleur **ajiaco**, ragoût national à base de viande, de lardons et de légumes, décliné aussi au *tetí*, un poisson local.

Les boissons

En dehors de La Havane et des *casas particulares*, où l'on se régale d'excellents jus de fruits tropicaux frais, il faut souvent se contenter de boissons en brique ou de sodas *(refrescos)* type Tropicola (Coca-Cola local) ou Cachito (sorte de Seven Up). En revanche, des stands de rue proposent parfois, pour quelques pesos, d'excellents **batidos** (milk-shakes) de banane ou de goyave ainsi que du *guarapo* (canne à sucre pressée) dans les régions rurales. Cuba est bien entendu réputée pour son **rhum**. Parmi les marques nationales, les bouteilles de Havana Club, principale distillerie de l'île, inondent le marché. Les rhums Carta de Oro (5 ans d'âge) ou Añejo

(7 ans d'âge) peuvent être servis sec ou avec des glaçons. Le rhum blanc (Carta Blanca, 3 ans d'âge) entre plus volontiers dans la composition de la centaine de **cocktails** cubains. Si le plus connu est le **cuba libre** (rhum, jus de citron, cola et glaçons), le cocktail national est incontestablement le **mojito** (rhum, citron, eau gazeuse, glaçons et feuilles de menthe). Le **daiquiri** se compose quant à lui de rhum, jus de citron, sucre, marasquin, glace pilée. En marge de ces trois incontournables, vous aurez du choix : Ron Collins, Papa's Special, *cuba bella, cubanito, mulata, piña colada*, punch, etc. Dans les grandes villes, la plupart des *paladares* proposent des cartes de cocktails aux prix mesurés (environ 3 CUC). Le vin, souvent d'origine espagnole, est cher et rare. Accompagnez plutôt vos repas d'eau minérale (Ciego Montero est la plus courante) ou de **bière** *(cerveza)*. N'hésitez pas à goûter les productions nationales : Bucanero, Cristal, Mayabe, Hatuey ou Lagarto.

Sur place de A à Z

ACHATS

🕭 Voir aussi « Souvenirs », p. 421.

Horaires d'ouverture
Les magasins ouvrent généralement tous les jours, sauf le dimanche, de 10h à 18h, avec parfois une pause à l'heure du déjeuner dans les petites localités.

Marchandage
Le marchandage, qui n'est pas une tradition cubaine, a fait son apparition avec le tourisme individuel.
Si c'est peine perdue dans le secteur officiel, en revanche n'hésitez pas à négocier les tarifs proposés par les taxis privés dans les zones touristiques, voire par les particuliers pour les chambres chez l'habitant.

Taxes et réglementations
Il faudra vous conformer aux réglementations douanières de votre pays en matière d'alcool et de cigares *(voir aussi « Avant de partir », « Exportation » p. 399)*.
Pour les œuvres d'art, les magasins spécialisés vous délivreront une facture d'achat. Dans le cas contraire, vous devrez vous procurer un certificat de sortie du territoire.

Expédier ses achats
Le plus simple est de rapporter vos achats dans vos bagages ou de les confier directement à quelqu'un qui prend l'avion. Si vous devez absolument les expédier par la poste, adressez-vous à une société spécialisée type **DHL**. C'est coûteux, mais c'est le seul moyen sûr pour récupérer son colis à l'arrivée, et de loin le plus rapide.

ADRESSES

À Cuba, les adresses indiquent le nom de la rue, éventuellement le numéro, puis les deux rues perpendiculaires qui délimitent le bloc *(cuadra)* dans lequel se trouve le bâtiment. Ainsi, « Convento de Santa Clara, calle Cuba n° 610 e/ Sol y Luz » signifie que le couvent est situé dans la rue Cuba entre les rues Sol et Luz. Si l'immeuble fait un angle *(esquina)*, en général seules les deux rues perpendiculaires sont mentionnées : l'Hôtel Ambos Mundos, esq. Obispo y Mercaderes, se trouve donc à l'angle des rues Obispo et Mercaderes.

🕭 **Bon à savoir** – Dans les grandes villes, la plupart des rues ont changé de nom après la révolution, mais leur ancienne dénomination reste très souvent utilisée par les Cubains : c'est pourquoi les plans indiquent généralement l'ancien nom entre parenthèses, et que les deux sont accolés dans le libellé des adresses.

AMBASSADES

Elles sont toutes réunies à La Havane.
Ambassade de France – Calle 14 n° 312 e/3ra et 5ta (Miramar, Playa) - 📞 (7) 201 31 21/31 - cu.ambafrance. org - lun.-vend. 8h30-12h.
Ambassade de Belgique – Calle 8 n° 309 e/3ra et 5ta (Miramar, Playa) - 📞 (7) 204 24 10 - cuba.diplomatie. belgium.be - lun.-vend. 8h30-12h30.
Ambassade de Suisse – Ave. 5ta n° 2005 e/20 et 22 (Miramar, Playa) - 📞 (7) 204 26 11 - www.eda.admin. ch/havana - lun.-vend. 9h-12h.
Ambassade du Canada – Angle calle 30 n° 518 et ave. 7ma (Miramar,

Playa) - ☏ (7) 204 25 16 - www. canadainternational.gc.ca/cuba - lun.-vend. 8h-17h (vend. 14h).

Le Canada dispose aussi de services consulaires en province :

Consulat du Canada à Varadero – Calle 13, e/Avenida 1ra et Camino del Mar - ☏ (45) 61 20 78.

Consulat du Canada à Guardalavaca – Hotel Atlantico, Suite 1 - ☏ (24) 43 03 20.

ARGENT

Monnaie

Deux monnaies officielles circulent dans l'île : le **peso cubano (CUP)** utilisé par les Cubains pour leurs achats quotidiens **et le peso convertible (CUC)**, utilisé par les touristes et par les Cubains pour acheter des produits d'importation. Pour ajouter à la confusion, les deux monnaies coexistent parfois sous le même symbole « **$** ». La monnaie en pesos convertibles est frappée de la mention « INTUR » (Institut de tourisme) alors que les pièces de monnaie nationale portent la mention « República de Cuba ». À l'heure où nous publions ce guide, **1 CUC = env. 25 pesos cubanos**.

Le **peso cubano**, monnaie nationale *(moneda nacional)*, ne vous sera pas d'une grande utilité, sauf pour de menus achats au marché ou auprès des vendeurs ambulants, pour payer les rares transports en commun que vous emprunterez (calèche, bus, bac), les appels locaux d'une cabine téléphonique, ou pour vous procurer le quotidien *Granma*. Voyager à Cuba sans jamais utiliser la monnaie locale n'a donc rien d'exceptionnel.

☉ **Conseil** – Si vous souhaitez retirer quelques coupures en monnaie nationale, prenez une petite somme, car il est impossible de changer des *pesos cubanos* contre des euros par exemple.

Les étrangers doivent obligatoirement payer les services touristiques (hôtels, restaurants, billets d'avion, location de voitures) en **pesos convertibles**, appelés CUC (prononcez « kouk »). Les Cubains eux-mêmes y ont de plus en plus recours pour acheter les produits absents des magasins d'État. Vous apprendrez bien vite à distinguer les boutiques, hôtels, restaurants en « *moneda nacional* » – qui ne peuvent en principe accepter les étrangers, faute de licence les autorisant à effectuer des opérations en devises – des établissements mieux approvisionnés qui, eux, sont en pesos convertibles. La quasi-totalité de vos paiements s'effectuera donc en pesos convertibles. Il existe des billets de 100, 50, 20, 10, 5, 3 et 1 CUC et des pièces de 1, 5, 10, 25, 50 et 100 centavos (100 centavos font 1 peso). Préférez les petites coupures – maximum 20 CUC –, la monnaie se faisant rare en dehors des lieux très touristiques.

☉ **Conseil** – Soyez vigilant avec la monnaie, notamment sur les marchés, où un prix peut être annoncé en pesos convertibles mais la monnaie rendue en pesos cubains… Généralement, dans tous les endroits peu touristiques, la gymnastique de conversion entre les deux monnaies est obligatoire !

Change et paiements

Les banques cubaines, le réseau de *casas de cambio* **Cadeca**, et la plupart des grands hôtels changent les principales devises étrangères, mais le dollar américain est frappé d'une taxe de 10 %, il vaut donc beaucoup mieux apporter des euros (ou des dollars canadiens ou des francs suisses) pour le change. Le taux du peso convertible est aligné sur le dollar américain. A l'heure actuelle, **1 CUC = 1 USD = 0,90 €**. Ce taux ne varie pas d'une banque ou d'un bureau de change à l'autre, inutile de courir faire le tour des guichets. Évitez par contre de changer vos devises dans les hôtels, où les taux sont beaucoup moins avantageux. Un passeport est exigé pour toute opération de change.

Le taux de change des devises est certes moins bon que celui utilisé lors des paiements ou retraits par carte de crédit, mais ces derniers font l'objet d'une taxe d'environ 3 %, à laquelle s'ajoute la commission que prélève votre propre banque. Il peut s'avérer alors plus avantageux d'arriver avec une bonne somme d'euros en liquide à changer plutôt que d'effectuer de nombreux retraits avec votre carte au cours du voyage. Conservez aussi un minimum d'euros sur vous jusqu'à la fin de votre séjour, au cas où un retrait par carte bancaire s'avérait impossible.

Conseils – Lors de vos opérations de change, notamment à l'aéroport, pensez toujours à bien recompter les liasses de billets que l'on vous donne, et vérifiez qu'il s'agit bien de CUC (pesos convertibles) et non de CUP (pesos domestiques). Ne changez sous aucun pretexte dans la rue, mais uniquement dans les banques et les *casas de cambio* Cadeca. Enfin, n'oubliez pas de changer vos CUC pour des euros avant de quitter Cuba, car ils n'ont aucune valeur à l'extérieur du pays. Un guichet est prévu à cet effet à l'aéroport.

Voir aussi « Argent », p. 401, et « Banques », ci-contre.

AUTO-STOP

C'est la formule la plus utilisée par les Cubains pour se déplacer, faute de transports en commun. L'auto-stop est même une structure organisée. Vous verrez par endroits des groupes de personnes au bord de la route. Un fonctionnaire appelé un *amarillo* (littéralement « jaune », en raison de la couleur de son uniforme) arrête les véhicules étatiques et répartit les gens en fonction de leur destination. Faire du stop *(coger botella)* à Cuba ne risque pas de vous mener bien loin sur certaines routes, et l'on attendra généralement de vous une compensation en pesos convertibles. N'oubliez pas que, pour un Cubain, prendre un auto-stoppeur étranger est passible d'une amende.

Réciproquement, il est déconseillé aux étrangers de prendre des Cubains en auto-stop (officiellement du fait des vols et de cas de harcèlement), et les loueurs de voitures l'interdisent formellement. Sur les routes, vous serez souvent en proie à la culpabilité en voyant des mères de famille et leurs enfants en train d'attendre un hypothétique véhicule sous un soleil de plomb sans pouvoir vous arrêter. Rien n'interdit cependant de rendre service, par exemple à un membre d'une famille chez laquelle vous avez logé. Comme ailleurs, tout est une question de confiance et de discernement…

BANQUES

Elles sont généralement ouvertes tous les jours, sauf le week-end, de 8h à 15h (plus tard et jusqu'au dimanche midi dans les grandes villes). Prévoyez un délai d'attente aux guichets, mais les queues avancent généralement assez vite.

CADEAUX À OFFRIR

En raison de la pénurie qui frappe le pays, tout ce que vous apportez dans vos bagages est susceptible de se transformer en cadeaux : vêtements, parfums, stylos, briquets, brosses à dents, savon ou encore dentifrice, denrées devenues inaccessibles pour de nombreux Cubains depuis début 2011, puisqu'en disparaissant officiellement de la liste des produits de la *libreta*, elles sont désormais payables en CUC et non plus en *pesos cubanos*. Selon vos centres d'intérêt, offrez des cordes de guitare, de la peinture, autant d'objets qui sont un véritable luxe à Cuba et qui vous permettront de faire d'intéressantes rencontres. Mais, par-dessus tout, pensez à apporter des **médicaments**, car ils font cruellement défaut et sont hors de prix. Aux abords des lieux touristiques, la distribution de ces produits a cependant ses méfaits, comme en témoignent les enfants qui vous encerclent en demandant des *plumas* (stylos) et des *chicles* (prononcer « tchiclé », chewing-gums). Sans faire l'aumône, offrez plutôt des cadeaux aux Cubains avec lesquels vous avez sympathisé. Si vous êtes invité, une bouteille de rhum sera toujours la bienvenue, ainsi que des cigarettes étrangères.

CARNAVALS

Musique et danse sont à l'honneur ! Le **carnaval de Santiago de Cuba**, qui se tient autour du 25 juillet, est le plus représentatif *(voir p. 285)* avec ses *comparsas* (associations de danseurs et de musiciens) défilant dans les rues aux rythmes des tambours, des *cornetines chinos* (hautbois d'origine chinoise) et des cuivres. Cependant, ne manquez pas les **Parrandas Remedianas** *(voir p. 206)* si vous êtes à Remedios, dans la région de Villa Clara, à Noël. La « période spéciale » a un temps altéré ces festivités. Après quelques années d'interruption, le **carnaval de La Havane** reparaît dans toute sa splendeur et a lieu au début du mois d'août, sur le Malecón et devant le Capitole *(voir p. 95)*. Assurez-vous toutefois auprès de l'office de tourisme du maintien du carnaval et de ses dates exactes.

Voir aussi « Agenda », p. 434.

CIGARETTES

Les amateurs de tabac brun pourront goûter les Popular, les cigarettes cubaines. Certaines marques américaines sont en vente dans les magasins en devises, les bars d'hôtels et les stations-service. Comptez env. 2,30 CUC le paquet de blondes. Notez que, depuis début 2005, il est officiellement interdit de fumer dans les lieux publics.

CONCERTS

Vous entendrez certainement les grands classiques du répertoire cubain dans de nombreux lieux touristiques, mais il convient d'assister au moins à un concert de **salsa** : spectacle garanti sur scène et dans la salle ! Vous trouverez dans chaque ville cubaine une **Casa de la Música** ou une **Casa de la Trova** (maison de Troubadour) qui propose des concerts de musique traditionnelle plusieurs soirs par semaine ; celle de Santiago de Cuba *(voir p. 283)*, berceau de ce courant musical, est une véritable institution. D'autres réseaux culturels émaillent également le territoire : de ville en ville, vous reconnaîtrez facilement les logos d'Artex et de l'Uneac, qui proposent aussi de sympathiques concerts. Ce n'est pas un mythe : les Cubains aiment sortir, danser en couple et boire du rhum – ou plutôt une *aguardiente* (eau-de-vie) râpeuse – et les lieux de sortie nocturne sont nombreux, même dans les petites villes.

Autre réseau, la **Casa de la Cultura** organise toutes sortes de manifestations culturelles gratuites avec de faibles moyens, mais le résultat est souvent intéressant : concerts, pièces de théâtre, expositions d'artistes locaux, etc.

DÉCALAGE HORAIRE

Il y a **6h** de décalage entre la France et Cuba : ainsi, lorsqu'il est midi en France, il est 6h du matin à Cuba. Les deux pays appliquent un horaire d'été et un horaire d'hiver, mais ceux-ci entrent en vigueur avec deux semaines d'écart : pendant cette brève période, le décalage horaire est de 5h.

DEUX-ROUES

Les **stations balnéaires** proposent généralement un service de location de mobylettes, de scooters et de bicyclettes. Ailleurs, il est difficile de louer un vélo, même à La Havane. Il se peut qu'un particulier vous loue le sien, mais sachez que c'est généralement le seul moyen de locomotion dont il dispose. Si vous désirez parcourir l'île à vélo, apportez le vôtre. Pensez à vous munir de toutes les pièces détachées dont vous pouvez avoir besoin et d'un bon antivol. Et n'hésitez pas à prévoir large, vous ferez des heureux ! Vous n'aurez aucun problème en cas de crevaison, chaque ville regorgeant de petits ateliers de pose de rustines *(ponchera)*.

EAU POTABLE

L'eau est censée être potable dans les zones touristiques, mais il est recommandé de ne boire que de l'eau minérale. La marque nationale, Ciego Montero, vous sera rapidement familière.

ÉLECTRICITÉ

C'est un synonyme de tracas pour la population. Moins fréquentes qu'auparavant, les **coupures de courant** *(apagones)* surviennent encore dans tout le pays. Programmées par le gouvernement pour pallier le manque d'électricité, elles peuvent aussi être dues à des pannes ou à des travaux sur le réseau électrique. Les hôtels possèdent leur propre groupe électrogène, mais pour ceux qui comptent loger chez l'habitant, une **lampe de poche** peut se révéler précieuse en cas de coupure.
Le courant fonctionne en **110 volts et 60 hertz**, avec des prises à fiches plates comme aux États-Unis, mais on trouve de plus en plus de prises de 220 volts.

Conseil – Pensez à emporter un **adaptateur** pour prise à fiches plates afin d'utiliser des appareils électriques aux normes françaises (rasoir, prise antimoustiques ou chargeurs de portable et d'appareil photo par exemple). Vos batteries de mobiles ou de rasoirs se rechargeront même avec un courant de 110 volts. Cela prendra tout simplement plus de temps.

ENFANTS

Si vous descendez dans un club de vacances en bord de mer, voyager avec des enfants ne pose aucun problème particulier. Nombre de ces établissements mettent une garderie à la disposition des parents en journée. En revanche, si vous envisagez de sillonner l'île, vous risquez de vous heurter à quelques complications, en raison de la pénurie qui touche le pays en dehors des pôles touristiques. Se procurer du lait, et surtout des petits pots et des couches pour les enfants en bas âge, relève du tour de force, et le manque de médicaments peut être problématique. D'une manière générale, vous avez une chance de trouver de quoi vous dépanner dans les boutiques des grands hôtels internationaux, mais il est plus prudent de faire vos provisions avant de partir. Évitez les mois de canicule et protégez vos enfants du soleil en toute saison.

EXCURSIONS ORGANISÉES

L'île possède un réseau très étoffé d'**agences de voyages d'État** présentes dans toutes les zones touristiques et dans les grands hôtels. Les principales sont **Havanatur** (www.havanatur.cu), **Cubanacán** (www.cubanacan.cu), **Cubatur** (www.cubatur.cu) et **Ecotur** (www.ecoturcuba.tur.cu), cette dernière étant plus orientée vers les randonnées et les sorties nature.

Ces agences proposent différentes formules d'excursions à l'échelle de chaque région ou même du pays. Si vous ne disposez pas de moyen de locomotion et que vous voyagez par exemple en bus, cette formule peut vous permettre de rayonner facilement tout autour de votre lieu de séjour, à l'occasion d'excursions quotidiennes variées et bien rodées (découverte des *cayos* sur la côte, visite d'une plantation de tabac, etc.).

Associées aux grands groupes hôteliers d'État, la plupart de ces agences proposent aussi des formules de séjour « tout compris » aux prix compétitifs.

INTERNET

Pour tous ceux qui ont l'habitude de rester connectés la journée durant, ce sera l'un des aspects les plus dépaysants du voyage : le réseau Internet est particulièrement déficient à Cuba. Faute de moyens et du fait de l'embargo américain, qui a laissé l'île en dehors du réseau de fibres optiques mondial, les connexions sont très lentes et particulièrement coûteuses. En outre, longtemps, les autorités n'ont pas entendu faciliter l'accès de la population à Internet, officiellement réservé à un « usage social » (universités, hôpitaux, institutions publiques, sociétés étrangères et de rares professions comme les journalistes).

Les choses changent cependant ; un câble de fibre optique est arrivé du Venezuela, et les Cubains ont désormais accès à l'internet mobile en 3G, et bientôt en 4G, qui devrait permettre de décongestionner un réseau très largement saturé.

Dans les zones touristiques, sur les places publiques des villes et dans les halls des grands hôtels, des **bornes Wifi** permettent de se connecter à Internet. Il faut pour cela acheter une carte à gratter (carte Nauta) dans une agence Etecsa, l'entreprise nationale des télécommunications, le seul opérateur sur l'île. Le passeport est exigé. Il existe des cartes de 1h pour 1 CUC ou de 5h pour 5 CUC. Comme les files d'attente sont interminables, achetez-en plusieurs (achat toutefois limité à 3 cartes par personne), la carte étant valable dans toute l'île.

Si vous êtes pressé, vous pouvez aussi vous procurer votre carte (un peu plus cher) chez certains revendeurs officiels munis d'un panneau indiquant « Agente de Telecomunicaciones ». Si vous l'achetez à un revendeur à la sauvette, vérifiez que le code n'a pas été gratté et que la carte ne porte pas une date expirée. Autre solution : acheter une carte (beaucoup plus cher) à la réception d'un grand hôtel.

Une fois muni de votre carte, connectez-vous au réseau Etecsa, et entrez l'identifiant et le code secret de votre carte (évitez de gratter trop fort, sinon le code devient illisible, frottez délicatement avec une carte bancaire plutôt qu'avec une pièce de monnaie)

En raison de l'affluence à proximité des bornes wifi, la connexion reste aléatoire, surtout en soirée, et le débit très lent. Il faut parfois s'y reprendre à dix fois. De préférence, tentez votre chance le matin. Autre bémol : certains smartphones ne permettent pas de se déconnecter du réseau, et le crédit s'épuise en une ou deux fois.

Nous indiquons les hotspots Wifi existants dans « Nos adresses à » de la partie « Découvrir Cuba ».

JOURS FÉRIÉS ET CÉLÉBRATIONS

1er janvier – Jour de la Libération.
1er mai – Fête du Travail.
25-26-27 juillet – Journées du soulèvement national.
10 octobre – Début de la première guerre d'indépendance.
Il existe d'autres dates importantes largement célébrées elles aussi, mais ne correspondant pas à des jours chômés. Vous découvrirez rapidement que Cuba vit à l'heure de ses patriotes indépendantistes et révolutionnaires : vous ne pourrez manquer ces célébrations qui prennent généralement la forme d'un défilé ou d'une inauguration de statue, événement largement retransmis par la télévision. En voici la liste :

28 janvier – Naissance de José Martí. Commémoration de la naissance du héros national.
13 mars – Anniversaire de l'assaut du palais présidentiel à La Havane.
19 avril – Victoire de la baie des Cochons.
8 octobre – Mort de Che Guevara.
28 octobre – Mort de Camilo Cienfuegos.
7 décembre – Mort d'Antonio Maceo.

MÉDIAS

Journaux

Le quotidien national est le **Granma**, l'organe officiel du comité central du Parti communiste cubain – sa lecture est incontournable pour tous ceux qui souhaitent se forger une idée du régime. Il existe des éditions hebdomadaires en langues étrangères – dont une en français –, en vente dans les hôtels. Les grands complexes internationaux reçoivent aussi des journaux et magazines français avec plusieurs jours de retard.

Radio

Parmi les stations de radio cubaines, **Radio Taino** s'adresse spécialement aux touristes avec certains programmes en anglais. Possibilité de capter par endroits des stations du Mexique ou de Floride. **Radio Reloj** est une radio d'information continue fondée en 1947. En fond sonore, un tic-tac marque les secondes, tandis que, chaque minute, les journalistes s'interrompent pour laisser la place à l'annonce de l'heure et du nom de la radio : « Radio Reloj, 12h44 » ! Certains Cubains s'en servant pour partir à l'heure au travail, les voisins qui restent chez eux ont de quoi devenir fous à l'écoute du lancinant décompte. Si vous louez une voiture équipée d'un autoradio, vous n'y échapperez pas. Manu Chao a repris dans sa chanson *Me gustas tú* un extrait de Radio Reloj.

Télévision

Les deux chaînes publiques de télévision font partie intégrante du quotidien cubain. Les familles ne manqueraient pour rien au monde le film américain du samedi soir ni les *telenovelas* (feuilletons télévisés). Les programmes de **Cubavisión** et **Tele-Rebelde** ne commencent qu'en fin d'après-midi et cessent vers 23h. Les hôtels reçoivent en plus quelques chaînes étrangères par satellite.

MÉTÉO

Voir aussi « Météo », p. 396.
Les prévisions météo sont annoncées au journal télévisé de 20h. Les Cubains eux-mêmes sont intarissables sur ce sujet, l'une des préoccupations nationales, surtout en période de cyclones.

MUSÉES, MONUMENTS ET SITES

Tarifs

Le prix d'entrée varie de 1 à 3 CUC (jusqu'à 8 CUC pour certains grands musées de La Havane), auquel s'ajoute généralement 1 CUC pour une visite guidée. Si vous voulez prendre des photos ou filmer, il faudra payer un supplément (de 1 à 5 CUC !). L'entrée dans les églises n'est pas payante – sauf si celles-ci renferment un musée –, mais les donations sont les bienvenues.

Horaires

En général, les musées sont ouverts tous les jours de 9h à 17h, les fermetures étant fréquentes les dimanches après-midi et lundis. Sachez que les horaires affichés sont toujours sujets à caution, les fermetures intempestives étant monnaie courante. C'est aussi le cas dans nombre de restaurants.

OFFICES ET AGENCES DE TOURISME

Le réseau s'est considérablement densifié ces dernières années. Assimilables à nos offices de tourisme, les points **Infotur** (www.infotur.cu) sont présents dans la quasi-totalité des villes *(voir les rubriques « S'informer » dans « Découvrir Cuba »).*
Ces bureaux, où l'accueil est généralement bon, sauront vous donner tous les renseignements concernant la localité, sa région et le pays entier (hébergement, restauration, lieux de visite, transports, santé, excursions, etc.), avec même parfois un service de réservation. Ils éditent aussi des plans et des brochures touristique (mais toujours sujets à rupture de stock).
Chaque point Infotur saura aussi vous renseigner sur l'offre des **agences de voyages d'État**, également bien implantées dans toutes les zones touristiques, et qui proposent un large catalogue d'excursions *(voir aussi « Excursions organisées », p. 414)*, voire des locations de voiture ou de deux-roues et des services de transport spécifiques.

PÊCHE

Les amateurs de pêche peuvent s'adonner à la pratique de leur sport en eau douce ou en haute mer. Les meilleures saisons pour la pêche au gros (marlins, espadons) sont le printemps et l'été. Plusieurs tournois sont d'ailleurs organisés à cette période, dont le plus célèbre se tient au mois de mai ou de juin à la Marina Hemingway *(voir p. 95)*, à La Havane. L'île compte également quelques **lacs d'eau douce** qui regorgent de truites. C'est en hiver que les spécimens atteignent leur taille maximale. Renseignez-vous avant de vous rendre sur place, car il arrive que les lacs soient à sec.

PHOTOGRAPHIE

Les Cubains adorent être pris en photo et poseront de bonne grâce si vous le leur demandez, surtout si vous notez leur adresse pour leur envoyer leur portrait. Dans les musées et lors de la visite de certains monuments, il faut payer pour pouvoir prendre des photos.

PLONGÉE SOUS-MARINE

Cuba est cernée par d'innombrables récifs coralliens, dont l'une des barrières de corail les plus longues du monde. Toutes les stations balnéaires abritent des centres pour plongeurs débutants ou confirmés. Vous pourrez effectuer une plongée libre pour environ 40 CUC (on propose souvent plusieurs plongées avec un tarif dégressif) ou poursuivre votre formation internationale ACUC (équivalent du PADI).
La plupart des centres de plongée assurent en effet cette formation internationale, ainsi que différentes spécialités (plongée de nuit, en grotte, eau profonde, etc.). Les prix oscillent entre 200 et 400 CUC, selon le stage choisi. Il est aussi possible de louer un masque

et un tuba pour env. 5 CUC. Les meilleurs sites se trouvent à **María la Gorda** *(voir p. 122)*, à l'extrémité occidentale du pays, sur la « côte des Pirates », dans le sud-ouest de l'**île de la Jeunesse** *(voir p. 313)*, et à **Playa Larga** et **Playa Girón**, dans la baie des Cochons *(voir p. 160)*. La saison sèche offre une meilleure visibilité.

POSTE

Courrier
Au cours de votre voyage, même si le phénomène s'est tari avec l'essor d'Internet, il peut arriver que des Cubains vous confient des lettres pour leurs amis résidant à l'étranger, afin que vous les postiez une fois de retour dans votre pays. C'est le moyen le plus rapide et le plus fiable, le courrier mettant **entre 3 semaines et 2 mois** pour traverser l'Atlantique. Le circuit classique s'adresse donc à ceux qui ne sont pas pressés. Les timbres *(sellos)* sont disponibles dans les bureaux de poste, dans les hôtels (0,60 CUC pour une carte postale) et dans certaines boutiques vendant des cartes postales. Attention aux timbres en pesos cubains, seulement valables pour le courrier national. Pour les envois urgents ou les colis, faites appel aux services de **DHL**, présent sur l'île (www.dhl. com).

Bureaux de poste
Les bureaux de poste sont en général ouverts tous les jours sauf le dimanche de 8h à 18h. Le service de courrier assuré par les grands hôtels fonctionne 24h/24.

POURBOIRE

Le pourboire *(propina)* est devenu une pratique courante dans le secteur touristique. Il constitue un complément de salaire non négligeable pour les employés rémunérés en *pesos cubanos* :

gardiens de parking, laveurs de voiture, guides de musée, femmes de chambre, serveurs de restaurant. Comptez **entre 50 centavos et 1 CUC**, ou plus selon le service rendu, mais évitez les pourboires exorbitants.

RANDONNÉE

Les différentes **chaînes de montagnes** de l'île se prêtent à d'agréables randonnées. Cette forme de tourisme vert commence à se développer et vous devrez généralement être accompagné par un guide officiel proposé par les hôtels. Dans l'Ouest, vous pourrez emprunter les sentiers aménagés de la Sierra del Rosario *(voir p. 102)* ou ceux de la vallée de Viñales *(voir p. 107)*, dans le Centre, ceux des environs du lac Hanabanilla dans la Sierra del Escambray *(voir p. 187)* et, dans l'Est, faire quelques balades autour de Baracoa *(voir p. 296)*. Renseignez-vous soigneusement avant de vous rendre dans la Sierra Maestra pour faire l'ascension du pic Turquino *(voir p. 256, le point culminant de l'île)*.

RESTAURATION

Déjeuner à partir de 11h30 et dernier service aux alentours de 20h30, sauf dans les grands centres touristiques où certains établissements restent ouverts plus tard. Dans les petites villes de province, les restaurants ferment très tôt, parfois vers 19h30. Seuls les *paladares*, aux horaires plus souples, vous serviront à dîner à une heure tardive.

Voir aussi « Se restaurer », p. 406.

SANTÉ

Maladies
Malgré les campagnes de prévention et d'éradication des moustiques, il y a encore régulièrement des cas de dengue,

de chikungunya et de zika à Cuba. Les femmes enceintes éviteront de se rendre sur l'île. Il n'y a en revanche pas de paludisme. Pour se prémunir contre les risques de transmission de maladies par les moustiques, on conseille de respecter les mesures de prévention des piqûres : port de vêtements couvrants, amples, légers, de couleur claire et imprégnés de traitement textile insecticide, utilisation de répulsifs cutanés, moustiquaires, diffuseurs électriques et serpentins.

Mouches de sable – En fin de journée, sur certaines plages, en particulier celles des cayos, vous apercevrez des *jejenes*, insectes volants semblables à de minuscules moucherons, et qui font fuir tous ceux qui ont déjà eu affaire à eux. Leurs piqûres provoquent en effet de terribles démangeaisons, qu'un antihistaminique et une crème apaisante pourront quelque peu calmer.

Chaleur – La plupart des désagréments que vous risquez de rencontrer sont plutôt liés à la chaleur et à la nourriture. Une crème solaire très protectrice, le port d'un chapeau et une exposition progressive les premiers jours diminueront les risques de coups de soleil et d'insolation. Pour éviter les problèmes de déshydratation, il est important de boire abondamment et de vous munir d'une bouteille d'eau lors de vos déplacements, surtout en excursion ou randonnée. Ne soyez pas surpris si le taux d'humidité ambiante limite votre énergie : même les Cubains s'en plaignent !

Troubles gastriques – Le simple changement de régime alimentaire peut parfois provoquer des troubles gastriques, surtout avec une cuisine plus grasse qu'en Europe. Veillez simplement à la fraîcheur des aliments, notamment lorsqu'il s'agit de crustacés et de fruits de mer,

évitez les glaçons et glaces ainsi que la consommation de jus de fruits frais, de légumes crus et de fruits non pelés, lavez-vous les mains régulièrement, surtout avant les repas. Le seul risque d'intoxication alimentaire grave est la *ciguatera*, provenant de substances nocives contenues dans des algues ingérées par un poisson corallien, la *picuda* (barracuda). Cette maladie est d'autant plus rare que ce poisson n'est pas servi dans les restaurants. Les pêcheurs disposent de quelques « trucs » fiables, notamment le test des fourmis ou du chat qui, s'ils s'en détournent, indique que la *picuda* n'est pas comestible. En cas d'intoxication, les symptômes – des vomissements, des douleurs articulaires, des diarrhées, une sensation d'inversion du chaud et du froid – se déclarent dans les 24h. Il faut alors consulter un médecin rapidement.

Trousse à pharmacie

Votre trousse à pharmacie devrait contenir des pansements, du désinfectant, du paracétamol, une pommade antiseptique, un antihistaminique, des comprimés contre les maux d'estomac, ainsi que les médicaments que vous prenez habituellement. Prévoyez également quelques articles de parapharmacie : crème solaire, lotion antimoustiques, tampons, et d'indispensables bouchons d'oreille si vous êtes sensible au bruit. Avant de quitter le pays, vous pouvez donner vos médicaments inutilisés à un centre hospitalier ou à un dispensaire.

Urgences
Police – ☎ 116.
Pompiers – ☎ 115.

Services médicaux
La médecine a longtemps été considérée comme l'une des réussites de la révolution cubaine, mais le pays souffre d'un manque

de matériel et de médicaments. Le réseau de cliniques pour étrangers implanté à travers l'île est épargné par cette pénurie et dispense des soins de qualité. Cependant, en cas de problème grave, faites-vous rapatrier.

Premiers secours – Pour obtenir une ambulance, contactez la clinique la plus proche. Les grands complexes touristiques balnéaires et les hôtels abritent généralement des services médicaux qui peuvent dispenser les premiers soins.

Hôpitaux – Les Cubains bénéficient de soins gratuits, mais les étrangers sont difficilement admis dans les hôpitaux classiques. Les touristes doivent se rendre dans les cliniques internationales du réseau Servimed, où les consultations et les soins sont payables en pesos convertibles. Comptez environ 30 CUC minimum pour une consultation. Ces établissements sont situés à La Havane, Playas del Este, Varadero, Cienfuegos, Trinidad, Santa Lucía, Guardalavaca, Santiago de Cuba et Baracoa. Si votre cas nécessite un rapatriement sanitaire, il faut contacter votre ambassade et l'agence Asistur *(voir « Autres assurances », p. 398)*.

Pharmacies – Toutes les villes comptent au moins une pharmacie, souvent mal approvisionnée. Par ailleurs, les médicaments sont hors de prix. Emportez tous les médicaments et les articles de parapharmacie dont vous pensez avoir besoin *(voir « Trousse à pharmacie » ci-contre)*.

Médecins – Beaucoup de médecins ont été formés dans les pays de l'Est. Dans les cliniques internationales, ils parlent généralement anglais mais rarement français.

Voir aussi « Vaccination », p. 400.

SÉCURITÉ

Contrairement à de nombreux pays latino-américains, Cuba est une destination sans grand danger. Le taux de criminalité est extrêmement faible ; il y a peu de risques de vols à main armée ou d'agressions. Cependant, le contexte de crise économique qui touche le pays depuis des années, conjugué à l'essor spectaculaire du tourisme, a engendré une **forte recrudescence de la petite délinquance**, essentiellement des vols à l'arraché et des vols de pièces détachées sur les véhicules. Faites attention à vos sacs et à votre appareil photo, particulièrement dans la Vieille Havane et sur le Malecón, et plus encore à Santiago de Cuba. Le plus sûr est d'éviter de vous promener avec des objets de valeur et d'avoir sur vous une simple photocopie de votre passeport. Les hôtels disposent de coffres-forts où vous pourrez laisser argent, bijoux, passeport et billet d'avion. Dans une *casa particular*, veillez à ne pas tenter le diable en laissant de l'argent ou des bijoux en évidence. Faites particulièrement attention à vos cartes de crédit, leur utilisation nécessitant parfois une simple signature.

Voyager seul(e)

Seul(e), vous le serez rarement. Les Cubains sont très ouverts et ne manqueront pas de vous accoster pour bavarder, vous aider à trouver votre chemin, tenter de se faire inviter à prendre un verre, vous convier à partager leur repas… ce qui peut ouvrir sur des perspectives infinies de rencontres, surtout si vous possédez quelques rudiments d'espagnol.

Avec la prudence qui s'impose – ne pas se promener seule dans les endroits déserts et mal éclairés, ne pas porter d'objets de valeur –, une **femme** peut voyager seule en toute sécurité. Mais on est tout de même en pays latin avec tout ce que cela implique : les hommes se retourneront ostensiblement sur son passage, lanceront les *piropos* (compliments galants, *voir p. 421*) de rigueur et parviendront rapidement au stade des avances enflammées. Pour repousser poliment ces « amoureux transis », il suffit de faire la sourde oreille aux compliments galants, avoir une attitude sans équivoque ou signifier clairement que l'on n'est pas intéressée.

Pour les **hommes** voyageant seuls, le phénomène est d'un autre ordre. Beaucoup plus discrètes qu'auparavant – depuis que le gouvernement a tenté d'éradiquer le phénomène à coups de rafles –, les *jineteras* (prostituées, littéralement « écuyères ») les solliciteront aux abords des lieux touristiques. Malgré les lourdes peines encourues, elles continuent à jouer les auto-stoppeuses sur le Malecón ou la 5ta avenida à La Havane et, la nuit, à s'offrir au touriste solitaire dans les hôtels, les bars ou les discothèques, à l'affût de devises ou dans le secret espoir qu'une rencontre changera leur destin.

Le **luchador**, qui désigne celui qui tente d'escroquer le touriste par divers moyens, tend à se substituer au **jinetero**, terme désignant de plus en plus un prostitué. Le grand classique à l'abord des villes est d'indiquer aux touristes une fausse adresse de *casa particular* en affirmant que la vôtre est fermée, afin de vous conduire dans une autre qui leur reversera une commission (majorée sur le prix de votre chambre).

Autre tactique : vous cherchez la Casa de Maria et on vous conduit chez la « tante Maria bien sûr », avec laquelle ils n'ont évidemment aucun lien de parenté. Quant aux *paladares* que l'on vous conseillera dans la rue, ils seront forcément présentés comme les meilleurs du quartier… Le mieux est de demander votre chemin aux policiers, aux commerçants ou aux chauffeurs de taxi.

Les pesos convertibles des touristes étant une monnaie hautement convoitée par les Cubains pour améliorer leur ordinaire, il ne faut pas s'étonner si la plupart de ceux qui vous abordent le font de manière intéressée, soit pour vous vendre quelque chose (de faux cigares par exemple), soit pour vous soutirer un peu d'argent par d'ingénieux stratagèmes. Sans sombrer dans la méfiance systématique, sachez faire preuve de vigilance. Dans les bars, les restaurants et les magasins, vérifiez bien l'addition et le rendu de monnaie, les « erreurs » en votre défaveur n'étant pas rares.

SOUVENIRS

Bon à savoir – Ce n'est pas à La Havane, où les prix sont d'ailleurs plus élevés, que vous trouverez les meilleurs souvenirs du pays : l'offre se limite aux boutiques (*tiendas*) pour touristes relativement stéréotypées (casquettes du Che ou même poupées russes). En revanche, dans les petites villes provinciales comme Viñales, Trinidad ou Baracoa, vous trouverez un vrai artisanat local (broderies, travail du bois, bijoux, etc.).

Où acheter ?

Marchés – Quelques marchés en plein air dans la plupart des localités, et même des étals improvisés sur les places ou sous les arcades des maisons : on y trouve des objets d'artisanat, des livres, des vêtements, etc., de qualité variable.

Fábricas – Pour le tabac et l'alcool, vous pouvez faire vos emplettes directement auprès de la *fábrica*. Les distilleries possèdent généralement une petite boutique.

Artisanat

L'afflux important de touristes a donné naissance à une petite forme d'artisanat, qui n'était pas vraiment ancrée dans la tradition cubaine.

Vous retrouverez invariablement à travers l'île des statuettes en bois, des noix de coco sculptées, des colliers, des chapeaux de palmes tressées, de petites poupées représentant les divinités de la *santería*…

Cigares

Tous les passionnés vous le diront : n'est pas fumeur de Havane qui veut ! Le Havane est comme un vin français. Son élaboration est lente *(voir « Le tabac », p. 380)* et il faut, pour l'apprécier réellement, toute une initiation. Si vous êtes novice, inutile de commencer par un Cohiba, certes le meilleur, mais son goût est trop subtil pour un débutant… et son prix (plus de 400 CUC la boîte de 25) très élevé ! N'hésitez pas à acheter des cigares à l'unité, pour apprendre à regarder, sentir et toucher. Vous pourrez ainsi rapporter une boîte qui correspondra à vos goûts. Conservez les cigares dans un coffret humidificateur à votre retour.

Vous croiserez de nombreux points de vente où acheter des cigares, mais une certaine paranoïa règne même parmi les Cubains, en raison de contrefaçons présumées très nombreuses. Si vous souhaitez acheter une grande marque, le plus sûr est donc de vous rabattre sur le réseau officiel des Casas del Habano et les boutiques des plus grands hôtels, contrôlées elles aussi par l'État, notamment à La Havane *(voir « Achats », p. 410)*.

Enfin, méfiez-vous des nombreux revendeurs à la sauvette qui proposent des cigares à des prix défiant toute concurrence. La qualité du tabac est toujours médiocre (quand il s'agit bien de tabac, et non de feuilles de bananiers !), la contrefaçon évidente quand on vous propose un Cohiba pour quelques CUC, et l'absence de facture peut vous poser des problèmes à la douane *(voir « Avant de partir », p. 396)*.

Rhum

Le fameux *ron cubano* a de fortes chances de rejoindre les cigares dans vos valises. Le plus courant est un rhum blanc de 3 ans d'âge ou Carta Blanca, à mélanger dans des cocktails. Pour les amateurs, le rhum de 5 ans d'âge ou Carta de Oro est légèrement doré et l'Añejo, un rhum brun vieilli (7 ans d'âge), est idéal à boire sec ou avec des glaçons. Selon les *fábricas*, les prix vont de 5 à… 100 CUC pour un vieux rhum de plusieurs dizaines d'années d'âge. Vous trouverez partout des bouteilles de **Havana Club**. Il existe d'autres grandes marques nationales, et certaines distilleries vendent directement leur production locale.

CD de musiques cubaines

Les magasins de souvenirs proposent des CD, mais le choix n'est pas très étendu. Vous y trouverez certainement quelques disques des grands groupes cubains du moment. Comptez environ 6 CUC le CD de salsa traditionnelle, 15 CUC pour les nouveautés. Un magasin bien pourvu se trouve à la Casa de la Música de Trinidad *(voir p. 195)*.

Instruments de musique

Les petits marchés d'artisanat ou les boutiques de souvenirs proposent quelques instruments à percussion : *claves*, *maracas*, *congas* ou *tumbadoras*.

Vêtements

Outre les multiples tee-shirts à l'effigie de Che Guevara, vous pourrez jeter votre dévolu sur une *guayabera*, une chemise plissée en coton que portent traditionnellement les Cubains par-dessus leur pantalon. Les femmes pourront se laisser tenter par quelques vêtements en dentelles, notamment à Trinidad, où le travail de la broderie (nappes, mouchoirs, etc.) remporte un certain succès.

Livres

Toutes les grandes villes abritent au moins une librairie, mais le choix de livres est singulièrement pauvre. D'une librairie à l'autre, on trouve les mêmes ouvrages, des classiques d'Hemingway ou de Gabriel García Marquez et une pluie d'hagiographies de Fidel et du Che. Quelques livres en langue étrangère ornent les étagères les mieux approvisionnées – en anglais plutôt qu'en français. En dehors de ces magasins, des particuliers proposent quelques livres d'occasion sur de petits stands improvisés devant le pas de leur porte. Si vous passez par La Havane, rendez-vous chez les bouquinistes de la Plaza de Armas *(voir p. 37)* : dans ce décor somptueux, vous pourrez peut-être dénicher quelques perles rares.

Objets d'art

Nombre de jeunes artistes exposent leurs œuvres (dessin, peinture, gravure) dans de petits ateliers émaillant les quartiers touristiques des grandes villes ; vous les repérerez aisément. Bien qu'inégale, cette production est foisonnante. Les galeries d'art ayant pignon sur rue, notamment à La Havane, organisent des expositions-ventes de peintres ou de sculpteurs contemporains. Demandez toujours une facture pour être en règle à la douane.

TAXIS

Les **taxis officiels, de la compagnie Cubataxi**, stationnent devant les aéroports et la plupart des hôtels. Vous les reconnaîtrez à leur couleur jaune et leur enseigne lumineuse sur le toit. Les voitures, généralement modernes, confortables et climatisées (hormis les Lada), sont munies d'un compteur, mais les chauffeurs vous proposeront souvent un tarif sans taximètre pour éviter de payer les lourdes taxes qu'ils doivent reverser à l'État. Il existe également des taxis privés dotés d'une licence – souvent de vieilles américaines des années 1950 ou des Lada, rafistolées et repeintes de multiples fois. Vous les repérerez grâce à la pancarte « Taxi » qu'ils arborent sur le pare-brise. En l'absence de compteur, mieux vaut se mettre d'accord sur le prix de la course à l'avance.

Les **taxis collectifs** *(colectivos)* fonctionnent de manière similaire : ces grosses américaines suivent des itinéraires fixes, généralement de grands axes tels que la calle 23 ou le Malecón à La Havane, et s'arrêtent à la demande. Aux heures de pointe, les Cubains s'y entassent, et toute place reste rarement vide. Le prix de la course est alors modique. Cela dit, leur nombre a drastiquement diminué ces derniers temps, la plupart des anciens véhicules ayant été recalés au contrôle technique. Il y a donc peu de chance que vous les empruntiez dans la Havane.

Les **coco-taxis** et les **cyclo-pousse** sont idéals pour les courses brèves, dans La Havane notamment. Pensez à fixer le prix au départ, les tentatives d'arnaques étant légion. Pour des **longs trajets**, les taxis s'avèrent très utiles : en partageant les frais à plusieurs, cela revient moins cher qu'une voiture de location. Vous aurez le choix entre un *colectivo* qui embarque de 6 à 9 passagers, part lorsqu'il est plein et fait souvent halte en chemin, ou bien un taxi individuel, limité à 4 passagers, plus cher mais plus rapide et plus confortable. À titre d'exemple, un trajet La Havane-Trinidad en *colectivo* revient à 45 CUC, La Havane-Vinales à 25 CUC, la Havane-Varadero à 30 CUC. On trouve des taxis longue-distance aux terminaux des bus. On peut aussi les réserver auprès du logeur de sa *casa particular*.

Vous pouvez consulter les tarifs et réserver un taxi privé sur les sites suivants :
**www.taxiscuba.com,
taxicuba.webcindario.com,
taxivinalescuba.com,
taxibaratocuba.eu5.org,
voyporcuba.jimdo.com**.

TÉLÉPHONE

Voir aussi « Téléphoner à Cuba », p. 402.
Le réseau téléphonique de Cuba s'est entièrement modernisé, mais les changements de numérotation ne sont pas rares et l'usage des indicatifs régionaux (indiqués entre parenthèses au début de chaque numéro) est complexe. Les communications fonctionnent désormais très correctement. Toutes les familles sont cependant loin de disposer d'un téléphone, car l'installation d'une nouvelle ligne requiert parfois des années. Les voisins doivent s'arranger entre eux : soit plusieurs appartements sont branchés sur la même ligne, soit une personne « centralise » les appels pour ses amis et prend les messages *(recados)* qui leur sont destinés.

Appels internationaux (llamada internacional)

Vous ne pourrez téléphoner à l'étranger qu'en utilisant des cartes magnétiques ou à code, d'une valeur de 5, 10 ou 20 CUC, qui s'achètent dans les Telepuntos, petits kiosques ou grandes agences de la compagnie nationale de télécommunications **Etecsa**. Vous trouverez des **cabines à carte**, de couleur bleue, dans tous les lieux touristiques de l'île. Préférez les cartes à code, utilisables de n'importe quel poste téléphonique, aux cartes à puce, dont les appareils sont souvent hors service,

quand ils n'avalent pas purement et simplement les cartes ! Les communications nationales sont peu onéreuses, surtout au sein d'une même province, mais elles sont extrêmement coûteuses vers l'étranger (comptez de 0,05 à 1 CUC/mn pour les appels nationaux, 1,50 CUC/mn vers la France) ; il peut être parfois plus profitable d'utiliser son téléphone portable pour appeler l'étranger, vérifiez les conditions de votre opérateur.

Enfin, n'oubliez pas de composer le code international et l'indicatif du pays destinataire quand vous appelez l'étranger :

De Cuba vers la France :
119 + 33 + numéro en France (sans 0).

De la France vers Cuba :
00 + 53 + indicatif de la région + numéro du correspondant.

Appels locaux

Vous apercevrez dans la rue de vieux téléphones publics qui fonctionnent avec des pièces d'1 peso (monnaie nationale). Souvent, ils permettent tout juste les appels en ville. Pour les communications interurbaines, il est plus prudent de se rendre dans un centre téléphonique, à un guichet d'hôtel ou d'utiliser un téléphone à carte. Attention, les indicatifs à composer varient selon l'endroit d'où vous appelez et vers lequel vous appelez :

De Cuba vers Cuba (même ville) : numéro direct sans indicatif de ville.
De Cuba vers Cuba (villes ou provinces différentes) :
01 + indicatif de ville ou de province + numéro.
De La Havane vers les villes de province :
0 + indicatif de ville ou de province + numéro.

Téléphone portable

Le réseau cellulaire fonctionne relativement bien à Cuba, mais, sur place, le coût des appels depuis des fixes vers des portables cubains est très élevé. Sachez que lorsque vous téléphonez sur un portable, votre interlocuteur paye également la communication. Les numéros de portable commencent généralement par 53 et se composent de 7 chiffres.

Si vous souhaitez utiliser votre portable français, la couverture est bonne, mais faites-vous préciser les tarifs de communication par votre opérateur et demandez au moins 2 semaines à l'avance l'activation de votre numéro à l'international. Depuis la France, on pourra vous appeler en composant votre numéro mais, une partie de l'appel restant à vos frais, le plus économique est d'utiliser les SMS que vous recevrez sans problème (payants également). Pensez absolument à désactiver la fonction données cellulaires à l'étranger : un simple mégaoctet téléchargé coûte 10 € !

Tarifs

Certains hôtels majorent considérablement les tarifs des appels locaux et internationaux. Les cabines à carte vous éviteront de mauvaises surprises et représentent le moyen le plus économique d'appeler à l'étranger. Les appels en PCV (paiement contre vérification, c'est-à-dire que c'est la personne appelée qui paie le coût de la communication) sont désormais possibles. Les grands hôtels sont généralement dotés d'un télécopieur, mais l'envoi ou la réception sont très onéreux : préférez les e-mails *(voir « Internet »)*.

Renseignements

Composez le 113. Dans les grands hôtels, vous pourrez consulter le Directorio Turístico de Cuba, un **annuaire** comportant la liste de tous les numéros utiles pour les étrangers. Il est mis à jour chaque année et est également disponible sur le site **www.etecsa.cu**.

TRANSPORTS

Afin de pallier la pénurie de transports qui frappe le pays, les Cubains font preuve d'une imagination débordante pour se déplacer. Ils passent leur temps à rafistoler, démonter, souder, ajouter, construire de nouveaux moyens de locomotion : les vieilles Cadillac des années 1950 roulent comme au premier jour, une trottinette artisanale permet aux

Réparation d'un taxi, près de la plage de Cayo Jutías.
lenawurm/iStock

cultivateurs de café de se déplacer en montagne, un moteur monté sur un vélo le transforme aussitôt en mobylette, deux bus soudés entre eux et tractés par un camion confèrent à l'ensemble des allures de chameau (*camello*, comme on les surnomme), tandis que les calèches, tirées par des chevaux ou des bœufs, tiennent le haut du pavé en province.

Ce singulier défilé laisse perplexe plus d'un visiteur, et il y a fort à parier que vous emprunterez des moyens de transport plus conventionnels. Les tarifs de location de voiture étant très élevés, vous opterez peut-être pour les transports en bus, développés et efficaces, ou en taxis collectifs, qui font la navette d'une ville à l'autre pour une dizaine de CUC (arrêts dans les gares routières, les lieux touristiques et les aéroports).

La route reste la meilleure façon de découvrir l'île en profondeur même si le réseau mériterait de sérieux travaux de réfection.

Avion

La compagnie nationale Cubana de Aviación (www.cubana.cu) assure des liaisons régulières entre La Havane et les villes de province (Holguin, Camagüey, Baracoa, Bayamo, Santiago de Cuba).

Les vols sont assez fréquents mais souvent complets, mieux vaut réserver à l'avance. Pour visiter Cuba d'est en ouest, en raison de la forme étirée du pays, un trajet en avion vous fera gagner beaucoup de temps, même si les tarifs sont plus élevés qu'en bus. Un trajet entre La Havane et Santiago de Cuba vous coûtera par exemple autour de 120 €.

😱 **Bon à savoir** – La compagnie nationale cubaine traverse des turbulences. Après le crash tragique, en mai 2018, d'un Boeing 737 sur l'aéroport de La Havane (112 morts) – un avion que la Cubana louait à une low-cost mexicaine –, la majorité des liaisons intérieures ont été provisoirement suspendues. Elles ont repris depuis, mais avec des rotations moins nombreuses, sans parler des fréquents retards et annulations. La Cubana dispose d'une flotte limitée et vieillissante d'avions, certains étant immobilisés faute de pièces de rechange pour assurer leur maintenance. Si vous êtes soucieux de garanties de ponctualité, de sécurité, de confort et de service, autant ne pas choisir l'avion pour vous déplacer à Cuba. Dans le cas contraire, ne prévoyez pas de prendre un vol intérieur le même jour que votre vol de retour international.

INDICATIFS RÉGIONAUX			
Baracoa	21	**Morón**	33
Bayamo	23	**Pinar del Río**	48
Camagüey	32	**Playa Girón**	45
Ciego de Ávila	33	**Playas del Este**	7
Cienfuegos	43	**Sancti Spíritus**	41
Guantánamo	21	**Santa Clara**	42
Guardalavaca	24	**Santiago de Cuba**	22
La Havane	7	**Trinidad**	41
Holguín	24	**Varadero**	45
Matanzas	45	**Viñales**	48

Train

C'est un moyen de transport certes économique, mais lent et **peu fiable**, que l'on déconseille fortement aux voyageurs, à moins d'avoir du temps devant soi et l'envie de tenter l'expérience. Quand il n'est pas annulé ou retardé, il y a généralement au moins un train quotidien qui dessert chaque chef-lieu de province, sauf sur l'île de la Jeunesse qui ne dispose pas de voie ferrée. Le trajet le plus intéressant est celui du train de nuit entre La Havane et Santiago. Il faut compter environ 16h de voyage (parfois le double en cas de panne, prévoyez large), dans des conditions très inconfortables, mais c'est plus économique que l'avion. Un billet revient approximativement à 4 CUC les 100 km. Les touristes doivent se procurer les billets auprès du **guichet Ladis** (communément désigné sous son ancien nom Ferrotur). Il vaut mieux réserver sa place bien qu'il soit possible d'en trouver le jour même. Les trains disposent généralement de places réservées au paiement en pesos convertibles.

Autobus

Avec les taxis (*voir p. 423*), c'est le meilleur moyen de transport à travers l'île, efficace et fiable. Les autobus des compagnies **Viazul** et **Transtur** sillonnent toute l'île. Elles mettent à la disposition des touristes un service de cars climatisés, au confort correct et globalement respectueux des horaires au départ comme à l'arrivée !

Viazul – www.viazul.com. La principale compagnie, qui vous conduira dans toutes les grandes villes. Excellent site web avec itinéraires, horaires, tarifs et réservation en ligne, au minimum 7 jours avant le départ. S'ils sont toujours ponctuels, les bus Viazul commencent à se dégrader faute d'entretien, et les commentaires négatifs de voyageurs ne cessent d'augmenter (arrêts intempestifs, climatisation en panne ou poussée à bloc, absence de WC, numéros de place non respectés, pourboire exigé pour les bagages…).

Transtur – Dans les agences Cubanacan, Habanatour et les points Infotur. Les bus, dans l'ensemble de bonne qualité, assurent les transferts d'hôtels à hôtels et couvrent les principales destinations touristiques. Les billets (même prix que Viazul) doivent être achetés avant 10h du matin, 24h minimum avant le départ (48h à La Havane). Fermeture à l'heure du déjeuner.

Voir la rubrique « Transports » dans « Nos adresses à » pour chaque ville de la partie « Découvrir Cuba ». Bien sûr, si vous préférez la compagnie des Cubains, le moyen de transport idéal est la *guagua* (prononcez « ouaoua ») du **terminal de ómnibus** de chaque ville. Toutefois, il faut absolument éviter ce type de bus si vous êtes pressé. Quand il n'est pas complet, il est en retard ou carrément annulé. En outre, les places sont précieuses pour les Cubains qui rencontrent d'infinies difficultés pour se déplacer : on vous renverra donc souvent vers la compagnie Viazul réservée aux touristes et aux Cubains payant en CUC.

UNITÉS DE MESURE

Cuba utilise le **système métrique**, mais il subsiste d'anciennes unités de mesure telles la *caballería* (13,43 ha) pour les parcelles de tabac ou l'*arroba* (11,5 kg) pour le sucre.

US ET COUTUMES

Rencontrer des Cubains

Rien de plus facile si vous parlez espagnol ! La population est d'un

DISTANCES EN KM	Camagüey	Ciego de Ávila	Cienfuegos	La Havane	Holguín	Pinar del Río	Sancti Spíritus	Santa Clara	Santiago de Cuba
Camagüey		108	330	534	209	696	184	263	550
Ciego de Ávila	108		222	426	317	588	76	155	435
Cienfuegos	330	222		254	539	416	151	67	657
La Havane	534	426	254		743	162	354	275	860
Holguín	209	317	539	743		905	393	472	138
Pinar del Río	696	588	416	162	905		516	438	1023
Sancti Spíritus	184	76	151	354	393	516		98	472
Santa Clara	263	155	67	275	472	438	98		570
Santiago de Cuba	550	435	657	860	138	1023	472	570	

naturel extrêmement chaleureux et d'une spontanéité désarmante. Les tempéraments solitaires se sentiront importunés par les sollicitations incessantes mais, exception faite des Cubains qui vivent de petits négoces avec les touristes, il arrive aussi que l'on vous aborde par simple curiosité. Voyager à l'étranger représente pour la quasi-totalité des Cubains un rêve inaccessible. Outre un parcours administratif semé d'embûches pour l'obtention d'un permis de sortie de l'île, seule une petite minorité est en mesure de réunir la somme nécessaire à l'achat d'un billet d'avion.

En dehors des « zones vertes », ces enclaves internationales largement « décubanisées » où sont concentrés les touristes et appelées ainsi en référence à la couleur des dollars, les occasions de rencontrer des Cubains sont légion. Dans ce pays, où demander son chemin peut donner lieu à une conversation à bâtons rompus, chaque coin de rue devient le théâtre de multiples échanges. Le moyen le plus conventionnel pour se mêler à la population est d'emprunter le **circuit touristique privé**.

En dormant chez l'habitant et en vous restaurant dans les *paladares* (restaurants privés), vous aurez un aperçu de la vie quotidienne à Cuba. Vos hôtes seront ravis de converser avec vous. Si vous vous installez quelques jours au même endroit, votre cercle de relations a des chances de s'étendre au reste de la famille, ainsi qu'aux voisins. Les petites villes de province ou les **villages** à l'écart des circuits touristiques semblent se prêter davantage à des contacts désintéressés. Le sens de l'hospitalité est resté absolument intact dans certaines régions peu fréquentées. Si la méfiance doit rester de mise, ne passez pas non plus à côté de moments authentiques. Vous garderez certainement un souvenir impérissable de quelques jours passés dans une modeste maison dont l'hôtesse vous maternera comme nulle autre.

Cadeaux

Si vous êtes invité chez des Cubains, n'arrivez pas les mains vides. La **bouteille de rhum** est une valeur sûre, mais des cigarettes étrangères, des souvenirs de votre pays, ainsi que de menus objets tels que des briquets ou des échantillons de parfum seront également fort appréciés.

📱 Voir aussi « Cadeaux à offrir », p. 412.

Civilités

Les Cubains vous mettront très vite à l'aise avec ce côté informel et naturel qui fait tout leur charme. Même les employés d'établissements internationaux, pourtant contraints à un strict protocole, relâchent parfois leur attention pour laisser leur « cubanité » reprendre le dessus.

Le **contact physique** n'a rien de tabou, bien au contraire. Rien d'étonnant à ce que l'on vous embrasse spontanément – un ou deux baisers sur la même joue – dès la première rencontre. Les hommes, entre eux, se serrent la main ou se donnent une accolade virile (abrazo).

Le **tutoiement** s'impose très vite dans la conversation – sauf cadre officiel ou différence d'âge importante. Beaucoup de Cubains ponctuent également leur discours de mi amor, mi cielo, mi vida ou mi corazón (« mon amour », « mon ciel », « ma vie », « mon cœur »). Sachez que ces petits mots doux, vidés de leur sens, n'ont rien d'un vibrant numéro de séduction, mais marquent une disposition naturelle à une chaleureuse sociabilité.

« Piropear », un art national !

Le piropo est ce compliment que tout Cubain qui se respecte adresse aux femmes qu'il croise. Il n'appelle aucune réponse sauf s'il est joliment tourné.

« Si el amor toca a tu puerta, permítele entrar, estoy seguro que él te hará una maravillosa y bella compañía. » (« Si l'amour frappe à ta porte, laisse-le entrer, je suis sûr que sa compagnie te siéra à merveille. »)

Coquetterie

Les Cubains mettent un point d'honneur à soigner leur apparence. Si vous êtes invité à sortir avec eux, évitez les tenues vestimentaires négligées, considérées comme un manque de respect à leur égard.

Danse

La rigidité des Européens sur une piste de danse prête souvent à la plaisanterie. Les Cubains seront cependant ravis de vous enseigner quelques pas et de vous initier à ce déhanchement sensuel qui fascine tant les étrangers. Laissez-vous guider !

Monokini

Moulées dans des tee-shirts et des jupes soulignant leurs formes généreuses à la ville, les Cubaines retrouvent leur pudeur en bord de mer. Vous pourrez cependant pratiquer le monokini sur les plages réservées aux touristes.

Politique

Les habitants parlent rarement de politique ; ne les mettez pas mal à l'aise en abordant ces sujets dans les lieux publics, vous les verriez jeter fréquemment des coups d'œil furtifs par-dessus leur épaule de crainte d'être entendus. En revanche, ils s'épanchent volontiers sur les problèmes économiques que traverse l'île.

Faire la queue

Faire la queue (hacer cola) risque de vous arriver au moins une fois lors de votre voyage, ne serait-ce que pour déguster une glace. Prenez place derrière le dernier de la file en demandant : « ¿ El último ? » (« Le dernier ? »).

Rendez-vous

Avoir rendez-vous (tener una cita) avec des Cubains est une expérience inoubliable. Armez-vous de patience et gardez votre sang-froid, ne vous laissez pas rassurer par un « *Vengo ahora* » (« J'arrive tout de suite »). La nonchalance tropicale, alliée aux problèmes de transport, laisse présager de longues heures d'attente. Vous apprendrez d'ailleurs bien vite à vos dépens le cubanisme *embarcar*, signifiant aussi bien « être en retard » que « poser un lapin ».

Sourire

Sourire, patience et sens de l'humour sont les meilleures armes à votre disposition dans d'innombrables situations, notamment pour faire face aux lenteurs et complications administratives.

VOITURE

Location

🙂 **Bon à savoir** – Attention aux faux sites de location de voiture en ligne, qui encaissent votre paiement mais ne font en réalité aucune réservation. Ces sites pirates, logés dans des paradis fiscaux, utilisent des noms de domaine trompeurs, qui s'apparentent à ceux des sites officiels. Exemples : rexcuba.com, havanautos.com, bonjourcuba.net, fr.cubacars.com, cubacaribbean.com, e-travelcuba.com.
À ce jour, le seul site cubain qui permet aux particuliers de faire une réservation de voiture en ligne (quand il marche…) est celui de la compagnie **Rex** : www.rex.cu. Rex est plus cher que les autres loueurs cubains, mais il a des voitures un peu plus haut de gamme. Les trois autres sociétés de location cubaines qui disposent d'un réseau sur l'île, **Cubacar**, **Via Gaviota** et **Havanautos**, n'ont pas de site en ligne ouvert au grand public. Il faut donc s'adresser à un intermédiaire, de préférence une agence sérieuse, à la réputation bien établie. Parmi elles, on recommande **Novela Cuba** (www.novelacubacom) et **Cuba Travel Network** (www.cubatravelnetwork.com).

Pour louer un véhicule, il faut être âgé de 21 ans minimum, présenter son permis de conduire (national ou international, émis depuis un an au moins), son passeport et une carte bancaire pour le dépôt de garantie. Un véhicule bas de gamme avec kilométrage illimité revient au minimum à 70 CUC/j. (80 à 90 CUC en haute saison), tarif auquel il faudra ajouter l'assurance (obligatoire, celle de la carte bancaire n'est pas prise en compte à Cuba, comptez env. 15 CUC/j.), l'essence (on vous facture le plein au départ), un supplément s'il y a un second conducteur (env. 30 CUC), et un éventuel rachat de franchise. À quoi il faudra ajouter, au fil du voyage, les frais de parking ou pour faire surveiller votre voiture la nuit (env. 2 CUC). Pour restituer votre véhicule dans une autre ville (*drop-off*), vous devrez vous acquitter d'une somme forfaitaire (à titre indicatif, 90 à 120 CUC pour un retour à vide La Havane-Santiago). Tous les 20 000 km, le véhicule doit subir un contrôle technique. Il suffit de vous arrêter dans n'importe quelle agence du réseau, dès que votre compteur indique le kilométrage en question. Si vous ne le faites pas, vous devrez payer une amende conséquente à la restitution du véhicule.

Il est impératif de **réserver très à l'avance**, avec plusieurs mois d'anticipation, surtout en saison haute, car la demande est plus forte que le nombre de voitures disponibles. Sachez également qu'une réservation de voiture ne vous assure pas qu'un véhicule vous attende le jour et à l'heure prévus ; de fait, la gestion des voitures disponibles se fait souvent au fil de l'eau : arrivez donc tôt le matin pour espérer être le premier servi, et préparez-vous à devoir attendre plusieurs heures en restant zen ! Rappeler l'agence ou se rendre sur place la veille de la prise en charge du véhicule peut faciliter les choses. À l'inverse, si vous arrivez avec plus de 30mn de retard à l'heure prévue de prise en charge du véhicule, la société de location pourra louer votre véhicule à quelqu'un d'autre, et votre location sera perdue, sans possibilité de remboursement. Donc ne prévoyez pas une location juste à votre arrivée à l'aéroport de la Havane, au cas où votre avion aurait du retard, mais plutôt au moment de quitter la ville.

Conseils – Soyez vigilant quant à l'**état du véhicule** proposé : prenez le temps d'une inspection approfondie, vérifiez l'état des pneus, y compris la roue de secours (pneus lisses et œufs de pigeon proéminents sur les jantes intérieures sont fréquents, représentent un vrai danger sur les routes sinueuses de l'île), et faites notez tous les défauts, rayures et les bosses de la carrosserie, sur le contrat. N'hésitez pas à prendre des photos et à demander à changer de véhicule si nécessaire.

Location avec chauffeur

La voiture est un excellent moyen de visiter Cuba, mais il faut tenir compte des inconvénients associés : la location est chère, la prise du véhicule fait perdre beaucoup de temps, la conduite n'est pas toujours facile et le moindre accrochage peut vous gâcher les vacances (les contrats d'assurance des sociétés de location comprennent des exclusions, par exemple en cas de collision avec un animal traversant la route). Louer une voiture avec chauffeur à Cuba peut s'avérer un choix judicieux. C'est aussi un moyen de découvrir le pays avec un local qui le connaît bien et vous permet de sortir des sentiers battus. En passant par une agence fiable, vous aurez en outre la garantie que le chauffeur sera bien là à l'arrivée, qu'il pourra gérer s'il y a une panne ou s'il faut

changer la voiture, etc. Si vous négociez directement avec un chauffeur de taxi cubain, assurez-vous que le prix inclue l'essence, le logement et les repas du chauffeur Comptez entre 110 et 140 CUC/jour. Le site français **www.jeparsacuba.com** intègre une plate-forme de mise en relation avec une sélection de chauffeurs cubains roulant à bord de belles voitures américaines des années 50. Une façon originale et amusante de parcourir l'île, à un prix à peine plus élevé que la location d'une voiture de catégorie économique.

Réseau routier

Sauf exceptions dans les coins les plus touristiques, les routes sont globalement en mauvais état. Quelques-unes sont même impraticables sans un 4 x 4 : informez-vous avant de vous engager sur une route secondaire ou peu touristique.

Le réseau d'**autoroutes** (autopista) est peu développé (environ 700 km sur toute l'île) avec certaines portions montrant déjà quelques signes de vieillissement. Méfiez-vous des tronçons s'arrêtant net sans aucune signalisation, notamment à l'approche des grandes villes. De même, les entrées d'autoroute ne sont presque jamais indiquées, certains échangeurs sont cornéliens, et de nombreux touristes se retrouvent à contre-sens en empruntant par erreur la sortie ! Les véhicules sont loin de représenter le plus grand danger sur ces axes. La circulation y est rare, mais gare aux **nids-de-poule**, ainsi qu'aux piétons, aux chevaux et aux cyclistes, qui avancent à contresens sur la voie de gauche.

Pour parcourir l'île d'est en ouest, vous emprunterez nécessairement la **Carretera Central**, une longue route nationale reliant les deux extrémités de Cuba. La conduite y est plus éprouvante dans tout le centre de l'île, où les camions débordant de cannes à sucre et les tracteurs s'ajoutent aux animaux en liberté, cyclistes au beau milieu de la chaussée, charrettes, ribambelles d'écoliers ou crabes aux pinces menaçantes pour les pneus.

Conduite

En théorie, les véhicules roulent à droite – si l'état de la route le permet. Dans la pratique, les conducteurs zigzaguent là où l'asphalte est en moins mauvais état, y compris sur autoroute. Les règles de conduite sont identiques aux nôtres. La vitesse maximale autorisée est de **100 km/h** sur autoroute, **90 km/h** sur route et **50 km/h** en ville. Conduisez doucement et prudemment, car des obstacles peuvent surgir à tout moment. La conduite en ville nécessite une attention accrue en raison des nombreux vélos, des calèches et des piétons qui surgissent sans crier gare des carrefours. N'hésitez pas à klaxonner pour que les cyclistes se rangent sur le bas-côté et pour informer de votre présence, notamment aux abords des écoles. Une habitude à prendre très vite : les feux de signalisation sont situés de l'autre côté des carrefours ! Arrêtez-vous toujours au panneau « *Pare* » (équivalent de notre « Stop ») et avant de traverser une voie ferrée, et ralentissez jusqu'à rouler très lentement à chaque *punto de control* policier. Méfiez-vous des véhicules qui tournent sans prévenir ; certains conducteurs indiquent leur intention avec leur bras, mais nombreuses sont les voitures dont les clignotants ne fonctionnent pas. La plupart des cyclistes n'ayant pas de freins, veillez à ne pas les mettre en danger. En l'absence d'éclairage des routes, la conduite de nuit est très fortement déconseillée, d'autant que les véhicules circulant sans phares sont monnaie courante.

Vérifiez l'état de votre roue de secours – sans oublier le cric – avant d'entamer votre périple.

Trouver son chemin

La signalétique est assez déficiente à Cuba, même si depuis quelques années, les panneaux indicatifs se font plus nombreux. Il y a fort à parier que vous vous arrêtiez fréquemment pour demander votre chemin. Munissez-vous si possible de la **carte routière** MICHELIN National n° 786 au 1/800 000. La carte Cuba, au 1/600 000, éditée au Canada par International Travel Maps, est également très fiable bien qu'ancienne (2005). Plastifiée, elle inclut les plans de La Havane, Santiago de Cuba et Varadero. Vous trouverez ces deux cartes dans votre pays d'origine.

Il n'y a pas de GPS à Cuba, où leur utilisation est interdite, mais vous pouvez utiliser votre smartphone ou tablette en téléchargeant l'application **maps.me** (gratuite) avant de partir. Vous disposerez ainsi d'une carte et de plans de villes très précis, avec indication des stations essence, des restaurants et des hôtels, ainsi que d'une fonction localisation, le tout hors connexion. L'app. **OsmAndMaps** est également très recommandable.

Essence

Les voitures de location fonctionnent avec du super (*gasolina especial - indice d'octane 94*), en vente dans les stations-service **Servicupet** des compagnies Cimex ou Oro Negro, ouvertes 24h/24. L'essence, payable par carte de crédit ou en pesos convertibles, coûte env. 1,25 CUC/l. Faites le plein dès que possible : les stations-service sont rares entre les villes, et nombre d'entre elles ne proposent pas d'essence à indice d'octane 94.

Garer sa voiture en ville

Vous limiterez les risques de vol ou de dégradation en faisant

Route entre Guantánamo et Baracoa.
sabinoparente/Fotosearch LBRF/age fotostock

surveiller votre véhicule. Si vous logez à l'hôtel, le plus simple est de vous y garer. Si vous laissez votre voiture en ville, il surgit toujours une bonne âme pour vous la surveiller quelques heures moyennant 1 ou 2 CUC, mais ne payez jamais à l'avance. Si vous logez dans une *casa particular*, vos hôtes sauront vous proposer un moyen de surveillance pour la nuit : voisin insomniaque, garage improvisé dans la maison ou même jeune garçon qui dormira dans le véhicule. Comptez 2 ou 3 CUC/nuit. Les grandes villes offrent quelques emplacements surveillés, généralement pour 2 CUC/24h.

Contraventions

Si vous êtes arrêté pour une infraction, l'amende (*multa*) dressée par la police n'est pas payée directement à l'agent mais retenue sur la caution par le loueur à la restitution du véhicule.

Panne

En cas d'avarie, contactez votre loueur qui s'occupera de la prise en charge de la réparation, n'allez pas marchander avec les garages locaux.

En cas d'accident

Contactez immédiatement la **police**, ☎ 116, et le bureau de location le plus proche du lieu de l'accident. Avisez également votre ambassade. Pour l'ambassade de France, composez le numéro d'urgence, ☎ (53) 7 201 31 18. Si le procès-verbal de police (*acta de denuncia*) vous tient pour responsable, vous aurez à payer une franchise pour les dégâts matériels causés au véhicule. Si vous avez souscrit une assurance voyage, contactez **Asistur**, unique représentant des sociétés d'assistance étrangères (*voir « Autres assurances », p. 398*).

Mémo

Agenda

👤 Voir aussi les jours fériés et les célébrations, p. 416. Détails dans les agendas de chaque ville concernée.

FÉVRIER

Festival del Habano – www. festivaldelhabano.com. Fin du mois.

MARS

Festival Internacional de la Trova – À Santiago de Cuba, au milieu du mois.

AVRIL

Biennale de La Havane – Tous les deux ans. Prochaine édition en novembre 2018.
Festival del Cine Pobre – http://ficgibara.cult.cu. À Gibara tous les deux ans. Prochaine édition en 2019.

MAI

Romerías de Mayo – À Holguín la 1re sem. de mai.
Tournoi international Ernest-Hemingway – www. internationalhemingwaytournament.com. Fin mai à La Havane.

JUILLET

Festival del Caribe – www. casadelcaribe.cult.cu. À Santiago de Cuba au début du mois.

JUILLET-AOÛT

Carnaval de La Havane – Les 2 premières semaines d'août.
Carnaval de Santiago – Les deux dernières semaines de juillet et la 1re semaine d'août.

AOÛT

Carnaval d'Holguín – La 3e semaine d'août.

OCTOBRE

Festival del Son « Matamoros » – À Santiago de Cuba au milieu du mois
Semana de la Cultura Iberoamericana – À Holguín à la fin du mois.

DÉCEMBRE

Festival international du nouveau cinéma latino-américain – À La Havane.

Bibliographie

HISTOIRE, CULTURE ET SOCIÉTÉ

• **BENIGNO (Dariel ALARCÓN RAMÍREZ)**, *Vie et mort de la révolution cubaine*, Fayard, 1996.
• **BLOCH Vincent**, *La lutte, Cuba après l'effondrement de l'URSS*, Vendemiaire, 2018 et *Cuba, une revolution*, Vendemiaire, 2016.
• **CAPRON Elsa**, *Esclavage et économie de plantation à Cuba (1789-1886)*, Puf, 2014.
• **CARPENTIER Alejo**, *La Musique à Cuba*, Gallimard, 1985.
• **Collectif**, *Cuba de Colomb à Castro, L'histoire méconnue d'une île rebelle*, Ed. de La République, 2017.
• **DEBRAY Régis**, *Loués soient nos seigneurs*, Folio, 2000.
• **FAURE Michel**, *Cuba en 100 questions*, Tallandier, 2018.
• **FOGEL Jean-François et ROSENTHAL Bertrand**, *Fin de siècle à La Havane. Les secrets du pouvoir cubain*, Seuil, 1993.
• **HERBET Marie**, *Cuba, la révolution transgressée*, Nevicata, 2015.

- **LAMORE Jean**, *Cuba*, PUF, Que sais-je ?, n° 1395, 2007.
- **LAMRANI Salim**, *Cuba : ce que les médias ne vous diront jamais*, Estrella, 2009.
- **LANGUEPIN Olivier**, *Cuba, la faillite d'une utopie*, Folio, 2007.
- **LLANES Llilian**, *Maisons du Vieux Cuba*, Arthaud, 1998.
- **MACHOVER Jacobo**, *Cuba de Batista à Castro, une contre-histoire*, Buchet/Chastel, 2018.
- **MANDELL Molly**, *Made in Cuba*, Luster Publishing, 2018 (en anglais).
- **MORTAIGNE Véronique**, *Sons latinos*, Serpent à plumes, 1999.
- **NIEDERLANG Marcel** (dir.), *1959 : Castro prend le pouvoir,* Seuil, 1999.
- **PARANAGUA Paulo Antonio** (dir.), *Le Cinéma cubain*, éditions du Centre Pompidou, 1990.
- **RASENBERGER Jim**, *Un désastre éclatant, Fidel Castro, John Kennedy et la baie des Cochons*, Omblage, 2017.
- **ROUMETTE Sara**, *Cuba, histoire, culture, société*, La Découverte, 2011.
- **ROY Maya**, *Musiques cubaines*, Actes Sud, 2001.
- **TRENTO Angelo**, *Castro et la révolution cubaine*, Casterman, 1998.
- **VINCENOT Emmanuel**, *Histoire de La Havane*, Fayard, 2016.
- *Cuba, 30 ans de révolution*, Autrement, « Monde », 2007.
- *Cuba. Art et histoire de 1868 à nos jours*, sous la direction de Nathalie Bondil, Hazan, 2008. Catalogue de la rétrospective du musée des Beaux-Arts de Montréal en 2008.

BIOGRAPHIES

- **BARNET Miguel**, *Esclave à Cuba, biographie d'un « cimarrón » du colonialisme à l'indépendance*, Gallimard, 1968.
- **CHE GUEVARA Ernesto**, *La Guerre de guérilla*, Champs-Flammarion, 2010.
- **CLERC Jean-Pierre**, *Les Quatre Saisons de Fidel Castro*, Seuil, 1996.
- **CORMIER Jean**, *Che Guevara. Compagnon de la révolution*, Découvertes Gallimard, 2008.
- **FOIX Alain**, *Che Guevara*, Gallimard, 2015.
- **GUEVARA Juan Martin**, *Mon frère le Che*, LGF Poche, 2017.
- **KALFON Pierre**, *Che, Ernesto Guevara, une légende du siècle*, Seuil, 1997.
- **MACHOVER Jacobo**, *La face cachée du Che*, Buchet/Chastel, 2007.
- **NAUMANN Michel**, *Fidel Castro*, Ellipses, 2019.
- **RAFFY Serge**, *Castro l'infidèle*, Fayard, 2016.
- **RAMONET Ignacio**, *Fidel Castro, biographie à deux voix*, Fayard, 2007.
- **TAIBO II Paco Ignacio**, *Ernesto Guevara, connu aussi comme le Che*, Métailié/Payot, 1997.

LITTÉRATURE

👆 Voir aussi « Littérature », p. 371.
- **ARENAS Reinaldo**, *Avant la nuit*, Actes Sud-Babel, 2000 ; *La Couleur de l'été*, Mille et une nuits, 2007.
- **CABRERA Lydia**, *Bregantino Bregantín*, Mercure de France, 1995.
- **CABRERA INFANTE Guillermo**, *Trois tristes tigres*, Gallimard, 1989 ; *La Havane pour un infante défunt*, Points Seuil, 1999.
- **CARPENTIER Alejo**, *Le Partage des eaux, Chasse à l'homme, Le Siècle des Lumières, Le Recours de la méthode*, Gallimard, coll. Biblos, 1991.
- **COLLECTIF**, *Des nouvelles de Cuba*, Métailié, coll. Suite hispano-américaine, 2001.
- **DÍAZ Jesús**, *Les Paroles perdues*, Métailié, 2002 ; *Parle-moi un peu de Cuba*, Métailié, 2011.
- **GREENE Graham**, *Notre agent à La Havane*, 10/18, 2001.
- **GUTIÉRREZ Pedro Juan**, *Trilogie sale à La Havane*, 10x18, 2003.
- **HASSON Liliane**, *Cuba : nouvelles et contes d'aujourd'hui*, L'Harmattan, 2000.

• **HEMINGWAY Ernest**, *Le Vieil Homme et la mer*, Gallimard, 1996.
• **KHADRA Yasmina**, *Dieu n'habite pas à La Havane*, Julliard, 2016.
• **LEZAMA LIMA José**, *Paradiso*, Seuil, 1999.
• **MARTÍ José**, *Vers libres*, L'Harmattan, coll. L'Autre Amérique, 1997.
• **ORSENNA Erik et MATUSSIÈRE Bernard**, *Mésaventures du paradis. Mélodie cubaine*, Points-Seuil, 2005.
• **PADURA Leonardo**, *Électre à La Havane*, Points-Seuil 2006 ; *L'homme qui aimait les chiens*, Points-Seuil, 2014 ; *Hérétiques*, Points-Seuil, 2006.
• **PORTELA Ena Lucía**, *Cent bouteilles sur un mur*, Seuil, 2003.
• **ROSALES Guillermo**, *Mon ange*, Actes Sud, 2004.
• **VALDÉS Zoé**, *La Douleur du dollar*, Actes Sud-Babel, 1996 ; *Le Néant quotidien*, Actes Sud-Babel, 1999 ; *La Sous-Développée*, Actes Sud, 1999 ; *Danse avec la vie*, Gallimard, 2009 ; *La Havane, mon amour*, Flammarion, 2016.
• **VÁZQUEZ DÍAZ René**, *L'Ère imaginaire*, José Corti, coll. Ibériques, 1999 ; *L'Île de Cundeamor*, José Corti, coll. Les Massicotés, 2005.

LIVRES DE PHOTOGRAPHIE ET CARNETS DE VOYAGE

• **FAURE Michel**, *Cuba*, Chêne, coll. Grands Voyageurs, 2016.
• **LAPIN**, *Cuba, an 56 de la Révolution, carnet de voyage sous embargo*, Boite A Bulles, 2014.
• **LÉGER Régis**, *Cuba Gráfica, histoire de l'affiche cubaine*, L'Échappée, 2013.
• **RIBOUD Marc**, *Cuba*, La Martinière, 2016.

Filmographie

Voir aussi « Cinéma », p. 375.

1993 – **Fraise et Chocolat**, de Tomás GUTIÉRREZ ALEA et Juan Carlos TABÍO : en 1979 à La Havane, un homosexuel cultivé rencontre un étudiant hétéro militant des Jeunesses communistes. Une relation amicale se dessine dans laquelle chacun va devoir apprendre à dépasser ses préjugés… L'un des plus grands succès du cinéma cubain (voir aussi p. 58).

1994 – **Ernesto « Che » Guevara, le journal de Bolivie**, documentaire de Richard DINDO : les derniers mois du Che en Bolivie d'après des extraits de son *Journal*. Disponible en cassette chez Arte Vidéo.

1997 – **El Che. Ernesto Guevara : enquête sur un homme de légende**, documentaire de Maurice DUGOWSON : la vie du Che d'après la biographie de Pierre Kalfon.

1998 – **Buena Vista Social Club**, de Wim WENDERS : Eliades Ochoa, Ibrahim Ferrer, Compay Segundo… les doyens de la grande musique cubaine sous le regard sensible d'un passionné.

2001 – **Avant la nuit**, de Julian SCHNABEL : la vie de l'écrivain cubain homosexuel Reinaldo Arenas. Engagé d'abord dans la révolution cubaine, il est ensuite persécuté par le régime de Fidel Castro et est contraint de s'exiler aux États-Unis.

2003 – **Carnets de voyage**, de Walter SALLES : le voyage initiatique du Che à travers l'Amérique latine avec son compagnon de route Alberto Granado.

2005 – **Adieu Cuba**, d'Andy GARCIA : le destin d'un propriétaire de night-club cubain emporté par le vent de la révolution castriste.

2006 – **Habana Blues**, de Benito ZAMBRANO : les péripéties de deux amis de La Havane passionnés de musique, rêvant de se faire remarquer par un producteur et de devenir célèbres.

2008 – **Che, 1re partie : L'Argentin** et **Che, 2e partie : Guérilla**

Musiciens sur Le Malecón, La Havane.
Sisoje/iStock

de Steven SODERBERGH : une
évocation grand public de la
« carrière » révolutionnaire du Che.
La première partie évoque l'assaut
décisif des *barbudos* mené en 1958
à Cuba et l'ascension d'un Guevara
au faîte de ses victoires. Plus
sombre, la seconde partie revient
sur la dernière année du Che en
Bolivie.
2011 – **Chico et Rita**, film
d'animation de Fernando TRUEBA
et Javier MARISCAL : l'histoire d'un
pianiste de La Havane dans les
années 1950.
2012 – **7 jours à La Havane**, de
Laurent CANTET : sept personnages,
sept histoires dans le quotidien de
La Havane contemporaine.
2014 – **Retour à Ithaque**, de
Laurent CANTET : autour du retour
d'un exilé cubain, les désillusions
d'une bande d'amis.
2016 – **Chala, une enfance
cubaine**, d'Ernesto DARANAS :
un jeune Cubain sauvé de la
délinquance par son institutrice.
2017 – **Buena Vista Social Club :
Adios**, de Lucy Walker : retour sur
le parcours du célèbre groupe
musical.

Discographie

Voir aussi « Musique et danse »,
p. 364.
La salsa est sous les feux de la
rampe depuis de nombreuses
années. Réunis sous cette étiquette,
de nombreux genres musicaux
originaires du monde entier se
côtoient. Pour vous y retrouver,
voici une petite sélection de
formations incontournables
et de groupes en vogue, à Cuba
et en Europe.
• **Pachito Alonso y sus kini
kini**, *Ay ! Que bueno está* (en
téléchargement). Digne héritier de
son père Pacho Alonso – l'inventeur
du rythme *pilón* –, Pachito et son
orchestre débordent de vitalité.
• **Afro-cuban All Stars**, *A toda Cuba
le gusta* (World Circuit). Fusion des
genres et des âges.
• **Bebo & Cigala**, *Blanco y Negro*
(2 DVD BMG). La rencontre d'un
chanteur de flamenco et d'un
pianiste cubain.
• **Casa de la Trova** (Warner).
Sérénades caressantes et désuètes
des *trovadores* romantiques de
l'Oriente (Zaida Reyte et les sœurs

Faez) avec trompette pimpante, chorale et violons.

• **La Charanga Habanera**, *Hey, you, loca* (Bis Music). Des sonorités modernes et une chorégraphie mémorable sur scène.

• **Issac Delgado**, *Otra idea* (RMM). Carrière solo pour l'ancien membre de NG la Banda, qui conserve sa voix envoûtante.

• **Ibrahim Ferrer**, *Mi sueño* (World Circuit). De sa voix éraillée, ce formidable improvisateur et guitariste chantait des boléros glamour des années 1940 à 1960.

• **Roberto Fonseca**, *Abuc* (Impulse) ; *At home*, avec Fatoumata Diawara (Jazz Village). Un ancien du Buena Vista Social Club qui combine jazz, rythmes afro-cubains, musiques urbaines et hip-hop.

• **Jóvenes Clásicos del Son**, *Fruta Bomba* (Tumi). La nouvelle génération cubaine renoue avec ses racines tout en distillant une verve très urbaine, dynamique et cuivrée.

• **Las Ondas Marteles**, *Y después de todo* (Bleu Electric). Reprises de grands standards cubains.

• **Los Oldeanos**, *Compilación* (en téléchargement). Le groupe de hip-hop contestataire très populaire à Cuba.

• **Manolín « El Médico de la salsa »**, *Para mi gente* (Milan Spi). Dans les années 1990, ses tubes abordaient des thèmes chers à la jeunesse cubaine.

• **Polo Montañez**, *Guajiro Natural* (en téléchargement). Originaire de la région de Pinar del Río, Polo Montañez, de son vrai nom Fernando Borrego Linares, exaltait la tradition populaire cubaine.

• **Benny Moré**, *Baila mi son* (en téléchargement). Une excellente compilation de morceaux interprétés par le « Barbare du rythme ».

• **NG La Banda**, *Best of* (Milan Spi). Comme leur nom l'indique, les précurseurs de la nouvelle génération cubaine.

• **Eliades Ochoa**, *Sublime Illusion* (Wea). Boléros joués avec force cordes et percussions ; *Un Bolero para ti* (Mis) a remporté un Latin Grammy Award.

• **Orishas**, *A Lo Cubano* (Parlophone) ; *Emigrante* (Parlophone) ; *El Kilo* (Parlophone). Le rap très original de ce groupe résidant en France intègre la tradition cubaine, avec des accords un peu plus mélodieux sur les deux derniers albums.

• **Raúl Paz**, *Havanization* (Naïve) ; *En Casa* (Naïve). Digne héritier des *trobadores*, ce jeune chanteur-compositeur originaire de Pinar del Río possède un univers très personnel qui mélange diverses influences (salsa, *son*, folk, jazz, etc.).

• **Guillermo Portabales**, *El carretero* (World Circuit). Les meilleurs morceaux d'un monument de la *guajira*.

• *Introducing…* **Rubén González** (World Circuit). Ce virtuose du piano avait enregistré son premier album à 77 ans. Des morceaux d'anthologie magnifiquement interprétés.

• **Compay Segundo**, *Antología* (Dro) ; *Cien años de son* (Dro) ; *Calle Salud* (Dro). Mort en 2003 à l'âge de 96 ans, il reste l'un des meilleurs représentants du *son* traditionnel sur la scène européenne.

• **Danay Suárez**, *Havana Cultura Sessions* (Brownswood Recordings). Cette chanteuse venue du rap propose un album jazz teinté de soul et de blues.

LE GUIDE **MICHELIN**

Plus de 3600 adresses dans toute la France.
Disponible dans toutes les bonnes librairies.

Notes

Notes

Notes

INDEX GÉNÉRAL

La Havane : villes, monuments et régions touristiques.
Castro (Fidel) : noms historiques ou termes faisant l'objet d'une explication.
Les **sites isolés** (châteaux, églises, grottes…) et les **sites géographiques**
plus étendus (baies, péninsules, vallées…) sont répertoriés à leur propre nom.

INDEX GÉNÉRAL

W

Wenders (Wim) 376
Weyler (Valeriano)............................ 346

X

X-Alfonso...65

Y

Yorubas... 345
Yumurí (Valle de) 131
Yunque (El)..297

Z

Zapata (Península de)......................156

Se débrouiller en espagnol

Un dictionnaire de poche vous sera de la plus grande utilité si vous ne parlez pas un mot d'espagnol. À quelques exceptions près, toutes les lettres se prononcent en espagnol. Des précisions phonétiques pourront cependant vous aider à vous faire comprendre de vos interlocuteurs. Le « ll » de *llave* se rapproche d'un « ly » (lyave), le tilde « ñ » de *señor* est semblable au « gn » d'agneau, le « v » et le « b » sont très proches (*vaca* et *baca* sont quasiment homophones et se prononcent « baca »). Reste l'épineux problème de la *jota*, le « j » gutural espagnol, et du « r » roulé, surtout lorsque la consonne est doublée.

LES CHIFFRES

un	uno
deux	dos
trois	tres
quatre	cuatro
cinq	cinco
six	seis
sept	siete
huit	ocho
neuf	nueve
dix	diez
onze	once
douze	doce
treize	trece
quatorze	catorce
quinze	quince
vingt	veinte
cent	cien
mille	mil

Les chiffres se composent ensuite ensemble : dix-sept : diecisiete, vingt-deux : veintidós, etc.

LES MOIS ET LES SAISONS

janvier	enero
février	febrero
mars	marzo
avril	abril
mai	mayo
juin	junio
juillet	julio
août	agosto
septembre	septiembre
octobre	octubre
novembre	noviembre
décembre	diciembre
printemps	primavera
été	verano
automne	otoño
hiver	invierno

LES JOURS DE LA SEMAINE

lundi	lunes
mardi	martes
mercredi	miércoles
jeudi	jueves
vendredi	viernes
samedi	sábado
dimanche	domingo

FORMULES DE POLITESSE

oui, non	sí, no
bonjour	buenos días (matin)
	buenas tardes (après-midi)
bonsoir, bonne nuit	
	buenas noches
salut	hola
au revoir	adiós
à plus tard	hasta luego
enchanté(e)	encantado(a), mucho gusto

Comment allez-vous ?

	¿ Qué tal ?
s'il vous plaît	por favor
merci (beaucoup)	(muchas) gracias

Je vous en prie	de nada
pardon	perdón, disculpe
Je ne comprends pas	
	no entiendo
Je ne parle	
pas espagnol	no hablo español
Monsieur, vous…	señor, usted…
Madame	señora
Mademoiselle	señorita

LE TEMPS

quand ?	¿ Cuándo ?
Quelle heure est-il ?	
	¿ Qué hora es ?
maintenant	ahora
tout de suite	enseguida
date	fecha
année	año
siècle	siglo
aujourd'hui	hoy
hier	ayer
demain matin	mañana por la mañana
demain après-midi	
	mañana por la tarde
demain soir	mañana por la noche

SE DIRIGER

Où se trouve… ?	¿ Dónde está… ?
adresse	dirección
à droite	a la derecha
à gauche	a la izquierda
tout droit	recto
tourner	doblar, girar
près de	cerca de
loin de	lejos de
angle, coin	esquina
carte, plan	mapa

LES TRANSPORTS

billet (avion, train)	
	pasaje (avión, tren)
aller-retour	ida y vuelta

bateau	barco
faire du stop	coger botella
amende	multa
stationnement interdit	
	parqueo prohibido

À L'HÔTEL

réception	carpeta
réceptionniste	carpetero (a)
hôte, client	huésped
chambre simple	habitación sencilla
chambre double	habitación doble
salle de bains	cuarto de baño
lit	cama
drap	sábana
couverture	manta
clé	llave
toilettes	servicios, baño
air conditionné	aire acondicionado

AU RESTAURANT

manger	comer
boire	beber
Je voudrais…	quisiera…
petit-déjeuner	desayuno
déjeuner	almuerzo
dîner	cena
addition	cuenta
menu	menú, carta

POUR CHOISIR LE MENU

aguacate	avocat
arroz	riz
azúcar	sucre
bocadillo	sandwich
boniato	patate douce
camarón	crevette
carne asada	viande rôtie
cerdo	porc
chicharrón	couenne de porc frit
congrí	riz avec haricots
cordero	agneau
frijoles	haricots
helado	crème glacée

huevo	œuf
jamón	jambon
langosta	langouste
lechón	cochon de lait
lechuga	laitue
mantequilla	beurre
manzana	pomme
mariscos	fruits de mer
pan	pain
papa	pomme de terre
pescado	poisson
picadillo	viande hachée
pimienta	poivre
plátano	banane
pollo frito	poulet frit
postre	dessert
puerco	porc
queso	fromage
res	bœuf
sal	sel
ternera	veau
yuca	manioc
zanahoria	carotte

LES BOISSONS

thé	té
café noir	café solo
café au lait	café con leche
chocolat	chocolate
eau minérale	agua natural
eau gazeuse	agua con gas
eau du robinet	agua de la pila
rafraîchissement	refresco
glace	hielo
jus d'ananas	jugo de piña
pamplemousse	toronja
papaye	fruta bomba
milk-shake	batido
bière	cerveza
rhum	ron
vin	vino

LES ACHATS

Combien est-ce ?	¿ Cuánto es ?
cher	caro
bon marché	barato
devises	divisas
monnaie	moneda

nationale	nacional
espèces	efectivo
carte de crédit	tarjeta de crédito
magasin	tienda
marché paysan	agromercado
queue	cola
facture, reçu	comprobante, recibo
cigare	puro, tabaco
cigarettes	cigarrillos

LES COMMUNICATIONS

enveloppe	sobre
timbre	sello
boîte aux lettres	buzón
bureau de poste	oficina de correos
téléphoner	llamar por teléfono
appel	llamada
international	internacional

LES VISITES

guide	guía
entrée	entrada
sortie	salida
ouvert	abierto
fermé	cerrado
travaux	obras
guichet	taquilla
attendre	esperar
étage	piso
escalier	escalera
plafond	techo
trésor	tesoro

LES MOTS DE LA RUE À CUBA

super, génial	chévere
faire du stop	coger botella
bus	guagua
camarade	compañero (a), compadre
marginal	friki
fric	guaniquiqui
ok	se prononce « oka »
Comment ça va, mon frère ?	¿ qué bola, asere ?